LA RÉVOLUTION FRANÇAISE ET L'EUROPE 1789-1799

* *

Galeries nationales du Grand Palais, Paris
16 mars - 26 juin 1989

LA RÉVOLUTION FRANÇAISE ET L'EUROPE 1789-1799

* *

XXe exposition du Conseil de l'Europe

Ministère de la Culture, de la Communication
des Grands Travaux et du Bicentenaire
Editions de la Réunion des musées nationaux

Tome 2

10, rue de l'Abbaye - 75006 Paris
ISBN : 2-7118-2214-1 (édition complète brochée)
ISBN : 2-7118-2265-6 (tome 2)
ISBN : 2-7118-2273-7 (édition complète reliée)
ISBN : 2-7118-2275-3 (tome 2)

DEUXIÈME PARTIE

L'ÉVÉNEMENT RÉVOLUTIONNAIRE

Pages

XII
LES PREMIERS ÉVÉNEMENTS ET LA PRISE DE LA BASTILLE 375

XIII
LA CHUTE DE LA MONARCHIE ET LA MORT DU ROI 415

XIV
LA LUTTE POUR LE POUVOIR 435

XV
L'ÉMIGRATION 469

XVI
LA GUERRE EXTÉRIEURE 475

XVII
LA LUTTE ANTIRELIGIEUSE 523

XVIII
LA GUERRE INTÉRIEURE 541

XIX
PROPAGANDE ET CONTRE-PROPAGANDE 557

XX
LA GUERRE PAR L'IMAGE 567

XXI
L'ENGAGEMENT DES ARTISTES 605

XII
LES PREMIERS ÉVÉNEMENTS ET LA PRISE DE LA BASTILLE

Bien que le parti suivi dans cette exposition ne soit pas chronologique, il était nécessaire de marquer la charnière qui sépare la « prérévolution » de la Révolution proprement dite. Le choix de la date n'était ni facile ni indifférent. Fallait-il choisir la « journée des Tuiles » à Grenoble (7 juin 1788) que l'on peut considérer comme la première des « journées » révolutionnaires ? Fallait-il se montrer plus « légaliste » et considérer que la réunion des États généraux marquait, le 5 mai, le début de l'enchaînement des événements ? Le serment du Jeu de paume aurait fourni un meilleur terme s'il avait été possible de présenter la grande toile inachevée de David, malheureusement indéplaçable. Le dessin de Monnet, qui fut largement diffusé par l'estampe sous la Révolution, en tient modestement la place. C'est finalement, et conformément au choix qu'auraient sans doute fait les contemporains, le 14 juillet 1789 qui a été choisi comme date repère.

Il est peu d'exemples dans l'histoire où le décalage entre le vécu d'un événement et l'importance qui lui a été par la suite reconnue ou attribuée soit plus total que dans le cas de la prise de la Bastille.

Si l'on veut résumer en quelques mots l'événement, on peut dire que le 14 juillet 1789 une bande d'émeutiers, appuyés par des soldats en rupture de ban, s'emparèrent d'une forteresse médiévale, passablement vétuste, dans l'espoir d'y trouver des armes. Une recherche systématique sur l'histoire des révoltes urbaines fournirait sans doute bien des exemples comparables. Mais la forteresse en question était un symbole, connu de toute l'Europe, et sa chute ne pouvait passer inaperçue. Ce qui explique la place exceptionnelle, pour le nombre des images et souvent la qualité, que la Bastille occupe dans l'iconographie de la période révolutionnaire. Seule peut-être la mort du roi fut aussi souvent représentée, mais dans un tout autre contexte.

Le dossier présenté dans cette exposition n'a pas cherché à être exhaustif mais s'est attaché surtout à présenter cette iconographie à la fois dans sa variété et certaines de ses filiations. Il a été volontairement limité au domaine des arts graphiques même si le thème de la Bastille a été largement utilisé dans le répertoire des céramiques patriotiques et des impressions sur tissu.

Démolition de la Bastille, par l'Allemand Will (cat. 517, détail).

LE PROCESSUS RÉVOLUTIONNAIRE

« Lorsqu'on veut empêcher les horreurs d'une révolution, il faut la vouloir et la faire soi-même ; elle était trop nécessaire en France pour ne pas être inévitable. » C'est en ces termes que Rivarol, publiciste royaliste, mais lucide, jugeait les événements qui se déroulèrent en France dans la dernière décennie du XVIIIe siècle. En effet, tous les problèmes financiers, fiscaux, politiques, économiques, sociaux et culturels se posèrent en même temps au pays, et avec de plus en plus d'acuité, à la veille de la Révolution. Débordé par l'urgence, le régime ne put régler aucune de ces questions. Ni le roi, qui ne vit dans les événements qu'une « mutinerie », tout au plus une « révolte », ni Necker, financier probe et intègre, mais obsédé par le déficit budgétaire, ne surent prendre les décisions qui s'imposaient, décisions qui passaient nécessairement par une refonte des structures de la nation.

Structure et conjoncture à la veille de la Révolution

Démographie et production

La crise qui se noua dans les années 1780 fut le résultat d'une série de blocages sociaux de tous ordres, d'une suite de décalages économiques et administratifs incohérents, que l'organisation de la France d'Ancien Régime n'avait pas les moyens de résoudre.

Bien que les méthodes et les rendements agricoles eussent peu varié depuis le XVIIe siècle, la population était passée de 16 millions d'habitants en 1715 à 26 millions environ en 1789[1]. L'explosion démographique avait été favorisée par un décollage économique de type capitaliste[2], encore fragile, qui restait à la merci des fluctuations climatiques. Cette phase de croissance[3], entamée vers 1730, et qui devait durer jusque vers 1815, connut son âge d'or entre 1760 et 1775, pour retomber dans un intercycle d'une quinzaine d'années à la veille de la Révolution. La moindre défaillance du système risquait de compromettre la production, et de rejeter l'excédent d'hommes d'une société qui ne pouvait tous les absorber. L'exclusion sociale fut l'une des principales causes de la Révolution.

Peuplée à 85 pour cent de ruraux, dont deux tiers étaient des paysans, la France connut une crise agricole liée aux variations du climat, à partir de 1785. Les sécheresses succédant à des hivers très rudes provoquèrent la rareté et la cherté des denrées. Durant le terrible hiver de 1788-1789, la disette se déclara, due également à l'incompétence de Necker, qui stocka les grains, quand il eût dû ouvrir les silos. Le chômage apparut en même temps que des bandes errantes sillonnaient les campagnes.

Des réformes étaient possibles. Mais elles passaient par une remise en cause des structures agricoles, tant au niveau de la production que de la circulation des grains.

Cette crise économique entraîna nécessairement un mécontentement général qui ne put que profiter à la Révolution. Mais elle ne fut pas seule en cause.

Blocages administratifs de la France d'Ancien Régime

« Agrégat inconstitué de peuples désunis », selon Mirabeau, la France d'Ancien Régime présentait partout des structures administratives qui n'étaient pas faites pour favoriser le commerce intérieur. « À chaque relais, on change de lois en changeant de chevaux de poste », disait Voltaire en manière de boutade. En effet le pays apparaissait comme représenté par une série de strates administratives qui se superposaient en se niant les unes les autres et paralysaient les échanges. Aux survivances médiévales — le servage persistait en Franche-Comté, en Nivernais — surtout sensibles au niveau des impôts (directs comme la taille ou la capitation, indirects comme les aides ou les traites) et des corvées que le paysan devait toujours à son seigneur, s'étaient adjointes des admi-

1. En 1789, la France est un pays jeune qui présente une pyramide des âges très élargie à la base. La transformation de la société en vue d'un meilleur rendement explique le décollage démographique, surtout sensible dans les plaines du Nord, et l'espacement des disettes, que l'on observe sur tout le siècle. L'Ouest, la Bretagne, la Vendée, la Normandie, pays de bocages, cloisonnés, ne profitèrent pas de ces améliorations. Leur archaïsme persista jusqu'aux guerres de la Révolution, auxquelles ces régions s'opposèrent. La société française, divisée en classes, était moulée dans les ordres : noblesse (environ 700 000 personnes), clergé (environ 130 000 religieux) et tiers état. Les classes sociales se recouvraient au sein de ces catégories. Il fallait distinguer la noblesse de cour de la noblesse rurale (les élus vendéens aristocrates des États généraux se présentèrent en blouse). Ces privilégiés pauvres étaient dépassés en richesse par la haute bourgeoisie. Mais le tiers état comptait beaucoup de paysans, artisans, et petits bourgeois lettrés (avocats, artistes...). Le clergé était l'ordre le plus hétérogène. Au haut clergé de souche nobiliaire s'opposaient le curé ou le moine roturier.

2. En 1787, le commerce extérieur français atteignait 1 153 millions, autant que l'Angleterre. Les industries se multiplièrent durant la seconde partie du siècle : forges de Buffon à Montbard ; manufacture de toiles d'Oberkampf, à Jouy ; manufactures de papier des frères Montgolfier... La production houillère passa en soixante-dix ans de 7 à 800 pour cent, celle de la fonte progressa de 200 pour cent, celle du fer de 300 pour cent.

3. Les historiens distinguent phases A et B. La phase A correspond à une période de croissance, la phase B à une récession.

nistrations plus récentes, résultat de la centralisation du siècle précédent. Si l'intendant était l'homme du roi dans sa généralité, il se trouvait en opposition avec le gouverneur, issu de la haute noblesse, même si celui-ci était doublé d'un lieutenant général, institution rétablie par Turgot. Deux systèmes se heurtaient, verticaux, mais dont l'origine était différente. Multiple était la France de 1789, où s'opposaient les pays anciens d'élection et les pays d'État, plus récemment acquis à la Couronne (Bretagne, Bourgogne et Franche-Comté, Languedoc, Flandre, Dauphiné, Provence, etc.). Ces provinces possédaient leurs propres états des trois ordres, au rôle souvent essentiel, mais qui tendait à diminuer. Les assemblées provinciales réunies à la veille de la Révolution ravivèrent le souvenir de ces particularismes. Partout la fiscalité différait selon les régions, et il en allait de même de la justice, où l'on distinguait au nord, différents droits coutumiers, et au sud, un droit romain.

Cette hétérogénéité pourrait être étendue indéfiniment, et les langages n'invitaient pas à une plus grande cohésion, qui ne reposait de fait que sur le roi. La fusion des Français, qui passait nécessairement par la centralisation, fut l'une des plus opportunes réalisations de la Révolution.

Il était clair toutefois que le centralisme royal, inachevé, n'était venu que s'ajouter aux particularismes, gênant la bonne marche des affaires, et finalement inefficace. À preuve, l'incapacité dans laquelle se trouvait le gouvernement pour percevoir la gabelle qu'il avait confiée à des particuliers, les fermiers généraux[4]. Comment mieux percevoir les termes révolutionnaires d'« Unité » ou d'« Indivisibilité » qu'en concevant le besoin de cohésion dans lequel se trouvait la France en 1789 ? De même, comment analyser les révoltes fédéralistes de 1793, en Normandie, à Lyon, à Toulon, sans avoir présent à l'esprit les extrêmes différences des régions sous l'Ancien Régime ?

4. La Ferme générale, ou mieux la Ferme, avait été constituée pour recevoir l'impôt sur le sel, la gabelle. Le droit était obtenu par adjudication. L'État était ainsi assuré d'un revenu fixe, sans qu'il eût à se soucier de son recouvrement. Mais comme la différence entre l'adjudication et le montant de l'impôt constituait le bénéfice du fermier général, il fut très souvent porté à en abuser. Lavoisier paya de sa tête le fait d'avoir été fermier général.

5. Décapitée depuis la Fronde, la noblesse cherchait à recouvrer son ancienne valeur, en se fondant sur trois points : la terre, les privilèges honorifiques et l'entreprise. Cette dernière posait cependant le problème de la dérogeance.
La faiblesse du revenu féodal dans certaines régions poussa les nobles à employer des feudistes pour réactiver leurs anciens droits. Chateaubriand témoignera en ce sens dans ses *Mémoires d'outre-tombe*, et c'est en faisant ce métier que Babeuf se ralliera à la Révolution.

6. Abbé Barruel, *Abrégé des Mémoires pour servir à l'histoire des Jacobins*, Hambourg, 1798, 2 vol.

7. Victime de la laïcisation et de la matérialisation de la pensée et de la société, le clergé souffrait dans son recrutement. Depuis 1766, on fermait des couvents. Entre 1770 et 1790, le nombre des réguliers tomba de 26000 à 17000.

8. Depuis les penseurs du XVIIe siècle, Cardin Le Bret, Jérôme Bignon, etc., le roi était absolu. Il était le Roi-Héros, le Roi-Dieu. Et Louis XVI le rappelait encore devant le lit de justice de 1787 : « C'est légal, parce que je le veux. » Mais de telles paroles ne faisaient qu'encourager la contestation, tant elles révélaient de décalages sociaux et mentaux, par rapport à la réalité.

Exclusions sociales en 1789

À l'absurdité des blocages administratifs étaient venus se greffer des blocages sociaux incompatibles avec l'économie capitaliste naissante. Durant tout le XVIIIe siècle, envahie ou dépassée par la haute bourgeoisie d'affaires et de finances, la noblesse pauvre, rurale le plus souvent, n'avait eu de cesse de faire resurgir ses vieux droits féodaux, oubliés depuis plusieurs siècles, et qui, pesant sur la paysannerie, lui permettaient pourtant de s'enrichir, ou tout au moins de survivre[5]. Le processus, local dans un premier temps, se radicalisa sous le règne de Louis XVI. Pressé par la bourgeoisie, le gouvernement adopta les lois les plus réactionnaires, qui excluaient les roturiers des rênes de l'État. En 1781, le comte de Ségur, ministre de la Guerre, promulga un édit portant sur la création de sous-lieutenants qui, ne sortant ni du rang ni de l'école, justifiaient de quatre quartiers de noblesse. Le bilan fut qu'en 1789, on se trouvait avec un État où, par exemple, tous les ministres et tous les évêques étaient nobles. La rancune bourgeoise fut des plus tenaces. Barnave se souvint sans doute longtemps de sa mère obligée de céder son siège à un privilégié, au théâtre de Grenoble.

Tandis que la noblesse freinait le progrès, la bourgeoisie cherchait par tous les moyens à accéder aux honneurs. Les noms de Fabre d'Églantine ou de Collot d'Herbois sont en ce sens très révélateurs du désir de bousculer des lois jugées absurdes.

L'exclusion sociale était partout, à la campagne, parmi les paysans, à la ville, parmi les bourgeois ou les artisans. Les luttes politiques de la Révolution sont incompréhensibles aussi, si l'on oublie que le tiers état, roturier, était en grande majorité composé de bourgeois. Les journées populaires de 1793 n'auront d'autre but que de permettre au petit peuple d'avoir accès aux fonctions de l'État.

Aspects culturels de la crise

Sans ajouter foi aux affirmations de l'abbé Barruel[6], qui voyait dans la Révolution le résultat d'un complot maçonnique, il convient toutefois de relever la profonde crise culturelle que traversait la France à la fin de l'Ancien Régime. Amorcée dès le milieu du siècle, la déchristianisation[7], qui se poursuivra avec violence jusqu'à la fin de l'année 1793, laissait un large vide dans les consciences populaires, prêtes dès lors à accepter toute nouveauté ou remise en cause. Le prestige du « grand roi », absolu parce que d'origine divine, en fut affecté. Tant du côté des nobles que dans le peuple. La tentation nobiliaire des années 1787-1788 fut le résultat de cette brèche ouverte dans le système mental issu de la féodalité[8].

La laïcisation, surtout sensible dans la bourgeoisie, fut le résultat de la culture philosophique, et de la rationalisation qui en découla. Le goût pour l'Antiquité fut l'une des formes empruntées par cette mutation.

L'affiliation à un club se généralisa dès le règne de Louis XVI, conduisant droit à la discussion politique, et à l'adhésion à une loge maçonnique[9]. Une nouvelle conception du monde, plus matérialiste, apparut à la fin de l'Ancien Régime, encore avivée par la crise.

Le processus révolutionnaire

Ressorts de la Révolution

Dès les premières contestations, menées par les privilégiés, en 1787-1788, ce qu'Albert Mathiez a dénommé « la révolte nobiliaire » et Georges Lefebvre « la révolution aristocratique », tous les éléments du processus révolutionnaire se nouèrent, souvent dans l'incompréhension générale.

Le déficit chronique de 125 millions environ, né des dépenses exceptionnelles engagées pour la guerre d'Amérique, fut le détonateur de la Révolution. Les réformes structurelles proposées par Calonne, contrôleur général des finances, en 1786, dans son *Plan d'amélioration des finances*, provoquèrent la résistance des assemblées de privilégiés, brisées par Loménie de Brienne l'année suivante[10]. Aussitôt des troubles naquirent en province, mais personne ne comprit le décalage entre ces deux types de contestation.

Il fallut attendre la convocation des États généraux, le 8 août 1788, pour qu'apparaissent réellement les revendications et les ressorts de la Révolution.

La dynamique révolutionnaire fut le fait du petit peuple, paysans, artisans des villes, devenus sans-culottes plus tard. À l'archaïsme de la révolte nobiliaire succéda une révolution « légale », menée par la bourgeoisie, mais qui tendit très rapidement à se stabiliser, malgré l'impossibilité où elle se trouvait de le faire. C'est ici qu'interviennent les notions d'exclusion sociale, de besoin de fusion et d'unification.

La spontanéité, l'accélération temporelle des événements s'expliquent dès lors par des ressorts psychologiques entremêlés dans les différents éléments de la crise, perçus plus ou moins consciemment[11].

L'immense espoir suscité par les États généraux, perceptible à la lecture des cahiers de doléances, suscita en contrepartie une peur diffuse de la noblesse, d'un « complot » contre le peuple, attisé par la disette, et de l'attitude de la bourgeoisie, qui tendait à exclure le petit peuple de ses propres affaires.

Un réflexe de défense fut le résultat de ces sentiments contraires. On s'arma spontanément pour faire aboutir les réformes. Ces soulèvements populaires forcèrent les députés à outrepasser leurs rôles et leurs revendications. Toute la difficulté résida, pour les gouvernements successifs, dans la nécessité de canaliser les violences, de les utiliser pour leurs propres intérêts, tout en sauvegardant la légalité. Si l'Assemblée nationale, céda souvent devant la force en juillet-août 1789, face à la révolte paysanne, puis en octobre face à la population parisienne[12], elle chercha par la suite à réprimer les excès. Ce fut le cas le 17 juillet 1791, qui vit la garde nationale tirer sur les manifestants au Champ-de-Mars. Les Girondins tentèrent quant à eux de détourner la violence dans la guerre. Mais il devait finalement appartenir aux Jacobins de se servir de ce ressort essentiel, pour assumer les contradictions de la Révolution, et sauver ainsi la France. Ce fut grâce à l'alliance de la Montagne et du peuple de Paris que les Girondins furent proscrits au 2 juin 1793. Mais bientôt débordée par la poussée des sans-culottes, la Convention montagnarde dut concéder des lois extrémistes au mouvement populaire[13]. Toutefois, elle le fit dans la légalité, obtenant en contrepartie les moyens d'une politique dictatoriale, qui prit forme dans la Terreur. La démocratie directe, à laquelle tendaient le peuple des campagnes et l'artisanat des villes durant toute la crise révolutionnaire, ne devait cependant jamais aboutir. D'autant que la sans-culotterie ne s'érigea pas en faction, encore moins en parti politique, et qu'aucune unité ne souda la paysannerie et le mouvement populaire, dont les revendications économiques divergeaient.

Les rôles moteurs de la Révolution se trouvèrent inversés. Dans son *Rapport sur les principes du gouvernement révolutionnaire*, prononcé le 15 frimaire an II (25 décembre 1793), Robespierre pouvait affirmer que l'assemblée était devenue « le centre unique de l'impulsion du gouvernement ».

Le mouvement populaire fut alors décapité. Le Comité de Salut public, organe exécutif suprême de la Convention, évinça successivement les Enragés, la Commune de Paris, les hébertistes puis les dantonistes.

On a beaucoup écrit sur la fin de la Révolution. Faut-il en effet la situer au 9 thermidor, en brumaire an IV (octobre 1795), au moment de la séparation de la Convention, ou en brumaire an VIII (novembre 1799), au coup d'État de Bonaparte ? La date de l'automne 1793 serait sans doute plus justifiée, puisque le mouvement populaire, exclu jusqu'à présent des fonctions du gouvernement, fait irruption sur la scène politique légale, en même temps que lui échappe l'initiative de la lutte.

Légalisant le meurtre par le renforcement du dispositif punitif, le gouvernement révolutionnaire révélait pourtant toutes

9. Dirigé par le duc d'Orléans, le Grand-Orient de France était bien implanté dans le royaume, sous le règne de Louis XVI. Les loges étaient nombreuses dans le Midi ; alors que l'Ouest en était quasiment dépourvu (*cf.* M. Vovelle, *la Chute de la monarchie. 1787-1792*, Paris, 1972, p. 85 et carte p. 77).

10. Les réformes proposées par Calonne étaient justifiées : suppression des douanes intérieures, systématisation des assemblées municipales, de district, puis provinciales, créées par Necker en 1778 en les limitant au Berry, la Guyenne, le Dauphiné et le Bourbonnais. Mais elles se heurtèrent aux nobles qui préféraient la généralisation des États provinciaux. On arrêta les meneurs, Montsabert et d'Eprémesnil, et Loménie de Brienne parvint à briser les parlements en mai 1788.

11. A. Soboul, *la Révolution française*, Paris, 1965, pp. 30-36.

12. Le rappel de Necker, licencié par le roi le 11 juillet 1789, fut le résultat de la prise de la Bastille. Et qui aurait pu s'opposer aux foules qui ramenèrent la famille royale de Versailles à Paris, les 5 et 6 octobre suivant ?

13. En septembre 1793, le mouvement populaire arracha plusieurs lois à la Convention. La terreur fut décrétée le 5, l'armée révolutionnaire de l'hébertiste Ronsin le 9, le maximum du prix des grains le 11, la loi sur les suspects le 17 et le maximum général le 29.

les contradictions de la Révolution, en même temps que son pragmatisme.

Vaste nationalisation, il apparaissait comme l'antithèse de la démocratie et à l'opposé de l'idéal de liberté recherché depuis 1789. Mais il faut concevoir cette solution extrême comme une mesure de nécessité, dictée par le contexte extraordinaire de périls que traversait alors la France.

Toute l'histoire de la Révolution pourrait se résumer à une discussion autour du thème de l'exclusion sociale. L'enthousiasme qui présida à l'élaboration de la *Déclaration des droits de l'homme et du citoyen*, se heurta bien vite à une série des réalités socio-culturelles et économiques, et à des intérêts divergents. Le débat révolutionnaire porta sur les nécessités de l'intégration et de la fusion. Ce sont ces éléments qui expliquent l'accélération et le crescendo des violences, en même temps que l'adoption de mesures de pis-aller, telles que la proclamation de la République, en septembre 1792, et la Terreur.

Mais en se coupant de ses bases populaires, seuls éléments dynamiques, la dictature robespierriste préparait en fait le retour à un régime moins extrémiste, situé essentiellement au niveau du gouvernement. Est-il vraiment réaliste de parler de recul à propos du Directoire ? Dans les faits peut-être. Mais cette solution fut constamment recherchée par la bourgeoisie dès les débuts de la Révolution. En ce sens, l'expérience de l'an II peut jusqu'à un certain point être interprétée comme un dérapage[14].

Saint-Just pouvait s'alarmer au printemps 1794 : « La Révolution est glacée. » La relative inertie observée dans les sections parisiennes venues libérer Robespierre et ses comparses à l'Hôtel de Ville, dans la nuit du 9 au 10 thermidor, s'explique en grande partie par l'éradication du ressort populaire. Il n'exista plus dès lors que des soubresauts, dont la journée du 1er prairial an III (20 mai 1795) fournit le meilleur exemple[15].

On peut, sans se tromper, affirmer que l'intermède robespierriste fut nécessaire à plus d'un titre, puisqu'il prépara et assura la victoire définitive de la bourgeoisie, qui fut la grande bénéficiaire de la Révolution.

L'impossible équilibre

La seconde phase de la Révolution[16], qui rechercha désespérément un équilibre insaisissable, hérita de toutes les contradictions apparues entre 1789 et 1794. Mais effrayée par l'expérience de l'an II, la bourgeoisie au pouvoir apprit à se souder face aux périls.

La Convention thermidorienne, puis le Directoire renouèrent avec la période préterroriste, mais exclurent définitivement royalisme et mouvements populaires[17] de leur sein. C'est ce qui explique les coups d'État répétés qui ponctuent leur histoire de 1795 à 1799, et qui n'avaient d'autre but que de rejeter les éléments indésirables, dont les sursauts se multipliaient, risquant d'emporter et de balayer le fragile équilibre instauré.

Évoluant sur une latitude extrêmement étroite, la bourgeoisie ne sut pas se servir de la guerre pour détourner la violence, comme le fera si bien Napoléon plus tard, ni non plus absorber les extrémistes.

Le Directoire, gouvernement exclusif d'une seule classe sociale, apparaît finalement à l'historien, comme la première tentative d'implantation de la nouvelle économie de type capitaliste, dont le XIXe siècle sera le bénéficiaire. De cette époque également datent les différents modes de pensées, nés de l'exclusion sociale dont la France actuelle est encore l'héritière, du conservatisme le plus dur, au socialisme le plus avancé.

Il devait appartenir en dernier lieu à Bonaparte de résoudre les tensions extrêmes nées de la Révolution, en rétablissant un gouvernement fort, fondé sur la fusion sociale, et sur le mérite, et en renouvelant la dynamique révolutionnaire par la notion de gloire militaire. Toutefois, l'économie de l'Empire ne satisfaisait personne. Le dirigisme impérial enrayait ou gênait l'implantation d'une nouvelle économie capitaliste, et la période napoléonienne n'apparaît en fait que comme un intermède, original à plus d'un titre, mais qui ne profita guère au pays. Elle fut un expédient par beaucoup de côtés, et ne participait que de fort loin à l'évolution logique de la société occidentale.

Trois questions

1789 : rupture ou continuité ?

Ainsi que le dit Hubert Méthivier[18], cette question n'est peut-être qu'un faux problème, sans doute mal posé, mais elle demeure essentielle, tout comme la suivante.

Issue de l'Ancien Régime, la génération de 1789 était sans conteste l'héritière de la pensée culturelle du XVIIIe siècle. La Révolution fut son œuvre, et Tocqueville pouvait à bon droit souligner la permanence centralisatrice, depuis la monarchie jusqu'à la Terreur.

Pourtant, la rupture fut consciente dans les esprits, dans toutes les classes, du noble constituant au sans-culotte parisien.

14. F. Furet - D. Richet, *la Révolution française*, Paris, 1965, chap. 5, « le Dérapage de la Révolution », pp. 125-157.

15. Poussés par la misère, l'assignat atteignait presque 20 milliards, les sans-culottes des faubourgs envahirent la Convention, brandissant au bout d'une pique la tête du député Féraud qu'ils présentèrent à Boissy-d'Anglas, forcé de la saluer. Mais ils furent finalement repoussés. Inorganisés, ils n'avaient aucune revendication à exprimer, si ce n'est réclamer des vivres.

16. Nous distinguons la phase ascendante et violente, de 1789 à 1794, de la phase de recherche d'un équilibre, fin 1794 à 1799. Mais ces catégories ne recouvrent pas de réalité politique stricte. La Révolution est un tout, « un bloc » disait Clemenceau, dont il est difficile de distraire une partie.

17. Les royalistes furent exclus du pouvoir par la loi du 3 brumaire an IV (25 octobre 1795), qui refusait la fonction publique aux parents d'émigrés. Les paysans quant à eux étaient rentrés dans le parti de l'ordre depuis la loi du 17 juillet 1793, qui abolissait purement et simplement la féodalité. Le problème fut plus délicat avec le mouvement populaire des villes, qui n'était pas entièrement mort, d'autant que le discours de la bourgeoisie favorisait nettement la naissance du prolétariat moderne. De nombreux Jacobins s'étaient ralliés au complot de Babeuf. Les nostalgiques de l'an II côtoyaient ainsi les sans-culottes. Structurer le mouvement populaire ne suffisait cependant pas à lui faire retrouver son ancienne spontanéité. La démocratie directe de la rue se réfugiait dans la conspiration.

18. H. Méthivier, *l'Ancien Régime*, Paris, P.U.F., 1961, p. 123.

Et Barère pouvait proclamer dans le premier numéro de son journal, *Le Point du jour*, le 15 juin 1789, en s'adressant aux députés : « Vous êtes appelés à recommencer l'Histoire... »

Cette dualité s'explique en partie par une différence de niveaux entre « temps long » et « temps court », notions aujourd'hui bien dégagées par la Nouvelle Histoire.

Révolution de la misère ou de la richesse ?

Pour Michelet, le peuple, « Job sur son fumier » — mais il ne distinguait pas le bourgeois du petit peuple — fit la Révolution, poussé par la misère. Ceci est indéniable, mais si la pauvreté « détermine parfois les émeutes », selon les termes de Mathiez, elle n'explique pas les grands bouleversements.

Le sans-culotte ne gagna rien à la Révolution, sinon qu'il paya le plus lourd tribut de la guillotine. Pour Jaurès et Mathiez en revanche, la crise est née de la poussée de la bourgeoisie, impatiente de se voir confier les rênes de l'État. La Révolution éclatera en effet dans une phase de croissance économique sans précédent.

Ces deux thèses ne s'excluent pas, mais se complètent au contraire. Elles révèlent cependant deux strates de révolution, l'une bousculant l'autre, et qui ne se rencontrèrent qu'en de rares moments privilégiés : été 1789, août-septembre 1792, automne 1793, moments pourtant extrêmement violents. C'était encore de la notion de fusion sociale que participaient ces deux modes de revendications, l'un tendant à la légalité, l'autre à la démocratie directe.

Place de la Révolution dans le monde contemporain ?

Dernière en date des révolutions tendant à imposer la prépondérance bourgeoise sur le système féodal, la Révolution française apparaît aussi comme le point de départ d'une série de bouleversements sociaux qui menèrent à la formation de l'Europe moderne.

Tandis que les Pays-Bas et l'Angleterre avaient su écarter l'absolutisme royal au XVIIe siècle, la Fronde ayant échoué, la France se retrouva dans une situation de blocages divers, de retards qui expliquent l'extrême violence accumulée qui se déchaîna durant la décennie révolutionnaire.

Cet aspect d'une « révolution occidentale », à laquelle participent également l'épisode de la libération américaine et les révolutions brabançonnes de 1789[19], permit l'instauration d'une société libérale de type capitaliste. Toutefois, ce serait nier l'importance et la place privilégiée qu'occupe la Révolution française que de la limiter à cette série d'événements. La générosité dont firent preuve les proclamations des révolutionnaires et l'irruption sur le théâtre politique des groupes sociaux populaires, suscitèrent en grande partie les révolutions des XIXe et XXe siècles. Il n'est nullement aberrant d'affirmer que la Commune de Paris en 1871, où en Russie la Révolution d'octobre 1917, après un court intermède bourgeois, sont les héritières directes du gouvernement de l'an II, et du babouvisme de l'an IV (1796).

Aussi, il est incontestable que la Révolution française se présente comme le nœud historique essentiel qui marque le passage du monde féodal aux conceptions contemporaines de la société.

Jérémie Benoit

19. J. Godechot, *la Grande Nation. L'expansion révolutionnaire de la France dans le monde. 1789-1799*, Paris, 1956, 2 vol. (t. I, p. 11).

Le Serment du Jeu de paume (cat. 485).

485
Le Serment du Jeu de paume

par Charles MONNET

Lavis gris sur traits à la mine de plomb. H. 0,390; L. 0,545.
Inscription : dans la marge à droite : « Liberté/force/justice [barré]/Courage/Mounier/Target/Chapelier/Barnave. »
Historique : entré au musée avant 1896.
Expositions : 1931, Paris, n° 226; 1939, Paris, n° 10; 1982, Paris, n° 87.
Bibliographie : Dayot, 1896; Sagnac-Robiquet, 1934, p. 81, repr.; Méjanès, 1980, n° 1, p. 86, fig. 16.

Paris, musée Carnavalet (inv. D. 3097).

Dessiné dans l'enthousiasme de la séance tenue le 20 juin 1789, durant laquelle les députés du Tiers jurèrent « de ne jamais se séparer et de se rassembler partout où les circonstances l'exigeraient, jusqu'à ce que la Constitution du royaume soit établie et affermie », cette composition de Monnet fut gravée par Helman pour sa suite des *Principales journées de la Révolution française*.

Mais l'estampe est loin de posséder la fougue du dessin. Elle a fait place à « une claire ordonnance », selon les termes de Pascal de La Vaissière (*cf.* cat. exp. : 1982, p. 99), qui rapproche avec raison la manière de Monnet de certains lavis de Greuze.

Mais c'est précisément ce style dynamique issu du baroque qui justifie l'archaïsme de la conception du dessin. Monnet, qui souhaite donner une portée cosmique à sa composition, n'a d'autres recours que de s'inspirer des vieilles formules platoniciennes à deux registres. Au-dessus du niveau réel (celui du serment) planent des figures allégoriques, dont la Justice et la Vérité, qui fournissent la clé de l'œuvre. A comparer ce dessin de Monnet avec celui de David, on constate très vite le modernisme dont a fait preuve le maître du néo-classicisme dans sa composition exposée au Salon de 1791 (n° 132). Ainsi que l'explique Philippe Bordes dans son livre sur *le Serment du Jeu de paume de Jacques-Louis David*, Paris, 1983, l'artiste a réalisé une synthèse réaliste des deux registres. Il a su faire passer dans son œuvre les notions abstraites de liberté, d'égalité, de tolérance, etc., alors que Monnet est incapable de montrer autre chose que le serment lui-même. Mais l'estampe d'après le dessin de Monnet fut largement diffusée alors que la composition de David ne fut connue jusqu'en 1821 (date de la publication de l'estampe de Jazet) que des seuls visiteurs du Salon de 1791. Curieusement une contrefaçon de la gravure d'Helman d'après Monnet due à l'Allemand Laminit avait supprimé les figures allégoriques, tentant ainsi de se rapprocher des conceptions de David.

J.Be

LE 14 JUILLET 1789

On a tellement écrit sur la prise de la Bastille, date-symbole de l'Histoire de France, on l'a tant représentée par la peinture, la gravure ou le dessin, que vouloir en quelques lignes et quelques images retracer l'événement et sa portée relève d'une insoutenable gageure.

Le 14 juillet 1789 n'est pas seulement la plus grande date de l'histoire de France, c'est l'hégire de l'ère révolutionnaire, la première date d'une chronologie nouvelle qui n'appartient pas seulement à la mémoire collective des Français, mais à l'humanité entière.

De nombreux facteurs se sont conjugués pour donner à un événement mineur en soi le caractère et la force d'un symbole, d'un exploit dont l'Europe entière a retenti.

En ce début de juillet 1789, la situation à Paris était véritablement insurrectionnelle. L'hiver précédent avait été terrible. Pour se nourrir et se chauffer, beaucoup avaient dû vendre ou mettre en gage des objets de première nécessité. La cherté toujours croissante du pain, la psychose de la famine, le chômage qui faisait déferler sur Paris des hordes désœuvrées et affamées étaient en outre systématiquement exploitées par des agitateurs qu'on a voulu croire à la solde du duc d'Orléans, frère du roi, depuis longtemps gagné aux idées philosophiques et entré dans la franc-maçonnerie.

Déjà, le 28 avril, le saccage de la manufacture de papiers peints de Réveillon, rue de Reuilly au faubourg Saint-Antoine, et de la maison du salpêtrier Henriot, son voisin, au cours d'émeutes violentes qui avaient fait une centaine de victimes, avait ouvert le cycle des débordements meurtriers. Le 5 mai, les États généraux s'étaient réunis à Versailles, et le 20 juin suivant, avec le serment du Jeu de paume, le Tiers s'était constitué en assemblée nationale. Dès lors, le conflit était inévitable entre une assemblée résolue, légalement constituée, prétendant à un rôle législatif, et la cour qui, malgré ses reculades et ses concessions forcées, nourrissait le projet de dissoudre les États par la force. Tandis que l'entourage du roi prêchait pour la sévérité, et pour le renvoi de Necker dont la simplicité bourgeoise et l'esprit réformateur séduisaient les esprits avancés, à Paris la tension montait, notamment au Palais-Royal, appartenant au duc d'Orléans, haut lieu de la prostitution et de la mode, mais aussi centre actif de diffusion de libelles et de brûlots.

Les gardes françaises étant peu sûres, et ayant fait comprendre qu'elles ne marcheraient pas contre le peuple, le pouvoir fit appel aux régiments étrangers à sa solde. Dès la fin du mois de juin, le Royal-Allemand fut appelé de Valenciennes, le régiment de Nassau de Metz, celui de Reinach de Soissons, celui de Diesbach d'Amiens, d'autres encore, et le 4 juillet, le maréchal de Broglie, vieille gloire militaire qui avait passé soixante-dix ans, fut placé à la tête de cette armée de trente mille hommes, avec pour adjoint un colonel suisse, le baron de Besenval.

Cerné par ces troupes étrangères, Paris exaspéré, affamé, était à présent de surcroît effrayé. Le 8 juillet, sur la motion de Mirabeau, l'Assemblée nationale demanda l'éloignement des troupes, qui fut refusé. C'est dans cette atmosphère échauffée que tomba la nouvelle du renvoi de Necker, le 12 juillet, comme une étincelle dans un baril de poudre. Au Palais-Royal, un jeune avocat encore inconnu, Camille Desmoulins, juché sur une table, tribune improvisée, dénonça aussitôt avec une exaltation communicative la préparation d'une « Saint-Barthélemy des patriotes » qu'il invita à se faire reconnaître par un signe distinctif, une cocarde verte, de feuillage ou de ruban. En un instant, les marronniers du Palais-Royal furent dépouillés de leurs feuilles.

L'émotion gagna toute la ville. On fit fermer les théâtres, comme aux jours de grand deuil, et la foule alla quérir au cabinet du modeleur de cires Curtius, boulevard du Temple, les bustes de Necker et du duc d'Orléans, qui furent promenés dans la ville voilés de crêpe noir, à la tête d'un cortège grossissant à vue d'œil. La foule était parvenue aux Tuileries lorsqu'un détachement du régiment de cavalerie Royal-Allemand, ayant à sa tête son colonel, le prince de Lambesc, fondit sur elle pour la disperser à coup de plat de sabre. Plusieurs personnes furent renversées et blessées, et s'il n'est pas fermement établi qu'il n'y eut d'autre victime que le buste de Necker, pourfendu, on imagine sans peine que l'exaspération fut à son comble. Le feu fut mis à plusieurs barrières d'octroi.

Vers six heures du soir, les électeurs se réunirent pour aviser aux moyens de contenir le tumulte. Des assemblées de districts furent organisées. Il fut enjoint à tous les individus porteurs de fusils ou de pistolets de les déposer dans les districts pour armer une milice régulière. Ce faisant, les représentants de la bourgeoisie parisienne se saisissaient résolument du pouvoir municipal.

Le 13 juillet, l'émotion crût encore. S'armer était l'unique souci des Parisiens. En quelques heures, cinquante mille piques furent martelées par les forgerons et maréchaux-ferrants de la capitale. Pressé de dire où l'on pouvait trouver des armes, Flesselles, le prévôt des marchands, ne faisait que des réponses évasives. Ce jour-là eut lieu le pillage de Saint-Lazare, car les religieux de la Mission étaient soupçonnés de détenir des fusils. D'armes chez eux on ne trouva point, mais assez de blé pour remplir cinquante-deux voitures dont le contenu fut porté à la Halle aux grains. Au passage la Mission fut entièrement saccagée, se trouvant ainsi la première de toutes les maisons religieuses de Paris à ressentir les effets de la Révolution.

Les électeurs, qui avaient décrété la formation d'une milice bourgeoise dans le double but de contenir le peuple et d'intimider la cour, nommèrent encore un comité permanent pour veiller nuit et jour à l'ordre public. Durant la nuit, le peuple à l'affût des moindres nouvelles apprit l'existence d'un important dépôt d'armes aux Invalides, sous la garde de son gouverneur, le marquis de Sombreuil.

A l'aube du mardi 14 juillet, malgré la présence des troupes de Besenval cantonnées au Champ-de-Mars, la foule se porta aux Invalides. Avant neuf heures, plusieurs milliers d'hommes étaient là, ayant à leur tête Éthis de Corny, procureur du roi de la Ville de Paris, que l'assemblée des électeurs n'avait pas osé refuser. On reconnaissait aussi, menant les hommes de son district, l'intrépide curé de Saint-Étienne-du-Mont. Sommé d'ouvrir les portes, Sombreuil obtempéra. Sans effusion de sang, trente mille fusils tombèrent aux mains de la foule.

Encore fallait-il des munitions, qu'on ne trouva pas sur place. C'est ainsi qu'on en vint à songer à la Bastille.

Depuis le début des troubles, le gouverneur de la Bastille, le marquis de Launay, qui n'avait en garnison que quatre-vingt-deux invalides, avait reçu en renfort un détachement de trente-deux Suisses du régiment de Salis-Samade, commandés par Louis de Flue, qui devait laisser une relation intéressante des faits qui s'ensuivirent. Il n'y avait donc dans la Bastille que cent quatorze hommes, c'est-à-dire une poignée, bien insuffisant pour défendre la forteresse. Voyant la foule approcher, et dans l'espoir que Besenval lui enverrait des secours, le marquis de Launay ordonna le repli de ses troupes derrière les douves, dans l'enceinte intérieure. Les ponts-levis furent relevés, les canons mis en batterie, et l'attente commença.

Inquiet, l'Hôtel de Ville envoya une députation pour négocier la remise de la poudre et des balles. Launay refusa, mais pour désamorcer la tension fit retirer des créneaux les canons pointés sur la foule et invita la délégation à partager sa collation matinale. Inquiète d'être sans nouvelles, la foule qui avait déjà envahi les avant-cours pensait que la délégation avait été arrêtée et jetée aux fers. Les membres du district le plus proche, celui de Saint-Louis-la-Culture, nommèrent donc en hâte une autre députation, conduite par Thuriot de la Rozière, un avocat qui avait ses entrées dans la prison puisqu'il assurait la défense d'un des détenus, La Corrège.

Pas plus que la première, cette seconde délégation n'obtint cession à la milice bourgeoise de la poudre et des cartouches convoitées. Lorsque Thuriot sortit pour rendre au district compte de sa mission, il fut copieusement hué.

Cependant la foule avait été rejointe par des gardes françaises sous la conduite d'Élie et de Hullin. Comme elle s'était avancée contre le premier pont-levis, les plus audacieux des assaillants en coupèrent les chaînes : il s'abattit. La foule, alors, envahit la cour du gouvernement, et les premiers coups de feu éclatèrent. S'estimant attaqué, Launay avait donné à ses troupes ordre de tirer. S'estimant trahis (ne les avait-on pas laissé entrer pour mieux les anéantir ?), les assaillants étaient désormais prêts à tout. A l'intérieur de la Bastille régnait une grande confusion. Inquiets à l'idée du massacre inévitable qui se préparait, invalides et Suisses pressaient Launay de capituler. Celui-ci aurait tenté de faire sauter les réserves de poudre, c'est-à-dire la forteresse entière et une grande partie du faubourg Saint-Antoine avec elle, mais en aurait été empêché par un de ses hommes, Bécard. Finalement Launay fit passer un billet, que saisit Maillard, contenant ses propositions, assorties d'une menace : il acceptait de se rendre contre promesse de la vie sauve pour lui et ses hommes. Si cette assurance n'était pas donnée, il ferait sauter la forteresse, qui contenait vingt tonnes de poudre. La proposition fut acceptée.

Les portes s'ouvrirent, le pont-levis s'abaissa. Une demi-douzaine d'hommes de la garnison furent massacrés, dont le major de Losme-Salbray, et, fait plus navrant encore, Bécard qui avait prévenu une hécatombe. Launay fut arrêté, et on le conduisait vers l'Hôtel de Ville sous vociférante escorte lorsque, conspué et malmené, il fut finalement mis en pièces par la multitude. Sa tête fut promenée au bout d'une pique, bientôt rejointe par celle de Flesselles que son attitude des dernières heures, jugée ambiguë, désignait également à la vindicte publique.

La foule déambulait en brandissant ses effroyables trophées quand on se souvint, tard dans la soirée, qu'il y avait des prisonniers à la Bastille. Dans l'effervescence du triomphe, on l'avait oublié. On chercha les clés, on libéra les sept détenus qui furent plus que surpris de l'ovation générale dont ils étaient l'objet, puis la pluie se mit à tomber et chacun rentra chez soi.

Dans l'ensemble, l'événement ne constituait pas une prouesse. La Bastille n'était pas tombée, elle s'était rendue. Elle l'aurait fait, de toute façon, très vite : pris de court, Launay n'avait pas de vivres qui lui eussent permis de tenir longtemps. Et l'inaction de Besenval, qui avait laissé ses troupes au Champ-de-Mars, avait bien facilité l'« exploit ».

Quelques jours plus tard, cependant, quand la portée de l'événement apparut plus clairement, les témoignages les plus fantaisistes, les fanfaronnades les plus naïves coururent sur la façon dont l'« assaut » avait été donné. D'aucuns prétendaient avoir escaladé les tours, mais il se trouva tout de même quelques esprits sensés pour réfuter froidement ces exagérations : « Personne n'est monté à l'assaut, personne n'en a eu l'idée. Il est impossible de monter à l'assaut sur une forteresse comme celle-là. Il serait plus aisé de grimper seul au dehors, de bas en haut, des tours de Notre-Dame, parce qu'on y trouverait souvent des ornements d'architecture qui serviraient de point d'appui » (*Courrier des planète du Cousin Jacques*, n° 79, 1er septembre 1789, p. 37)[1].

1. Sous le pseudonyme de Cousin Jacques se cache le publiciste royaliste, Louis-Abel Beffroy de Reigny (1757-1811).

De même, les causes de l'événement ont donné lieu à des interprétations erronées et tendancieuses. Les historiens du XIXe siècle, emportés par leur fougue, ont donné à cette journée une signification qui n'est pas la sienne. Pour eux, tandis que les députés, c'est-à-dire les politiques, étaient dans l'incertitude, le peuple seul avait la foi et aurait agi par instinct, sauvant ainsi la Révolution. Face à la bourgeoisie atermoyante, le peuple à l'intelligence politique innée aurait suivi son intuition libératrice et entraîné électeurs et élus dans son sillage. Il suffit de relire le cours des événements pour se convaincre que la prise de la Bastille et sa destruction n'ont pas résulté d'un plan délibéré. Comme l'écrit Georges Lefebvre, « personne n'avait pensé que la Bastille fût l'enjeu du conflit. Au premier moment, personne ne pensa non plus que sa chute en fixât l'issue » (*la Révolution française*, 3e éd., 1963, p. 142). Si la foule s'est portée vers la Bastille, ce n'est pas par haine du despotisme, encore moins par souci de justice et pour libérer ses prisonniers. Le peuple ne connaissait guère cette prison réservée aux nobles, aux gens de lettres et à quelques fous ou débauchés emmurés là pour étouffer le scandale. Exaspéré par la faim, mû par la hantise d'une répression sanglante, le peuple de Paris ne voyait dans la Bastille qu'une forteresse renfermant des armes et de la poudre, une forteresse pouvant permettre d'attaquer, voire de détruire, les quartiers les plus populeux de la ville. Une forteresse qui pouvait aussi faciliter l'occupation de la capitale par des troupes étrangères. Si les assaillants de la Bastille délivrèrent les prisonniers, c'est par accident. Et s'ils sauvèrent la Révolution, c'est par raccroc.

Tenter de ramener l'événement à sa juste dimension et d'en analyser les causes ne signifie nullement en minimiser la portée. Le 14 Juillet est bien la première journée révolutionnaire. Et ce n'est pas une journée parisienne : c'est la première journée nationale, et même, peut-on dire sans exagération, la première journée européenne de cette ère nouvelle.

Première journée révolutionnaire, en ce sens que pour la première fois, les gardes françaises ont fait cause commune avec les émeutiers alors qu'en avril, lors de l'affaire Réveillon, ce corps d'élite n'avait pas hésité à tirer dans la foule. Sans la participation des gardes françaises, l'issue du combat aurait été bien différente : cette défection annonce donc bien la fin de l'Ancien Régime. Première journée révolutionnaire aussi, en ce sens que les Parisiens ont livré contre le pouvoir royal une bataille qui s'est terminée par la totale déroute de celui-ci.

Il faut oublier le trop célèbre dialogue de Louis XVI et du duc de La Rochefoucauld-Liancourt, son grand-maître de la garde-robe venu le réveiller pour lui narrer les événements (« Mais c'est donc une révolte ? — Non, Sire, c'est une révolution ! ») car il est sans doute controuvé. Il semble que la royauté ait très vite compris le désastre qui venait de la frapper. Le couple royal songea à fuir, le comte de Provence l'en dissuada. Fuir, d'ailleurs, pour quoi faire ? Aller à Metz se mettre sous la protection de l'armée ? Le comte de Mercy-Argenteau, ambassadeur de l'empereur d'Allemagne en France, familier de la reine, tint conseil avec elle et suggéra de rappeler Necker, ainsi que les ministres de Saint-Priest et de Montmorin. Ils revinrent le 16 juillet. Besenval, ses Suisses et ses Allemands se replièrent sur Saint-Cloud. Le roi enjoignit à son frère, Artois, au prince de Condé et au duc de Polignac de se retirer hors du royaume. La première émigration commençait. Le 17 juillet, il vint à Paris en grande solennité, pour ratifier les nominations de Bailly à la mairie de Paris et de La Fayette à la tête de la milice, bientôt rebaptisée garde nationale. Et là, à l'Hôtel de Ville, il accepta la fameuse cocarde tricolore que lui tendait Bailly, cocarde aux couleurs de Paris jointes au blanc de la royauté, qui avait remplacé dès le 13 juillet la cocarde verte de Camille Desmoulins. La monarchie s'inclinait. Dès le 16 juillet, le duc de Dorset, ambassadeur d'Angleterre, adressait à son gouvernement une dépêche relatant les événements et se terminant par cette conclusion : « Ainsi s'est accomplie la plus grande révolution dont l'histoire ait conservé le souvenir, et, relativement parlant, si l'on considère l'importance des résultats, elle n'a coûté que bien peu de sang. De ce moment nous pouvons regarder la France comme un pays libre, le roi comme un monarque dont les pouvoirs sont limités et la noblesse comme réduite au niveau de la nation » (cité par Jules Flammermont, *Relations inédites de la prise de la Bastille*, Paris, 1885, p. 20). Quant au comte de Mercy-Argenteau, il envoya le lendemain une dépêche à son empereur soulignant que le roi avait perdu ses droits les plus essentiels, dont s'était emparée la Ville de Paris : « Quelque invraisemblable que paraisse la Révolution qui vient de s'accomplir, il n'en est pas moins absolument certain que désormais la Ville de Paris joue réellement en France le rôle d'un roi et qu'il dépend de son bon plaisir d'envoyer une armée de 40 000 à 50 000 bourgeois en armes entourer l'assemblée et lui dicter ses lois » (*ibid.*, p. 30).

Journée révolutionnaire, donc, et aussitôt reconnue comme telle. Journée française, aussi, et non pas émeute isolée de la seule population parisienne. Journée française par la provenance géographique de ses participants, bien connue puisque les « Vainqueurs de la Bastille » ont fait l'objet d'une enquête pour déterminer qui avait, ou n'avait pas, droit à ce titre. On sait donc que la plupart étaient des Parisiens, bien sûr, presque tous habitants du faubourg Saint-Antoine, ouvriers du meuble ou se livrant à d'autres activités artisanales du quartier, presque tous aussi Parisiens de fraîche date, provinciaux venus dans la capitale pour trouver du travail. Journée française aussi parce qu'elle a été préparée par un mouvement national dont elle a marqué le sommet, et qu'elle a aussitôt réactivé. Dans les jours qui suivirent le 14 Juillet, la plupart des villes et des villages de France imitèrent Paris. Avec une rapidité inouïe, on vit surgir partout des municipalités révolutionnaires et des milices bourgeoises. Les paysans de France attaquèrent les châteaux de leur région de même que les Parisiens avaient attaqué la Bastille : ce fut la Grande Peur.

Mais cette journée nationale fut aussi une journée européenne, si l'on considère que parmi les « Vainqueurs de la Bastille » figuraient un assez grand nombre d'étrangers : une quinzaine d'Italiens, la plupart d'origine milanaise ou savoyarde ; onze Allemands dont le célèbre Pierre Kreutz, dit Curtius, modeleur de bustes en cire chez qui le peuple était allé chercher, le 12 juillet, ceux de Necker et du duc d'Orléans pour les promener par la ville (et dont la participation aux journées révolutionnaires s'est peut-être bornée à ce « prêt ») ; dix Belges ; un Autrichien, un Hollandais, un Luxembourgeois et un Suisse. La participation d'une quarantaine de citoyens européens à la prise de la Bastille doit absolument être soulignée.

Les étrangers de passage à Paris ou les diplomates habitués aux affaires ne furent pas seuls à comprendre aussitôt la portée des événements. En 1789, toute l'Europe avait les yeux fixés sur la France. Les Lumières étaient françaises, et voilà que les événements les plus remarquables engendrés par les idées nouvelles se produisaient à Paris. Tout ce que l'Europe comptait de penseurs comprit que la Révolution qui s'accomplissait en France dépassait de beaucoup les frontières de ce pays. L'Europe du XVIIIe siècle s'était fait un idéal de vertu, de liberté, de justice, et voilà que la Révolution française le concrétisait. Il semblait que partout en Europe, la chute de la Bastille eût ébranlé les charpentes de la société.

Si Catherine II, l'amie des philosophes, fut quant à elle atterrée de la tournure des événements, détestant les conséquences logiques des principes qu'elle avait vénérés, le comte Louis-Philippe de Ségur, ambassadeur à Saint-Pétersbourg, raconte dans ses Mémoires que dans cette ville « Français, Russes, Danois, Allemands, Anglais et Hollandais se félicitaient dans les rues, s'embrassaient comme si on les eût délivrés d'une chaîne trop lourde qui pesait sur eux » (cité par A. Sorel, *l'Europe et la Révolution française*, t. II, p. 10, note 2).

Un Danois rapporte : « J'avais seize ans. Mon père rentre à la maison (à Copenhague) hors de lui ; il appelle ses fils : "Que vous êtes dignes d'envie ! s'écrie-t-il ; quels jours heureux et brillants se lèvent pour vous ! Maintenant, si vous ne vous créez pas chacun une position indépendante, la faute n'en sera qu'à vous. Toutes les barrières de la naissance et de la pauvreté vont tomber ; désormais, le dernier d'entre vous va pouvoir lutter contre le plus puissant à armes égales et sur le même terrain !" Il s'arrêta, vaincu par son émotion, et se mit à sangloter pendant quelque temps... Puis il nous raconta comment la Bastille avait été prise et les victimes du despotisme délivrées... Ce n'était pas seulement en France qu'une révolution commençait, c'était dans toute l'Europe. Elle poussait ses racines dans des millions d'âmes. Ces premiers moments d'enthousiasme, qu'allait suivre une si terrible ruine, avaient en eux-mêmes quelque chose de pur et de saint qui ne s'oubliera jamais. Une espérance infinie s'empara de mon cœur... » (Steffens, *Was ich erlebte*, Breslau, 1840-1844, t. I, p. 362. Cité par Tocqueville, *Mélanges*, p. 173).

Ces témoignages sont indubitables. On ne peut les comparer à ces pseudo-souvenirs de grands hommes qui prétendent, des années plus tard, avoir à la nouvelle d'un événement donné mesuré toute sa puissance et toute sa portée.

Une explosion de joie et d'espérance secoua donc l'Europe, qui ne dura pas du reste, car les événements qui s'ensuivirent épouvantèrent. Mais le 14 juillet 1790, l'anniversaire de l'événement fut encore célébré à Londres par un banquet que présidait lord Stanhope.

Ainsi, dans toute l'Europe, la chute de la Bastille apparut-elle réellement comme le début d'une ère nouvelle, comme le premier coup décisif porté à un système injuste et insupportable. C'est ainsi que le 14 juillet 1789 appartient à l'histoire de l'humanité.

Laure Beaumont-Maillet

LA BASTILLE COMME MONUMENT

486
Veüe de la Bastille de Paris,
de la porte Saint-Antoine
et d'une partie du faux-bourg

par Jacques RIGAUD

Dessin aquarellé. H. 0,22 ; L. 0,48.
Inscription : « J. Rigaud del. »

Paris, Bibliothèque nationale, cabinet des Estampes (coll. Destailleur no 109).

Ce beau dessin (vers 1720) de Jacques Rigaud (1681-1754), qu'il a gravé, nous montre la Bastille et la porte Saint-Antoine vues du nord-est. Depuis l'achèvement de sa construction, la Bastille avait cessé d'être une porte et fonctionnait comme une citadelle fermée. L'entrée dans Paris se faisait par la porte Saint-Antoine légèrement repoussée vers le nord, dont on voit ici le superbe arc triomphal érigé par le corps de ville en 1584.
Derrière la foule animée des piétons et des voitures, on voit parfaitement le bastion construit sous Henri II, sur lequel donnait la « porte des Champs », primitive porte de la ville, ouvrant entre les tours de la Chapelle et du Trésor. Cette porte était surmontée de statues placées là dès l'origine et qui s'y trouvaient encore en 1789 : encadrant saint Antoine, patron de l'abbaye voisine, Charles V et sa femme Jeanne de Bourbon, flanqués de leurs fils, Charles VI et Louis d'Orléans.
Dans la percée au centre se profile le dôme de la Salpêtrière. A gauche s'ouvre la rue de Charenton. L.B.-M.

487
Plan de la Bastille de Paris

par un auteur anonyme

Dessin aquarellé. H. 0,45 ; L. 0,63.

Paris, Bibliothèque nationale, cabinet des Estampes (inv. Va 250).

L'entrée se faisait par un passage couvert donnant sur la place de la Bastille. On débouchait alors dans une première cour très étroite, contenant des écuries et des remises (S), d'où

Vue de la Bastille, de la porte Saint-Antoine et d'une partie du faubourg (cat. 486).

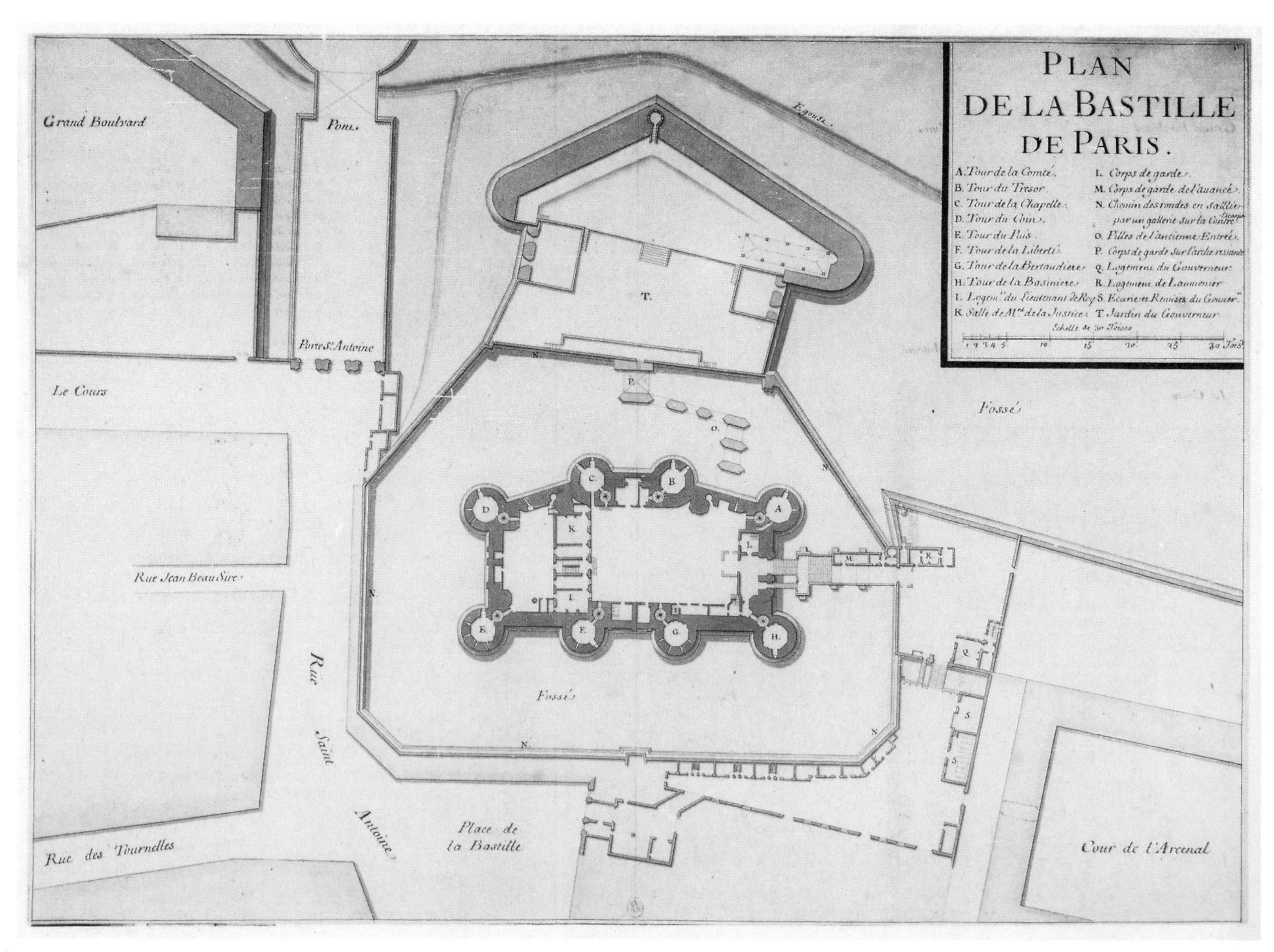

Plan de la Bastille (cat. 487).

upe verticale de la Bastille (cat. 488).

La Cour de la Bastille en 1788 (cat. 489).

l'on passait dans une seconde contenant les logements du gouverneur et de l'aumônier (Q,R). Un pont muni d'un corps de garde avancé (M) franchissait les fossés et donnait accès à la forteresse proprement dite. On peut dater ce plan vers 1750. L.B.-M.

488
Coupe verticale de la Bastille

par un auteur anonyme

Dessin aquarellé. H. 0,29 ; L. 0,45.

Paris, Bibliothèque nationale, cabinet des Estampes (inv. Va 250).

Sous une coupe est-ouest à la hauteur du bâtiment intermédiaire séparant la cour de la forteresse, entre les tours de la chapelle (à gauche) et de la Liberté (à droite), ont été portées les coupes verticales des huit tours indiquant clairement leur distribution intérieure, avec les cachots souterrains, les cellules en étages séparées par des planchers, et les célèbres « calottes » placées juste sous la plate-forme, ce qui les rendait torrides l'été et glaciales l'hiver. Ce dessin peut être daté vers 1750. L.B.-M.

489
La Cour de la Bastille en 1788

par Jean-Honoré FRAGONARD

Crayon noir et lavis d'encre de Chine sur papier gris. H. 0,26 ; L. 0,42.
Historique : coll. Walferdin ; coll. Geoffroy (sa vente anonyme, M.G., 2 février 1882, n° 59, 260 francs).
Bibliographie : Ananoff, IV, n° 2406.

Paris, Bibliothèque nationale, cabinet des Estampes (coll. Destailleur, n° 116).

Cette composition animée et d'ambiance mon-

La Bastille comme monument et comme prison

La Bastille trouve son origine dans une porte de l'enceinte de Charles V, la « bastille Saint-Antoine » ou le « chastel Saint-Antoine », comme on disait au Moyen Âge. Chaque porte de la nouvelle enceinte était ainsi protégée par une petite forteresse, une « bastille », le mot s'entendant initialement de n'importe quel ouvrage fortifié garantissant l'entrée d'une ville. La Bastille s'élevait à l'extrémité de la rue Saint-Antoine. Elle protégeait Paris du côté de l'est et assurait également la sécurité de l'hôtel Saint-Pol, tout proche, dans lequel Charles V avait élu résidence.

La première pierre en avait été posée le 22 avril 1369 par Hugues Aubriot, prévôt royal. Elle se composa, dans un premier temps, de deux grosses tours rondes (les tours de la Chapelle et du Trésor), reliées entre elles par une porte fortifiée. Puis on ajouta, pour augmenter les moyens de défense du côté de Paris, deux tours supplémentaires (les tours de la Liberté — sic — et de la Bertaudière), d'épaisses murailles assurant la jonction avec les deux premières. Sous Charles VI, on porta le nombre des tours à huit, avec la construction de quatre tours supplémentaires (les tours du Coin et du Puits, de la Comté et de la Bazinière), et on les réunit par des courtines montant jusqu'à leur sommet, ce qui constituait une innovation. La forteresse ainsi constituée était impressionnante, avec ses vingt-quatre mètres de hauteur, ses murailles de trois mètres d'épaisseur, ses fossés remplis d'eau d'une vingtaine de mètres de largeur.

Au XVIe siècle, sous le règne d'Henri II, d'importants travaux furent encore entrepris. La guerre que la France avait à soutenir contre la maison d'Autriche justifia une réfection sérieuse de l'enceinte dans son ensemble, et comme l'ennemi était censé surgir de l'est, on décida de faire de la Bastille une véritable citadelle. Menés par l'ingénieur Baptiste Porsel, les travaux de la « Pointe de la Bastille » se terminèrent en 1557. Ce robuste bastion existait encore en 1789, converti en jardin potager dans lequel les prisonniers avaient le droit de se promener.

On travailla encore à la Bastille à plusieurs reprises, notamment au début du XVIIIe siècle : c'est alors qu'on éleva le bâtiment qui devait partager la cour intérieure en deux parties inégales.

Environnée de tout un ensemble d'écuries, de casernes, de logements et surtout de l'arsenal adjacent, la Bastille constituait encore, à la fin de l'Ancien Régime, une forteresse imposante, mais elle avait beaucoup perdu de son importance militaire. Elle jouait depuis plusieurs siècles, parallèlement à son rôle de château fort, celui de prison. Dès le Moyen Âge, elle avait abrité des détenus célèbres, notamment cet ancien compagnon de Jeanne d'Arc, Antoine de Chabannes, comte de Dammartin, qui avait pris le parti de Charles VII contre le futur Louis XI, ce qu'il eut quelque raison de regretter à l'avènement de ce dernier (il est vrai qu'il réussit à s'évader de la forteresse à la faveur d'une montée des eaux dans les fossés, qui permit à un bateau d'accéder au pied des tours). Nombre de grands personnages s'y succédèrent : Semblançay, Anne du Bourg, Bernard Palissy incarcéré sous la Ligue pour fait de religion, et qui y périt de vieillesse, Léonora Galigaï... À partir du XVIIe siècle, les fortifications de Paris ayant été rasées, le rôle militaire de la Bastille diminua très sensiblement, et la Bastille ne fut pratiquement plus, désormais, que prison d'État.

Prison honnie ? La question mérite d'être posée. Prison, en tout cas, au régime très particulier, où l'on n'entrait pas à la suite d'une décision judiciaire, mais par décision du pouvoir royal. Les fameuses lettres de cachet, si décriées par les historiens du XIXe siècle, qui permettaient d'embastiller qui l'on jugeait bon, constituaient l'expression la plus claire de la justice royale. Le souverain pouvait ainsi éviter des procès retentissants ou des sanctions exemplaires. Un certain nombre de détenus de la Bastille auraient pu connaître un sort encore moins enviable.

La prison ne fut jamais très peuplée, pour la simple raison d'ailleurs que le nombre des cellules, aménagées dans les tours, ne permettait pas d'« accueillir » plus d'une quarantaine ou d'une cinquantaine de détenus. Les cachots souterrains n'étaient plus occupés, cela est certain, au XVIIIe siècle. Le temps d'incarcération était généralement assez court. Sans doute la procédure d'emprisonnement par lettre de cachet, en raison du mystère dont elle s'entourait, était-elle impopulaire, mais en 1784, le ministre Malesherbes en avait beaucoup limité l'usage, et l'on ne pouvait plus enfermer personne sur requête des familles depuis cette date, ni pour une durée indéterminée. Durant les dernières décennies de l'Ancien Régime, les détenus furent surtout des hommes de lettres mis à l'ombre quelque temps pour les inciter à plus de réserve, ou des aliénés de bonne famille auxquels on évita ainsi la honte d'aller à Charenton. Voltaire ou Marmontel illustrent la première catégorie, et l'on peut dire qu'il était même d'assez bon ton d'être embastillé quelques jours. Le marquis de Sade est un exemple de la seconde.

Quant au mode de vie des détenus, il n'était nullement comparable à celui des autres prisons telles que Bicêtre ou la Conciergerie, Vincennes ou Pierre-Encize. On pouvait y faire venir meubles et domestiques, on était chauffé et bien nourri. La légende funeste de la Bastille repose en grande partie sur l'histoire romancée d'un grand mystificateur, Latude, et sur les curieux *Mémoires de la Bastille* de l'avocat Linguet, publiés à Londres en 1783, auxquels il paraît difficile d'accorder une totale créance, tant l'affabulation est manifeste. La Bastille n'était très certainement ni l'antre de la cruauté et de la perversion décrit par Linguet, ni la prison quatre étoiles dont Marmontel vantait la gastronomie. La vérité réside sans aucun doute dans un moyen terme qu'il appartient à chacun d'apprécier. Un seul fait est indubitable : si la Bastille n'était pas tombée le 14 Juillet, ses jours étaient de toute façon comptés. Elle coûtait trop cher au gouvernement royal, qui projetait sa destruction. La masse de pierre était toujours debout, mais elle avait déjà disparu des plans d'urbanisme.

Laure Beaumont-Maillet

daine étonnera quiconque se figure la Bastille comme une prison ordinaire. Sa date (portée sur le document en bas, vers la gauche, à côté de la signature « Frago ») ne permet pas de la mettre en rapport avec l'incarcération du fastueux cardinal de Rohan à la suite de l'affaire du collier (1785-1786), qui amena évidemment une affluence particulière. L.B.-M.

490
Vue de la Bastille

par Friedrich Albrecht ANNERT, d'après Sergent

Gravure. H. 0,208; L. 0,165.
Inscription : « VUE DE LA BASTILLE/Wahre Ansicht der bey jüngsterfolgter Revolution, durch die Nation/zerstörten Bastille in Paris/Nach einem zuverlässigen Pariser Original getreu verfertiget/ Nürnberg 1789 » ; à gauche « Sergent del. » ; à droite : « F.A. Annert fc. et exc. » [vue authentique de la Bastille détruite par la nation lors de la révolution qui a eu lieu récemment à Paris. Nuremberg 1789.]

Nuremberg, Germanisches Nationalmuseum (inv. MS 1893).

Gravée d'après l'œuvre originale d'Antoine-François Sergent, cette vue de la Bastille est reprise dans un médaillon rond, avec au premier plan une scène de genre. Seule l'inscription très neutre fait référence à l'événement du 14 juillet 1789. En se limitant à une représentation topographique réaliste de la Bastille, l'artiste s'en prend à la Bastille en tant que symbole du despotisme, susceptible d'être compris aussi en Allemagne. R.Sc.

de la Bastille, par l'Allemand Annert (cat. 490).

PRISE DE LA BASTILLE

491
Vüe de la prise de la Bastille le 14 juillet 1789

par « PALLOY, patriote »

Dessin gouaché. H. 0,38; L. 0,50.

Paris, Bibliothèque nationale, cabinet des Estampes (inv. Qb1, 14 juillet 1789).

Palloy fit éditer un certain nombre de gravures, d'assez grossière facture, destinées à commémorer la journée du 14 Juillet. Il réalisa (ou fit réaliser ?) également des dessins dont celui-ci, fort dégradé, qui reproduit un des épisodes les plus fameux de la prise de la Bastille, l'arrestation du marquis de Launay. L.B.-M.

492
Prise de la Bastille, gravé d'après les esquisses faites dans le moment de l'action par Ermenef, peintre et pensionnaire de l'Impératrice de toutes les Russies

par Pierre GENTOT fils.

Eau-forte. H. 0,17; L. 0,27.
Inscription : « A Paris, au Palais-Royal - A Lyon, chez Gentot, grande rue Mercière. »

Paris, Bibliothèque nationale, cabinet des Estampes (inv. Qb1, 14 juillet 1789).

Dans la seconde moitié du XVIIIe siècle, une trentaine d'élèves russes passèrent à Paris par l'Académie royale des peintures, dont Ivan Ermenev (1746-1790), qui semble ainsi avoir suivi attentivement des événements dignes de frapper les observateurs étrangers.
Pierre Gentot appartient à une famille de graveurs établis à Lyon. L.B.-M.

493
Prise de la Bastille

par Jean-Louis PRIEUR

Pierre noire et mine de plomb. H. 0,176; L. 0,238.
Historique : acquis de la veuve de l'artiste par le Louvre vers 1802; bibliothèque du Louvre puis cabinet des Dessins; déposé au musée Carnavalet en 1934.
Exposition : 1982, Paris, Carnavalet, n° 117.
Bibliographie : Nolhac, 1902.

Paris, musée Carnavalet (inv. D.77.51).

La gravure exécutée par Duplessi-Bertaux et Berthault d'après ce dessin correspond à la seizième planche de la célèbre série des *Tableaux historiques de la Révolution française*, ensemble d'estampes qui, en cinq éditions successives, finit par comprendre deux cent vingt planches. Prieur, révolutionnaire intransigeant — qui fut guillotiné avec Fouquier-Tinville le 18 floréal an III (7 mai 1795) — exécuta les soixante-trois premières planches ainsi que les planches 65 et 68; ses dessins sont très précis et toujours remarquablement exacts au point de vue topographique; mais Prieur, même s'il a été un témoin oculaire des tous premiers événements de la Révolution, ne les a pas représentés « sur le vif » puisque l'entreprise ne commença qu'en 1791. Largement diffusée par l'estampe puis par les illustrations des ouvrages historiques et des manuels scolaires, l'image de la Révolution telle qu'elle apparaît dans les *Tableaux historiques* s'est imposée pourtant comme une référence obligée.

494
Prise de la Bastille

attribué à Abraham GIRARDET

Eau-forte et burin. H. 0,159; L. 0,204.
Inscription : « Siège de la Bastille du 14 juillet 1789/ Prise en deux heures édemie de temps par les Bourgeois de Paris et Braves Gardes françaises/Batie sous Charles V en 1369 et finie l'an 1385/la démolition de ce monument du despotisme a été commencée, aussitôt après sa prise, Dessinée d'après nature et gravé par G. »

Berne, Bibliothèque nationale suisse (inv. 03.ST.7769).

Par comparaison avec une estampe signée par la même initiale G. et publiée « chez Girardet, rue Saint louis au Palais n° 73 », on a attribué au graveur suisse Abraham Girardet (1763-1823) une petite série de scènes du début de la Révolution (*Travaux du Champ-de-Mars, Pacte fédératif des Français le 14 juillet 1790, les Premiers Jours de May à Paris en 1791*) remarquables par leur finesse. Son « Siège de la Bastille » fut littéralement copié par Will en un format légèrement plus grand (*cf.* cat. 495).

495
La Prise de la Bastille

par Johann Martin WILL

Gravure sur cuivre. H. 0,365; L. 0,477.
Inscription : (bilingue) : en haut : « Sieg von der Bastei in Paris d.14.Juli 1789.von der fordern seite. » « Siège de la Bastille du 14 juillet 1789/Prise en deux heures édemiede tems parles Bourgeois de Paris,et les/ Braves Gardes françoises.Batie Sous Charles V en 1369 et/finie/l'an 1383.La démolition,de ce monument du despotisme,a/été commencée,aussitôt après sa prise. » ; à gauche : « Dessinée d'apres nature et grave par G. » ; à droite : « F.M.Will excud.A.V. ».
Historique : acheté en 1952 de la collection du Dr W. Troll.

Prise de la Bastille, par «Palloy, patriote» (cat. 491).

Prise de la Bastille, par l'Allemand Will (cat. 495).

Prise de la Bastille d'après le Russe Ermenev (cat. 492).

Prise de la Bastille, par un Allemand anonyme (cat. 496).

Prise de la Bastille, attribuée au Suisse Girardet (cat. 494).

Prise de la Bastille, par les Néerlandais Vinkeles et Vrijdag (cat. 497).

Prise de la Bastille, par Prieur (cat. 493).

Prise de la Bastille par les Anglais Singleton et Nutter (cat. 498).

Destruction de la Bastille, par l'Allemand Ebner (cat. 499).

Prise de la Bastille, par l'Allemand Fill (cat. 500).

Prise de la Bastille, d'après l'Anglais Chalmers (cat. 501).

Une Émeute sous la Révolution, par Greuze (cat. 502).

se de la Bastille, par Thévenin (cat. 503).

Vienne, Heeresgeschichtliches Museum
(inv. BI. 29.315).

La gravure montre les tirs dirigés contre la Bastille à partir de l'Arsenal ; en avant à droite, le premier pont-levis sur lequel soldats et civils s'engagent pour pénétrer à l'intérieur. Au premier plan, l'artillerie qui ouvre le feu. Les textes parallèles en français et en allemand mentionnent les dates de construction et précisent que la prison d'État fut détruite en deux heures et demie. Le numéro en haut à droite n'est pas un numéro de série car la gravure numérotée 70 (voir cat. 517, Heeresgeschichtliches Museum, inv. BI 29.316) montre la démolition de la forteresse et donc un épisode ultérieur de l'événement. Les deux gravures s'appuient sur un modèle dessiné d'après nature (par Guyot ?). L.Po.

496
Prise de la Bastille

par un auteur anonyme

Eau-forte. H. 0,19 ; L. 0,27.
Inscription : « Abbildung der Einnahme von der Bastille in Paris. Die Bastille, diese bewundernwürdige Vestung unter Carl V 1369 erbaut, wurde 1789 d.14 Jul. von französ : Garder und pariser Bürgern erstürmt und zertrümert... »

Paris, Bibliothèque nationale, cabinet des Estampes (inv. Qb1, 14 juillet 1789).

Cette gravure allemande, de style très naïf, s'apparente à celles éditées par Johann Martin Will à Augsbourg. L.B.-M.

497
Prise de la Bastille

par R. VINKELES et D. VRIJDAG,
d'après F. Bulthuis.

Gravure, épreuve d'artiste. H. 0,225 ; L. 0,265.

Dordrecht, Museum Mr. Simon Van Gijn (inv. 9098).

On date la gravure de 1795.

498
The Destruction of the Bastille July 14th 1789

par William NUTTER, d'après H. Singleton

Gravure au pointillé. H. 0,43 ; L. 0,59.
Inscription : « Painted by H. Singleton - Engrav'd by W. Nutter » ; « Publish'd Mar : 1 : 1792 by B.B. Evans, Poultry London. »

Paris, Bibliothèque nationale, cabinet des Estampes (coll. Hennin n° 10340).

Représentation fantaisiste, trois ans après l'événement, de l'attaque du premier pont-levis. Au premier plan, un vieillard blessé, des enfants et une femme chargeant le fusil d'un combattant.
William Nutter, dessinateur et graveur londonien (1759-1802), utilisa exclusivement cette technique du pointillé. Quant à Henry Singleton (1766-1839), élève de son oncle, le miniaturiste William Singleton, il a laissé des portraits et des représentations de scènes historiques. L.B.-M.

499
La Destruction de la Bastille

par Karl (?) EBNER

Gravure. H. 0,233 ; L. 0,322.
Inscription : à droite dans l'image, sous le canon : « Ebner fec. » ; titre : « Die zerstörte BASTILLE /im Julius 1789./zu haben beym Ebner in Stuttgart » ; à gauche : « 1.Hr v.Launnai/2.die weisse Fahne/3.die Wohnung des Launnai/4.die Küche /5. die erste aufgezogne Brücke/6.die grosse aufgezogne Brücke. » ; à droite : « Da stamt die graüliche Bastille/ Es war des höchsten Herrschers Wille,/dass dieses Haus des Tirannei/Ein Denckmal seiner Rache sei./ Schubart. »

Vienne, Graphische Sammlung Albertina (Historische Blätter Band 24).

Karl Ebner, élève de son père Johann Friedrich Ebner, est vraisemblablement l'auteur de cette gravure qui met en valeur l'arrestation du marquis de Launay. Le poème de Schubart décrit la destruction de la Bastille comme l'expression de la vengeance de Dieu (« ainsi finit l'affreuse Bastille/ c'était la volonté du Très Haut/que cette maison de la tyrannie/soit un monument de sa vengeance »). L.Po.

500
La Prise de la Bastille

par Philipp Joseph FILL

Gravure sur cuivre. H. 0,330 ; L. 0,417.
Inscription : en bas : « Vorstellung der Bastille oder stats Gefängnus in Paris, so am lincken Ufer der Seine nächst an dem Zeughause gelegen... » [Présentation de la Bastille ou prison d'Etat à Paris, sise sur la rive gauche de la Seine près de l'Arsenal... Texte en allemand de dix lignes avec légendes des chiffres figurant sur la gravure]. En bas à droite : « Augsburg bey Philipp. Joseph.Fill. »
Historique : acheté en 1952 de la collection du Dr W. Troll.

Vienne, Heeresgeschichtliches Museum
(inv. BI 29.322).

On peut voir sur l'une des tours d'angle de la Bastille un grenadier portant un drapeau avec l'inscription « Viv[e] la Nation ». Il s'agit, selon la légende de l'estampe (au n° 1), du premier grenadier à l'avoir gravie. L.Po.

501
The taking of the Bastille at Paris by the Patriotic Party, on the Memorable 14th of July 1789

de CHALMERS

Gravure en taille-douce non coloriée. H. 0,202 ; L. 0,238.
Inscription : « Drawn by Chalmers from a sketch takin on the Spot at the time. »

Paris, musée national des Arts et Traditions populaires (inv. 76.41.17.B).

Cette estampe pourrait dériver des mêmes sources que la précédente mais interpréter beaucoup plus correctement certains détails tels que la signification du drapeau blanc au sommet de la tour.

502
Une Émeute sous la Révolution

par Jean-Baptiste GREUZE

Pierre noire, encre noire et lavis gris. H. 0,213 ; L. 0,282.
Inscription : acquis à la vente Chennevières-Pointet en 1900 pour la Société des amis des arts.
Bibliographie : Martin, p. 56, n° 38.

Tournus, musée Greuze (inv. 82-15-38).

Greuze, qui avait adhéré à la Commune générale des Arts, aux ordres de David et de Restout, en octobre 1793, sans doute parce que n'ayant aucune opinion politique, il souhaitait qu'on le laissât en paix, fut toutefois arrêté et incarcéré.
Ce dessin extrêmement libre, bien dans la manière de l'artiste à la fin de sa vie, date vraisemblablement des années de la Révolution.
Sans doute Greuze avait-il assisté à des scènes de violence populaire ? Certes il semble bien que l'on ait affaire avec ce dessin à une insurrection, des piques ou des fusils apparaissent à droite, même si le corps que l'on emporte au centre ressemble plus à un ensevelissement du Christ qu'à un enlèvement de cadavres. Peut-on pourtant imaginer qu'il s'agit d'un épisode des massacres de Septembre, auxquels l'artiste avait certainement assisté ? Les éléments cylindriques figurés à droite sont difficiles à interpréter : si l'on y reconnaît des colonnes, la scène se passe peut-être dans un intérieur. Mais s'il s'agit de tours, on peut interpréter la composition comme une Prise de la Bastille avec au centre l'arrestation du marquis de Launay. La comparaison avec le tableau de Thévenin (cat. 503) consacré à cet événement peut fournir une clé pour l'interprétation de la plupart des éléments de ce dessin. J.Be.

503
La Prise de la Bastille

par Charles THÉVENIN

Huile sur toile.
Bibliographie : Bruel, t. II, 1914, pp. 68-69 (nº 1599) ; bull. du musée Carnavalet, 1960 (1-2) p. 13.

Paris, musée Carnavalet (inv. P 572).

Thévenin exposa cette toile aux Salons de 1793 (nº 541) et de 1795-an IV (nº 484) mais l'œuvre était déjà composée, sinon exécutée, quelques mois après l'événement représenté puisque *l'Officiel* de mars 1790 en fait l'éloge. Le peintre grava lui-même son œuvre à l'eau-forte tandis que François-Martin Testard en donnait un stipple, gravé dans le même sens que le tableau avec une dédicace « aux Parisiens ».
Thévenin a choisi le moment de l'arrestation du marquis de Launay dans la « cour du Gouvernement » ; contrairement à la plupart des autres images exposées, il a donné peu d'importance à la représentation de la Bastille en tant que forteresse pour mettre l'accent sur les acteurs de l'événement. Attitudes et visages sont souvent empruntés au répertoire assez conventionnel de l'expression des passions poussées au paroxysme de la violence. Mais il y a dans l'œuvre assez méconnue de ce jeune artiste un lyrisme authentique et un sens dramatique des réalités de l'histoire qui feront souvent défaut aux auteurs des compositions rétrospectives du XIXe siècle et dont on ne trouverait peut-être l'équivalent que dans le *Dix Août* de Bertaux (musée de Versailles, *cf.* cat. 1076) malheureusement absent de cette exposition.

LES PRISONNIERS DE LA BASTILLE

504
Prise de la Bastille

par un auteur anonyme

Dessin à la pierre d'Italie. H. 0,24 ; L. 0,42.

Paris, Bibliothèque nationale, cabinet des Estampes (coll. Hennin, nº 10323).

Dessin pris sur le vif, montrant les prisonniers de la Bastille conduits triomphalement rue Saint-Antoine, à la hauteur du couvent de la Visitation-Sainte-Marie. L.B.-M.

505
L'Heure première de la liberté

par CARPENTIER
Inscription : L. Carpentier S.

Eau-forte. H. 0,21 ; L. 0,30.

Paris, Bibliothèque nationale, cabinet des Estampes (inv. Qb1).

Dans une composition beaucoup moins spontanée que pour la pièce précédente, les détenus récemment élargis s'avancent, comme étrangers au monde qui les entoure, dont quelques gardes tentent de les préserver. Le comte de Whyte est reconnaissable à sa longue barbe. L.B.-M.

506
Délivrance de M. le comte de Lorges, prisonnier à la Bastille depuis 32 ans

par un auteur anonyme

Paris, Bance, 1789.

Aquatinte coloriée. H. 0,16 ; L. 0,21.

Paris, Bibliothèque nationale, cabinet des Estampes (coll. Hennin nº 10350-10351).

Bien que la légende du comte de Lorges ait été propagée par plusieurs brochures et gravures, il n'a jamais existé. Les archives de la Bastille ne contiennent pas trace de ce personnage, composé à partir d'éléments empruntés à la biographie du comte de Solages (la noblesse) et à celle de Tavernier (l'incarcération trentenaire). Il ne doit l'existence qu'au publiciste Jean-Louis Carra, dont la brochure intitulée *Le Comte de Lorges, prisonnier à la Bastille pendant trente-deux ans, enfermé en 1757 du temps de Damiens et mis en liberté le 14 juillet 1789*, fut diffusée à Paris en septembre 1789.
Pourtant, l'un des plus célèbres vainqueurs de la Bastille, Aubin Bonnemère, fit hommage à Saumur, sa ville natale, d'une pierre provenant du cachot de ce personnage, qui fut encastrée solennellement dans la façade de son hôtel de ville le 14 juillet 1880 ! L.B.-M.

Les prisonniers de la Bastille

Lorsque les assiégeants eurent pénétré dans la forteresse, ils cherchèrent à libérer les captifs, dont le faible nombre les surprit beaucoup. Quelques jours auparavant, le 4 juillet, l'illustre marquis de Sade avait été transféré à Charenton, et le 9 juillet, les portes de la forteresse s'étaient ouvertes devant le pamphlétaire Jean-Claude Jacquet de la Douay. Le jour de l'assaut, ne restaient à la Bastille que sept détenus.

Quatre détenus de droit commun s'y trouvaient, convaincus de falsification de traites, dont le procès était en cours d'instruction : Jean de la Corrège, Jean Béchade, Jean-Antoine Pujade et Bernard Laroche. Dans la confusion générale, ils s'éclipsèrent, mais plus tard le Châtelet fut autorisé à poursuivre la procédure engagée.

Mieux connus sont les trois autres personnages : tout d'abord, le comte de Solages, un noble languedocien convaincu d'inceste et embastillé à la demande de sa famille, après avoir connu d'autres prisons telles que le fort de Brescou, Pierre-Encize et Vincennes. Libéré, il quitta rapidement Paris et regagna son Languedoc. Les deux autres détenus étaient des déments auxquels on avait ainsi évité l'asile de Charenton. Claude-Auguste Tavernier était le fils naturel d'un célèbre financier, Joseph Pâris, dit Pâris-Duverney (1684-1770). Il avait été compromis dans l'attentat de Damiens contre Louis XV et vivait depuis trente ans à la Bastille où il jouissait de la plus grande tranquillité. Dès le 19 juillet, son état le fit placer à Charenton. Le dernier était un Irlandais, le comte de Whyte de Malleville, né à Dublin en 1730, capitaine dans le régiment de Lally-Tollendal, marié à une Française et interné à la Bastille depuis 1782 à la demande de son entourage. Lui aussi fut placé à Charenton, lorsque, après la promenade triomphale dans les rues de Paris, il fallut se rendre à l'évidence.

La réalité était donc bien éloignée des sinistres descriptions de Linguet et de Latude, mais la légende funeste de la Bastille fut soigneusement entretenue. Pour complaire au public, des images fantaisistes furent publiées à l'envi, et des romans noirs bâtis de toutes pièces. C'est ainsi que les Français furent invités à se lamenter sur le sort d'un poète prétendument persécuté, Romagne, et d'une autre victime du despotisme, le comte de Lorges. Les deux personnages sont fictifs.

Laure Beaumont-Maillet

Prise de la Bastille, dessin pris sur le vif (cat. 504).

«L'Heure première de la liberté» ou l'élargissement des prisonniers de la Bastille (cat. 505).

…ivrance du comte de Lorges (cat. 506).

M. DE ROMAGNÉ,
Poëte détenu à l'Bastille depuis l'année 1749; sorti le 14 juillet 1789.
D'un pouvoir odieux malheureuse victime
Quarante ans d'esclavage ont expié son crime ;
Eh! quel crime? d'avoir, dit on, en quatre vers,
Osé parler d'un fait connu de l'univers.

M. de Romagne, poète détenu à la Bastille depuis l'année 1749, sorti le 14 juillet 1789 (cat. 507).

« Un des cachots de la Bastille fait sur les lieux lors de la prise de cette affreuse prison » (cat. 508).

507
M. de Romagne, poète
détenu à la Bastille depuis l'année 1749, sorti le 14 juillet 1789

par Johann Elias HAID

Gravure, manière noire. D. 0,12.
Inscription : « Se trouve chez Haid ».

Paris, Bibliothèque nationale, cabinet des Estampes (coll. Hennin n° 10348).

**« D'un pouvoir odieux malheureuse victime
Quarante ans d'esclavage ont expié son crime
Eh ! Quel crime ? d'avoir, dit-on, en quatre vers
Osé parler d'un fait connu de l'univers. »
« M. de Romagne » est, tout comme le comte de Lorges, un personnage forgé pour la circonstance, et comme lui la prétendue victime d'un despotisme aveugle. Le quatrain n'est pas sans rappeler le motif d'incarcération du comte de Lorges, toujours selon Carra : un pamphlet rédigé contre Mme de Pompadour.
Johann Elias Haid (1739-1809) est un graveur bavarois. L.B.-M.**

508
Un des cachots de la Bastille
fait sur les lieux lors de la prise de cette affreuse prison

attribué à HOUEL

Dessin gouaché. H. 0,24 ; L. 0,33.

Paris, Bibliothèque nationale, cabinet des Estampes (coll. Hennin n° 10349).

Bien que cette gouache ne soit pas signée de Houel, elle s'apparente à sa manière et pourrait lui être attribuée. Ce type d'images, diffusé dans les jours suivant la prise de la Bastille, avait pour but d'exciter la colère et de provoquer l'horreur, en montrant des cachots sordides, meublés de quelques bottes de paille humide, d'instruments de torture inouïs, grouillant de bêtes répugnantes. L.B.-M.

509
Tesserae tirannidis
(Les aléas de la tyrannie)

par un auteur anonyme

Aquatinte coloriée. H. 0,21 ; L. 0,31.
Inscription : « Dédié aux représentans de la Nation. Cette image fidelle du Tombeau sous lequel ont été placés d'après les Procès verbaux du District de St Louis de la Culture et de l'Assemblée des représentans de la Commune de Paris les Cadavres trouvés dans les démolitions de la Bastille les 4, 7 et 8 May et 12 Juin 1790, l'An premier de la liberté, ce monument Exécuté à Paris dans le cimetière de St Paul par les soins et frais de Pierre françois Palloy, patriote. »

Paris, Bibliothèque nationale, cabinet des Estampes (coll. Smith-Lesouef n° 2736).

**En avril-mai 1790, au cours de la démolition de la Bastille, on découvrit des squelettes dans lesquels l'opinion publique ne manqua pas de voir des victimes de la tyrannie. Cette découverte causa un vif émoi. Les ossements furent inhumés dans le cimetière Saint-Paul, situé au chevet de l'église de ce nom, approximativement à l'angle des actuelles rues Neuve-Saint-Pierre et de l'Hôtel Saint-Paul (3e arr.). Palloy fit ériger à ses frais un tombeau pour ces prisonniers inconnus, qui reçut les inscriptions latine et française suivantes :
*Qui nos incarcerabat viventes
Nos adhuc incarcerat mortuos lapis*
« Sous les pierres mêmes des cachots où elles gémissaient vivantes, reposent en paix quatre victimes du despotisme. Leurs os découverts et recueillis par leurs frères libres ne se lèveront plus qu'au jour de la justice, pour confondre les tyrans. »
Petrus Franciscus Palloy, amicus Patriae, fecit anno Libertatis secundo, reparatae salutis 1790.
Afin de faire largement connaître cet acte patriotique et d'en perpétuer le souvenir, Palloy fit également imprimer cette estampe. L.B.-M.**

LES VAINQUEURS DE LA BASTILLE

510 A
Brevet de Vainqueur de la Bastille
décerné à Jacques Reine, natif de Gagny

Parchemin avec cachet de cire. H. 0,285 ; L. 0,340.
Inscription : « Nicolas invenit - Gravé par Delettre. »

Paris, musée national de la Légion d'honneur (inv. 01660).

**Très rapidement, les « Vainqueurs de la Bastille » souhaitèrent être distingués, pour faire connaître leur gloire et en tirer tout le parti possible. La Constituante fut littéralement assaillie de déclarations et de témoignages en faveur de tel ou tel héros. Aussi fut-il décidé qu'une commission spéciale siégerait et déterminerait qui pourrait officiellement être reconnu et admis parmi ce corps.
Constituée primitivement de Dusaulx, de la Grey, Oudart et Bourbon de la Crosnière, elle s'adjoignit d'autres membres pour faciliter ses travaux : Aubin Bonnemère, Cholat, Elie, Goisset, Hulin, Maillard, d'Osmond, Rousselet, Thuriot de la Rosière et Tournay. Elle siégea laborieusement du 22 mars au 16 juin 1790, en séances publiques auxquelles participaient tous les intéressés. Bien que, selon les témoignages raisonnables, il n'ait pas pu se trouver plus de cinq cents à six cents hommes sur le terrain, la liste définitive comprit neuf cent cinquante-quatre noms.
Des brevets honorables furent décernés aux héros du 14 Juillet, et l'Assemblée nationale leur offrit également un habit et un armement complets aux dépens du Trésor public.
La création de ce corps et les divers attributs qui lui furent concédés ne furent pas unanimement appréciés. Beaucoup se demandaient pourquoi, en un temps où l'on cherchait à abolir les distinctions, on en créait de nouvelles, contestables et puériles.
Les « Vainqueurs de la Bastille » n'en constituèrent pas moins une association solide, avec ses règlements propres et sa place marquée dans les cérémonies publiques, en quelque sorte une société d'anciens combattants. Ils se réunissaient à la « Boule Blanche », rue du Faubourg-Saint-Antoine, mais il leur fut rapidement interdit de prendre aucune délibération (*Journal de Paris*, 30 déc. 1790). En 1792, un grand nombre de « Vainqueurs de la Bastille » s'enrôlèrent dans la 35e division de gendarmerie, créée pour eux. Ils allèrent se battre en Vendée où beaucoup trouvèrent la mort.
A diverses reprises les survivants firent parler d'eux, notamment en 1802 quand fut votée la loi créant une Légion d'honneur en faveur des militaires et des civils qui s'étaient distingués et admettant de droit tous les titulaires d'armes d'honneur. La soif de récompense en tenailla plus d'un, et beaucoup de requêtes individuelles furent présentées.**

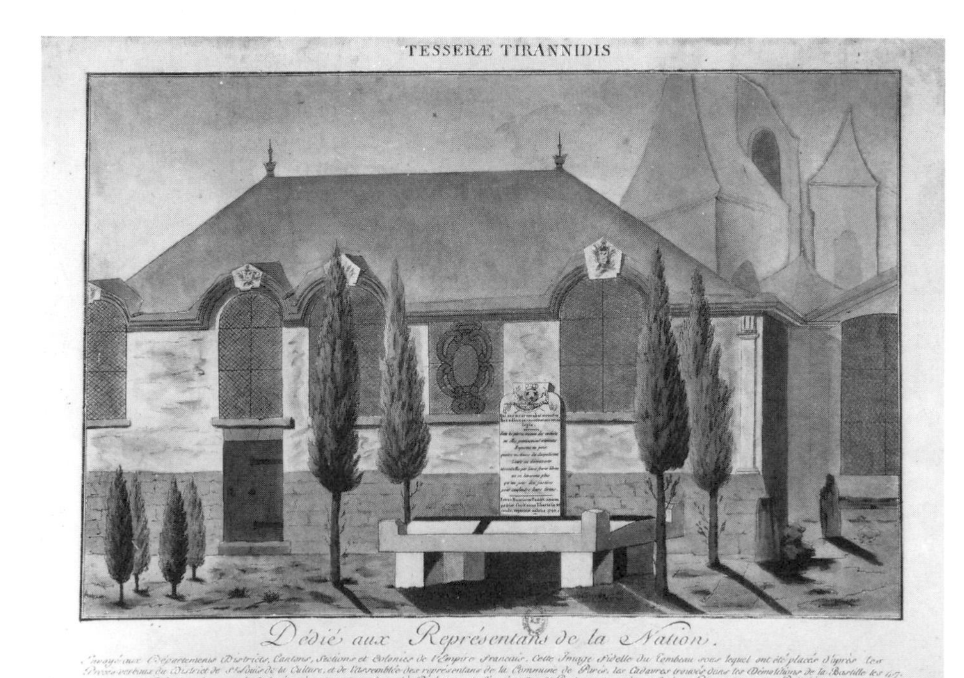

Tombeau des prisonniers inconnus de la Bastille (cat. 509).

ASSEMBLÉE NATIONALE

Séance du samedi dix neuf Juin 1790

Décret en faveur des Citoyens qui se sont distingués à la prise de la Bastille

VIVRE LIBRE OU MOURIR

LA NATION LA LOI LE ROI

PREAMBULE

L'Assemblée Nationale, frappée d'une juste admiration pour l'héroïque intrépidité des Vainqueurs de la Bastille et voulant donner, au nom de la
Nation, un témoignage public à ceux qui ont exposé et sacrifié leur vie pour secouer le joug de l'esclavage, et rendre leur Patrie libre.
Décrète qu'il sera fourni aux dépens du Trésor public à chacun des Vainqueurs de la Bastille en état de porter les armes, un habit et un
armement complet, suivant l'uniforme de la Nation ; que sur le canon du fusil, ainsi que sur la lame du sabre, il sera gravé l'écusson de
la Nation avec la mention que ces armes ont été données par la Nation à tel vainqueur de la Bastille, et que sur l'habit il sera appliqué
soit sur le bras gauche, soit à côté du revers gauche, une couronne murale ; qu'il sera expédié à chacun desdits Vainqueurs de la Bastille
un brevet honorable pour exprimer leurs services et la reconnoissance de la Nation, et que dans tous les actes qu'ils passeront, il leur
sera permis de prendre le titre de Vainqueurs de la Bastille. &c......... Un brevet honorable sera également expédié aux Vainqueurs
de la Bastille qui ne sont pas en état de porter les armes, aux veuves et aux enfans de ceux qui sont décédés, comme monument public
de la reconnoissance et de l'honneur dû à tous ceux qui ont fait triompher la liberté sur le despotisme &c ... Le tableau remis par
les Vainqueurs de la Bastille, contenant leur nom et celui des Commissaires choisis parmi les Représentans de la Commune qui ont
présidé à leurs opérations, et qui sont compris dans le présent Décret avec les Vainqueurs, sera déposé aux Archives de la Nation,
pour y conserver à perpétuité la mémoire de leur nom, et pour servir de base à la distribution des récompenses honorables et des
gratifications qui leur sont assurées par le présent Décret.

Charles Lameth

Nous Soussigné Président et Commissaires des Vainqueurs de la Bastille, déclarons et attestons que M. Jacques Renie né en 1752
natif de Gagny Département de Paris a été reconnu pour l'un des Vainqueurs de la Bastille, dans une assemblée
générale légalement convoquée et présidée par les représentans de la Commune de Paris, et par les commissaires nommés pour la
vérification des faits et gestes de la Bastille. Nous certifions que conformément au Décret ci-dessus : son nom porté sur
les procès verbaux, et inscrit sur le tableau a été déposé aux archives de l'Assemblée Nationale, et qu'en sa qualité
de vainqueur de la Bastille, il peut et doit jouir des honneurs attaché à ce titre.

Président des Vainqueurs de la Bastille

Brevet de vainqueur de la Bastille (cat. 510 A).

Couronne murale de vainqueur de la Bastille (cat. 510 B).

Costume de vainqueur de la Bastille (cat. 511).

En 1832, sous la Monarchie de Juillet, quatre-vingt-dix-neuf Vainqueurs survivants se virent offrir une allocation de secours, rapidement convertie en une rente viagère de 250 francs (égale au traitement d'un militaire chevalier de la Légion d'honneur). Cette pension, créée par une loi du 26 avril 1833, n'aurait pas été bien accueillie dans le public. (*Cf.* Joseph Durieux, *les Vainqueurs de la Bastille*, Paris, H. Champion, 1911.)

En haut du diplôme de « Vainqueur de la Bastille », au-dessous des mots « Assemblée nationale », cartouche entouré de rayons comportant trois fleurs de lys et les mots « La Loi/Le Roi » dans une couronne de feuilles de chêne. « Séance du samedi dix neuf juin 1790 — Décret en faveur des citoyens qui se sont distingués à la prise de la Bastille. » Au-dessous, à gauche, une couronne murale ; à droite, une couronne de chêne. L'encadrement est constitué de deux colonnes portant les statues d'Hercule et du génie de la Liberté. En bas, une vue de la prise de la Bastille, le 14 juillet 1789.

Tous les brevets distribués furent revêtus des signatures de Charles de Lameth, président de l'Assemblée nationale ; de Pannetier, président des Vainqueurs de la Bastille ; de Borie, Demarque-Duclaud et Cholat, commissaires. Les récipiendaires ornèrent le côté droit de ce brevet d'un ruban rouge et bleu liséré de blanc. L.B.-M.

510 B

Couronne murale de Vainqueur de la Bastille

Bronze doré, ruban. H. 0,015 ; L. 0,025 (sans bélière).
Inscription : gravé au dos : « Recomp^se^ N^le^ D.A.J^m^ GRIGAUT VAINQ^r^ DE LA BASTILLE. »
Historique : collection Bucquet, donnée au musée en 1922.
Bibliographie : Durieux, 1911.

Paris, musée de la Légion d'honneur (inv. C 1687).

511

Costume de Vainqueur de la Bastille

Gravure publiée chez François Bonneville, « R. du Théâtre Français, n° 4 ».

Eau-forte coloriée. H. 0,25 ; L. 0,15.

Paris, Bibliothèque nationale, cabinet des Estampes (coll. Hennin, n° 10.366).

On sait peu de chose sur le costume des Vainqueurs de la Bastille dont cette estampe est le seul témoignage. Le sujet est en pied, vu de face, vêtu d'un uniforme bleu à revers rouges. Sur sa ceinture peut se lire l'inscription : « Paix aux chaumières, Guerre aux châteaux ». Il tient de la main droite un pistolet et s'appuie de la gauche sur une lance dont la hampe porte les mots : « Les tyrans sont Murs » et le fer : « 14 juillet 1789 ». Sur le casque se lit l'inscription « Vaincre ou mourir ». Il existe un état précédent de cette gravure, sur lequel le sujet porte un bonnet phrygien et non un casque.

Les Vainqueurs se virent également attribuer un fusil et un sabre. Sur chacune de ces armes était portée la mention « Donné par la Nation à ..., vainqueur de la Bastille ».

On leur attribua également un insigne, une couronne murale en bronze doré, à porter au moyen d'une bélière à la boutonnière gauche de l'habit. Cet insigne fut aboli par un décret du 20 août 1793. L.B.-M.

PALLOY ET LA DÉMOLITION DE LA BASTILLE

512

Pierre-François Palloy (1755-1835)

par RUOTTE fils, d'après Mlle Pantin

Eau-forte. H. 0,25 ; L. 0,18.
Inscription : « P.F. Palloy né à Paris le 23 janvier 1755. / Sur l'autel de la Liberté / Il mit son cœur et son génie / L'un appartient à la patrie / Et l'autre à l'immortalité / Il servit sa patrie et respecta la loi / Du nom de patriote un décret le décore / Il mérita ce titre et dans mille ans encore / Nos neveux confondront Patriote et Palloy. »

Paris, Bibliothèque nationale, cabinet des Estampes (inv. N^2^).

L'hommage de cette gravure a été fait au citoyen Palloy en 1792 par ses 83 apôtres de la liberté au retour de leur mission des chefs-lieux des 83 départements, l'an IV de la liberté française en lui déposant les procès-verbaux de réception des caisses d'objets civiques et des modèles de la Bastille qu'il y avait envoyés. L.B.-M.

513

Pierre de la Bastille

Pierre. H. 0,100 ; L. 0,65.
Inscription : « Ex unitate libertas/anno primo 1789. Louis XVI par la grâce de Dieu et de la loi Constitutionnelle de l'Etat roi des Français. »
Historique : cette pierre vient d'un des cachots de la Bastille envoyée à Dijon en 1790 ; entreposée dans une cour du palais de Justice ; remise à la Commission des antiquités de la Côte-d'Or en 1833.
Bibliographie : Cat. Dijon, 1884 ; Babelon, 1965.

Dijon, Musée archéologique (inv. 1373).

De la production des ateliers du « patriote Palloy » on connaît surtout les modèles réduits de la Bastille (le moulage de l'exemplaire des Archives nationales est présenté dans l'exposition) ; mais des recherches récentes ont fait douter que ces « maquettes » aient été réellement toutes taillées dans les pierres de la Bastille. Il semble que dans beaucoup de cas il s'agisse d'exemplaires en pierre reconstituée, moins coûteux et plus rapides à exécuter. Rien ne permet en revanche de ne pas reconnaître une authentique « pierre de la Bastille », sinon précisément de ses cachots dans la dalle du musée de Dijon.

On notera que le profil de Louis XVI, placé dans un médaillon ovale a été cancellé.

514

Vue de la Bastille pendant sa démolition en juillet 1789

par un auteur anonyme

Dessin aquarellé. H. 0,16 ; L. 0,33.

Paris, Bibliothèque nationale, cabinet des Estampes (coll. Destailleur n° 118).

515

Plan de la Bastille. Dans la première origine, cette forteresse étoit l'entrée de la ville et ne constitoit qu'en deux tours construites sous le règne du roi Jean...

par un auteur anonyme, d'après un plan levé par P.F. Palloy
Paris, P.F. Palloy, 1790.

Eau-forte coloriée. H. 0,70 ; L. 0,52.

Paris, Bibliothèque nationale, cabinet des Estampes (coll. Smith-Lesouef n° 2787).

Les premiers souvenirs de la Bastille diffusés par P.-F. Palloy furent ces plans, levés par ses soins, distribués à l'occasion de la fête de la Fédération. Celui-ci porte l'envoi autographe « donné à la section de la Croix rouge le 14 juillet 1790 par Palloy, patriote ». L.B.-M.

516

La Destruction de la Bastille

par Claude-Louis DESRAIS

Plume, encre noire, lavis brun, gouache ? blanche. H. 0,24 ; L. 0,186.
Bibliographie : Bénézit, t. III, p. 221.

Stuttgart, Staatsgalerie, Graphische Sammlung (inv. 3981 a).

Ce dessin de forme ovale a certainement servi de modèle pour une des illustrations que l'artiste produisait en série. Il montre la participation de députés de la noblesse à la destruction de la Bastille, le 17 juillet 1789 ; une scène est

Pierre-François Palloy (cat. 512).

Pierre de la Bastille (cat. 513).

Le patriote Palloy et la démolition de la Bastille

Le 16 juillet, l'assemblée des électeurs arrêta à l'unanimité que la Bastille serait démolie jusque dans ses fondements. A vrai dire, la destruction de la forteresse avait commencé le soir même de sa chute, dans l'euphorie de la victoire. Dès les premiers instants apparaît un nom, celui de Pierre-François Palloy (1775-1835). Fils d'un marchand de vin, engagé à seize ans dans le Royal-Dragons, il avait épousé la fille d'un maître maçon et s'était fait céder la clientèle de son beau-père. La Révolution naissante le trouva entrepreneur des bâtiments du Roi au département de la Vénerie.

Nul ne sait quelle part exacte prit Palloy aux événements du 14 Juillet. Il semble avoir réussi à se faire admettre parmi les « Vainqueurs », mais son nom n'apparaît pas clairement dans les listes où se trouvent ceux d'un Pallet et d'un Palliot, mais pas le sien. Il sut pressentir tout de suite l'importance de l'événement, et quel profit, aussi, il pourrait en tirer, car, dès le 15 juillet, il ferma ses ateliers et envoya ses ouvriers à la Bastille. Avec eux il entreprit la démolition, avant d'être investi officiellement de cette mission, ce qui ne vint d'ailleurs qu'assez tardivement : c'est en septembre seulement que la démolition fut mise en entreprise, sous la direction de quatre architectes, de la Poise, Jallier de Savaux, de Montizon et Poyet (ce dernier devenant la bête noire de Palloy), et le 22 décembre que l'adjudication fut affichée. A partir de cette date, Palloy assortit systématiquement son nom de celui de « Patriote ». Il ne devait jamais se départir de cette habitude.

Il doit sa renommée à une idée originale : celle d'acquérir les matérieux de démolition et d'entreprendre, dans son hangar au n° 20 de la rue des Fossés-Saint-Bernard, l'exploitation de ces débris. L'adjudication des matériaux, à vil prix, eut lieu le 4 octobre 1790. Il commença par fabriquer un grand nombre de petites Bastilles reproduisant la forteresse détruite. Un décret du 15 janvier 1790 ayant divisé la France en 83 départements, il résolut d'en envoyer un exemplaire à chacun d'eux, ainsi qu'aux districts et aux communes importantes, et il les fit porter à leurs destinataires en grande solennité par quatre-vingt-trois « apôtres de la Liberté ».

Puis la distribution de ces souvenirs patriotiques tourna à la monomanie. Il en inonda la France entière et toutes ses colonies. Aucun corps constitué, aucune assemblée, aucune administration n'y échappa (on ne peut qu'être surpris de constater de nos jours que bien peu de ces objets ont finalement été conservés). Il sortit de ses ateliers une quantité infinie de bustes, statuettes, tabatières, encriers, presse-papiers, bijoux, médaillons, dominos...

Il mourut octogénaire après avoir connu des fortunes diverses. Un instant suspecté et incarcéré à la fin de l'an II, il fut relâché au bout de quelques jours. S'il avait un seul instant cru faire fortune par la vente de sa pacotille commémorative, il s'était lourdement trompé, car il se ruina. Un avis de 1815 (B.N., Est., Qe 26) offre les services de « M. Palloy pour le conseil dans les objets dépendans de son art, et Mme Palloy pour la réparation et le raccommodage du linge » tant leur situation matérielle s'était dégradée. N'ayant pas réussi à faire reconnaître ses mérites sous l'Empire, il accueillit avec joie la Restauration, par un spectaculaire revirement.

Quant à la démolition de la Bastille, elle fut menée à bien moins rapidement qu'on ne l'a dit. Quoique la dernière pierre de la forteresse ait été symboliquement offerte par Palloy à l'Assemblée nationale le 6 février 1790, elle semble ne s'être achevée qu'en octobre 1791.

Laure Beaumont-Maillet

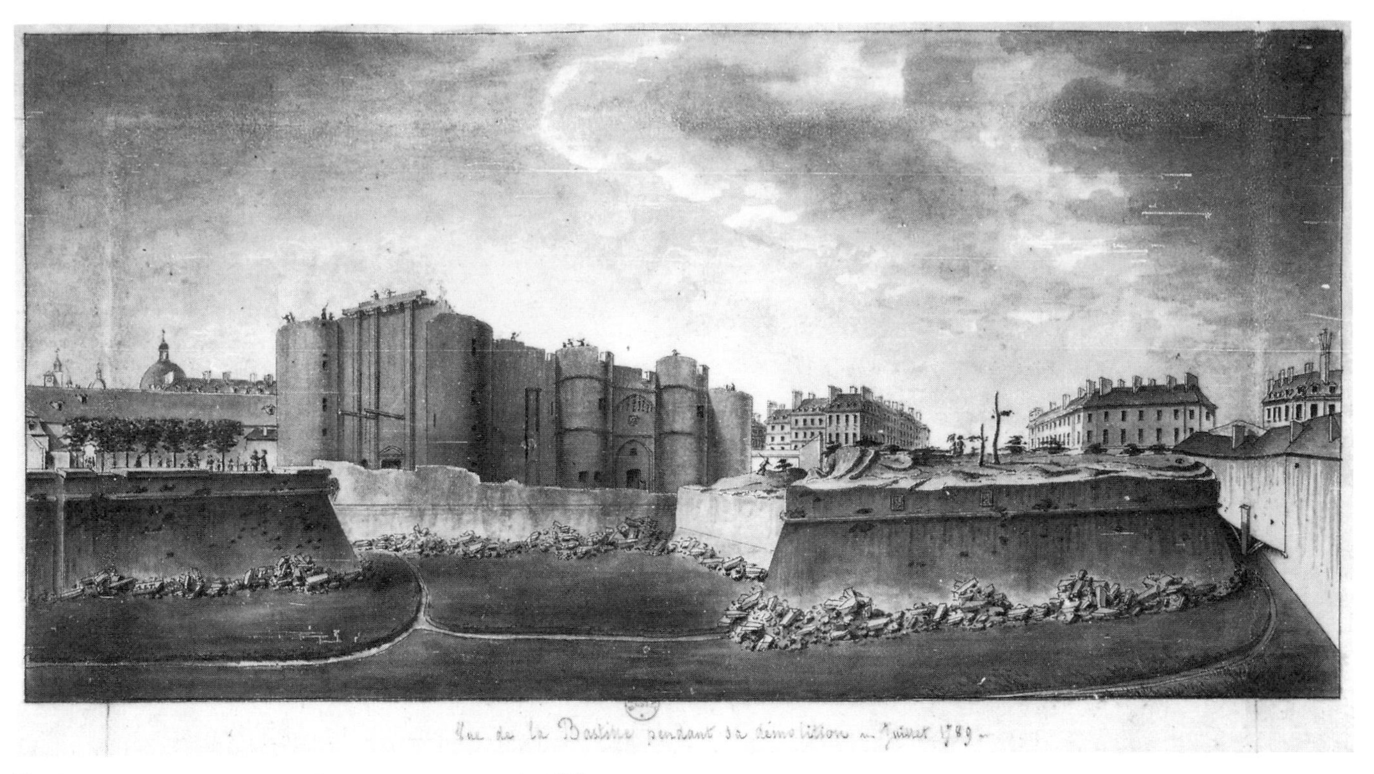

Vue de la Bastille pendant sa démolition, par un anonyme (cat. 514).

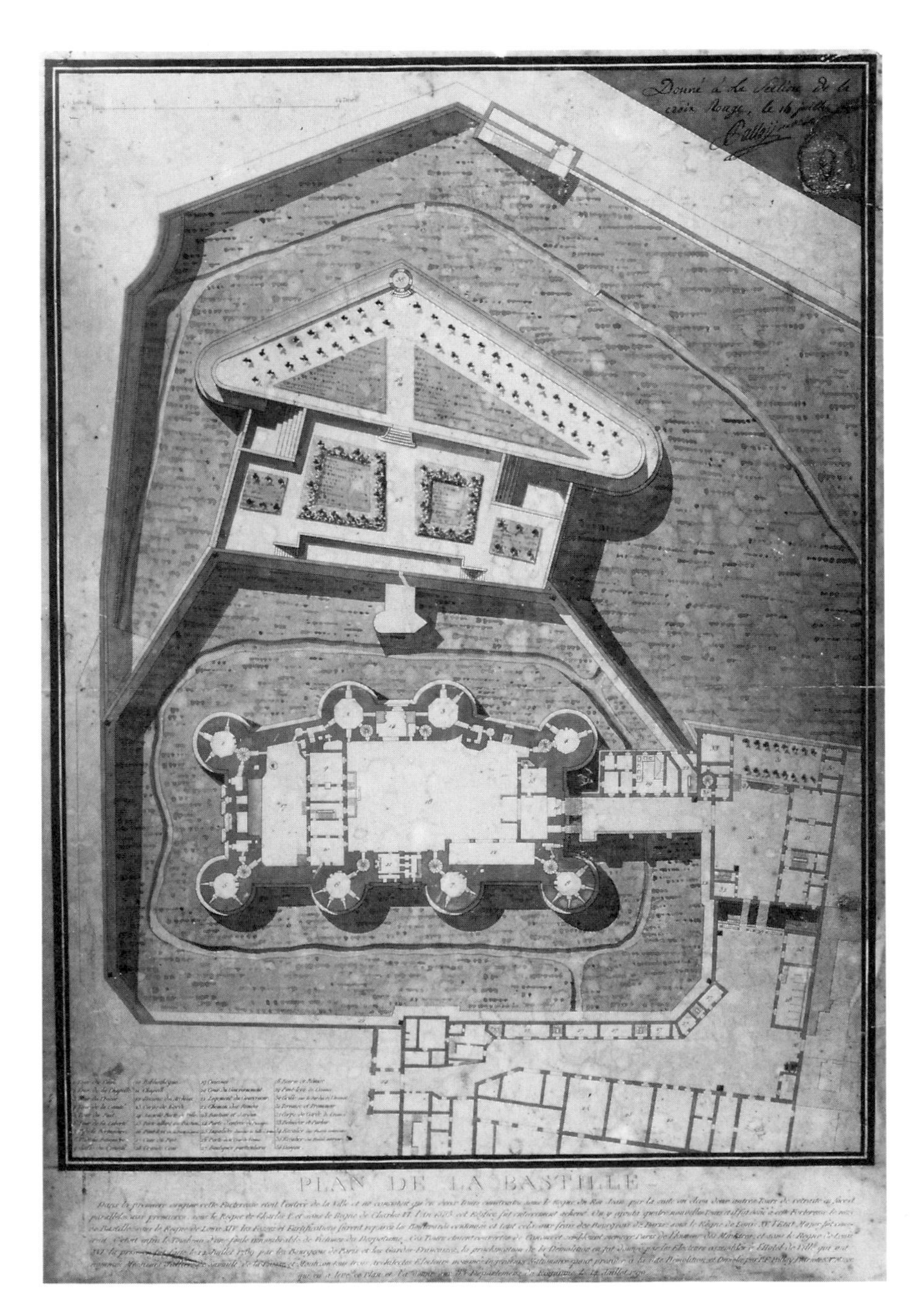

Plan de la Bastille, d'après un relevé de Palloy (cat. 515).

Destruction de la Bastille, par Desrais (cat. 516).

Plan et élévation de la colonne de la Liberté, projet de monument par Palloy (cat. 519).

molition de la Bastille, par l'Allemand Will (cat. 517).

«Le Réveil du Tiers Etat» (cat. 518).

Le Retour de Necker, résultat des événements du 14 juillet (cat. 520).

Necker porté en triomphe le 17 juillet (cat. 521).

« La Révolution française arrivée sous le règne de Louis XVI le 14 juillet 1789. Dédiée aux amis de la Constitution » (cat. 522).

également reprise sur l'une des gravures de J. Chéreau (Paris, Bibliothèque nationale, coll. De Vinck (nº 1666) où il est précisé que les représentants de la noblesse « soulevèrent eux-mêmes les pierres et secondé par les Ouvriers, les jettèrent dans les décombres... ». Desrais a essayé de bien mettre en relief acteurs et spectateurs — au détriment de l'exactitude topographique : ouvriers et nobles armés de pics sur les créneaux de la forteresse, en train de jeter les pierres démantelées dans le fossé, ou attroupement coloré des badauds en train d'assister à ce spectacle patriotique. Bourgeois et nobles, hommes, femmes et enfants — tous vêtus à la dernière mode —, observent les événements comme au théâtre et applaudissent à grands renforts de gestes. Même si cette représentation n'a pas l'authenticité du récit d'un témoin oculaire, elle met bien en évidence le caractère symbolique de l'épisode, la fraternisation des différents « états ». R.Sc.

517
La Démolition de la Bastille

par Johann Martin WILL

Gravure sur cuivre. H. 0,362 ; L. 0,472.
Inscription : en haut à droite « 70 » ; en bas à droite « Joh.Mart.Will. exc. : A.V. » ; en bas à gauche : « Dessinée d'après nature et gravé par G. ».
Bibliographie : Drugulin, Leipzig, 1863, nº 5361.

Vienne, Heeresgeschichtliches Museum (inv. BI 29.316).

La gravure (qui est à rapprocher de celle exposée sous le cat. 495) montre la Bastille du côté opposé à la Seine ; de nombreux ouvriers, au sommet des tours, sont occupés à démolir les murs. Au premier plan des badauds et d'autres ouvriers. La gravure est apparemment une reproduction inversée d'un dessin français qui montrait l'édifice quelques jours après l'assaut ; l'œuvre la plus célèbre dans ce contexte reste le tableau peint par Hubert Robert, le 20 juillet 1789 (musée Carnavalet, inv. P 1476). L.Po.

518
« Le réveil du Tiers État »

par un auteur anonyme

Eau-forte coloriée. H. 0,20 ; L. 0,24.

Paris, Bibliothèque nationale, cabinet des Estampes (coll. Hennin nº 10375).

Devant un noble et un abbé stupéfaits plus encore qu'effrayés, un homme du tiers se relève brisant ses chaînes : « Ma feinte, il étoit tems que je me réveillisse, car l'opression de mes fers me donnions le cochemar un peu trop fort. » Au fond, la forteresse de la Bastille qu'on démolit. Cette gravure, comme la suivante, doit suivre de peu les événements, mais elle est tout de même postérieure à la nuit du 4 août.
L.B-M.

519
Plan et élévation de la colonne de la Liberté

Probablement de la main de P.-F. PALLOY.

Dessin aquarellé. H. 0,26 ; L. 0,13.
Bibliographie : Palloy. *Projet général d'un monument à élever à la gloire de la Liberté sur les terrains de la Bastille, ile Louviers et dépendances... présenté ... par Palloy le 11 mars l'an IV...* S.l.n. d., in-4º, 44 p. plan (B.N., 4º Lb[39] 10467 bis).

Paris, Bibliothèque nationale, cabinet des Estampes (inv. Qb1, 14 juillet 1789).

Le 16 juin 1792, Pastoret présenta à l'Assemblée nationale un rapport au nom du Comité d'instruction publique, exposant que le « Patriote » poserait le 14 Juillet suivant la première pierre d'une place de la Liberté ornée d'une colonne en son centre sur l'emplacement de la Bastille. S'inspirant de projets antérieurs, Palloy voulait, au centre de la place sur laquelle serait porté, à l'aide de pavés noirs, le tracé de la forteresse détruite, élever une colonne haute de cent soixante-quatre pieds (55 mètres environ) portant la statue de la Liberté. La colonne reposerait elle-même sur un socle en forme de Bastille, le tout s'appuyant sur un amas chaotique de pierres provenant de la forteresse, abritant deux fontaines et deux corps de garde. Palloy voulait que chaque département français contribue par l'envoi de quatre hommes au travail de construction de ce monument, qui ferait partie d'un vaste ensemble d'embellissement de ce quartier de Paris. La première pierre fut bien posée, mais le peu d'enthousiasme suscité et — peut-être — le début des difficultés financières de Palloy expliquent que le projet n'ait pas été réalisé, malgré la ténacité de son promoteur. L.B.-M.

APRÈS LE 14 JUILLET

520
Monument pour Paris

par Th. KONNIG / J.L. van BEEK, d'après W. Kok

Eau-forte. H. 0,410 ; L. 0,530.
Inscription : « Anno 1789/ Gedenkteeken voor Parys/ Monument pour Paris/ WKok inv. et del. /D. Sheerman excudit/ Th. Koning et J.L. van Beek sculp. 1790. »
Bibliographie : Bruel, t. I, nº 1370 ; Atlas Van Stolk, t. VI, nº 5015.

Rotterdam, Fondation Atlas Van Stolk (Historisch Museum) (inv. V.S. 5015).

Ce « Monument », purement symbolique, illustre certains épisodes liés au 14 juillet 1789 d'une manière qui fait du retour de Necker le résultat essentiel de ces événements. On notera cependant dans le médaillon en bas à droite la représentation des « têtes tranchées portées dans les rues », curieusement associée à la vue du Pont-Neuf et à la statue d'Henri IV, peut-être pour la commodité d'utiliser un paysage parisien souvent représenté par des peintres hollandais.

521
Monsieur Necker redemandé par le Tiers État et porté dans les bras du peuple jusque chez lui l'année 1789

par un auteur anonyme

Eau-forte. H. 0,20 ; L. 0,16.
Inscription : « A Lyon, chez Pezant, rue Tupin, la 2e allée à droite en entrant par la rue Mercière. »

Paris, Bibliothèque nationale, cabinet des Estampes (inv. Qb1, 17 juillet 1789).

Exilé le 11 juillet par une lettre de Louis XVI, Necker fut porté en triomphe à Versailles le 17 juillet, jour de la visite du roi à l'Hôtel de ville. L.B.-M.

522
La Révolution française arrivée sous le règne de Louis XVI le 14 juillet 1789. Dédiée aux amis de la Constitution

par A. DUPLESSIS

Eau-forte et roulette. H. 0,38 ; L. 0,59.
Inscription : « Inventé, dessiné, et gravé par A. Duplessis » ; « A Paris chez l'auteur, rue de la Calandre, Quartier du Palais, la Porte cochère en face de la rue St Eloy nº14. »

Paris, Bibliothèque nationale, cabinet des Estampes (coll. Hennin nº 10384).

On doit au graveur-éditeur, A. Duplessis, établi dans l'île de la Cité, cette estampe allégorique d'une extrême complexité dont la légende, aussi emphatique que la conception iconographique elle-même, fournit heureusement l'explication : « Du haut du Ciel, le voile soulevé par le Patriotisme sous la figure d'un Vétéran, laisse paraître l'Auguste Vérité resplendissante, qui vient éclairer la Nation, l'Assemblée Nationale et l'Univers ; la Liberté Française... fait tomber la Couronne et brise le Sceptre de fer de l'affreux Despotisme, retiré dans la Bastille dont on voit sortir le Peuple vainqueur. Un Génie bienfaisant grave sur une Colonne de Bronze les Noms des Députés Patriotes, l'Arc en Ciel annonce la Paix universelle. La Cérémonie commence par les principalles Victimes, qui ont étées frappées par le Poignard du Despotisme, et assassinées avec le Glaive de la Justice, suivi du Cercueil contenant le corps immense des Abus... Les 4 coins du Poële sont tenus par l'Envie, l'Avarice, l'Orgueil et la Folie, le tout porté par les différentes classes du cy devant Tiers Etat. Suit après le Président de l'Assemblée Nationale, qui après avoir

«*La Chute du Despotisme*», *gravure satirique anglaise* (cat. 523).

Les Premiers Fuyards de la Révolution (cat. 524).

approfondi les Abus, les conduit au Tombeau. Vient ensuite la Justice, accompagnée de la Force, et de l'Egalité. Mr. Bailly, Grand maître des Cerémonies prend le Livre des Loix, porté en Venération par d'Honorables Deputés, Derrière est la Chicanne, un baillon a la bouche, accompagnée par des Procureurs en pleureuses, et en longs manteaux de Deuil. Grand désespoir des Princes, Ducs et Pairs, et de tous ceux qui peuvent regretter les Abus (...) Le Clergé, les Présidens à mortier, les 5 grosses Fermes, se soutenans et consolans mutuellement, sont suivies par une foule de Prêtresses de Venus, dans la desolation. La Marche est fermée par le Bedeau des Aristocrates. Sur le coin droit du Tableau, on voit le Temps, qui honteux d'avoir épargné les restes du Régime féodal en détruit l'Edifice, les Armoiries, et touttes ces Distinctions puériles, tant recherchées par les Sots et les Intrigans (...) On remarque avec intérêt le Groupe de Personnes Distinguées, qui sont ensuitte, c'est la Société des Amis de la Constitution, tant de la France que de l'Etranger, qui se sont fédérés universellement et ont envoyé leurs Députés, a la teste desquels est Milord Stanhope, président de celle d'Angleterre (...) » L.B.-M.

523
La Chute du Despotisme
(The Downfall of Despotism)

par un auteur anonyme

Eau-forte coloriée. H. 0,42; L. 0,53.
Inscription : « London, published by William Holland, n°50 Oxford Street, August 14, 1789. »

Paris, Bibliothèque nationale, cabinet des Estampes (coll. Smith-Lesouef n° 202).

Scène satirique : devant la Bastille qui vient de tomber, La Fayette accueille deux détenus décharnés et vêtus de haillons. A Louis XVI éploré, Marie-Antoinette conseille de renvoyer les troupes massées autour de Paris, tandis que le comte d'Artois se lamente sur sa sortie peu glorieuse. Au sommet des tours de la Bastille, l'allégorie de la Liberté, juchée sur une piédestal constitué par les œuvres de Montesquieu, Raynal, Voltaire et Rousseau, en compagnie du duc d'Orléans, futur Philippe Égalité, premier prince du sang (allusion au rôle certain joué par ce personnage féru d'idées et de modes anglaises), ainsi que Necker.
L.B.-M.

524
Les Premiers Fuyards
de la Révolution

par un auteur anonyme

Gravure à l'eau-forte et aux outils. H. 0,21; L. 0,28.

Paris, Bibliothèque nationale, cabinet des Estampes (coll. Hennin n° 10414).

Une inscription manuscrite identifie certains des personnages en fuite : « n°1, Mme de Polignac ; n°2, le comte d'Artois ; n°3, le prince de Condé ; n°4, le baron de Breteuil ; n°5, le prince de Lambesc ; n°s6 et 7, deux autres personnages de la cour. »
Dès le 16 juillet, Louis XVI a conseillé à son frère, le comte d'Artois, de quitter le pays, ce qu'il fait aussitôt en compagnie de sa femme, Marie-Thérèse de Savoie, et de sa maîtresse Mme de Polastron. Ses cousins, Condé et Enghien, partent également. Marie-Antoinette a convaincu Mme de Polignac d'en faire autant. Elle gagne donc la Belgique escorté de son mari et du comte de Vaudreuil. Deux autres personnages prennent encore l'exil le même jour : l'abbé de Vermond, depuis vingt ans conseiller de Marie-Antoinette (en 1769, il avait été désigné pour se rendre à Vienne enseigner la langue française à l'archiduchesse, puis était rentré avec elle en France pour lui être attaché à titre de lecteur), et le prince de Lambesc, le « Sabreur des Tuileries », cousin de la reine, qui fuit ainsi l'impopularité et les poursuites engagées contre lui au Châtelet.
L.B.-M.

525
La Journée à jamais mémorable
aux François, ou Louis XVI,
restaurateur de la liberté françoise,
se rendit à l'Hôtel de Ville
le 17 du mois de juillet 1789...

par un auteur anonyme

Aquatinte. H. 0,25; L. 0,39.
Inscription : « A Paris, chez Crépy, rue St-Jacques n° 252. »

Paris, Bibliothèque nationale, cabinet des Estampes (coll. Hennin n° 10392).

Après avoir été accueilli à la barrière de la Conférence par Bailly qui lui avait offert alors les clefs de la Ville, Louis XVI gagna l'Hôtel de Ville où, comme l'indique la lettre de la gravure « après les discours prononcés par MM. Bailly, de Talendal, de Saint-Mery, etc. », il « prononça ces paroles si remarquables, si belles et si dignes d'un bon roi "Mon peuple peut toujours compter sur mon amour." » Malgré le climat d'affectueux respect de cette cérémonie, la venue du roi à Paris n'en constituait pas moins une sorte d'amende honorable, d'humiliation.
On sait que c'est à cette occasion que le roi accepta la fameuse cocarde tricolore inventée par La Fayette ; la cocarde verte du 12 juillet adoptée à l'initiative de Camille Desmoulins ayant été abandonnée dès le lendemain — le vert étant la couleur du comte d'Artois — au profit d'une cocarde bleu et rouge aux couleurs de la ville, La Fayette n'eut qu'à y adjoindre le blanc de la royauté. L.B.-M.

526
Pierre-Ancise rendu aux citoyens
en aoust 1789

par un auteur anonyme

Eau-forte et aquatinte. H. 0,19; L. 0,29.

Paris, Bibliothèque nationale, cabinet des Estampes (inv. Qb1, août 1789).

« Cette forteresse élevée sur un roc escarpé dominant la ville de Lion etoit l'effroy du citoyen et de tout étranger suspect ou non, mais notre phalange nationale s'avance et envisage avec horreur et sans effroy ce roc menaçant, le gouverneur, vrai patriote, lui rend les clefs de la citadelle, en délivre les prisonniers en disant vive la liberté, mes amis, mes frères, voilà le plus beau moment de mon existence. Monsieur le marquis de Brunoy que l'on avait fait mort il y a quelques années en est sorti comme du tombeau en comblant des marques de sa reconnaissance les braves français qui le rendaient à la Nation. »
Peu après la prise de la Bastille, dans toute la France des châteaux furent attaqués et des prisons ouvertes, à l'instar de ce qui s'était fait à Paris. Pierre-Encize fut au nombre de celle-ci. La citadelle est ici représentée de façon parfaitement fantaisiste, par un graveur qui de toute évidence ne l'a jamais vue. Tout aussi fantaisiste est l'allusion au marquis de Brunoy, décédé plusieurs années auparavant sans avoir jamais mis les pieds dans ce lieu peu hospitalier. L.B.-M.

527
Les Bastilles de Paris et de Cassel

Feuilles mobiles de l'« Obscuranten-Almanach auf das Jahr 1798 » publié par Andrea Georg Friedrich Rebmann (1768-1824), Paris chez Gérard Fuchs, libraire national (et Vollmer Altona) 1798, volume in-8°, 351 pages avec 6 gravures (couverture, frontispice, vignette titre, 2 planches, vignette texte).

Wolfenbüttel, Herzog August Bibliothek (inv. Zb 36).

L'« Obscuranten-Almanach », dont le titre fait apparemment référence à l'une des plus célèbres œuvres polémiques de l'humanisme allemand, les *Epistolae virorum obscurorum* d'Ulrich von Hutten (1488-1523), parut trois fois de 1798 à 1800. L'éditeur, Andreas Georg Friedrich Rebmann, l'un des chroniqueurs révolutionnaires les plus fameux d'Allemagne, était alors juge à Mayence. Cette revue contient des polémiques véhémentes contre le despotisme, le cléricalisme et la propagande anti-révolutionnaire en Allemagne.
Sur la couverture du premier volume, on voit « neben der alten auch die berühmte neuerbaute Bastille neben der Fuldabrücke zu Kassel » (à côté de l'ancienne, la fameuse bastille récemment construite près du pont de la Fulda à Cassel). Bien que la forme de la forteresse en question soit un pur produit de l'imagination, c'est sans doute le château de Cassel au

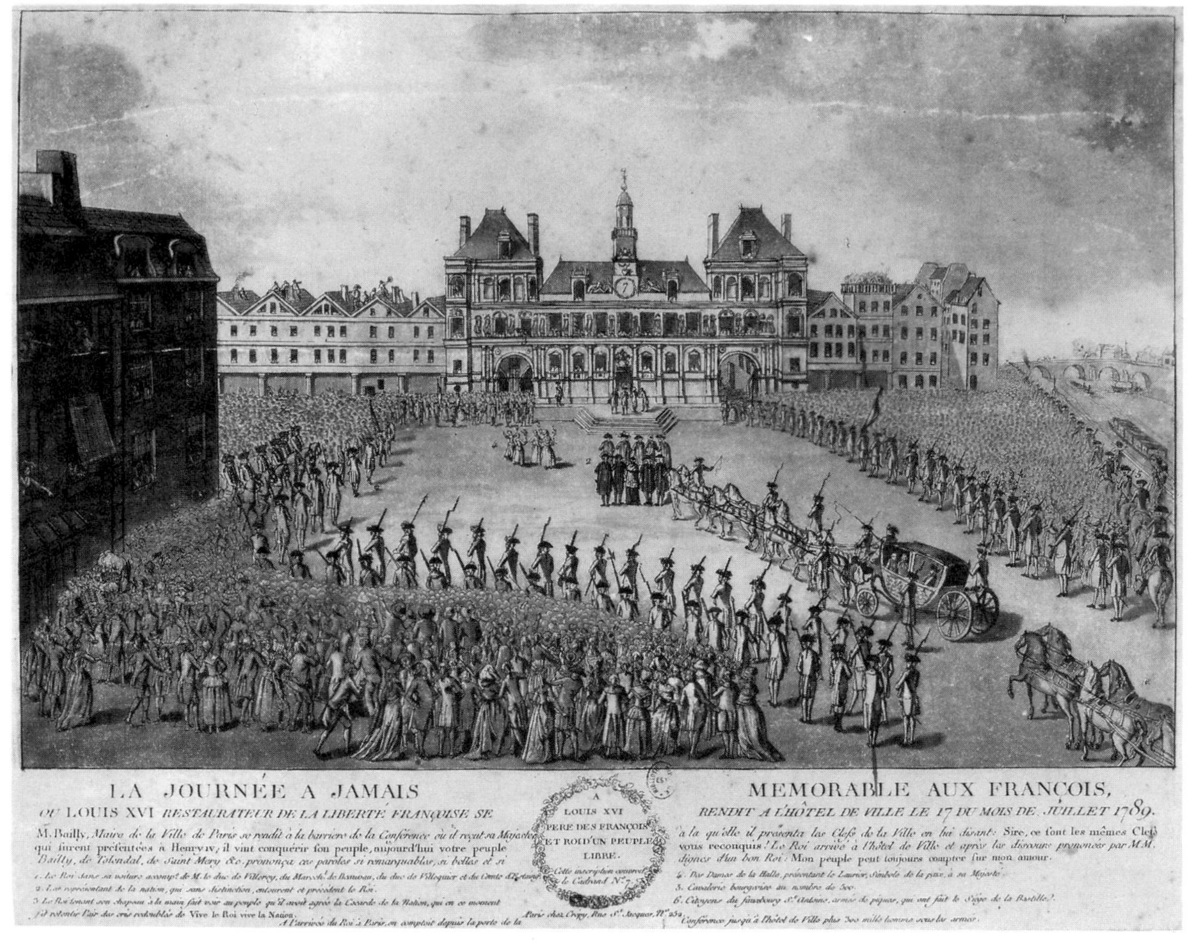

Le Roi à l'Hôtel de Ville de Paris le 17 juillet (cat. 525).

Les Bastilles de Paris et de Cassel (cat. 527).

Reddition de la citadelle de Pierre-Encize (cat. 526).

bord de la Fulda qui est évoqué ici. Le prince de cette contrée, le landgrave Guillaume IV, qui suscitait une haine très vive de la part de l'opposition allemande en raison de son régime despotique et de ses ventes de recrues en Amérique du Nord, avait transformé cette citadelle en prison d'État. Des vers du poète viennois contre-révolutionnaire, Leopold Lorenz Haschka, sont apparemment inversés et repris sous une forme ironique pour attaquer le landgrave de Cassel. La mise en parallèle d'une bastille française et d'une bastille allemande équivaut à un appel lancé aux Allemands afin qu'ils imitent leurs voisins français, ce qui correspond aux convictions révolutionnaires de Rebmann. R.Sc.

L'IMAGE DE LA BASTILLE

528
Soyez libres, vivez

par WOODMAN et MUTLOW, d'après Spilsbury

Eau-forte. H. 0,17; L. 0,10.
Inscription : « Spilsbury delin. - Woodman and Mutlow sculp. »
Historique : collection Laterrade.

Paris, Bibliothèque nationale, cabinet des Estampes (inv. Qb1, 14 juillet 1789).

Le projet d'un monument à construire sur l'emplacement de la Bastille a été agité à plusieurs reprises, et même bien avant la chute de la forteresse. Il semble que le premier à en avoir émis l'idée soit l'avocat Linguet, qui dans ses *Mémoires sur la Bastille* (Londres, 1783) proposa de raser la prison et d'élever sur les lieux ainsi disponibles une place en l'honneur de Louis XVI, monarque débonnaire et pacifique auquel il souhaitait rendre hommage tout en faisant disparaître l'édifice qu'il abhorrait. Il devait d'ailleurs, par la suite, se proposer comme défenseur du roi et périr à ce titre guillotiné.

Son idée fut reprise par de nombreux architectes avant même que la démolition de la Bastille ait livré aux urbanistes l'emplacement convoité, et bien davantage ensuite, tant que dura l'amour de son peuple pour le roi. Le principe d'un monument à la gloire du souverain put d'ailleurs se combiner avec la nécessité de construire un palais pour l'Assemblée permanente dont la France s'était dotée. Les Archives nationales conservent un dossier (N IV Seine 87) rassemblant les principaux projets.

Il ne peut être ici question d'évoquer, même sommairement, ces projets d'urbanisme qui feraient à eux seuls l'objet d'une exposition. Nous nous bornerons à présenter plus loin (cat. 529, 530 et 531) trois projets de monument, visant à dresser sur la place de la Bastille une colonne commémorative environ un demi-siècle avant celui de la colonne de Juillet.

Cette gravure reproduit, en l'inversant, le frontispice de l'ouvrage de Linguet *Mémoires sur la Bastille et sur la détention de M. Linguet, écrits par lui-même* (Londres, de l'imprimerie de T. Spilsbury, Snowhill, 1783, in-8°). Elle représente une statue à élever en l'honneur de Louis XVI sur l'emplacement de la Bastille. Dans ses *Mémoires*, en effet, Linguet émit le premier une suggestion : celle de démolir la prison et d'élever sur son site un monument à la gloire du monarque. Cette idée fut à l'origine de tous les projets tendant à transformer la place de la Bastille et ses abords en place Louis XVI. Derrière la statue du roi tendant avec bonté les mains vers les prisonniers qu'il vient de libérer, on reconnaît, frappé par la foudre, le célèbre carillon de la Bastille que Linguet décrit ainsi : « On y a pratiqué un beau cadran : mais devinera-t-on quel en est l'ornement, quelle décoration l'on y a jointe ? Des fers parfaitement sculptés. Il a pour support deux figures enchaînées par le col, par les mains, par les pieds, par le milieu du corps : les deux bouts de ces ingénieuses guirlandes, après avoir couru tout autour du cartel, reviennent sur le devant former un nœud énorme ; et pour prouver qu'elles menacent également les deux sexes, l'artiste guidé par le génie du lieu, ou par des ordres précis, a eu grand soin de modeler un homme et une femme : voilà le spectacle dont les yeux d'un prisonnier qui se promène sont recréés : une grande inscription gravée en lettres d'or sur un marbre noir lui apprend qu'il en est redevable à M. Raymond Gualbert de Sartines... » (Linguet, *op. cit.*, p. 78).

La formule : « Ces souffrances inconnues et ces peines obscures, du moment qu'elles ne contribuent point au maintien de l'ordre par la publicité et par l'exemple, deviennent inutiles à notre justice », gravée sur la muraille est extraite de la déclaration du 30 août 1782 sur les prisons. La légende de la gravure : « Soyez libres, vivez » est un fragment de vers d'*Alzire*, tragédie de Voltaire (1736) dans lequel le thème de la captivité est primordial. L.B.-M.

529
Projet d'une colonne à élever sur l'emplacement de la Bastille

par Antoine-Joseph GAITTE

Eau-forte et burin. H. 0,15, L. 0,13.
Historique : collection Laterrade.

Paris, Bibliothèque nationale, cabinet des Estampes (inv. Qb1, 14 juillet 1789).

Cette gravure est un fragment d'une pièce de grand format intitulée « Projet d'une place sur l'emplacement de la Bastille avec une colonne au centre semblable à celle de Trajan à Rome » gravée par l'architecte Antoine-Joseph Gaitte d'après un projet de Cathala (B.N., Est., Va 250 a). Ce cartouche placé en bas à droite est intitulé « Vue d'une partie de la place du côté de la rue Saint-Antoine ». Cathala, architecte, inspecteur de la démolition de la Bastille, conçut en avril 1790 un projet pour le quartier. Il s'agissait de creuser une gare pour les bateaux entre la Bastille et la Seine, et de construire sur l'emplacement de la forteresse une colonne à l'imitation de celle que les Romains avait élevée en l'honneur de Trajan. Comme la colonne Trajane, cette colonne de la Bastille aurait eu des bas-reliefs disposés en spirale. Elle aurait été sommée d'une statue de Louis XVI. Sur le piédestal, on voit Bailly remettant au roi les clefs de la ville lors de la cérémonie du 17 juillet 1789. L.B.-M.

530
Projet d'un monument
pour consacrer la Révolution dédié à l'Assemblée nationale et présenté au Roi par leur très humble et très obéissant serviteur Gatteaux, graveur de Médailles de sa Majesté

par SELLIER, d'après Nicolas-Marie Gatteaux et Meunier

Gravure à l'eau-forte et au burin. H. 0,45; L. 0,36.
Inscription : « Gatteaux inv.- Meunier del.- Gravé par F.N. Sellier en 1790. A Paris, chez Sellier graveur, rue Saint-Jacques vis à vis les Jacobins n° 100; et chez Mondard et Jean, Md d'estampes, rue Jean de Beauvais. »
Historique : collection Laterrade.
Bibliographie : Gatteaux (Nicolas-Marie), *Projet d'un monument pour consacrer la Révolution...*, Paris, impr. de la Société nationale des Neuf-Sœurs, s.d., in-4°, 15 p. (B.N. 4° V Pièce 4905).

Paris, Bibliothèque nationale, cabinet des Estampes (inv. Qb1, 14 juillet 1789).

Graveur en médailles, Nicolas-Marie Gatteaux (1751-1832) conçut le projet d'un monument qui serait le plus élevé de la capitale : cinquante toises de hauteur, soit environ cent mètres. Sur un piédestal, sorte d'autel de la Patrie portant sur des tables d'airain le texte de la Constitution, s'élèverait une colonne formée de quatre-vingt-trois lances représentant les quatre-vingt-trois départements reconnaissables à leurs écussons, liées de laurier, de chêne et d'olivier symbolisant la gloire, la force et la paix. Au sommet, sur le globe de la France porté par quatre lions, s'élèverait la statue de la Liberté. Le monument dans son ensemble serait élevé avec les matériaux provenant de la démolition de la Bastille. L.B.-M.

531
Colonne de la Liberté.
Monument projetté sur l'emplacement de la Bastille à la gloire de Louis Seize restaurateur de la Liberté française

par Gustave TARAVAL (1790),
d'après Davy de Chavigné (mai 1789)

Gravure à l'eau-forte et au burin. H. 0,37; L. 0,56.
Bibliographie : Davy de Chavigné (François-Antoine),

Projet de monument à élever sur l'emplacement de la Bastille, 1783 (cat. 528).

Projet de monument à élever sur l'emplacement de la Bastille, 1790 (cat. 530).

Projet d'une colonne à élever sur l'emplacement de la Bastille, 1790 (cat. 529).

Projet de monument à élever sur l'emplacement de la Bastille, 1789 (cat. 531).

Projet d'un monument sur l'emplacement de la Bastille à décerner par les Etats généraux à Louis XVI, restaurateur de la Liberté publique, et à consacrer à la Patrie et à la Liberté, à la Concorde et à la Loi, présenté à l'Académie royale d'architecture en sa séance du... 8 juin 1789.., S.l. 1789, in-8°, 24 p. (B.N. 8° Lb[39] 1825).

Paris, Bibliothèque nationale, cabinet des Estampes (coll. Hennin n° 10877).

Né à Paris en 1757, François-Antoine Davy de Chavigné n'était pas architecte, et se présente lui-même comme « auditeur des comptes et soldat-citoyen ». Il aurait proposé ce projet de monument à l'assemblée de la noblesse des bailliages de Provins et de Montereau, puis à l'Académie royale d'architecture, le 8 juin 1789, et enfin à l'Assemblée des représentants de la commune à l'Hôtel de Ville, les jours qui suivirent la prise de la Bastille. Si le projet est antérieur à la chute de la Bastille, la décoration telle qu'elle est figurée sur cette planche, et surtout telle qu'elle est décrite dans sa lettre, ne peut qu'être postérieure aux événements de l'été 1789, à l'abolition des privilèges et à la Déclaration des droits de l'homme : « La statue du Roi occupe le sommet de la colonne, dont les bas-reliefs sont destinés à célébrer les actions de Sa Majesté en faveur de la Liberté. Les statues assises de la France, de la Liberté, de la Concorde et de la Loi sont placées aux quatre côtés de la base. On voit à leurs pieds les principaux fleuves et rivières du Royaume versant également le tribut de leurs eaux, emblème de la contribution proportionnelle de tous les citoyens aux besoins de l'État. La colonne est décorée de couronnes civiques en mémoire du patriotisme des citoyens de tous les ordres et de la renonciation des deux premiers à tous leurs privilèges en faveur de l'égalité civile. Les statues des villes et des colonies personnifiées, élevées sur les piédestaux inférieurs désignent l'accord entier de la Nation pour décerner un monument de reconnaissance au Roi, le premier ami de son peuple et le restaurateur de sa liberté. » L.B.-M.

COMMÉMORATIONS

532
Transparent exécuté le 18 juillet,
l'an deuxième de la Liberté, à l'occasion du Bal donné sur les ruines de la Bastille aux frères fédérés des 83 départements

par Pierre-François PALLOY

Dessin lavé. H. 0,77 ; L. 0,51.

Paris, Bibliothèque nationale, cabinet des Estampes (coll. Destailleur n° 121, grand format).

A l'occasion du premier anniversaire de la prise de la Bastille, P.-F. Palloy organisa sur l'emplacement de la forteresse en cours de destruction une fête qui dura plusieurs jours, du 18 au 21 juillet, et qui lui coûta près de 30 000 francs.

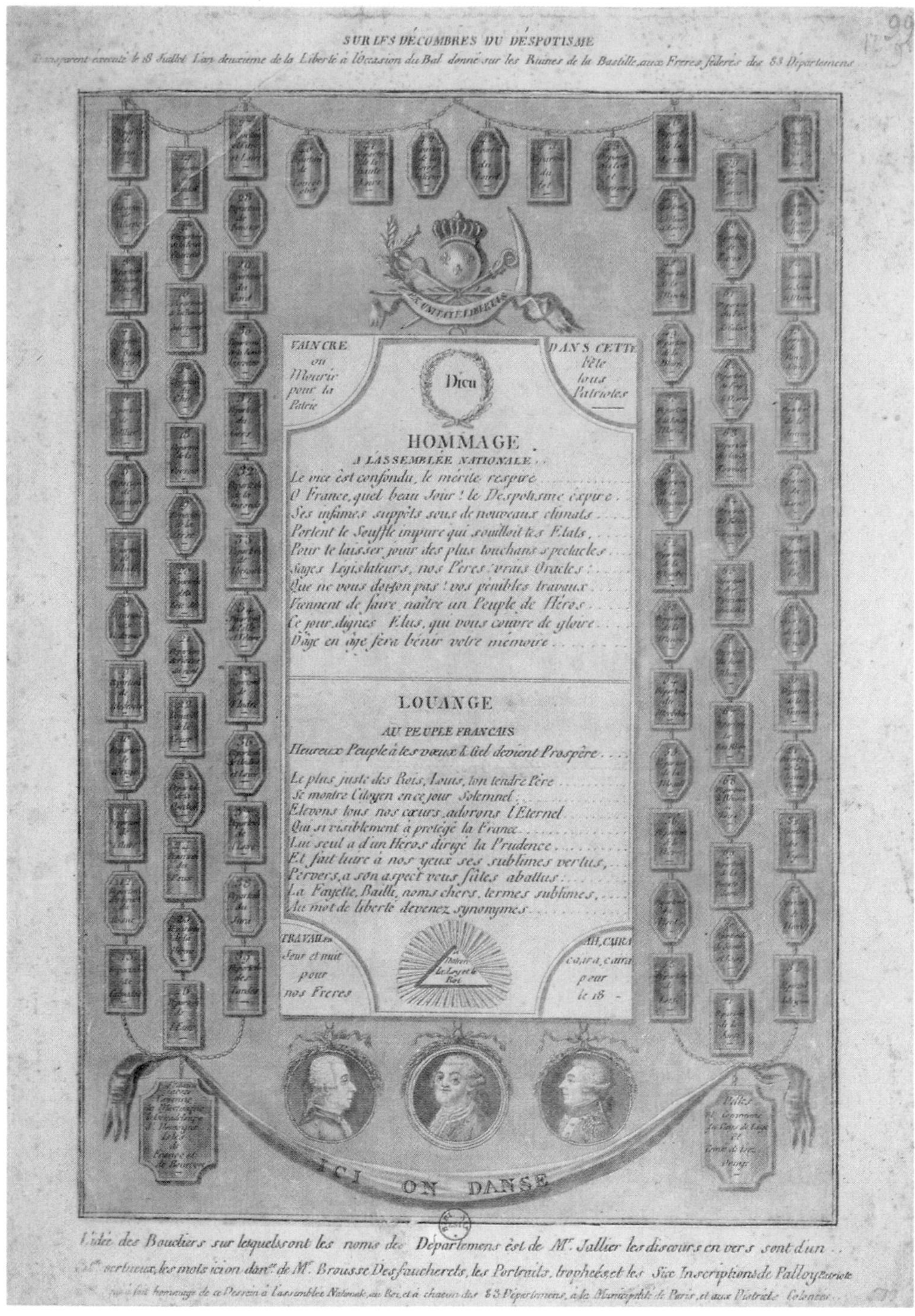
Bal donné sur les ruines de la Bastille aux frères fédérés des 83 départements (cat. 532).

Le point culminant de ces réjouissances fut la journée du dimanche 18 juillet, après la grande revue de la garde nationale. La fête fut ensuite répétée trois jours de suite, les dimensions de l'enceinte ne permettant pas d'accueillir en une seule fois tous les citoyens désireux de se joindre aux festivités.
Palloy, pour la circonstance, avait fait reconstituer en verdure la silhouette de la forteresse, surmontée de quatre-vingt-trois arbres représentants les quatre-vingt-trois départements français. Les huit tours étaient éclairées de guirlandes de lampions et au centre brillait un lustre immense aux couleurs de l'arc-en-ciel. Il avait également, par une mise en scène funèbre très prisée, reconstitué l'ambiance d'un cachot.
Il fut vraiment l'âme de ces fêtes, mais ce n'est pas à lui qu'il faut attribuer la formule « Ici l'on danse » qui frappa beaucoup les contemporains. Ce fut une trouvaille de l'auteur dramatique Jean-Louis Brousse Desfaucherets (1742-1808).
Ce dessin ayant été gravé (très réduit, pièce non présentée à l'exposition), nous savons par la lettre de la gravure que ce projet de décoration fut l'œuvre de plusieurs collaborateurs : « L'idée des boucliers sur lesquels sont les noms des départements est de M. Jallier, les discours en vers sont d'un citoyen vertueux, les mots "Ici l'on danse" sont de M. Brousse Desfaucherets, les portraits, trophées et inscriptions de Palloy, patriote, qui a fait hommage de ce dessin à l'Assemblée nationale, au Roi et à chacun des 83 départements, à la municipalité de Paris et aux districts, colonies » (même cote). L.B.-M.

533
Ici l'on danse

par un auteur anonyme

Vue d'optique. Eau-forte coloriée. H. 0,25; L. 0,34.
Inscription : « Vue de la décoration et illumination faite sur le terrein de la Bastille pour le jour de la fête de la Confédération française le 14 juillet 1790 »;

« *Ici l'on danse* » (cat. 533).

« *Adieu Bastille* » (cat. 534).

Bal de la Bastille (cat. 535).

« A Paris chez Chéreau rue St Jacques près la Fontaine St Séverin, aux deux colonnes, n° 257. »

Paris, Bibliothèque nationale, cabinet des Estampes (inv. Va 250 a).

534
Adieu Bastille

---

par un auteur anonyme
Eau-forte coloriée. H. 0,17 ; L. 0,25

Paris, Bibliothèque nationale, cabinet des Estampes (coll. Hennin n° 10376).

Devant la Bastille en cours de démolition, un homme du tiers, habillé en joueur de cornemuse, tenant à ses pieds un lion enchaîné, symbole du despotisme vaincu, fait danser à l'aide d'une corde attachée à son genou gauche deux marionnettes figurant l'une un ecclésiastique, l'autre un gentilhomme. Cette caricature reproduit ainsi plaisamment une scène de rue avec camelot fréquente au XVIIIe siècle.

L.B.-M.

535
Bal de la Bastille

---

par LE CŒUR, d'après Swebach-Desfontaines
Aquatinte en couleurs au repérage. H. 0,33 ; L. 0,27.

Inscription : « Swebach-Desfontaines del.- Le Cœur sculp. »
Bibliographie : Portalis-Béraldi, II, p. 606, n° 6.

Paris, Bibliothèque nationale, cabinet des Estampes (inv. Rés. AA3).

La légende indique : « Ce fut précisément sur les ruines du despotisme que le Français célébra le premier anniversaire de la liberté. La célérité des préparatifs de cette fête dut étonner sans doute, mais comment exprimer le sentiment qu'on éprouvait en lisant cette inscription : "Ici l'on danse". »
Avec cette scène nocturne d'une grande qualité, le vert des arceaux se détachant subtilement sur la teinte estompée du fond, Louis Le Cœur, élève de Debucourt, actif de 1785 à 1823, a donné son chef-d'œuvre. L.B.-M.

Avis aux siecles futurs
L'Orgueil les forma, la raison les détruit.
F. Guillaume II.
Pie VI.
Selim II.
Catherine II.
1.
Gustave III.
Joseph. II. et Leopol
Louis XVI. le traitre
le dernier
Egalité
République Française 1792.

XIII
LA CHUTE DE LA MONARCHIE ET LA MORT DU ROI

Bien plus que la prise de la Bastille, l'exécution de Louis XVI est l'événement fondateur de la Révolution, en raison de son caractère irréversible : jusqu'au 21 janvier 1793 plusieurs solutions semblaient encore possibles. D'abord avec le procès du roi, ensuite avec son élimination physique, les hommes de la Révolution n'ont d'autre solution que la fuite en avant, incertains qu'ils sont tous de leur audience réelle dans l'ensemble du pays et plus anxieux encore devant la menace étrangère.

*Que la décapitation de Louis XVI ait provoqué par toute l'Europe de vives réactions était inévitable. Mais le sort du roi suscita peut-être moins d'émotion et de larmes que l'on pourrait le croire. L'iconographie de l'événement est trompeuse car le thème pathétique des adieux du roi à sa famille comme celui, édifiant, du roi martyr ont été systématiquement exploités par la propagande royaliste jusqu'à une date tardive du XIX*e *siècle. Au moment du procès seule la cour d'Espagne, dans des conditions mal connues, et qu'il est évidemment impossible d'illustrer, tenta d'intervenir en faveur de Louis XVI ; les autres gouvernements européens semblent en avoir attendu la conclusion en calculant les nouvelles possibilités ainsi ouvertes à leur politique extérieure. Quant à l'opinion publique, elle paraît avoir été, dans un premier temps au moins, surtout horrifiée par les massacres du 10 août puis fascinée par les circonstances de la mort de Louis XVI comme elle l'avait été quelques mois auparavant par celles de l'assassinat de Gustave III. Ce régicide, commis par un aristocrate sur la personne d'un souverain éclairé, avait été salué par les révolutionnaires français comme un acte héroïque et libérateur et avait alimenté le mythe de Brutus, fondateur et vengeur de toute République.*

Le Nouvel Astre français (cat. 549, détail).

LA CHUTE DE LA MONARCHIE

536
La Fuite à Varennes

par Carl August EHRENSVÄRD

Plume et lavis. H. 0,20; L. 0,23.
Historique : resté dans la famille de l'artiste.
Bibliographie : Frykenstedt, 1974, p. 164, fig. 60.

Åtvidaberg, coll. baron Gösta Adelswärd.

Profondément hostile à toute forme de despotisme, le Suédois Ehrensvärd ne manifesta aucune compassion à l'égard des malheurs de Louis XVI. Parlant de la fuite à Varennes qu'il caricature ici avec son compatriote Axel von Fersen faisant office de cocher, il écrivit à sa femme, bouleversée par ces nouvelles : « Je dois malheureusement avouer que rien ne m'a causé autant de véritable satisfaction que le fait que le monarque ait été arrêté. Cela aurait été le pire des affronts pour ce gouvernement si fier et si sage que de ne pas avoir une meilleure vigilance dans son pays et je ne peux m'empêcher de lui souhaiter bonne chance dans ses entreprises. Cependant notre monde est étrangement fait puisque ce roi n'a fait de mal à personne mais doit expier les actes de ses prédécesseurs. S'il avait été lui-même capable de violence et de forfaits il aurait ligoté la justice encore pour longtemps et gagné une grande réputation. Ainsi va le monde. » P.Gr.

537
La Déchéance de Louis XVI

par Philipp Joseph FILL

Eau-forte et taille-douce. H. 0,22; L. 0,31.
Inscription : « 1. Ludwig XVI. König von Franckreich, 2. Maria Antonia, Königin von Franckreich, werden vom Thron u/Reich entsetzt... » (Louis XVI, roi de France, et Marie-Antoinette, reine de France, sont démis du trône et du royaume...).
Bibliographie : Schoch-Joswig, 1988, cat. n° 37.

Nuremberg, Germanisches Nationalmuseum (inv. HB 19 948).

Les événements révolutionnaires du 10 août 1792, que le graveur d'Augsbourg connaissait fort bien grâce aux articles de la presse, sont représentés ici d'une manière naïve, dans un montage destiné à une publication contre-révolutionnaire : à l'arrière-plan l'assaut des Fédérés contre les Tuileries ; au centre la famille royale qui demande la protection de l'Assemblée législative ; le club des Jacobins, qui insistait pour que le roi soit suspendu, est placé dans une loge pour bien marquer l'influence de celui-ci ; enfin, sujet principal de la scène, la suspension de Louis XVI décidée par l'Assemblée, qui prend l'allure d'un drame sentimental et familial. Des inscriptions insérées dans l'image sont destinées à compléter les explications souvent confuses des scènes numérotées dans le texte. Les nombreuses fautes d'orthographe et erreurs indiquent qu'il s'agit là de la transcription d'informations de seconde main.
Cette gravure est un exemple typique de publications contre-révolutionnaires illustrées, issues des centres traditionnels de l'imprimerie du sud de l'Allemagne, qui produisaient très vite et en grande série. A côté de Philipp Joseph Fill, l'autre éditeur d'Augsbourg spécialisé dans des feuilles de ce genre était Johann Martin Will ; ce type d'illustrations très crues ne fut pas sans influencer les classes moyennes et inférieures de la population allemande, qui manquaient d'informations. R.Sc.

538
La Nuit terrible à Paris le 10 août 1792

par un auteur anonyme

Estampe aquarellée. H. 0,292. L. 0,407.
Inscription : légende en français et en allemand, « la nuit effroyable s'approche la race maudite des Clups/ crie à haute voix : qu'on dépose le Roi qu'on le dethronise... »

Prégny-Chambésy, musée des Suisses à l'étranger, château de Penthes (inv. Gr.A. 849).

A la différence de l'estampe précédente qui met l'accent sur l'attitude de la famille royale, celle-ci s'attache surtout à évoquer le combat et les violences qui accompagnèrent la prise des Tuileries. Tous les témoignages contemporains font état de l'horreur qui saisit les spectateurs à la vue du massacre. Chaque camp considéra « ses » victimes comme des martyrs : les insurgés comptaient dans leurs rangs trois cent vingt-quatre morts qui eurent une influence décisive sur le procès du roi. On peut estimer à un millier le nombre des Suisses qui furent massacrés et il faut y ajouter un nombre difficile à déterminer de fidèles du roi. Malgré sa méconnaissance totale de la topographie cette estampe, pourtant violemment contre-révolutionnaire, met particulièrement en valeur le « feu de file » déclenché par les gardes suisses alors que les insurgés avaient cru à une capitulation sans combat du palais.

539
Horribles Attentats des François comis à Paris le 10 d'Août 1792

par un auteur anonyme

Estampe aquarellée. H. 0,317. L. 0,425.
Inscription : légende en français et en allemand, « Quels horreurs, quels crimes atroces ne commet-on pas en France... Malheur à toi, ô France ! »
Exposition : 1967, Coppet, n° 503.
Bibliographie : Reinhard, 1969, p. 622.

Prégny-Chambésy, musée des Suisses à l'étranger, château de Penthes (inv. Gr.A. 850).

Comme la précédente, cette estampe révolutionnaire, due au même artiste anonyme, suisse ou allemand, est sans rapport visuel avec la réalité car elle juxtapose des épisodes successifs sans respecter l'ordre chronologique et tous les détails y sont de pure convention ; elle illustre néanmoins si exactement les récits qui circulèrent en Europe après le 10 août que l'on peut se demander si l'un d'eux n'a pas directement servi de source au graveur anonyme. Le carrosse qui emmène le roi et la reine au Temple traverse une ville en proie à l'horreur : massacres au fusil et à l'arme blanche, défenestrations, cadavres dépouillés, têtes promenées au bout des piques, pendaisons à la lanterne, destruction des statues royales, tout est mentionné dans un témoignage comme celui de Ruault (cité par Sagnac, dans *Revue d'histoire moderne et contemporaine*, t. XII, p. 279). Seuls les nombreux incendies peuvent être attribués à l'imagination du graveur.

540
La Famille royale emprisonnée au Temple

édité par Jacob LEWERER

Eau-forte, taille-douce, impression typographique. H. 0,162; L. 0,103.
Inscription : « Zu haben in Fürth bey Johann Jacob Lewerer in drei goldenen Eicheln. »
Bibliographie : Schoch Joswig, 1988, n° 48.

Nuremberg, Germanisches Nationalmuseum (inv. HB 3404).

Le thème de cette gravure, l'emprisonnement et la décapitation de Louis XVI et de sa famille, était l'un des motifs favoris de la propagande des milieux conservateurs et il fut fréquemment traité. Ce tract avec complainte utilise les moyens traditionnels du reportage illustré. La scène est expliquée par le biais d'un long chant funèbre qui traite de l'exécution du roi. La morale de l'histoire ressort du texte et non pas directement de l'image.
On dépeint au lecteur et à l'observateur le destin de la famille royale de France. Le roi attend d'être guillotiné et fait ses adieux à ses proches en larmes. Madame Élisabeth, sœur du roi, tend un mouchoir à Marie-Antoinette. En s'identifiant à cette dernière qui pleure son mari et aux enfants qui pleurent leur père, tout un chacun condamnera les actes des révolutionnaires assoiffés de sang jusqu'au délire. La même scène fut diffusée en 1792 juste après l'emprisonnement de la famille royale par un éditeur d'Augsbourg, mais le texte d'accompagnement était différent. K.Ku.

La Fuite à Varennes (cat. 536).

Le 10 Août 1792, par l'Allemand Fill (cat. 537).

«*La Nuit terrible à Paris le 10 Août 1792*» (cat. 538).

«*Horribles attentats des François comis à Paris le 10 d'Août 1792*» (cat. 539).

…Adieux de Louis XVI à sa famille, par le caricaturiste anglais Gillray (cat. 542).

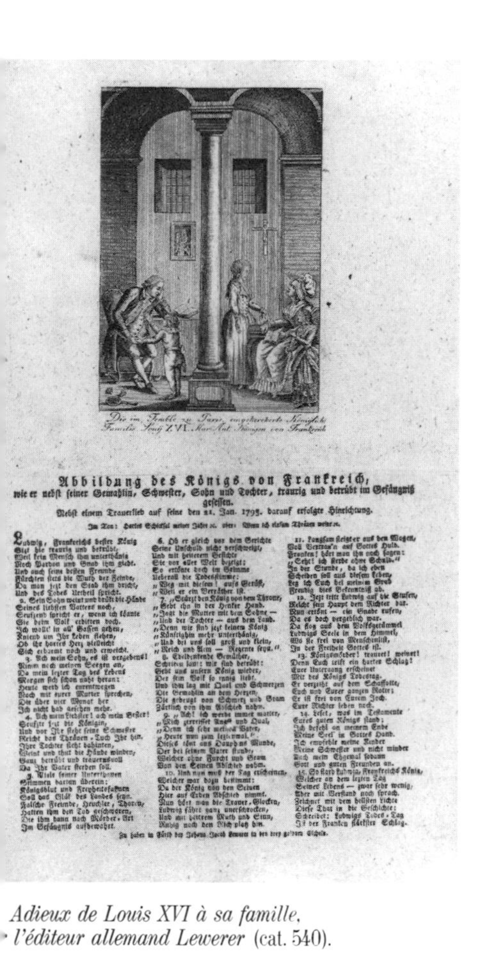

Abbildung des Königs von Frankreich,
wie er nebst seiner Gemahlin, Schwester, Sohn und Tochter, traurig und betrübt im Gefängniß gesessen.
Nebst einem Trauerlied auf seine den 21. Jan. 1793. darauf erfolgte Hinrichtung.

…Adieux de Louis XVI à sa famille,
…l'éditeur allemand Lewerer (cat. 540).

Les Adieux de Louis XVI à sa famille, par Bénazech (cat. 541).

541
Adieux de Louis XVI à sa famille au Temple

par Charles BÉNAZECH

Huile sur toile. H. 0,420; L. 0,560.
Historique : collection du baron de Vinck; don en 1921 au musée de Versailles.
Expositions : 1928, Paris, n° 615; 1955, Versailles, n° 430.
Bibliographie : De Vinck, 1877; Constans, p. 17, n° 380.

Versailles, musée national du Château
(inv. RF 2297 - MV 5831).

La Convention ayant voté le 17 janvier 1793 par 361 voix pour la peine de mort et 360 voix contre, le 20 janvier Garat, ministre de la Justice, vint informer Louis XVI de sa condamnation. Autorisé à revoir sa famille, il fut conduit dans la salle à manger du Temple. L'abbé Edgeworth, témoin de la scène a relaté cette dernière entrevue. « ... Pendant près d'une demi-heure, on n'articula pas une parole; ce n'étaient ni des larmes ni des sanglots, mais des cris assez perçants pour être entendus hors l'enceinte de la tour. Le roi, la reine, Madame Élisabeth, Monsieur le dauphin et Madame se lamentaient tous à la fois, et les voix semblaient se confondre. Enfin les larmes cessèrent, parce qu'on n'eut plus la force d'en répandre; on se parla à voix basse et assez tranquillement. »
Bénazech s'est très exactement inspiré de ce récit pour réaliser son tableau. Les cris, les lamentations, la douleur sont rendus par des gestes outrés et une feinte inorganisation des figures qui rendent l'œuvre très pathétique malgré une certaine gaucherie dans le style. Elle fut abondamment reproduite et imitée par l'estampe. Cette scène a été très souvent peinte par les artistes royalistes; Hauer, en particulier, a laissé une peinture d'une composition assez proche de celle-ci (musée Carnavalet).
J.Be.

542
Louis XVI prenant congé de sa femme et de sa famille

par James GILLRAY

Eau-forte coloriée.
Inscription : « Louis XVI taking leave of his Wife and Family/Pub. March 20 th 1793 by J. Atkin/Castle Street. Leicester Field/ NB : The above is an exact Copy of an infamous French Print, wich has lately appeared in Paris, among numberless others intended to/bring the Conduct of their late Monarch in his last moments, into Contempt in Ridicule; it is now copied and published in order to hold up a Nation of un/feeling Assassins to that detestations with every true Englishman must seel for Wretches who can sport with the sufferings of the unfortunate. »
Bibliographie : Vovelle, 1986, t. III, pp. 190-191, repr.; Jouve, 1988, p. 188.

Paris, musée Carnavalet (inv. G. 13049).

En contraste total avec les estampes éditées principalement, semble-t-il, en Allemagne et qui représentent les adieux de Louis XVI à sa famille d'une manière parfois profondément émouvante, la caricature de Gillray appartient à un genre qui à une époque sensiblement plus récente s'est défini lui-même comme « bête et méchant » ; rien n'est épargné ni la personne du roi, couard, goinfre et ivrogne jusqu'en ses derniers instants, ni la reine, mégère en haillons, et vociférante, ni la religion (le crucifix est blasphématoire), ni bien entendu la Révolution incarnée par deux soldats, l'un brutal, l'autre stupide. Malgré la longue légende qui affirme que cette composition est l'exacte copie d'une estampe française, le prétendu modèle n'a jamais été signalé et par le style comme par de nombreux détails, l'œuvre apparaît bien comme une création de Gillray. Il semble que cette planche n'était pas destinée à la vente publique; elle montre cependant qu'il existait en Angleterre une clientèle potentielle pour des caricatures très violentes, qui n'épargnaient pas davantage les Bourbons que la République.

LA MORT DU ROI

543
Louis XVI au pied de l'échafaud

par Charles BÉNAZECH

Huile sur toile. H. 0,420; L. 0,560.
Historique : collection du baron de Vinck; don en 1921 au musée de Versailles.
Expositions : 1928, Paris, n° 616; 1955, Versailles, n° 431.
Bibliographie : De Vinck, 1877; Constans, p. 17, n° 381.

Versailles, musée national du Château
(inv. MV. 5832 - RF 2298).

Cette œuvre anglaise, peinte sous le choc de l'émotion et d'après le témoignage de l'abbé Edgeworth, se fait porteuse de toutes les légendes qui coururent après l'exécution du roi. Au moment où le condamné se retourna pour s'adresser au peuple, le commandant de la garde nationale, Santerre, aurait, dit-on, ordonné aux soldats de battre le tambour afin de couvrir sa voix. C'est très précisément cette anecdote qui est ici peinte. Seul personnage vêtu de blanc, couleur de la pureté du martyr, Louis XVI s'apprête à gravir l'escalier de la guillotine, encouragé par son confesseur, l'abbé Edgeworth, qui semble prononcer la phrase célèbre : « Fils de Saint Louis, montez au ciel », tandis qu'un greffier note soigneusement tous les détails de la scène. Bénazech a donc synthétisé dans son tableau plusieurs moments de l'exécution, très exactement documentés. Ainsi que l'atteste une lettre de Sanson transmise le 13 février 1793 au *Thermomètre du Jour*, le roi n'avait pas encore les mains liées derrière le dos lorsqu'on lui coupa les cheveux.
Image de dévotion royaliste, l'œuvre, ainsi que la précédente (cat. 541), fut gravée par Cazenave pour la suite de planches contre-révolutionnaires publiée par Jean-Baptiste Vérité en novembre 1794.
J.Be.

544
Exécution de Louis XVI

par Pierre-Étienne LESUEUR

Plume, encre noire. Mise au carreau. H. 0,260; L. 0,385.
Historique : legs Hennin à la Bibliothèque nationale en 1883.
Exposition : 1987, Vizille, n° 45.
Bibliographie : Dauban, 1870; Duplessis, t. IV, p. 112, n° 11675; Adhemar, 1983; Vovelle, 1986, t. IV, p. 93; La Vaissière, 1988.

Paris, Bibliothèque nationale, cabinet des Estampes (coll. Hennin, n° 11675).

Donné par Michel Vovelle comme une « Mort de Philippe Égalité », ce dessin représente plutôt celle de Louis XVI. En effet, le duc d'Orléans fut exécuté le 16 brumaire an II (6 novembre 1793). Or à cette époque, la guillotine, installée place de la Révolution, se trouvait près de la statue de la Liberté, œuvre de Lemot, érigée le 10 août 1793. Sur notre dessin, le socle de la statue de Louis XV déboulonnée est demeuré en place, mais on n'y trouve pas encore la Liberté. D'ailleurs, plusieurs éléments militent en faveur de Louis XVI : l'ostension de la tête, qui fut effective, et servit de thème à de nombreuses gravures, la bannière de droite avec cette inscription : « Mort aux Tyrans. »
Retraçant un événement, le dessin de Lesueur, proche par le style des *Funérailles de Marat* du musée Lambinet, se veut être comme celui-ci plus qu'un témoignage. L'ambition de Lesueur est de se hisser au niveau de la peinture d'histoire. Ce n'est évidemment pas par hasard si l'artiste inscrit son dessin au concours de l'an II. S'inspirant à la fois de Poussin — le geste du bourreau rappelle *l'Enlèvement des Sabines* du Louvre — et de David — le serment des trois personnages sur le canon évoque les Horaces —, Lesueur transgresse l'événement grâce à une symbolique très subtile. Reprenant la formule des tableaux historiques à deux registres, il montre le roi comme transfiguré par la mort. L'ostension de la tête devient le symbole de la Justice, symbole de lumière : elle est brandie comme on brandissait les lanternes en 89. Le relais entre le monde terrestre et le monde de l'au-delà laïc s'effectue par les personnages qui tentent de se hisser sur l'estrade de la guillotine. A gauche, le canon permet d'établir un parallèle entre l'action du soldat et celle du bourreau : le canon, arme de justice contre les tyrans de l'Europe.
Les danseurs placés au pied de l'échafaud n'ont certainement pas eu de réalité. Ils ont été seulement introduits par Lesueur pour marquer l'avènement d'une ère nouvelle. En effet, le geste de l'ostension, comme celui du serment, participe d'une notion dépassant de loin la seule Révolution : c'est celle du geste fondateur, qui entraîne celle du contrat social
J.Be.

Louis XVI au pied de l'échafaud (cat. 543).

écution de Louis XVI (cat. 544).

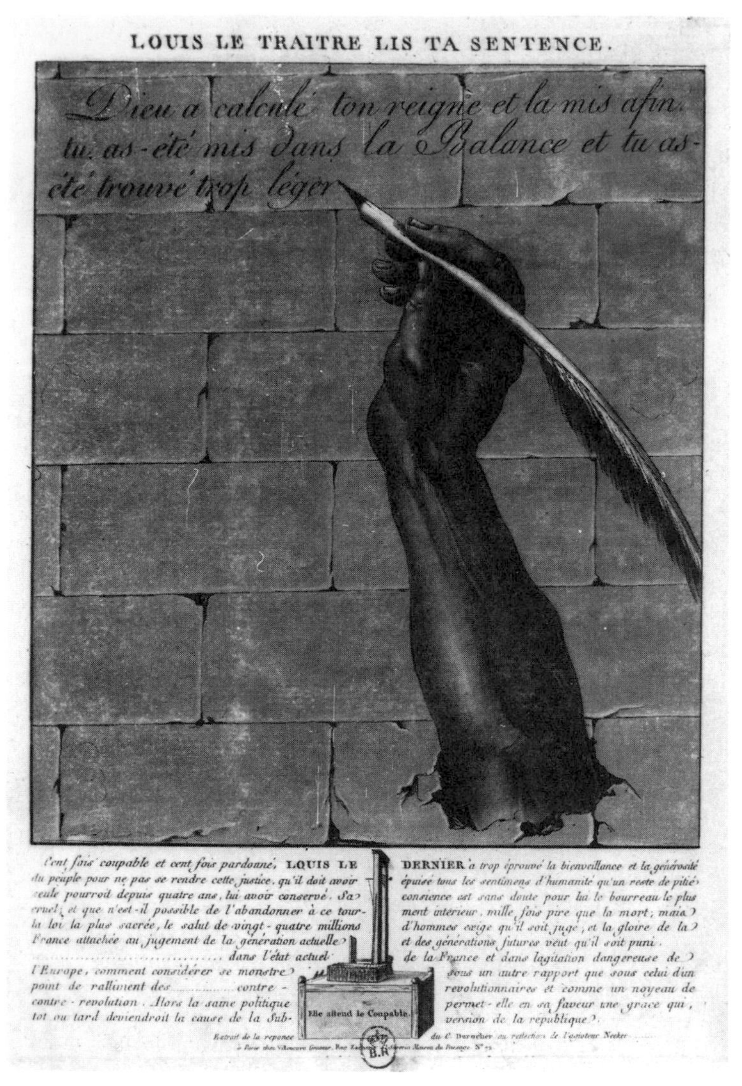

«*Louis le Traître lis ta sentence*» (cat. 545).

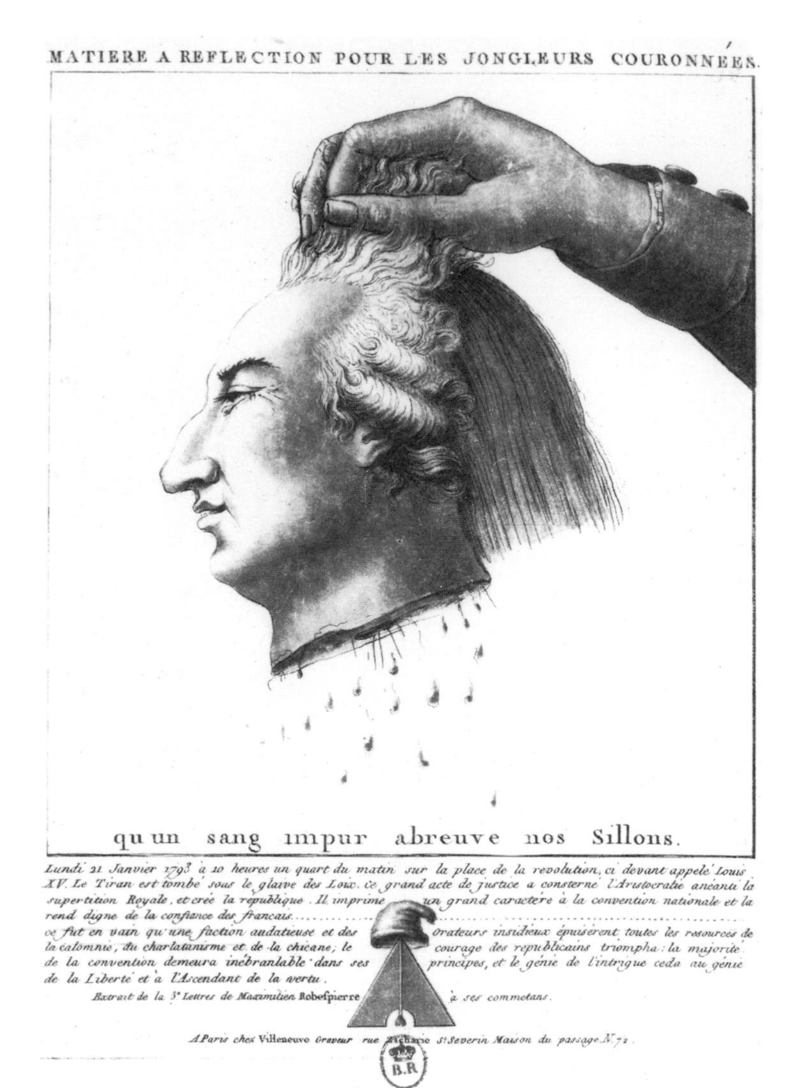

Tête coupée de Louis XVI (cat. 546).

545
Louis le Traître lis ta sentence

par un auteur anonyme

Gravure à l'aquatinte. H. 0,203; L. 0,171.
Inscription : «Dieu a calculé ton reigne et la mis afin/tu as-été mis dans la Balance et tu as/été trouvé trop léger.
Cent fois coupable et cent fois pardonné, Louis le Dernier a trop éprouvé la bienveillance et la générosité/du peuple pour ne pas se rendre cette justice, qu'il doit avoir épuisé tous les sentimens d'humanité qu'un reste de pitié/seule pourroit depuis quatre ans lui avoir conservé...»
«Extrait de la réponce du C. Durocher au reflection de l'agioteur Necker/A Paris, chez Villeneuve Graveur, rue Zacharie St Séverin Maison du Passage, n° 72»; sur la vignette en forme de guillotine : «Elle attend le coupable.»
Exposition : 1988, Los Angeles, n° 86.
Bibliographie : Aubert et Roux, t. III, 1921, n° 5209; Soboul, 1966; Herding, 1988, p. 551; Paulson, 1988, p. 59.

Paris, Bibliothèque nationale, cabinet des Estampes (inv. Qb[1], 1793, janv., M 101 811).

La main qui écrit sur le mur est une évidente allusion au festin de Balthasar (Daniel, V, 24-28) et les deux phrases écrites sur le mur sont la transcription littérale de l'interprétation donnée par le prophète des mots MENE et TEQUEL. Le fait que la main sorte du mur qu'elle lézarde a été interprété par K. Herding comme l'annonce de la ruine du palais du roi et donc de la monarchie.
Le commentaire est emprunté au pamphlet de Louis Durocher, *Réponse d'un Sans-Culotte aux réflexions de Necker sur le procès de Louis Capet* (s.l., 1792) qui donnait la réplique à la brochure de J.J. Necker, *Réflexions présentées à la Nation française, sur le procès intenté à Louis XVI*, Paris, 1792. On notera que dans sa deuxième partie, ce commentaire semble se faire l'écho du discours dans lequel Barère avait traité des conséquences du 4 janvier 1793 : non seulement la condamnation du roi ne saurait affaiblir la France vis-à-vis des puissances européennes (argument girondin) mais celui-ci, une fois disparu cesserait d'être le point de ralliement de toutes les forces contre-révolutionnaires.

546
Tête coupée de Louis XVI

par un auteur anonyme

Gravure à l'aquatinte. H. 0,160; L. 0,141.
Inscription : «Matière à reflection pour les jongleurs couronnées/qu'un sang impur abreuve nos sillons/ lundi 21 janvier 1793 à 10 heures un quart du matin sur la place de la revolution, ci-devant appelé Louis/ XV, Le tiran est tombé sous le glaive des loix... Extrait de la 3e lettres de Maximilien Robespierre-a ses commetans/A Paris chez Villeneuve Graveur rue Zacharie St-Séverin, maison du passage, N 72.»
Exposition : 1988, Los Angeles, n° 90.
Bibliographie : Aubert et Roux, 1921, t. III, pp. 299-300; Paulson, 1988, pp. 63-64.

Paris, Bibliothèque nationale, cabinet des Estampes (inv. Qb[1], 1793, 21 janv. M 101.880).

On connaît deux états de cette gravure publiée par Villeneuve, qui fut l'un des éditeurs les plus actifs sous la Révolution, ainsi qu'une contrefaçon allemande. L'ostension de la tête de Louis XVI après son exécution semble avoir frappé les spectateurs et se retrouve dans de nombreuses figurations, notamment l'estampe dessinée par «Fious» et gravée par «Sarcifu» (sans doute deux pseudonymes), qui fut la plus répandue et la plus imitée, en France et hors de France. Il existe aussi un *Ecce Veto* qui montre la tête seule et d'où dérivent plusieurs estampes du même type consacrées à Custine (exécuté le 28 août 1793). On notera aussi la présence du «niveau» coiffé du bonnet rouge,

symbole de l'égalité et le fait que la légende est extraite d'un texte de Robespierre dont le discours le 28 décembre 1792 joua un rôle déterminant dans le mode de déroulement et donc dans la conclusion du procès du roi.

547
Catafalque pour les honneurs funèbres de Louis XVI à Séville

par Diego SAN ROMAN y CODIVA

Gravure à l'eau-forte. H. 0,415; L. 0,252.
Inscription : « Ludovico XVI. Publico Ferali Pegmate Gallowim Manib Ingulato, Cives Hispalenses Suan Enga Carolum IV Fidem ac Benevolentiam Testaturi. Sn Roman y Codiva la Gravo en Sevilla. »
Bibliographie : Paez Rios, 1983, t. III, p. 113, n° 8.

Madrid, Biblioteca nacional (inv. 1990-8).

Cette gravure décorative est une illustration pour un ouvrage paru à Séville en 1793, intitulé *Relacion de las... exequias celebradas en Sevilla el dia 8 de junio de 1793 en la iglesia de la Universidad Literaria por el alma de Louis XVI...*
Ce recueil rapporte les célébrations qui se déroulèrent à Séville en juin 1793 en l'honneur du roi de France, cousin du roi d'Espagne, Charles IV. Une oraison funèbre avait été prononcée à cette occasion par le R.P. Teodomiro Ignacio Diaz de la Vega.
Un catafalque, dont la gravure nous a perpétué le souvenir, fut érigé dans l'église de l'université de Séville. J.Be.

548
Monument érigé à la gloire des fondateurs de la Liberté helvétique

par Patria et Rudolf HENTZI

Aquatinte. H. 0,335; L. 0,435.
Inscription : « Patria delineavit/Hentzi invenit. »
Exposition : 1967, Paris, n° 423.

Prégny-Chambésy, musée des Suisses à l'étranger, château de Penthes (inv. Aq. 534).

Ce monument, dont cette aquatinte donne le projet, devait être érigé sur les rives du lac de Lucerne, à la mémoire du « Fondateur de la liberté Françoise, Privé de la Sienne, Louis XVI le Martyr, Souverain infortuné cherchant toujours le bien, trouvant toujours le mal. » Il devait s'agir d'un obélisque surmonté d'une urne, contenant sans doute les cendres des héros tués lors de l'accession de la Suisse à la liberté (1782 ou 1789 ?). En fait, ce monument ne fut jamais réalisé, contrairement au fameux « Lion de Lucerne », érigé en souvenir de la monarchie et des gardes suisses qui se sacrifièrent le 10 août 1792. J.Be.

ASSASSINAT DE GUSTAVE III

549
Le Nouvel Astre français
ou la cocarde tricolore suivant le cours du zodiaque

par un auteur anonyme

Eau-forte et aquatinte. H. 0,275; L. 0,33.
Inscription : « N° 1 le Tems/que je détruise enfin cette cohorte d'ambitieux ces/vils usurpateurs des droits de leurs semblables. Peuples rentrés dans vos droits/Sous peu il n'y aura plus de Tirans, le tems trop juste vous donne la liberté et l'égalité »; dans le champ de gravure : « Avis aux siècles futurs/l'orgueil les forma la raison les détruit/l'œuvre du tems ou le préjugé vaincu/Triomphe de la philosophie et de la raison. »
Bibliographie : Blum, 1917, p. 183, n° 556; Herding, 1988, p. 514.

Paris, Bibliothèque nationale, cabinet des Estampes (Qb1, 1792 M 101 787).

La figure allégorique du Temps qui a déjà mis des éteignoirs sur la double chandelle posée sur le double buste de Joseph II et de Léopold II, est en train d'éteindre celle du buste de Gustave III. Le buste de Louis XVI est déjà renversé par terre ainsi que son piédestal, remplacé par un autel dédié à la République française où brûle le feu de l'Égalité et que sur-

Monument érigé à la gloire des fondateurs de la Liberté helvétique et dédié à la mémoire de Louis XVI (cat. 548).

Catafalque pour les honneurs funèbres de Louis XVI à Séville (cat. 547).

Le Nouvel Astre français ou la cocarde tricolore suivant le cours du zodiaque (cat. 549).

monte le bonnet de la Liberté. Klaus Herding a montré l'origine très ancienne de la composition avec les effigies des souverains d'Europe (y compris le sultan Sélim III), disposés en cercle, mais ici dérisoirement transformés en pièces d'un jeu d'échec. On notera aussi que le buste dépoitraillé de Catherine II est repris d'une caricature célèbre montrant «l'Enjambée impériale» (Bruel, n° 4357) en direction de Constantinople reprise dans une autre estampe «Ainsi va le monde» (Bruel, n° 4351).
La position de la cocarde, dans le signe du lion fait de cette estampe une célébration du 10 août, mais fait aussi clairement allusion au récent assassinat de Gustave III (16 mars 1792). Dans une certaine mesure cette gravure, attribuée à l'éditeur «patriote» Villeneuve, est aussi une invitation à détruire les effigies royales.

550 A
Assassinat de Gustave III, roi de Suède

par A.W. KUFWER
Estampe en manière noire.
Stockholm, Nationalmuseum.

550 B
Assassinat terrible commis au roi de Suède Gustave III du capitaine Anckarström le 16 mars 1792

par Johann Martin WILL
Eau-forte. H. 0,25; L. 0,40.
Inscription: légende en français (et en allemand): «Assassinat terrible commis au Roi de Suède, Gustave III / du Capitaine Anckarström le 16 Mars 1792 // 1. O Gustave vaillant, Roi de Suède, quel coup horrible / Te porte Ankarström 2. Cet impie masqué dans la sale d'opéra. Tu est environné 3. De la cabale diabolique que des conspirateurs. / Et l'assassin

L'assassinat de Gustave III

Gustave III était profondément marqué par le milieu aristocratique qui fut son cadre de vie. Néanmoins, comme Louis XVI, comme Joseph II et d'autres souverains, il se vit poussé à mener une politique anti-aristocratique afin de renforcer le pouvoir royal et de faire face aux difficultés budgétaires dues surtout à de fréquentes mauvaises récoltes et à l'inflation provoquée par les guerres.

Bon gré mal gré Gustave III dut avoir recours aux États généraux afin d'augmenter l'imposition. Sa politique arbitraire et capricieuse rencontra une opposition de plus en plus acerbe, en particulier de la part de la noblesse.

La constitution qu'il avait promulguée après son coup d'État de 1772 avait conservé à celle-ci la plupart de ses privilèges traditionnels. Mais, lors des États généraux convoqués au début de 1789, le monarque réussit, avec le soutien des trois ordres roturiers rassemblés contre l'ordre de la noblesse, à imposer une nouvelle constitution qui renforçait l'absolutisme royal et abolissait certains de ces privilèges. Désormais les roturiers purent dans une large mesure accéder aux charges publiques et à la propriété foncière, et la puissante bureaucratie fut soumise au contrôle direct du roi. Les rancœurs aristocratiques se renforcèrent. Une opposition s'organisa qui, dans certains cas, se nourrit des mêmes idéaux romains classiques qu'en France et se sentit encouragée par les mesures anti-absolutistes de l'Assemblée constituante. Un complot se trama qui aboutit à l'assassinat de Gustave III par Anckarström le 16 mars 1792.

Pontus Grate

Assassinat de Gustave III, roi de Suède (cat. 550 A).

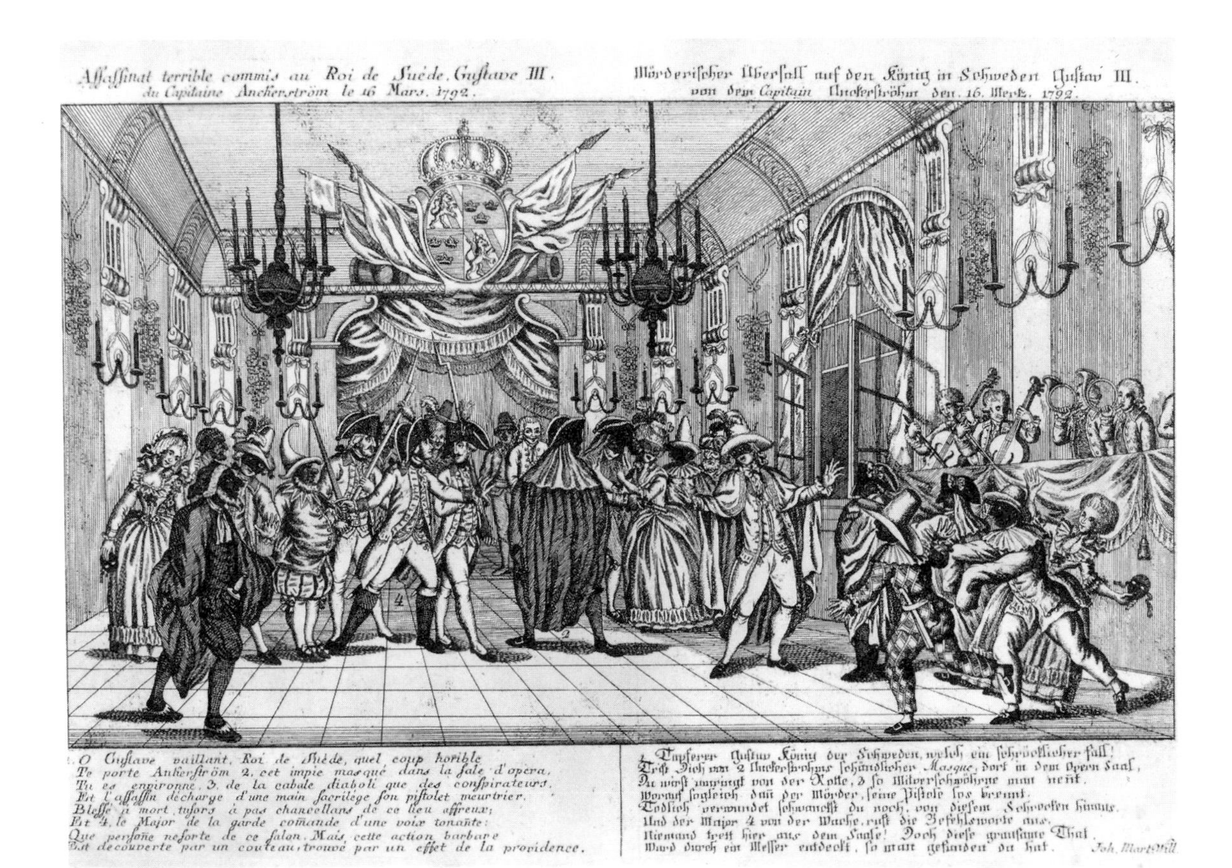

Assassinat du roi de Suède Gustave III (cat. 550 B).

décharge d'une main sacrilège son pistolet meurtrier. / Blessé à mort, tu sors à pas chancellans de ce lieu affreux; / Et 4. le Major de la garde comande d'une voix tonante: / Que personne ne sorte de ce Salon. Mais cette action barbare / Est découverte par un couteau trouvé par un effet de la providence.»

Stockholm, Nationalmuseum (inv. 2110/1932).

Il est significatif que le dernier acte de la vie de ce passionné de théâtre et de spectacles que fut Gustave III se joua à l'Opéra de Stockholm, au cours d'un bal masqué, le 16 mars 1792. Trois des nobles qui s'étaient conjurés pour l'éliminer y participèrent et l'un d'eux, l'ancien capitaine des gardes, Jakob Johan Anckarström, blessa mortellement le roi d'un coup de pistolet dans le dos. Gustave III mourut trois semaines plus tard.

Anckarström paraît avoir été un fanatique passablement déséquilibré dont des revers de fortune avaient provoqué une violente haine personnelle contre le monarque. Il prit pour modèles Brutus et d'autres tyrannicides de l'Antiquité.

Ce meurtre fit sensation en Europe où plusieurs gravures circulèrent qui décrivaient l'événement avec plus ou moins de véracité. Il n'est pas douteux que ce régicide, malgré la différence totale de situation, ait contribué à familiariser une partie de l'opinion française avec l'idée que l'élimination physique de Louis XVI était justifiée et nécessaire. P.Gr.

551
Châtiment des assassins de Gustave III

par Johann Martin WILL

Eau-forte. H. 0,256; L. 0,400.
Inscription: «Joh. Mart. Will exc. A.V.»
Exposition: 1972-1973, Stockholm, n° 367.

Stockholm, Nationalmuseum (inv. n° 411/1914).

Arrêté le lendemain de l'attentat, J.J. Anckarström, qui avait porté à Gustave III le coup fatal, fut condamné à être fustigé publiquement, à avoir la main droite coupée et la tête tranchée. Il fut décapité le 27 avril 1792. La gravure de Will s'étend avec complaisance sur son supplice et représente aussi deux des complices d'Anckarström, les comtes Claes Horn (1763-1823) et A.L. Ribbing (1765-1843) qui, comme d'autres membres du complot, furent en fait grâciés mais condamnés à l'exil perpétuel et à la perte de leurs droits civiques. Ribbing passa la plus grande partie de sa vie en France sous le nom de Leuven. P.Gr.

BRUTUS LE TYRANNICIDE

552
Jean-Jacques Anckarström

par Jean-Baptiste GAUTIER, d'après François Bonneville

Gravure au pointillé. H. 0,219; L. 0,136.
Inscription: «J. Ankarstrom/le Brutus suédois/L'an 1e de la République/D'après le Portrait original envoyé de Suède au Cercle social/F. Bonneville del. B. Gautier Sculp.»
Historique: don du docteur R. Marque, Pau.
Bibliographie: cat. Pau, 1951, n° 23.

Pau, musée Bernadotte (inv. 23).

Aristocrate, animé à l'encontre de Gustave III d'une haine à la fois personnelle (il avait perdu un procès sur l'intervention du roi) et politique, à la suite du «coup d'État» du roi en 1789, Anckarström fut célébré en France comme un héros.

Le Cercle social qui fournit à Bonneville le modèle de son dessin et pour le compte duquel cette estampe fut sans doute éditée, était une création de l'abbé Fauchet et se réclamait à l'origine à la fois du christianisme et de Jean-Jacques Rousseau. Son importance tient surtout à sa politique éditoriale: son principal journal la *Bouche de fer* comptait cinq mille abonnés. A partir de 1792 le Cercle social fut étroitement lié au groupe des députés girondins. Le fait qu'il ait contribué à répandre l'image de l'assassin de Gustave III s'inscrit sans doute dans la politique de déclaration de guerre à tous les rois, que préconisait, à la fin du printemps de 1792, Brissot et ses amis.

D'autres portraits moins «positifs» d'Anckarström circulaient alors en Europe notamment celui gravé, en manière de lavis, par Lotter d'après Witterquits et une gravure italienne le représentant exposé au pilori (*cf.* Milan, coll. Bertarelli, n° 1365).

553
Le Comte Gustav-Mauritz Armfelt

par Louis GAUFFIER

Huile sur toile. H. 0,50; L. 0,655.
Inscription: en bas à gauche: «L. Gauffier, Flo(ren)*ce*, 1793».
Historique: lord Hervey, ministre d'Angleterre à Florence; par héritage à son petit-fils, 6e lord Howard de Walden; sa vente, Christie's, 1868; Philip Currie qui en fit don en 1885 au petit-fils d'Armfelt, le comte Carl Edvard Piper; par héritage à la petite nièce de celui-ci, la comtesse Sophie Nordenfalk, née Piper; don de celle-ci au musée en 1927.
Expositions: 1928, Stockholm, n° 65; 1982, Stockholm, n° 39.
Bibliographie: Sander, 1880, p. 14; Sjöblom, 1927, pp. 142-143, repr.

Stockholm, Nationalmuseum (inv. NM 2654).

Favori de Gustave III, le comte Armfelt (1757-1814) fut, après le meurtre du souverain suédois en 1792, éloigné de son pays par le nouveau Conseil de régence qui le nomma ministre de Suède à Naples. Lors d'un long séjour à Florence en 1793 son portrait fut peint par le Français Louis Gauffier qui s'y était réfugié, ainsi que de nombreux compatriotes, à la suite des émeutes anti-françaises provoquées à Rome par la décapitation de Louis XVI.

Le portrait d'Armfelt est avant tout un portrait politique. Assis dans un petit temple antiquisant avec sur le genou gauche, une *Vie de Jules César*, ouverte à la page relatant sa mort, l'aristocrate en exil se recueille devant les bustes de César («DIVO CAESARE») et de Gustave III («DIVO GUSTAVO RE SVECIAE»). L'autre inscription du portrait de Gustave III (légèrement coupée sur le côté gauche:/I/ CAESARI/V/IRTUTIB.ET/F/ATO. SMILIS) égale la vertu ainsi que le sort du roi à ceux du grand Romain. Mais il est clair que ses deux assassinats sont associés aussi à l'exécution récente de Louis XVI. Comme les nobles restés fidèles à Gustave III, Armfelt partageait l'hostilité farouche de son souverain envers la Révolution et rêvait en Italie de jouer un beau rôle dans la lutte contre la République française. Gauffier, monarchiste notoire, partageait ses vues, ainsi que l'acquéreur du portrait, lord Hervey, ministre anglais auprès de la cour toscane et principal patron de Gauffier à cette époque.

En même temps, Armfelt conspirait avec autant de zèle que d'imprudence contre les nouveaux dirigeants en Suède. Cela lui valut une condamnation à mort pour crime de haute trahison en 1794; après celle-ci il passa quelques années au service de la Russie.

P.Gr.

554
Sept Hommes en conversation

par un artiste de l'école de David

Estampe, plume et encre noire sur papier blanc. H. 0,304; L. 0,368.
Historique: provient de la collection du sculpteur Emilio Santarelli.
Bibliographie: F. Rondoni, 1870; Bordes, 1983, p. 97, fig. 45.

Florence, musée des Offices, collection des dessins et estampes.

Emilio Santarelli, médiocre sculpteur néoclassique qui fit don aux Offices de ce dessin, était le fils du plus célèbre Giovanni Antonio, médailliste officiel des Bonapartes toscans et ami du peintre davidien F.X. Fabre qui, avant de quitter Florence, lui offrit quelques dessins; celui que nous voyons exposé ici provient sans doute de ce legs et est probablement l'œuvre d'un artiste français. Le catalogue du XIXe siècle de la collection Santarelli l'attribue à David,

Le Comte Armfelt devant les bustes de César et de Gustave III (cat. 553).

[...]timent des assassins de Gustave III (cat. 551).

J. ANKARSTROM

Le Brutus Suédois.

L'An 1er de la République.

D'après le Portrait Original envoyé de Suède au Cercle Social.

Jean-Jacques Anckarström, meurtrier de Gustave III (cat. 552).

Sept Hommes en conversation devant le buste de Brutus (cat. 554).

Brutus (cat. 555).

Mort de Jules César (cat. 556).

Brutus sacrifiant ses fils pour le salut de la Patrie (cat. 557).

hypothèse qui semble confirmée par la remarquable qualité du dessin, la rigueur de la composition et surtout par la facture réaliste qui fait presque penser à un dessin effectué d'après nature. Mais une comparaison avec les plus célèbres dessins de David exclut cette attribution pour des motifs stylistiques ; il est probable qu'obéissant à une solide tradition picturale, l'auteur du dessin se soit lui-même représenté dans le personnage que l'on aperçoit au second plan à l'extrême droite. Sa jeunesse laisse supposer qu'il s'agit d'un élève de David, animé des mêmes idéaux révolutionnaires : peut-être est-ce Jean-Baptiste Wicar ? Le dessin adoptant quelques révolutionnaires célèbres prenant des poses de philosophes antiques devant le buste de Brutus pour évoquer les dieux tutélaires du tyrannicide. Celui qui est assis et lève son bras droit dans une attitude déclamatoire est certainement Maximilien Robespierre, et à sa droite, au centre de la composition, on reconnaît Jacques-Louis David. Les autres, moins connus, sont plus difficilement identifiables. Comme l'a suggéré Philippe Bordes, le premier personnage représenté sur la droite pourrait être Thomas Jefferson, ministre plénipotentiaire en France depuis 1784. R.Ci.

555
Brutus

par F.J. BOISTON

Buste, marbre, copie de l'original en bronze du musée du Capitole. H. 0,86 ; L. 0,60 ; Pr. 0,36.
Inscription : « JUNIUS BRUTUS. Fait à Roma F.J. BOISTON, citoyen du département du Doubs/ L'an 4 de la Liberté. »
Historique : ancien fonds du musée du Louvre ? Département des Antiquités grecques et romaines ; déposé au musée des Beaux-Arts de Tours.
Exposition : 1988, Tours.
Bibliographie : Lami, 1910, t. I, p. 84.

Tours, musée des Beaux-Arts (inv. D. 50-6-2).

Durant la période révolutionnaire on constate une certaine confusion (volontaire ?) entre les trois personnages illustres de l'histoire romaine qui ont porté le nom de Brutus : Lucius Junius Brutus, qui chassa le dernier roi de Rome et fut le premier consul de la République, Decimus Junius Brutus, lieutenant de César et l'un de ses assassins, Marcus Junius Brutus, neveu de Caton et orateur auquel César, le voyant armé d'un poignard, aurait adressé en mourant le célèbre « Tu quoque, Fili ! ». Le buste en bronze, que l'on peut admirer à Rome, au Capitole, depuis 1564, est traditionnellement identifié comme celui de Lucius Junius Brutus. C'est à ce titre que David s'en inspira dans son tableau et c'est sous cette appellation qu'il fut compris parmi les antiques cédés à la France par le traité de Tolentino.
On sait par ailleurs (grâce aux *Affiches de Paris* de 1792) que Boiston, sculpteur par ailleurs presque inconnu, offrit à la Convention un buste en marbre de Brutus et qu'il en vendait des exemplaires en plâtre. Or à cette date, le héros de tous les discours qui prônent la mort du roi, de préférence sans jugement, est bien Marcus Junius Brutus, le plus notable des assassins de César. Le buste dont Boiston fit hommage à la nation doit-il être identifié avec celui, aujourd'hui au musée de Tours, qui est une copie du bronze du Capitole ? L'inscription qui mentionne l'an IV de la Liberté (et non de la République, soit 1793-1794) paraît incompatible avec cette hypothèse, sauf à admettre que le chiffre de la date ait été modifié ou qu'il s'est écoulé un assez long laps de temps entre l'annonce des *Affiches* et la remise effective du buste. Mais il est vraisemblable qu'il faut reconnaître dans cette œuvre, qui semble venir du plus ancien fonds du Louvre, celle qui fut prêtée à Chalgrin pour la célébration du 10 août 1799. Le reçu rédigé à cette occasion précise, en effet, que le buste de Lucius Junius Brutus était une copie en marbre blanc alors que celui de Marcus Junius Brutus prêté, lui aussi, pour cette fête, était l'original apporté de Rome l'année précédente.

556
Mort de Jules César

par Vincenzo CAMUCCINI

Huile sur bois. H. 0,23 ; L. 0,38.
Historique : acquis en 1965 de la collection Radaelli de Milan.
Expositions : 1975-1976, Naples ; 1987, Cologne ; 1988, Zurich, Lyon.
Bibliographie : Causa, 1966 ; Bellonzi, 1967 ; Sborgi, dans cat. exp. Naples, 1975-1976 ; Piantoni De Angelis, 1978.

Naples, museo di Capodimonte (inv. Q1741).

Cette peinture est probablement une des répliques, réalisée par Camuccini en personne, de son célèbre tableau acheté par Gioacchino Murat pour le palais de Capodimonte. La toile ne fut pas exécutée à la demande du beau-frère de Napoléon, mais commandée en 1793 par un collectionneur anglais éclairé Frederik August Hervey, évêque de Derry et quatrième comte de Bristol (1730-1803). Le travail fut si lent qu'à la mort de Hervey, elle n'était pas encore achevée : après une querelle sans fin avec les héritiers de Hervey, Camuccini put conserver le tableau et par la suite le proposer à Murat avec une autre grande toile illustrant une légende romaine, *La mort de Virginie*. Ce thème, peut-être suggéré au peintre par le collectionneur anglais, connu pour sa tolérance en matière religieuse et ses opinions démocratiques, rencontra un vif succès auprès des intellectuels éclairés de la fin du XVIIIe siècle. Vittorio Alfieri composa lui aussi une tragédie à la gloire de Brutus, tyrannicide dont la rigueur éthique et la foi républicaine devinrent un « exemplum virtutis » classique de la Révolution. Camuccini, travaillant dans les années 1790 à la première version de sa toile, fut certainement influencé, du moins en ce qui concerne la typologie des personnages, par le célèbre *Serment des Horaces* peint par David en 1784. Son style n'en demeure pas moins plus proche de celui des grands modèles de la peinture italienne des XVIe et XVIIe siècles (Raphaël et Caracci) que du classicisme et du naturalisme qui inspirèrent David à Rome.
R.Ci.

557
Brutus sacrifiant ses fils pour le salut de la Patrie

par un auteur anonyme

Huile sur toile. H. 1,50 ; L. 2,00.
Historique : don de la municipalité au musée de Saverne ; ancien fonds du musée (créé en 1858).
Bibliographie : cat. musée, 1872, n° 117 ; cat. musée, 1927, L. 11

Saverne, Musée municipal (inv. L.11).

En 1858, lorsqu'on décida de restaurer ce très curieux tableau dû à une main anonyme et assez maladroite, on constata que ce Brutus recouvrait un sujet religieux (une *Vierge à l'Enfant* assise). La composition est par ailleurs on ne peut plus étrange. ***Brutus condamnant ses fils*** fut commandé en 1793 ou 1794 par la municipalité en la personne du maire, fervent patriote qui avait fait orner la salle du conseil communal d'emblèmes et de devises patriotiques.
Le tableau nous montre un Brutus théâtral et bien peu réel, désignant de la main gauche les instruments du supplice auquel il condamne ses fils et de la droite, une statue de guerrier romain portant une couronne dans chaque main. L'almanach iconologique de Gravelot et Cochin, très utilisé par les artistes, nous donne l'explication de cette symbolique dont la signification peut apparaître assez sibylline. Ce précieux almanach édité une première fois en 1765, le fut de nouveau en 1791, dans une édition enrichie et complétée par rapport aux nouvelles réalités politiques.
Cette curieuse figure de guerrier est en fait la symbolisation de « l'Amour de la Patrie portant deux couronnes, l'une obudoniale ou de gramen, l'autre de chêne. La première est celle qui fut décernée par le Sénat à Fabius après la seconde guerre punique, la couronne de chêne était donnée chez les romains à celui qui avait sauvé la vie à un citoyen... ».
Ainsi Brutus de sa main droite désigne-t-il « l'Amour de la Patrie » explicitant ainsi son terrible sacrifice.
Au premier plan se trouvent les fils de Brutus ou peut-être deux guerriers intercédant en leur faveur. Au bas du tableau, on lit : « Brutus sacrifia son fils pour le salut de la patrie. »
Le thème de Brutus, preuve d'un patriotisme aigu, fut un des thèmes d'élection des artistes. Le sujet se trouve chez Plutarque, Tite-Live (Livre II, 4) et Valère-Maxime (Livre VIII, 1) ; sont ici exposées la composition de Lethière, gravée par Coqueret (cat. 1120c), et surtout celle de David (cat. 404). B.Ga.

DESTRUCTION DES STATUES ROYALES ET DES SIGNES DE LA FÉODALITÉ

558
Destruction de la statue équestre de Louis XIV

par Jacques BERTAUX

Plume, encre noire, lavis d'encre noire. H. 0,237; L. 0,372.
Bibliographie : Réau, 1959, p. 240.

Paris, musée du Louvre, cabinet des Dessins (inv. 23.749).

Un décret de l'Assemblée législative du 14 août 1792 avait ordonné la destruction de toutes les « statues bas-reliefs et monuments en bronze élevés sur les places publiques » afin de convertir en canons ces ouvrages « élevés à l'orgueil, aux préjugés et à la tyrannie ». Mais le mouvement populaire avait précédé la décision de l'Assemblée : dès le 12 août la colossale statue équestre de *Louis XIV* par François Girardon sur l'actuelle place Vendôme, était renversée et brisée.
L'exactitude du dessin de Bertaux paraît confirmée par un curieux détail : un pied du roi gît isolé sur le sol et deux curieux l'examinent. Or les seuls vestiges conservés de cette statue sont un pied et deux doigts. Aucun bilan complet de la destruction des effigies royales n'a été établi pour l'ensemble de la France. A côté des exemples les plus souvent cités (*Louis XIII* de Nicolas Jacques à Reims; *Louis XIV* de Dubois et de Le Hongre à Dijon, de Coysevox à Rennes, de Jean Girouard à Poitiers, de Marc Arcis à Toulouse, de Mazeline et Hurtrelle à Montpellier, de Desjardins à Lyon; *Louis XV* de Lemoyne à Bordeaux et à Rennes, de Pigalle à Reims, de Saly à Valenciennes), on peut ajouter la modeste statue de *Louis XV* à Saint-Martin-de-Ré dont la tête subsiste, mutilée, au Musée naval.

559
Fragments de la statue équestre de Louis XIV

par François GIRARDON

Bronze. H. 0,44; L. 0,68; Pr. 0,29 (pour le pied droit); H. 0,20; Diam. 0,07 (pour le doigt).

Paris, musée du Louvre, département des Sculptures (inv. MR. 3448 et RF. 408).

560
Fragment de la statue pédestre de Louis XIV

par Martin Van BOGAERT, dit DESJARDINS

Bronze. H. 0,11; L. 0,27.
Historique : donné au Louvre par F.H. Gripps Day en 1934.

Paris, musée du Louvre, département des Sculptures (inv. R.F. 2332).

Dès 1790, un décret de l'Assemblée constituante avait au nom « de la dignité d'un peuple libre » éloigné du piédestal de la statue pédestre de Louis XIV, sur la place des Victoires, les quatre « captifs » qui, au pied du roi, personnifiaient les nations vaincues (actuellement dans le parc de Sceaux). Renversée au lendemain du 10 août, l'effigie du roi couronnée par la Victoire a totalement disparu à l'exception de l'extrémité des doigts de la main.

561
Destruction de la statue équestre de Louis XV

par Augustin de SAINT-AUBIN

Dessin, plume et lavis de bistre. H. 0,163; L. 0,108.
Inscription : en bas à droite « A. de Saint-Aubin ».

Marseille, musée Borély (inv. 68.209).

La statue équestre de Louis XV, au centre de la place qui portait son nom et devint dès lors la place de la Révolution, puis en 1795 la place de la Concorde, fut abattue elle aussi dans les deux jours qui suivirent le 10 août. Le dessin d'Augustin de Saint-Aubin montre le cheval, chef-d'œuvre de Bouchardon achevé par Pigalle, appuyé à la balustrade, prêt à être mis en morceau. Les arrachements que l'on voit aux angles du piédestal s'expliquent par le fait qu'en même temps que le groupe équestre, on avait abattu les quatre Vertus, elles aussi de bronze, dont Pigalle avait orné la partie inférieure du monument selon le projet de Bouchardon. Les arbres au fond à droite sont ceux de l'entrée des Champs-Elysées que n'ornent pas encore les *Chevaux de Marly* (mis en place en 1794).

562
Main droite de la statue équestre de Louis XV

par Edme BOUCHARDON et Jean-Baptiste PIGALLE

Bronze. H. 0,242; L. 0,194; Pr. 0,300.
Historique : donné au Louvre par M. du Tronchay en 1860.
Expositions : 1973, Paris, Louvre (cabinet des Dessins) n° 71; 1982, Paris, Carnavalet, n° 56; 1988-1989, Brisbane, Tokyo, New Delhi, n° 32.
Bibliographie : Roserot, 1910, p. 137; Vitry, 1922, n° 975; Réau, 1959, p. 247.

Paris, musée du Louvre, département des Sculptures (inv. R.F. 94).

Louis Sébastien Mercier dans son *Nouveau Paris* affirme que lors de la destruction de la statue de Louis XV, une main du roi fut offerte au célèbre Latude (1725-1805) qui avait été, trente-cinq ans durant, prisonnier d'État à la demande de Mme de Pompadour. Il est possible mais non certain que telle soit l'origine de la main actuellement au Louvre.

563
Fragments de la statue équestre d'Henri IV

par Jean BOULOGNE, Pietro TACCA et Pierre FRANCHEVILLE

Bronze. Bras droit : H. 0,80; L. 0,40; Pr. 0,67; main gauche : H. 0,31; L. 0,19; Pr. 0,18; jambe gauche :

Fragment de la statue équestre de Louis XIV (cat. 559).

Fragment de la statue pédestre de Louis XIV (cat. 560).

Destruction de la statue équestre de Louis XV (cat. 561).

Destruction de la statue équestre de Louis XIV (cat. 558).

n droite de la statue équestre de Louis XV (cat. 562).

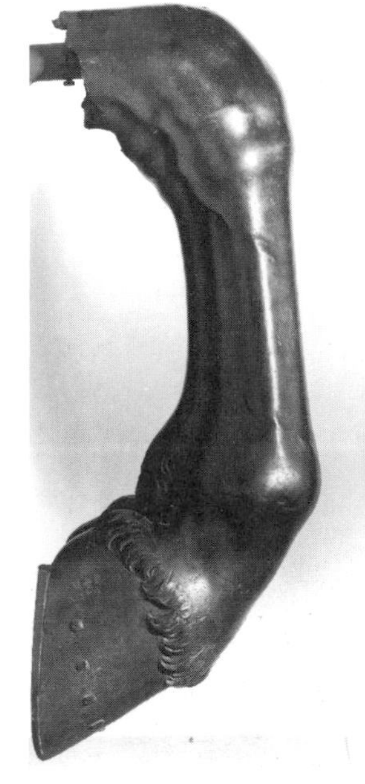

Fragments de la statue équestre d'Henri IV (cat. 563).

Louis XVI (cat. 564).

Le Dauphin (Louis XVII) (cat. 565).

Destruction des emblèmes de la féodalité (cat. 567).

H. 0,100; L. 0,25; Pr. 0,58; antérieur gauche du cheval: H. 1,03; L. 0,26; Pr. 0,37.
Historique: fragments demeurés à la fonderie du Roule; remis au Louvre en 1815.
Exposition: 1978, Londres, n° 159.
Bibliographie: Réau, 1959, p. 233.

Paris, musée du Louvre, département des Sculptures (inv. MR. 3450, 3451, 3449, 3453).

Alors que dans les deux jours qui suivirent le 10 août, le peuple s'était déjà attaqué aux statues de Louis XIV et de Louis XV, celle d'Henri IV sur le Pont-Neuf paraissait devoir être épargnée. Dans une lettre datée du 11 août, un garde national concluait son récit des événements auxquels il avait activement participé : « On ne conservera de statue équestre en cette capitale que celle d'Henri IV » (*cf.* Reinhard, 1969, p.j., p. 585).
Et Louis Sébastien Mercier confirme : « On fut indécis si on l'abattrait : le poème de la Henriade militait en sa faveur mais il était aïeul du roi parjure. » A la fin du mois d'août le groupe équestre était détruit, mais les *Captifs* du piédestal, œuvres de Francheville et Bordoni, furent épargnés.

564
Louis XVI

d'après Augustin PAJOU

Buste, marbre. H. 0,84; L. 0,50; Pr. 0,36.

Paris, musée du Louvre, département des Sculptures (inv. MR. 2652).

De tous les types de bustes représentant Louis XVI, le plus répandu semble avoir été celui créé par Augustin Pajou, qui en exposa le premier exemplaire (destiné au comte de Maurepas) au Salon de 1777. L'exemplaire en marbre ici exposé est vraisemblablement une copie d'atelier dont la destination originelle est inconnue. Mais un examen attentif permet de constater que ce buste a été mutilé probablement à coups de marteau, ce qui a ensuite nécessité d'importantes restaurations.
Cet acte de vandalisme est sans doute une suite du 10 août. Il peut être aussi plus tardif et lié à l'exécution du roi qui donna le signal d'une nouvelle vague de destruction des effigies royales : ainsi la tête de la statue funéraire du roi Lothaire (Reims, musée Saint-Denis) fut-elle sciée et déposée symboliquement dans un caveau où elle fut retrouvée en 1919 avec une pierre portant la date « 21 janvier 1793 ».

565
Le Dauphin (Louis XVII)

par Louis-Pierre DESEINE

Buste, marbre. H. 0,54; L. 0,30.
Inscription: coupe du bras gauche, « Deseine/sculp. du roi/1790 » ; au dos : « Ce buste horriblement mutilé par les vandales du 10 Août a été trouvé et restauré en 1816 par les soins de Jean Delaroy-Delorme de Niort (Deux-Sèvres). »
Expositions: 1791, Paris, Salon; 1939, Paris, Carnavalet, n° 418.
Bibliographie: Lapparent, 1985, p. 282 et suiv.

Versailles, musée national du Château (inv. MV 6305).

Deseine avait pu approcher le dauphin en 1790, soit grâce au duc de Villecaise, soit par l'intermédiaire de Mme de Tourzel, et exécuter un portrait dont subsiste deux plâtres (dont un au musée de Vizille). Le marbre aurait été ensuite en possession de la reine. Selon une tradition rapportée par le dernier possesseur Delaroy-Duparc, qui le vendit à Louis XVIII, le 29 décembre 1817, le buste aujourd'hui au musée de Versailles aurait été ramassé taché de sang et brisé, dans un ruisseau, le 11 août 1792, par un cordonnier qui l'aurait conservé jusqu'en 1816, l'utilisant comme enclume.
Ce qui est certain, c'est que la totalité du nez et du menton de ce buste ont été refaits et que l'importance des mutilations subies est certainement à mettre en rapport avec la destruction des effigies royales.

566
Projet pour la transformation des armoiries royales en symbole républicain

par Alexandre RENAUD

Plume et encre, lavis.
Bibliographie: Herding, 1970, p. 165 et fig. 170.

Paris, Bibliothèque nationale, cabinet des Estampes (inv. Va, 187, Topo. France, Marseille, III).

Si la suppression des armoiries et des autres « signes de la féodalité », se fit souvent de façon brutale, les cas sont relativement nombreux où, à cause de la célébrité de certains monuments, on confia à des artistes le soin de faire disparaître les éléments proscrits sans porter atteinte à l'œuvre elle-même. Ainsi, au fronton de la cour Carrée du Louvre un coq entouré d'un serpent, modelés en ciment, vint-il occuper la place du globe fleurdelysé, sans que l'on touche aux anges sculptés par Guillaume II Coustou.
A la façade de l'hôtel de ville de Marseille, les armes royales exécutées par Pierre Puget en 1670-1674, ornaient la clef de la porte centrale. On demanda au sculpteur Alexandre Renaud de substituer le « niveau de l'égalité » au lys de France et le bonnet phrygien à la couronne royale. Le projet montre bien que les deux angelots de Puget doivent demeurer intacts. Le marbre original, retransformé à nouveau sous l'Empire a été déposé au XIXe siècle et se trouve aujourd'hui au musée des Beaux-Arts de Marseille.

567
Destruction des emblèmes de la féodalité

par Louis MOREAU

Plume, lavis, rehauts de blanc et d'aquarelle.

Paris, Bibliothèque nationale, cabinet des Estampes (inv. Ve 53f., res., n° 565).

Le 10 août 1793, premier anniversaire de la chute de la monarchie, fut célébré dans toute la France par des fêtes qui furent marquées par la destruction solennelle des « signes de la féodalité » : armoiries, titres nobiliaires, archives seigneuriales, portraits « féodaux » furent ainsi livrés aux flammes.
Louis Moreau a représenté la fête parisienne qui se déroula sur le Champ-de-Mars : on reconnaît au centre l'autel de la Patrie, pratiquement inchangé, mais l'arc de triomphe, élevé en 1790, a disparu. Dans de nombreuses villes cette fête entraîna la disparition d'archives précieuses et d'œuvres d'art. Il est difficile de savoir exactement ce qui fut anéanti dans le brasier parisien, mais à diverses reprises au cours de l'an III, Alexandre Lenoir livrera à ses sections parisiennes des lots importants de « portraits féodaux » destinés à être brûlés.

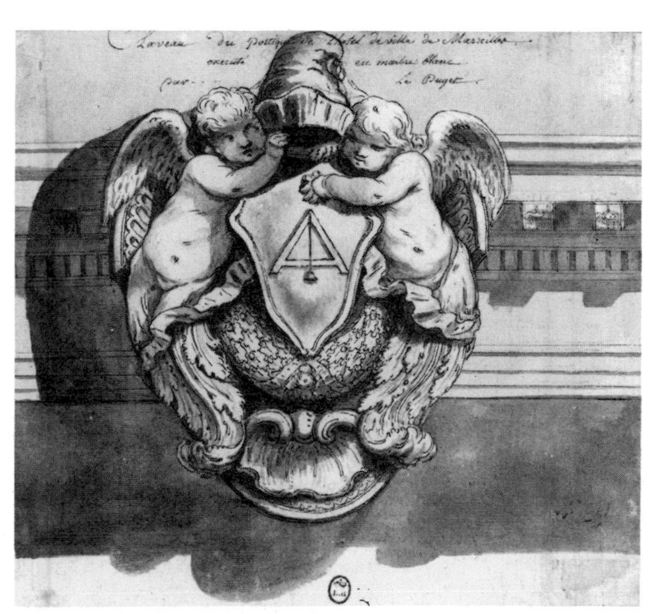

Projet pour la transformation des armoiries royales en symbole républicain (cat. 566).

XIV
LA LUTTE POUR LE POUVOIR

La Révolution française, si diverse qu'elle puisse apparaître dans la multitude de ses champs d'action, est fondamentalement une lutte pour s'emparer d'un pouvoir que la monarchie, d'abord déstabilisée puis défaillante, avait laissé échapper. Au terme des dix ans que dure la période, il n'y a nul doute au sujet des gagnants : Bonaparte, d'une part, qui jette les bases de son pouvoir personnel, et, d'autre part, la grande bourgeoisie d'affaires, pour ne pas dire affairiste, à laquelle le cadre élargi de ce qui va devenir l'Empire français offre d'intéressantes possibilités d'enrichissement et d'initiative. Mais cette victoire d'un homme et d'une classe sociale ne doit pas cacher que, sur le plan strictement politique, la période révolutionnaire n'a laissé que des vaincus : absolutistes, monarchiens ou clychiens, modérés, girondins ou montagnards, feuillants, jacobins ou cordeliers, enragés, hébertistes ou babouvistes... Aucune faction n'a survécu ; aucune ne peut ambitionner d'être pour Bonaparte pas même un appui, à plus forte raison une opposition avec laquelle il ait véritablement à compter.
L'évocation chronologique des étapes successives qui au rythme des « journées » et des coups d'État scandent l'histoire de la Révolution aurait peu apporté car l'iconographie en est parfois étrangement pauvre. Il a paru préférable de présenter d'abord les acteurs les plus marquants (même s'ils n'ont pas été nécessairement les plus influents) dont l'éloquence a été le médiateur des grands courants d'opinion. Il fallait aussi indiquer les lieux de ces luttes (l'Assemblée et sa tribune, le Comité de Salut public, les comités) et les moyens mis en œuvre, en tout premier lieu les journaux, mais aussi la redoutable réalité des massacres (relativement ponctuels) et de la guillotine qui, contrairement à une idée répandue, est demeurée un élément déterminant de la lutte pour le pouvoir après la chute de Robespierre : c'est même dans les jours qui suivirent le 9 Thermidor que les « charrettes » furent les plus remplies et les plus nombreuses. À cause de l'importance indéniable de cette date du 9 Thermidor, l'histoire de la Révolution est trop souvent conçue comme celle d'une montée lente et continue de la violence du printemps 1789 au printemps 1794 suivie, après une phase paroxystique, d'une brusque détente qui se prolonge dans les bonheurs un peu frelatés de la Convention thermidorienne et du Directoire. Vision fausse qui néglige en particulier le poids écrasant de la guerre extérieure mais que confortent cependant les images que cette période a laissées d'elle-même. Le 9 Thermidor ne marque pas la fin de la lutte pour le pouvoir mais transforme celle-ci en une affaire de spécialistes issus d'une classe politique peu nombreuse et peu renouvelée. Le désengagement volontaire de la petite bourgeoisie soucieuse avant tout de survivre (ce qui explique en partie l'échec des tentatives royalistes qu'elle voyait pourtant semble-t-il d'un œil assez favorable) rejoint celui, forcé et durable, du peuple des faubourgs, après l'émeute du 1er prairial an III, la dernière des « journées » révolutionnaires.
Au silence prudent manifesté après 1794 à l'égard de la politique intérieure par les illustrateurs et caricaturistes français si prolixes durant les trois premières années de la Révolution répond la perplexité des observateurs étrangers qui préfèrent s'en tenir à l'idée simple que tous les révolutionnaires sont jacobins et donc extrémistes. Cette méconnaissance par les opinions publiques européennes des réalités de la Révolution française était-elle partagée aussi par ceux qui étaient dans le secret des « cabinets » ? Mais n'est-ce pas le propre d'une révolution de ne pouvoir être observée que vécue « de l'intérieur » dans toute la complexité de ses situations mouvantes et de ses rapides mutations ?

Le 2 juin 1793 (cat. 608, détail).

DU 15 JUILLET AU 18 BRUMAIRE

Dès le XIXe siècle, la Révolution française est apparue comme le terrain privilégié de la prise de position politique. Ses compromis, ses intransigeances, ses mesures de pis-aller et ses paradoxes ont successivement rallié pour ou contre elle toutes les tendances de l'opinion. Qu'elle soit honnie ou glorifiée, sa puissance de fascination ne s'est à aucun moment démentie. Et les historiens eux-mêmes éprouvent bien des difficultés à échapper à des conclusions partisanes, pourtant fondées sur des analyses strictes de documents[1]. Nœud exceptionnel de l'histoire, la Révolution a vu se heurter la plupart des groupes sociaux qui composent aujourd'hui le monde contemporain. Est-il si aberrant d'affirmer que toute l'histoire du XIXe siècle, et d'une grande partie du XXe siècle, est une reprise, une sorte d'assimilation lente des prodigieux bouleversements de la décennie révolutionnaire[2] ?

L'impossible compromis

« Qu'est-ce que la Révolution française », se demandait Babeuf dans son *Tribun du peuple*, le 15 brumaire an IV (6 novembre 1795). « Une guerre déclarée entre les patriciens et les plébéiens, entre les riches et les pauvres. » Si cette opinion était justifiée à cette date, elle n'en était pas moins une considérable réduction des événements de toute la période révolutionnaire. La pauvreté n'explique pas seule les surenchères de violence, et il conviendrait d'y ajouter l'extrême complexité des classes sociales et des modes de penser issus de l'Ancien Régime.

L'unité ne s'était pas réalisée immédiatement à l'encontre des privilégiés, encore moins à l'encontre du roi, et beaucoup de nobles libéraux comme le vicomte de Noailles ou La Fayette s'investirent dans la Révolution à ses débuts, aux côtés de la bourgeoisie.

Mais tandis que les membres de l'Assemblée nationale opéraient en juin 1789 une révolution « légale », qui leur permettait d'accéder aux charges de l'État, ils ne s'apercevaient pas que, roturiers, ils drainaient derrière eux les forces vives de la nation, peuple des villes et paysans, dont les intérêts étaient liés à ceux de la bourgeoisie.

Le système monarchique était fondé sur le privilège et l'exclusion sociale. L'irruption de la bourgeoisie sur la scène politique revenait à ruiner l'Ancien Régime. Le roi l'avait fort bien compris, qui tenta de revenir en arrière dès juillet 1789. La première victoire de la Révolution fut le fait du télescopage brutal de trois vagues successives de populations, qui s'unirent pour faire aboutir les réformes, mais dont les revendications divergeaient considérablement.

À une bourgeoisie défaillante se substitua la révolte populaire qui, au 14 juillet 1789, assura la défaite du roi, suivie à la fin du même mois, de la colère paysanne, qui arracha à l'Assemblée une mesure radicale, l'abandon des privilèges (nuit du 3 au 4 août). Le succès était grand, il n'était pas définitif. Il fallut le retour du roi à Paris, en octobre 1789, pour garantir les acquis. Mais la bourgeoisie avait eu peur. Contre toute déviation possible, car les masses populaires étaient exclues des débats de l'Assemblée et tendaient déjà vers l'expression et la démocratie directes, vers l'insurrection, la bourgeoisie, dès juillet 1789, mit sur pied une milice, la garde nationale, confiée à La Fayette, qui fut un véritable rempart contre le peuple.

Un premier compromis se fit jour, mené par des nobles libéraux (de Virieu, Lally-Tollendal, Clermont-Tonnerre) et des bourgeois du tiers qui avaient beaucoup contribué aux premières mesures révolutionnaires (Mounier et Malouet). Ce groupe appelé monarchien, fut en effet le principal artisan de la réunion des trois ordres et se trouva à l'origine de la *Déclaration des droits*. Mais son désir de voir s'établir un bicamérisme à l'anglaise, nécessitait un pouvoir royal fort. Les patriotes s'opposèrent rapidement aux monarchiens, et dès le mois d'octobre 1789, Mounier se retirait de la scène politique.

Le véritable compromis se fit jour à l'extrême fin de l'année 1789. Il s'agissait d'organiser une fédération, une union autour

1. Une première phase proprement idéologique, marquée par les travaux de Michelet (*la Révolution française*, Paris, 1847-1853), partisan de la Révolution, auquel s'opposait Taine dans ses *Origines de la France contemporaine* (1875-1893), culmina autour de 1900 avec les débats sur « l'affaire Chaumette », où se déchaînèrent les passions. Braesch, élève d'Aulard, le premier titulaire de la chaire d'histoire de la Révolution française créée en 1885, s'opposa violemment à Mathiez, à cette occasion. Par la suite, l'étude de la période se rationalisa, et elle fut l'une des plus grandes réussites des historiographes de gauche, de Jaurès et Mathiez à Soboul et Vovelle. Toutefois, la théorie marxiste fut contestée par A. Ollivier dans son *Saint-Just et la force des choses* (1954), avant d'être remise en cause par Furet et Richet en 1965.
Ce bilan n'est certes pas exhaustif. Il conviendrait encore de mentionner les travaux de Tocqueville, qui sont sans doute le premier effort pour comprendre convenablement la période.

2. Après une période monarchiste de tendance absolutiste, en tout cas légitimiste (la Restauration), la Révolution de 1830 imposa un régime du compromis (la Monarchie de Juillet), qui fut balayé par la République en 1848. Cet ordre des choses pourrait être étendu à l'Empire. Au sein de la République, depuis 1870, des tendances économiques et politiques se sont succédé d'une manière semblable.

du roi sur la base des réformes. L'année 1790 fut celle de La Fayette, mais très vite, le héros des deux mondes devait se révéler un partisan du roi. Le 16 juillet 1791, il rompait avec le club des Jacobins en fondant le club des Feuillants. Un triumvirat, composé de Barnave, Alexandre de Lameth et Adrien Du Port lui succéda. Mais il ne put non plus parvenir à stabiliser la Révolution, et lors de la réunion de l'Assemblée législative, les triumvirs rallièrent le club de La Fayette (octobre 1791). Le compromis s'avérait impossible à réaliser. Pour beaucoup, il était un leurre.

Car un abîme séparait la proclamation des principes de souveraineté, d'égalité, d'unité et les réalités sociales. Les lois et décrets votés en 1790 et 1791 allaient à l'encontre de la générosité affirmée dans les premiers mois de la Révolution : seule la bourgeoisie devait profiter de ce nouveau libéralisme. Par la loi du 22 décembre 1789, l'instauration du suffrage censitaire permit d'exclure le petit peuple des affaires politiques. Certes, le régime féodal était détruit, mais cette abolition se soldait pour le paysan par un rachat onéreux de l'affranchissement[3] dont le taux fut fixé par le décret du 3 mai 1790. Des troubles devaient nécessairement apparaître, car il existait une dualité entre l'idéal recherché et la pratique.

L'échec du compromis ne provenait pas seulement de l'instabilité intérieure, favorisée par les aberrations du système, et de la résistance de la noblesse et du roi à toute nouvelle loi. Les affaires étrangères révélèrent également les absurdité d'un régime, inachevé pour n'avoir pas su radicaliser sa démarche. En mai 1790, un différend opposa l'Angleterre à l'Espagne à propos de la possession de la baie de Nootka (Californie). Aussitôt, la monarchie espagnole fit appel à la France, au nom du pacte de famille. L'Assemblée fut partagée quant à savoir si elle devait hériter des alliances traditionnelles, en cas de conflit extérieur. Le roi était-il toujours souverain, malgré les affirmations contraires qui avaient été formulées dès juin 1789 ? L'affaire n'eut finalement pas de suite, mais elle révélait à quel point la Révolution restait à accomplir.

À partir de 1791, le front du refus face à la constitution monarchique s'élargit considérablement, en rejetant dos à dos royalistes et patriotes radicaux. Cette exacerbation des mentalités avait été provoquée par les réactions divergentes des groupes sociaux issus de l'Ancien Régime. La Constitution civile du clergé en particulier, votée le 12 juillet 1790, avait été condamnée par le pape Pie VI en 1791. Dans le Midi, alors que les protestants s'étaient ralliés à la Révolution, les catholiques, intransigeants, tendaient au contraire vers la contre-révolution. L'obligation du serment imposé aux religieux déchira le clan des catholiques. « L'étroit chemin »[4] du compromis aboutissait à une impasse. L'heure du choix avait sonné : le roi ou la Révolution.

Le gouvernement se trouvait ainsi sur un terrain glissant, où aucun parti ne pouvait prétendre diriger, ou abdiquer ses droits. L'agitation paysanne et religieuse se doublait d'une tentative de reprise en main des affaires de la part des privilégiés. Tandis que Barnave, dans son discours du 15 juillet 1791, posait la question de l'achèvement des réformes : « Allons-nous terminer la Révolution, allons-nous la recommencer ? » et que lui répondant en écho, Adrien Du Port expliquait : « La Révolution est finie. Il faut la fixer et la préserver en combattant les excès », le roi et son entourage multipliaient les trahisons et les complots.

En août 1790, « l'affaire de Nancy[5] » avait permis à Marat de titrer dans son *Ami du peuple* : « L'affreux réveil. » La répression se généralisait, qui révélait les contradictions du système. Mais il fallut attendre la fuite de la famille royale et son arrestation à Varennes — événement d'ailleurs pressenti par Marat — pour que la Révolution fut relancée.

Dès le mois d'août 1789, en effet, Louis XVI avait déclaré : « Jamais je ne consentirai à dépouiller mon clergé et ma noblesse. » Peu à peu l'opposition royale s'était faite plus ouverte, et Axel de Fersen et le marquis de Bouillé mirent au point la fuite, qui eut lieu dans la nuit du 20 au 21 juin 1791. Reconnue à Sainte-Menehould, par le maître de poste Drouet, futur Conventionnel, la famille royale fut arrêtée à Varennes, et reconduite à Paris. Sur le chemin du retour, Barnave s'éprit de la reine. Dès ce moment, il fit le jeu de la contre-révolution.

La succession de ces événements, l'intransigeance manifestée de plus en plus fermement par les différents partis, menèrent à une seconde phase politique qui culmina avec la Terreur.

Pratique politique révolutionnaire

La relative accalmie que l'on observe durant l'année 1790, permit de structurer les forces révolutionnaires. La société d'Ancien Régime, habituée des clubs et des réunions, n'éprouva aucune difficulté à organiser la vie collective et associative. Toutefois, il convient de distinguer entre la bourgeoisie, qui envahit toutes les administrations et assemblées politiques, et la grande masse du peuple, les « passifs », pour lesquels l'insurrection demeurait le seul véritable mode d'expression.

Marat avait écrit dans son *Ami du peuple* dès septembre 1789 : « Jamais la machine politique ne se remonte que par des secousses violentes. » Cette réflexion théorique fut reprise par le mouvement populaire dès 1792, et elle passa même dans

3. La noblesse rurale, souvent pauvre, s'opposait à l'abolition des droits féodaux, tandis que les paysans étaient réticents à toute idée de rachat. Le propriétaire roturier paya l'affranchissement en faisant peser le solde sur ses métayers et ses fermiers. De 1789 à 1793, on assista à une guerre civile larvée entre paysans et aristocrates. Il y eut parfois des jacqueries, dans l'Aisne, le bocage normand, l'Anjou, la Franche-Comté, etc. (*cf.* A. Aulard, *la Révolution française et le régime féodal*, Paris, 1919).

4. Terminologie empruntée à Furet-Richet.

5. Les soldats du régiment suisse de Châteauvieux protestèrent contre le retard de leur solde et demandèrent à contrôler les caisses. Les patriotes locaux se solidarisèrent avec eux, malgré les tentatives de répression des officiers nobles. Mais le marquis de Bouillé, qui commandait à Metz, entra dans Nancy le 31 août 1790 après une sanglante bataille et entama aussitôt une répression très dure. La Fayette avait dans cette affaire levé le masque : cousin de Bouillé, il l'avait invité à « frapper un grand coup ».

la Constitution de l'an I, votée le 24 juin 1793 (Déclaration des droits..., art. 35). Toutefois la pratique politique, parmi les sans-culottes, se structura à partir de 1792, au niveau des sections urbaines. Les assemblées de quartiers jouèrent un rôle capital au moment des crises de 1793 à 1795. Elles permirent au « petit peuple » des villes, selon la terminologie employée par Marat, de prendre conscience de sa position sociale.

Les clubs politiques en revanche remportèrent rapidement un très grand succès parmi la bourgeoisie. Deux types s'opposaient. Les Feuillants[6] et le club des Impartiaux[7], très fermés, étaient formés sur le modèle des clubs anglais, tandis que les Jacobins et les Cordeliers, s'ouvraient sur l'extérieur, à des non-députés. Le club des Cordeliers, largement démocratique, se révéla être le terrain de formation privilégié des sans-culottes qui peuplèrent les administrations après le 10 août. De son vrai nom, Club des amis des droits de l'homme et du citoyen, il tenait ses réunions dans l'ancien couvent des cordeliers. Marat, Hébert, Desmoulins et Danton le dirigeaient. Il était à la pointe du combat, et ce fut à son initiative que fut déposée la pétition du Champ-de-Mars, le 17 juillet 1791. Petit à petit, ce club devint le lieu d'opposition populaire au régime de la Terreur (ventôse an II).

Le club des Jacobins (du nom du couvent où il tenait ses séances) était issu d'une réunion de députés aux États généraux, le club breton. Son véritable nom était Société des amis de la Constitution. Dès avril 1790, sans rompre avec le club, Sieyès, Mirabeau, La Fayette, Bailly avaient créé la Société de 1789, beaucoup plus fermée. Un système d'affiliation entre le club parisien et la province commença dès la fin de l'année 1789 : Dijon, Grenoble, Strasbourg, etc. On dénombrait 406 sociétés en juin 1791, et près de 3 000 au moment du 10 août. La correspondance entre ces filiales était essentielle.

Ce vaste réseau très élaboré s'établit également d'une manière horizontale entre clubs des différentes villes du pays. L'unification doctrinale qui découla naturellement de cette implantation fut l'un des moyens les plus propres à imposer la République et ses principes au moment de la Terreur[8]. Cependant il ne faudrait pas imaginer que les clubs fonctionnaient comme des partis politiques. Aucune doctrine ne fut jamais à l'origine des événements. Toute l'histoire de la Révolution se déroula sous le signe du pragmatisme. Seul Babeuf tenta d'agir selon les lois de la subversion à partir d'un véritable programme.

La nouvelle stratification de la vie politique et administrative, qui permit d'unifier les tendances, se doublait de mesures prises au niveau central parisien. La fête révolutionnaire, issue en grande partie du caractère ludique que revêtirent dès 1789 les émeutes populaires, fut une méthode efficace pour ancrer dans les consciences les principes énoncés par la Révolution[9]. Toutefois, l'union recherchée n'était guère le fait des journaux, feuilles partisanes pour la plupart, dont l'abondance est très révélatrice de l'extrême politisation des Français durant toute la période. Certains rédacteurs, comme Marat, disposaient de réseaux d'informateurs qui leur permettaient de prévoir les événements. Toutes les opinions étaient représentées. À droite, dans le clan des contre-révolutionnaires, c'étaient *les Actes des apôtres* de Rivarol, le *Mercure de France*, *l'Ami du roi*, presse très active jusqu'au 10 août. Au centre, chez les modérés, les titres étaient les plus nombreux. Outre *le Moniteur*, journal semi-officiel, c'était *le Courrier de Provence* de Mirabeau, *le Patriote français* de Brissot. La gauche, enfin, avait elle aussi ses propres organes de presse : *les Révolutions de Paris* de Loustalot, *les Révolutions de France et de Brabant* de Camille Desmoulins, *l'Orateur du peuple* de Fréron. Deux journaux doivent être placés en marge de ce dernier mouvement. *L'Ami du peuple*, dirigé par Marat, obtint très vite un franc succès, qui tenait à la fois à sa clairvoyance et à sa violence intransigeante[10]. Tout aussi radical était *le Père Duchesne* d'Hébert, mais qui visait un public très populaire, dont fait foi son langage[11].

Le 10 Août et la chute de la monarchie épurèrent cette vie politique en la simplifiant dans le sens de la radicalisation. La Révolution, qui avait jusqu'alors recherché l'union la plus large, rejeta d'un coup tous les éléments de la compromission. L'exclusion sociale fut inversée, puisqu'elle frappait à présent tous les tenants de la monarchie.

La seconde révolution

Au lendemain de la fuite du roi, le club des Cordeliers avait déposé sur l'autel du Champ-de-Mars une pétition demandant sa déchéance et l'instauration de la République. La Fayette fit tirer sur les manifestants. Le régime du compromis menait à la contre-révolution ouverte.

6. Membre du club des Jacobins, La Fayette rompit avec la société et créa le club des Feuillants, installé dans le couvent de ce nom, le 16 juillet 1791. Attaqué par les Girondins au début de 1792, ce club disparut après le 10 août. De son vrai nom Société des amis de la constitution séante aux Feuillants, fondé au lendemain de la fuite du roi, il était le club du refus d'une nouvelle avancée de la Révolution.

7. Animé par Malouet et Mallet du Pan, ce club, d'abord nommé Club monarchique, fut relayé après sa disparition par le Club des amis de la constitution monarchique, présidé par Clermont-Tonnerre, qui durera jusqu'au 10 août.

8. Le gouvernement révolutionnaire entreprit à partir de germinal an II, une régularisation du régime, qui s'appuyait sur la conception jacobine de la Révolution. Le 26 floréal an II (15 mai 1794), Couthon réclamait en particulier l'unité d'opinion.

9. M. Ozouf, *la Fête révolutionnaire, 1789-1799*, Paris, 1976.

10. Après l'assassinat de Marat par Charlotte Corday, le 13 juillet 1793, le prêtre défroqué, Jacques Roux, l'un des principaux Enragés, créa une suite à *l'Ami du peuple : l'Ombre de Marat*.

11. Tout comme Jacques Roux, Guffroy se crut autorisé à reprendre le flambeau de Marat. Il créa le *Rougyff*, anagramme de son nom, journal qui employait le langage véhément d'Hébert, et qui disparut en prairial an II. Certains journaux cependant, comme *le Sapeur sans-culotte*, attaquaient *le Père Duchesne* sur son propre terrain, pour faire le jeu des royalistes. Afin de contrebalancer la grande influence qu'exerçait le journal d'Hébert auprès des armées, Carnot lança *la Soirée du camp*.

Dès la fin de l'année 1791, la question de la guerre était posée. Le groupe des Brissotins, qui dominait à l'Assemblée législative, depuis sa réunion le 1er octobre, la recherchait pour deux raisons majeures : faire éclater au grand jour les trahisons, et sans doute relancer l'économie malade, par une production ouvrant de nouveaux marchés. Le roi souhaitait également la guerre, qui aurait clarifié sa situation, et lui aurait éventuellement rendu son trône, dans le cas d'une défaite française. « Les imbéciles ! ils ne voient pas que c'est nous servir ! », écrivait la reine à Axel de Fersen le 14 décembre 1791[12]. La guerre fut finalement déclarée le 20 avril 1792 au « roi de Bohême et de Hongrie », clause de style qui permettait de ne pas nommer l'empereur. Mais les Girondins ne s'étaient pas donné les moyens de la lutte. Les premiers revers militaires, le conflit ouvert entre le roi et la Gironde, provoqua le renvoi des ministres jacobins, Roland, Clavière, Servan, le 12 juin 1792.

Les Brissotins, du nom de Brissot, les Rolandistes du nom de Roland, ou les Girondins depuis Lamartine, parce que beaucoup d'entre eux avaient été élus dans le département de la Gironde, formaient un groupe avancé au club des Jacobins. Longtemps opposés par les historiens aux Montagnards, pour leurs origines sociales — leurs rangs comptaient, en effet, beaucoup de banquiers (Clavière) et de commerçants (Isnard, Barbaroux), mais étaient surtout composés d'avocats (Gensonné, Vergniaud) et de brillants intellectuels comme Condorcet —, les différences entre ces deux tendances tenaient avant tout à des conceptions politiques différentes. Attachés au régionalisme, par crainte de la dictature parisienne, les Girondins entendaient voir perdurer les anciennes divisions provinciales, quand la crise nécessitait un pouvoir central fort.

Commencer la guerre dans un climat intérieur troublé avait été une erreur grave. Le groupe, après le renvoi de ses ministres, fit alors appel au peuple, mais comme on se sert d'un outil, non pour le faire participer à la Révolution. Il refusera toujours l'alliance avec le mouvement populaire, seul moyen pourtant de sauver la Révolution. L'agitation du petit peuple avait grandi avec la guerre. Elle fut le résultat de la politique girondine. Le 20 juin 1792, les sans-culottes en armes des faubourgs, conduits par Santerre et Legendre, envahirent l'Assemblée et les Tuileries. Ils forcèrent le roi à coiffer le bonnet phrygien et à boire à la santé de la Nation. Mais Louis XVI ne céda pas devant la force : les ministres ne furent pas rappelés. L'exacerbation des opinions politiques était à son comble. Devant la montée des périls, le parti démocrate réclamait déjà la mobilisation des forces de la nation, qui se doublait de revendications sociales et politiques. À Lyon, Lange, officier municipal, présentait un rapport destiné à amener l'abondance par la taxation. Le spectre de la loi agraire apparaissait, accompagnant le désir d'égalité.

Le mouvement populaire, structuré dans les sections, était composé surtout d'artisans, petits patrons inquiets de l'évolution de la société capitaliste. Opposés au libéralisme bourgeois (liberté des prix, de production, loi Le Chapelier du 14 juin 1791, qui interdisait la grève), les sans-culottes réclamaient la taxation et le maximum des prix, la lutte insurrectionnelle pour imposer les mesures de salut public et résoudre les contradictions. Deux tendances se firent jour peu à peu. À Marat et Hébert s'opposèrent les Enragés (Roux, Leclerc, Varlet) bientôt dénoncés, qui ne concevaient la Révolution que comme une lutte à mort incessante, une surenchère de violence.

Le 10 Août se fit sans que la Gironde y prenne part. Les « passifs », exclus de la société constitutionnelle, envahissaient la garde nationale et les administrations. Menaçant pour la France, le manifeste du duc de Brunswick fut déterminant dans le processus qui mena à la prise des Tuileries le 10 août 1792. Le 9, une « Commune insurrectionnelle » s'était constituée à l'Hôtel de Ville, formée des délégués sectionnaires appuyés par les fédérés qui convergeaient vers Paris, en application du décret du 4 juin sur la levée de 20 000 hommes auquel le roi avait opposé son véto. La défense du château, qui cessa à 10 heures sur l'ordre du roi, engendra le massacre des Suisses qui défendaient le monarque. L'Assemblée, au sein de laquelle Louis XVI s'était réfugié, le suspendit de ses fonctions, et reconnut officiellement la Commune. C'en était fait du régime de compromis. La Fayette, les frères Lameth rejoignirent les émigrés. La République s'installait dans le sang, après les massacres des 2-6 septembre. Lorsque la Convention nationale, élue au suffrage universelle, se réunit le 21 septembre, l'opposition entre les Girondins et les Montagnards s'accentua, ces derniers s'étant rangés aux côtés des sans-culottes. La fin de l'année 1792 et les débuts de 1793 virent des affrontements oraux entre les deux tendances. Le 2 décembre 1792, Robespierre proclamait : « Le premier des droits est celui d'exister. » Pétion lui répondait en avril 1793 : « Vos propriétés sont menacées. » Brissot brandissait « l'hydre de l'anarchie ». Et Jacques Roux, l'un des principaux Enragés, disait encore le 25 juin 1793 : « L'égalité n'est qu'un vain fantôme, quand le riche a le monopole. »

Le procès du roi divisa définitivement les Montagnards et les Girondins. Ceux-ci, par la bouche de Vergniaud voulaient en appeler au peuple, tandis que la Montagne, poussée d'ailleurs par les sections parisiennes et Jacques Roux, exigeait la peine de mort immédiate, sans s'attarder pour savoir si la Convention était ou non compétente à juger le roi. Par 424 voix contre 287, l'appel au peuple fut rejeté. 70 voix apportèrent une majorité à l'exécution immédiate, qui eut lieu le 21 janvier 1793.

Bientôt, Dumouriez, général brissotin, passait à l'ennemi. Une lutte ouverte s'ouvrit au printemps 1793, qui aboutit, au sein de la Convention, à l'exclusion de la Gironde. Le 24 avril

12. La question de la guerre donna lieu à un débat d'idées passionné au club des Jacobins, en décembre 1791. Robespierre s'opposa à Brissot, en montrant l'armée désorganisée, la Révolution menacée et en brandissant le danger d'un général ambitieux qui se poserait en sauveur de la France. Pour lui, l'ennemi était d'abord à l'intérieur.

1793, les Brissotins avaient réussi à traduire Marat devant le Tribunal révolutionnaire (institué le 10 mars), mais il fut acquitté. Contre Danton, qui tentait encore de rallier les extrêmes, pour enrayer l'éclatement prévisible de la Convention, la Montagne favorisa l'insurrection populaire. La Commune avait été mise en cause par Guadet, Hébert avait été arrêté le 24 mai. On pouvait craindre un coup d'État de la part de la Gironde. Du 31 mai au 2 juin, plusieurs manifestations se succédèrent, qui aboutirent à la proscription de vingt-neuf députés et de deux ministres. Plusieurs conventionnels protestèrent contre l'arrestation des Girondins qui furent simplement consignés à leurs domiciles.

Mais tandis que la Vendée restait invaincue depuis février et que les revers militaires s'accumulaient aux frontières, en province, les événements des 31 mai-2 juin suscitèrent une vague de rébellion, qui prit la forme d'une sécession. Le Jura réclama la réunion à Bourges des députés suppléants à la Convention. Mais ni les sans-culottes ni les paysans ne furent touchés par les révoltes fédéralistes, qui tout comme la contre-révolution royaliste, attaquaient la Révolution dans le dos. Le mouvement fut important en Basse-Normandie, mené par le général Wimpffen, et dans le Sud-Est, ainsi qu'à Lyon, où le royaliste Précy élimina la commune jacobine. A présent, la Montagne demeurait seule en lice, prisonnière de ses contradictions : sauvegarder la propriété et la légalité face aux revendications populaires, dans un contexte de périls extrêmes. Profitant de ses hésitations, durant tout l'été 1793, les sans-culottes poussèrent à la dictature. Le mois de septembre vit tomber les premières mesures de la Terreur. Dans le même temps, les Montagnards s'étaient ressaisis. Danton, qui négociait, avait été écarté du Comité de Salut public dès le 10 juillet[13]. Robespierre y entrait le 27, bientôt suivi de Carnot, Prieur (de la Côte-d'Or), Billaud-Varenne et Collot d'Herbois. La Convention se trouvait désormais dotée de l'instrument de sa politique de fermeté, puisque Couthon, Saint-Just et Barère s'y trouvaient déjà. L'heure n'était plus à la légalité. La Constitution, votée le 24 juin, avait été enfermée dans une arche de bois de cèdre et déposée, « enterrée », aux pieds du président de la Convention. Toutefois, l'Assemblée ne s'était pas laissée déborder. La victoire populaire était certaine, Hébert jubilait, mais la Convention conservait le pouvoir. La Terreur était à l'ordre du jour depuis le 5 septembre, et le 14 frimaire an II (4 décembre 1793), était décrété le gouvernement révolutionnaire. L'union avait sauvé la France. Dans les mois qui suivirent, les victoires se multiplièrent aux frontières, Hondschoote, Wattignies, Wissembourg, le Geisberg, la Vendée était terrassée, à Cholet, au Mans, puis à Savenay, et les révoltes de Lyon et Toulon étaient définitivement réduites.

La Terreur

Dès lors, ce fut une lente reprise en main, extrêmement rigide, où il n'y eut plus de place pour aucune déviation d'opinion, où le châtiment capital fut la seule peine admise. Le gouvernement révolutionnaire, défendu par Saint-Just le 19 brumaire an II (10 octobre), et par Robespierre le 5 nivôse (25 décembre), mit en place les structures nécessaires pour assurer la victoire et imposer la République. Mais il venait tard, presque en décalage avec les événements. Opportuniste, il était une dictature de guerre, peut-être plus utile à l'intérieur que sur les frontières.

Robespierre s'éleva avec véhémence le 1er frimaire (21 novembre) contre les débordements du mouvement populaire, qui menait une politique personnelle de déchristianisation. Bientôt les leaders sans-culottes furent arrêtés.

Aux Cordeliers, parmi les Hébertistes, la guillotine tenait lieu de programme. On dénonçait sans cesse la corruption. Malgré les efforts de Collot d'Herbois, Jacobins et Cordeliers ne parvinrent pas à se réconcilier. L'insurrection menaçait. Le Comité fit alors arrêter de nuit, Hébert, Vincent et Mazuel, le 23 ventôse (13 mars 1794). Après une parodie de procès, ils furent envoyés à la guillotine le 4 germinal (24 mars 1794).

L'épuration, la normalisation toucha alors la municipalité parisienne. Les membres de la Commune du 10 août, Pache, Chaumette et Hébert restaient très populaires auprès des sans-culottes. La Terreur devait bientôt y remédier. Chaumette, procureur-syndic, devint agent national, avant d'être guillotiné le 23 germinal (12 avril), à l'instigation de Saint-Just. Quant à Pache, le maire de Paris, bien que compromis avec Chaumette, il fut épargné. On le remplaça par une créature de Robespierre, Lescot-Fleuriot, en floréal an II. En même temps, le Comité donnait satisfaction aux sans-culottes et aux paysans. La loi du 17 juillet 1793, qui abolissait définitivement la féodalité, le décret du 1er brumaire (22 octobre), qui défendait aux propriétaires d'exiger de leurs fermiers toute prestation de remplacement, les décrets des 8 et 13 ventôse (26 février et 3 mars 1794), tendaient à créer une république de petits propriétaires[14].

Mais même si la violence populaire se trouvait canalisée grâce à la politique répressive de la Terreur, menée par son organe, le Tribunal révolutionnaire, il n'en demeure pas moins

13. Le Comité de Salut public, fondé le 7 avril 1793, était né d'une Commission des douze (mars-septembre 1792), à laquelle succéda le 1er janvier 1793, un Comité de défense générale. Il ne prit son aspect définitif qu'en septembre 1793. Chargé de l'exécutif, il était l'organe principal de la Convention, de laquelle émanaient dix-neuf autres comités : Sûreté générale, Instruction, Finances, Législation, Diplomatie, etc. Les ministres subsistaient, mais n'avaient plus aucun pouvoir de décision.

14. Les décrets de Ventôse, rapportés par Saint-Just devant la Convention, étaient le point culminant d'une politique instaurée depuis le séquestre des biens des émigrés, le 9 février 1792, mis en vente à partir du 27 juillet suivant. Ils visaient à dépouiller les suspects de leurs biens pour les transférer sur les indigents. Il ne s'agissait là que d'une mesure sociale, et non, comme le voulait Albert Mathiez, d'une vaste expropriation correspondant à une « révolution nouvelle », favorisant le peuple. Tout comme les Girondins, les Montagnards furent toujours partisans de la propriété.

que le gouvernement s'était coupé de ses bases[15]. Ayant liquidé le mouvement populaire, le Comité s'en prit aux Indulgents.

Depuis le 15 frimaire (5 décembre), Desmoulins avait lancé un nouveau journal, *le Vieux Cordelier*, dans lequel il s'attaquait aux extrémistes, Hébert puis Cloots et les déchristianisateurs, et demandait la création d'un comité de clémence. Les dénonciations se multipliaient entre Hébertistes et Dantonistes. Fabre d'Églantine fut le premier arrêté, le 23 nivôse (12 janvier), pour malversations dans l'affaire de la Compagnie des Indes. Peu à peu, l'étau se resserra, mais ni Danton ni Desmoulins ne quittèrent leur ligne de conduite. Le 10 germinal (30 mars) au soir, accusés de complicité avec Fabre, ils furent arrêtés, ainsi que Delacroix et Philippeaux. Pour faire taire Danton durant le procès, on amalgama aux quatre accusés, Fabre, Chabot, Basire, Delaunay, prévaricateurs, Hérault de Séchelles, les banquiers Frey, le général Westermann. Le 16 germinal, tous furent exécutés (5 avril 1794).

Le « drame de Germinal » s'achevait.

L'État-patron tenta alors de régulariser le régime, en détournant, puis en officialisant les idées des sans-culottes, particulièrement sur le plan religieux. Le culte de la Raison avait d'abord pallié les déviations extrémistes de la déchristianisation. Mais il demeurait incompris, principalement dans les campagnes. L'intolérance religieuse exacerbait les esprits. La résistance catholique était partout. Robespierre découvrit un compromis avec l'Être suprême. Mais les athées furent indisposés par ce déisme à la manière de Rousseau. Vadier, président du Comité de Sûreté générale, s'acharna à éclabousser Robespierre dans une affaire autour d'une vieille illuminée, Catherine Théot, dite la « Mère de Dieu ». Une fête solennelle de l'Être suprême se déroula le 20 prairial (8 juin 1794), présidée par Robespierre. Dans le peuple, ce culte fut interprété comme un retour à la tolérance. Ce n'était en fait qu'une solution de remplacement face à la déchristianisation, à laquelle les Jacobins n'étaient pas véritablement opposés. Mais les contradictions devaient apparaître, dans le processus d'accélération de la Terreur, souhaité par le gouvernement lui-même. Isolés de leurs alliés naturels, les sans-culottes, les Jacobins choisirent de relancer la Révolution au moment même où la pression étrangère se desserrait, grâce à la victoire de Fleurus (8 messidor - 26 juin), qui ouvrait la Belgique aux armées françaises. La tutelle devenait inutile, accusant d'autant plus la dictature robespierriste. L'heure des grandes fournées était arrivée, renforcée par la loi du 22 prairial (10 juin), rapportée par Couthon, qui réformait le Tribunal révolutionnaire. L'impulsion initiée par le haut révélait le déclin du jacobinisme, cette alliance de la bourgeoisie et du peuple, qui n'avait pas survécu à la Terreur. Car l'union n'était pas l'unification que recherchait le gouvernement.

Déjà la Convention montagnarde se désagrégeait. Le Comité de Sûreté générale s'impatientait de se voir dépouillé d'une partie de la police, confiée au Comité de Salut public[16]. Les représentants en mission les plus excessifs étaient rappelés à Paris, menacés de la guillotine. C'était Fouché, Tallien, Carrier. Les 4 et 5 thermidor (22-23 juillet), une tentative de réconciliation des deux comités n'aboutit pas. Le 8, Robespierre menaça les députés corrompus, mais sans les nommer. Ce fut sa faute. Dans la nuit, ils prirent contact avec Billaud-Varennes et Collot d'Herbois, exclus des Jacobins le soir du 8 thermidor. La dernière manche allait se jouer. La peur rallia les énergies le 9 à la Convention. Saint-Just qui parlait : « Je ne suis d'aucune faction. Je les combattrai toutes. » ne fut pas écouté, non plus que Robespierre. Ils furent décrétés d'arrestation, ainsi que Couthon, Le Bas, Hanriot, commandant de la garde nationale, et Robespierre jeune. Conduits dans des prisons différentes, ils furent délivrés le soir par la Commune. Mais l'indécision pesa sur les 3 000 sectionnaires venus au secours des robespierristes. Seize sections seulement sur quarante-huit s'étaient mobilisées[17]. La Convention de son côté agissait. Barras devenu commandant des forces armées, pénétra dans l'Hôtel de Ville vers 2 heures du matin. La confusion fut totale. Si Saint-Just ne bougeait plus, Augustin Robespierre se jeta par la fenêtre, Le Bas se tua d'un coup de pistolet, et Robespierre fut blessé, ou se blessa lui-même à la mâchoire. Le 10 thermidor, Robespierre et vingt et un des siens étaient exécutés sans jugement.

« Quelques scélérats firent périr quelques scélérats », conclut laconiquement Joseph de Maistre. En fait, les grands perdants de ces journées étaient les sans-culottes. Mécontents de la dictature, ils n'entrevirent pas le danger que sa disparition constituait pour eux. La république bourgeoise qui allait s'installer ne songea plus à l'union, mais à la répression.

15. Depuis 1791, l'idée du jacobinisme était dans l'air, ainsi que le prouvent certaines réflexions : Isnard en novembre 1791 : « Un peuple en état de révolution est invincible », et plus clairement chez Pétion, dans une lettre à Buzot de l'hiver 1792 : « La bourgeoisie et le peuple réunis ont fait la Révolution : leur réunion seule peut la conserver. » Ces paroles émanant de Girondins indiquent que le groupe avait parfaitement analysé la situation. Son refus de l'union fut donc bien un choix partisan délibéré. Le jacobinisme fut finalement le fait des Montagnards, à partir de 1792. Trotsky le définit comme étant « le maximum de radicalisme qui puisse être fourni par la société bourgeoise ». Il correspondait à une reprise en main des événements par la bourgeoisie, sous l'égide de la vertu et du puritanisme.

16. Un bureau de police fut organisé à la suite du décret du 27 germinal (16 avril), portant sur la « police générale de la République », décret adopté sur la proposition de Saint-Just. Le Comité de Sûreté générale en fit grief à Robespierre. Ce bureau ne lui fut rattaché que le 5 thermidor, lors de la tentative de réconciliation des deux comités. (*Cf.* A. Ording, *le Bureau de police du Comité de salut public*, Oslo, 1930.)

17. Après germinal, le profit diminuant, le gouvernement taxa les salaires pour redresser les entreprises (décret du 22 messidor - 10 juillet). Cette mesure allait à l'encontre des revendications populaires, mais favorisait les producteurs (propriétaires de terres et manufacturiers), qui accusaient les villes d'être « taxatrices ». Elle fut une faute grave. L'inertie des sans-culottes au 9 thermidor s'explique en partie par l'annonce de ce décret, qui contribuait à séparer le peuple du gouvernement. Il fut en effet affiché le 5 thermidor à Paris.

La république bourgeoise

Condamnée à vaincre, la République jacobine ne pouvait arrêter seule le crescendo des violences, même lorsqu'elle fût devenue inutile. La logique de son système le lui interdisait. Elle était destinée à périr du dedans.

Au lendemain du 9 thermidor, l'étau terroriste se desserra. Les prisons s'ouvrirent, le club des Jacobins fut dissous. Dès le 7 fructidor (24 août), la Convention décréta la fin de la concentration gouvernementale. Le 4 nivôse an III (24 décembre 1794), le maximum général fut supprimé. Le drame était terminé. Cependant les forces demeuraient en présence.

La libération des prix entraîna une hausse rapide, qui, liée à un hiver rude et à la disette, provoqua le sursaut du mouvement populaire. Mais les journées des 12 germinal (1er avril 1795) et 1er prairial an III (20 mai) n'aboutirent pas. Les sans-culottes, qui réclamaient le retour à la dictature avaient perdu leurs chefs. A partir de ce moment, l'agitation se réfugia dans le complot. Les nostalgiques de l'an II, les néo-Jacobins[18] et les sans-culottes tentèrent encore de s'allier en l'an IV autour de Babeuf, malgré certaines divergences d'opinions. Pour la première fois dans l'histoire de la Révolution, une insurrection se préparait suivant les principes d'une doctrine politique et économique clairement énoncée. Le gouvernement de la Terreur avait résisté à la loi agraire. Babeuf fut le premier à franchir le pas et à vouloir établir une république prolétarienne. Réduit à la clandestinité, il parvint à réunir autour de lui les néo-Jacobins du club du Panthéon et quelques fidèles robespierristes comme Buonarroti. Le 10 germinal an IV (30 mars 1796), un Comité insurrecteur fut constitué, où entrèrent Babeuf, Antonelle, Buonarroti, Darthé, Le Peletier et Maréchal. Au sein du gouvernement, tandis que Barras et Reubell hésitaient, Carnot, qui était passé à la réaction conservatrice, agit rapidement. La police générale fut confiée à Cochon. La légion de police acquise à l'insurrection, fut dissoute, et bientôt Grisel, agent militaire de Babeuf, dénonçait les conjurés. Le 21 floréal (10 mai), Babeuf et Buonarroti étaient arrêtés. Quelques mois plus tard, une tentative pour soulever l'armée au camp de Grenelle, et relancer l'insurrection, échouait à son tour (nuit du 23 au 24 fructidor - 9-10 septembre). Cette fois, néo-Jacobins et sans-culottes s'étaient mêlés aux babouvistes échappés aux poursuites. On fusilla trente et un prisonniers. Le procès de Babeuf ne s'ouvrit qu'en l'an V. Babeuf et Darthé tentèrent de se suicider en entendant l'acte d'accusation et furent portés sanglants à l'échafaud le 8 prairial (26 mai 1797). Sur le moment, la Conjuration des Égaux n'était apparu que comme un simple épisode. Son importance ne se révélera qu'avec le XIXe siècle.

Le 27 germinal (16 avril 1796), les Conseils avaient décrété la peine capitale contre tous ceux qui provoqueraient « le rétablissement de la royauté ou celui de la Constitution de 1793, ou le pillage et le partage des propriétés sous le nom de loi agraire ». Ce décret avait été lancé au moment du complot de Babeuf, mais il était en fait le résultat même de la politique du Directoire. Le règne du Marais, de la bourgeoisie, commençait au lendemain de thermidor, en même temps que réapparaissaient les Girondins proscrits et que la chasse aux terroristes se poursuivait. Lors de l'élaboration de la Constitution de l'an III, on affirma hautement le « pouvoir des meilleurs », selon les termes de Boissy d'Anglas. Mailhe déclarait en se référant à la générosité de la Déclaration des droits de 1789 : « Nous avons fait une assez cruelle épreuve de l'abus des mots pour n'en point employer d'inutiles. » En conséquence, on abandonna l'article premier de la Déclaration[19]. Ces discours s'expliquaient tous au travers des notions de propriété, et de production industrielle, dont Dauchy, devant le conseil des Cinq-Cents le 10 frimaire an IV (1er décembre 1795), devait donner la meilleure formulation : « Les États, disait-il, ne prospèrent qu'en attachant le plus de citoyens à la propriété. » Il s'agissait bien d'organiser la concentration capitaliste et de créer le prolétariat moderne.

Si le Directoire avait hérité de la guerre, d'une économie brisée, il devait pourtant profiter des acquis du gouvernement jacobin. La République apparaissait désormais comme le seul régime autorisé aux yeux de la bourgeoisie, et l'instauration de la nouvelle société fut rendue possible par l'éviction définitive des royalistes et du peuple du monde des affaires. Malheureusement, les événements de l'an II étaient encore trop présents, et la crise économique et sociale n'était pas résorbée. Les considérations du moment prirent le pas sur les mesures destinées à améliorer la situation sur le long terme.

La crainte d'un retour de la dictature poussa les thermidoriens à départager le pouvoir politique. Quand il aurait fallu un gouvernement fort, pour rendre la confiance, on choisit délibérément d'affaiblir les compétences. Deux chambres, le conseil des Anciens et le conseil des Cinq-Cents étaient élues au suffrage censitaire. L'exécutif émanait de ces assemblées, sous forme d'un Directoire de cinq membres, renouvelable par cinquième chaque année[20].

18. Depuis le fermeture du club des Jacobins, le 22 brumaire an II (12 novembre 1794), les nostalgiques de la Terreur, Robespierristes, Montagnards, Hébertistes, etc., se retrouvaient dans des clubs, comme celui du Panthéon, animé par Amar, Drouet et Lindet. Ce sont eux que les historiens appellent néo-Jacobins.

19. « Les hommes naissent et demeurent libres et égaux en droit », était-il stipulé. A quoi Lanjuinais, ancien Girondin devenu président de la Convention après thermidor, répondait : « Si vous dites que tous les hommes demeurent égaux en droit, vous provoquez à la révolte contre la Constitution ceux que vous en avez exclus. »

20. Le cens était plus large qu'en 1791. Il suffisait pour devenir électeur d'avoir vingt et un ans et de verser une contribution quelconque. Le pouvoir législatif était confié aux deux assemblées, élues pour trois ans et renouvelables par tiers chaque année. Les Anciens étaient au nombre de 250, âgés de quarante ans au moins. Les Cinq-Cents devaient avoir au minimum trente ans. Cette chambre présentait aux Anciens une liste de dix noms, dont cinq étaient désignés pour devenir directeurs. Les ministres n'étaient plus que de simples exécutants. Les assemblées primaires élisaient les fonctionnaires locaux, qui étaient suivis au niveau central par un commissaire, préfiguration du préfet instauré par Bonaparte. Le Directoire restait finalement un régime inachevé, qui rappelait sur bien des points le gouvernement révolutionnaire, mais annonçait aussi le centralisme consulaire.

Toute la difficulté était, pour la bourgeoisie, de conserver la ligne du juste milieu. Or l'effervescence des idées, la multiplication des complots ne permettaient pas d'avancer dans la stabilité. Les luttes politiques souterraines, menées par les exclus du régime, faisaient pencher les élections tantôt à droite, tantôt à gauche. La politique devint mesure d'exception. Les notables cassèrent les élections à plusieurs reprises, le 18 fructidor an V (4 septembre 1797), pour rejeter les nouveaux arrivants royalistes, le 22 floréal an VI (11 mai 1798), pour exclure les députés jacobins. Le gouvernement, isolé au sein de la société, en perdit toute crédibilité.

Mais là n'était peut-être pas encore le plus grave. Pour n'avoir pas su stabiliser le régime, pour n'être pas parvenu à assurer le ravitaillement en relançant l'économie et en arrêtant l'inflation[21], le Directoire favorisa la conquête. L'implantation de la République à l'étranger, dans un contexte de guerre totale, autorisa sinon le pillage, du moins l'exploitation des territoires occupés. Tant sur le plan économique et financier, que sur le plan culturel. Ce n'était pourtant encore une fois que des mesures de pis-aller. La crise demeurait entière.

Les campagnes d'Allemagne et d'Italie de l'an IV, les campagnes de l'an VIII doivent être analysées en fonction de ces éléments. Mais en repoussant la guerre loin des frontières de la France, le Directoire se coupait de son armée, qui devenait presque professionnelle, et en lui confiant son économie, il s'en remettait entièrement entre les mains des militaires. Le danger dénoncé autrefois par Robespierre surgissait à nouveau, mais beaucoup plus fortement. Au moment où le spectre de l'an II réapparaissait avec la guerre[22], au moment où les élections qui se préparaient pour l'an VIII (1800) risquaient une nouvelle fois de remettre en cause le fragile équilibre du gouvernement, les revers s'accumulaient. Jourdan était battu à Stockach, Moreau l'était à Cassano, Joubert était tué à Novi. Sur ces entrefaites, Bonaparte rentrait opportunément d'Égypte. Sieyès, alors directeur, cherchait précisément un général capable de forcer la main des Conseils pour éviter les prochaines élections, et leur substituer le système de la cooptation.

Les autres directeurs neutralisés (Barras) ou gagnés au coup d'État (Roger Ducos), l'affaire se noua rapidement. Le 18 brumaire an VIII (9 novembre 1799), Bonaparte balayait le régime directorial. Le 19, une Commission consulaire exécutive était créée, composée du jeune général, de Sieyès et de Roger Ducos. L'épopée napoléonienne commençait.

La dictature bourgeoise, larvée dans les coups d'État successifs qu'elle avait provoqués, n'était regrettée de personne. Les exclus du Directoire applaudirent à Brumaire. Le Consulat, régime autoritaire, allait rendre sa confiance à la France. Bonaparte pouvait déclarer : « Moi seul suis le représentant du peuple. »

Jérémie Benoit

21. Le gouvernement étatique de la Terreur avait vidé le Trésor. Début 1796, l'inflation devint tragique. L'assignat de 100 livres ne valait plus que 15 sous. Finalement le 30 pluviôse an IV (16 février 1796), le système de l'assignat fut supprimé. Mais le retour de la monnaie parut impossible. Le 28 ventôse (18 mars), on lança les mandats territoriaux, qui en six mois perdirent 70 % de leur valeur. Malgré le cours forcé qu'on tenta d'imposer, le papier-monnaie devait disparaître en l'an V (1797)

22. Le danger de la guerre entraîna à sa suite une poussée néo-jacobine. Les clubs réapparurent, celui du Manège (Société des amis de l'égalité et de la liberté), mené par Drouet, ouvrit le 18 messidor an VII (6 juillet 1799). Les Conseils ne bougèrent pas, craignant la défaite militaire. Jourdan ministre de la Guerre, faisait adopter, le 10 messidor (28 juin), la loi sur la conscription et proposait le 27 fructidor (13 septembre) de déclarer la « Patrie en danger ». Mais le Directoire hésitait à le suivre. La solution fut apportée par Bonaparte, pour couper court à toute nouvelle tentative de dictature jacobine, d'autant plus probable que la chouannerie renaissait dans l'Ouest.

LES HOMMES

569
Honoré Gabriel Riquetti, comte de Mirabeau (1749-1791)

par Claude-André DESEINE

Buste, plâtre teinté. H. 0,800; L. 0,550; Pr. 0,400.
Inscription : signé sur le bas droit: «fait par Deseine, sourd-muet 1791/Riquetti mirabeau/mort le 2 avril 1791.»
Historique : achat en 1877.
Bibliographie : Auchard, 1889-1907, t. II, pp. 288-290 et sq.; Bordes, 1976, n° 2, pp. 61-66.

Rennes, musée des Beaux-Arts (inv. 877.32.1).

Au lendemain de la mort de Mirabeau, le 2 avril 1791, l'abbé d'Espagnac proposa aux Jacobins de faire exécuter un buste de l'orateur par Houdon. En fait, un concours fut organisé. Houdon, Deseine, Dumont et Tessier vinrent prendre un moulage du visage de Mirabeau. Mais Houdon se retira bientôt, refusant de prendre part à un concours avec des sculpteurs peu connus. Après une délibération tapageuse à laquelle s'était mêlée la voie de Lucas de Montigny, qui avait réalisé des images du tribun de son vivant, le concours fut remporté par Deseine le 14 juin 1791 grâce à Pétion.
Exposé d'abord chez le peintre Boze, avec les œuvres des autres sculpteurs le buste alla ensuite dans la salle de la société des Jacobins, et l'on commanda le marbre à Deseine. Mais l'ouverture de l'armoire de fer des Tuileries, en novembre 1792, qui révélait les rapports établis par Mirabeau avec la cour, empêcha sa réalisation. Par comparaison avec les bustes de ses concurrents, le portrait de Mirabeau par Deseine manque certainement de virtuosité, mais il est sans doute celui qui rend le mieux compte de la puissance oratoire du tribun. Et les critiques de l'époque se sont plu à révéler le paradoxe de cette œuvre si expressive d'un sourd-muet.
Les bustes des autres sculpteurs sont également localisés (Houdon, coll. part.; Tessier, Versailles; Dumont, Louisville (États-Unis), J.B. Speed Art Museum; Lucas de Montigny, Louvre). J.-Be.

570
Le Marquis de La Fayette (1757-1834)

par Jean-Antoine HOUDON

Buste, plâtre. H. 0,67; L. 0,38.
Inscription : «Houdon fecit An 1790.»
Bibliographie : Réau, 1964, cat. 142, t. II, pp. 34-35.

Le Mans, musée du Tessé (inv. 1989/8).

Houdon fit de La Fayette deux bustes différents, qui correspondent de façon significative aux deux étapes essentielles de la carrière politique du modèle. Le premier suscité par une commande de l'assemblée de l'État de Virginie fut exposé au Salon de 1787; il marque la popularité de La Fayette après son retour d'Amérique en 1785: en uniforme de général américain, le marquis y est drapé dans un large manteau, comme un homme de guerre ou de gouvernement. Le second type, auquel appartient le plâtre du musée du Mans, montre La Fayette en uniforme de la garde nationale dont il était encore pour peu de jours le commandant lorsque le buste fut exposé au Salon de 1791. Le visage est plus plein et la perruque plus volumineuse que dans le premier buste mais surtout l'expression satisfaite et un peu niaise du «héros des deux mondes» est plus explicitement marquée.
Un marbre du premier type, placé à l'Hôtel de Ville de Paris en 1787 y fut brisé le 10 août 1792: La Fayette méprisé par la cour, fustigé comme traître par la presque totalité de la classe politique n'était plus alors que le «massacreur du Champ-de-Mars» qui, avec une certaine sagesse, préféra se livrer aux Autrichiens qui l'incarcérèrent du 18 septembre 1792 au 19 septembre 1797.
Sur l'association La Fayette-Bailly dans l'affaire du Champ-de-Mars, *cf.* cat. 768.

571
Isaac René Guy Le Chapelier (1754-1794)

par Frantz Gabriel FIESINGER
d'après Jean-Urbain Guérin

Gravure à l'eau-forte. H. 0,240; L. 0,180.
Inscription : «Isaac René Guy Le Chapelier/Député de la Sénéchaussée de Rennes/à l'Assemblée Nationale de 1789/ Elu Président le 3 Août.»

Paris, Bibliothèque nationale, cabinet des Estampes (inv. N2).

Rendu célèbre par la loi du 14 juin 1791, qui porte son nom, interdisant toute association ou coalition de professionnels, Isaac René Guy Le Chapelier, devenu suspect de modérantisme, mourut sur l'échafaud le 3 floréal an II (22 avril 1794).
Son portrait par Guérin, gravé par Fiesinger, fait partie d'une série d'effigies des membres de l'Assemblée nationale, parmi lesquels Pétion, Mirabeau, Malouet, La Rochefoucauld-Liancourt, Robespierre, Roederer, Clermont-Tonnerre, les frères Lameth, etc. Mais la collaboration des deux artistes s'acheva après la première livraison, pour une raison inconnue, peut-être financière. J.Be.

572
Jean Sylvain Bailly (1736-1793)

par Louis-Pierre DESEINE

Buste, plâtre. H. 0,77; L. 0,54.
Inscription : sur la tranche de l'épaule gauche : «Deseine Sc/1789»; sur le piédouche «Bailly».
Historique : don Betbedat au musée d'Angers en 1881.
Bibliographie : Lapparent, 1985, p. 37.

Angers, musée des Beaux-Arts (inv. 848. J. 1887).

En 1789, Jean Sylvain Bailly, âgé de cinquante-trois ans est un astronome réputé, membre de l'Académie des sciences (1763) et de l'Académie française (1783) qui s'est fait remarquer en 1788, sur le plan politique, par une *Requête des habitants de Paris au roi* à propos des élections aux États généraux.
Député de Paris, doyen du tiers état et à ce titre l'un des promoteurs du serment du Jeu de paume, il fut élu maire de Paris le 15 juillet 1789 mais dut démissionner le 12 novembre 1791. «Jamais mortel en si peu de temps n'a parcouru une carrière aussi illustre et sans ses titres académiques il serait parvenu au plus haut degré de puissance» a écrit de lui Rivarol. La carrière politique de Bailly fut en effet brève et ce savant «honnête homme», ennemi de toute violence, concentra sur lui à la fois les critiques des royalistes et celles de Marat et de Camille Desmoulins, qui dénonçaient ce révolutionnaire de la première heure trop conservateur et surtout responsable, à leurs yeux, du «massacre du Champ-de-Mars» le 17 juillet 1791. Il fut guillotiné le 12 novembre 1793 alors qu'il était retiré de la vie publique.
Mais, à l'apogée de sa popularité, Bailly fut représenté dans de nombreux portraits: pour se limiter aux sculpteurs, Houdon, Pajou et Deseine exécutèrent son buste. L'œuvre de ce dernier a l'incontestable mérite de la sincérité et ne cherche pas à atténuer l'austérité de cette longue figure. Le costume est celui des représentants du tiers aux États généraux.
Deseine a connu Bailly qui en 1791 le recommanda à Quatremère de Quincy pour les travaux du Panthéon. Mais à l'origine le buste avait été commandé au sculpteur par les électeurs de Bailly et le modèle figura au Salon de 1789. Le marbre inauguré à l'Hôtel de Ville le 22 février 1790 fut brisé en août 1792. Il en existe un certain nombre de tirages en plâtre, de valeur inégale. Sur celui du musée d'Angers, la mention «sculpteur du roi» *(sc. regis)* ne figure plus après le nom de Deseine dans la signature alors qu'elle se retrouve sur tous les autres exemplaires.

573
Antoine Barnave (1761-1793)

par Jean-Antoine HOUDON

Buste, terre cuite. H. 0,75 (dont piédouche: 0,14); L. 0,50; Pr. 0,27.
Historique : don comte du Bouchage, 1851.
Expositions : 1972, Londres; 1984, Vizille.
Bibliographie : Réau, 1964, cat. 210, t. II, p. 47.

Grenoble, musée de Peinture et de Sculpture (inv. MG 380).

Le problème de l'éloquence révolutionnaire est

une question toujours discutée : les discours imprimés reproduisent-ils exactement les paroles prononcées ? Était-il vraiment possible aux orateurs de se faire entendre dans des salles à l'acoustique défectueuse, au milieu du brouhaha et des interruptions ? Les contemporains saluèrent cependant unanimement le talent de quelques hommes, parmi lesquels Barnave se place au premier rang.

Sensible aux mouvements de l'opinion publique, Houdon l'a représenté la chevelure au naturel, drapé comme un orateur romain (mais issu de la plèbe !) et animé d'un mouvement qui n'est pas sans rappeler celui de l'acteur Larive. On peut penser que ce buste date du début de 1790 au moment où la popularité du modèle était à son apogée. Mais, sans doute parce que nous savons quel fut le destin de Barnave, nous croyons pouvoir déceler chez le sculpteur quelques réticences à l'égard de son modèle : plus d'éloquence que de conviction (cet apôtre de la liberté fut un défenseur de l'esclavage dans les « Isles ») et beaucoup de fatuité (Barnave crut avoir « touché le cœur » de la reine au retour de Varennes). Mais on ne peut nier la lucidité et l'ampleur des vues de l'auteur de l'*Introduction à la Révolution française*, rédigée au début de 1792 alors que Barnave, conscient de l'inutilité des conseils qu'il donnait à la reine (qui le firent condamner à mort en novembre 1793) s'était retiré dans son Dauphiné natal.

Sur l'accusation de duplicité portée contre Barnave, *cf.* cat. 769.

574
Jean-Marie Roland de La Platière (1734-1793)

par Joseph CHINARD

Buste, terre cuite. H. 0,570 ; L. 0,430 ; Pr. 0,270.
Inscription : estampillé et daté sur le devant : « 1789 », et sur le piédouche.
Historique : acquis en 1928.
Bibliographie : Rosenthal, 1928, pp. 253-256 ; Rocher-Jauneau, 1964, p. 223 ; Rocher-Jauneau, 1978, pp. 43-45, repr.

Lyon, musée des Beaux-Arts (inv. B. 1490).

Demeuré dans la descendance de la famille Roland jusqu'à son entrée au musée de Lyon, ce buste se trouvait au XIXe siècle à Thizy, au clos de La Platière, qui avait appartenu au chanoine Roland, frère du député. L'année où il réalisa ce buste, en 1789, Chinard partageait son temps entre Lyon et Thizy. Atteint d'une fluxion de poitrine, il acheva sa convalescence au clos de La Platière. C'est durant son séjour qu'il réalisa le portrait de Roland, alors inspecteur général des manufactures de la généralité de Lyon. L'œuvre montre un personnage déjà âgé — il avait cinquante-cinq ans — à l'air timide, mais dont la bouche esquisse un sourire sceptique. Sa femme, Manon-Jeanne Phlipon, de vingt ans sa cadette, le décrit ainsi dans ses *Mémoires*, le jour où elle le rencontra pour la première fois, en 1776 (elle l'épousa en 1780) : « Je vis un homme de quarante ans et quelques années, haut de stature, négligé dans son attitude, avec une espèce de raideur que donne l'habitude de Cabinet, mais ses manières étaient simples et faciles ; de la maigreur, le teint accidentellement jaune, le front déjà peu garni de cheveux et très découvert n'altérait point les traits réguliers, mais les rendait plus respectables que séduisants ; au reste, un sourire extrêmement fin... » Ce « Quaker » (Gérard Walter) était un homme habile qui sut s'imposer à l'ombre de sa femme, devenir ministre et chef d'un groupe politique, les Rolandistes (ou Brissotins, devenus Girondins).

Chinard, dans ce buste un peu à part dans son œuvre, semble s'être souvenu de la leçon de Pigalle ou de Houdon. Vieillard voltairien, Roland est drapé à l'antique, comme l'est souvent Voltaire.

Les relations de Chinard et des Roland durèrent jusqu'en 1793. Emprisonné à Rome en 1792, Roland, alors ministre de l'Intérieur, adressa au pape une lettre écrite par sa femme, demandant l'élargissement du sculpteur. Ce n'est qu'après le siège de Lyon que Chinard, en relation avec Hennequin, travailla pour la nouvelle municipalité jacobine. J.Be.

575
Jacques-Pierre Brissot (1754-1793)

par Henri-Pierre DANLOUX

Huile sur toile marouflée sur panneau et sur verre. H. 0,170 ; L. 0,140.
Historique : achat en 1878.
Bibliographie : Herlin, 1884, p. 282, n° 805 ; Lenglert, p. 77, n° 222.

Lille, musée des Beaux-Arts (inv. 397).

Célèbre pour ses portraits, Danloux émigra à Londres en 1791 pour fuir les excès de la Révolution. C'est donc avant cette date, sans doute en 1790, qu'il put entrer en contact avec Brissot, alors rédacteur d'un journal, *le Patriote français*, qui le situait politiquement à la gauche de l'Assemblée constituante. Député à la Législative, il devait donner son nom à un groupe avancé du club des Jacobins, les Brissotins, connus depuis Lamartine sous le nom des Girondins.

Durant la période révolutionnaire, beaucoup d'hommes portaient des anneaux aux oreilles : Saint-Just, Hennequin, etc., comme c'était également le cas pour Brissot, ainsi qu'il apparaît sur cette peinture.

Ce portrait à la psychologie très aiguë révèle toute la douceur et le mystère déjà préromantique qui se dégagent de la production de Danloux.

576
Jérôme Pétion de Villeneuve (1756-1794)

d'après François BONNEVILLE

Gravure au burin. H. 0,160 ; L. 0,110.
Inscription : « Jérôme Pétion/Député du Département d'Eure et Loir/à la Convention nationale. F.B...del.../ G. Sculp. »
Bibliographie : Roux, t. III, p. 192, n° 53.

Paris, Bibliothèque nationale, cabinet des Estampes (inv. N2).

Aux États généraux, où il fut élu par le bailliage de Chartres, Pétion se fit rapidement une réputation extrémiste, siégeant auprès des députés les plus radicaux, Robespierre, Buzot ou Dubois-Crancé. L'Incorruptible devait dire plus tard qu'il était « celui de tous les hommes que j'ai aimé et estimé le plus depuis l'Assemblée nationale constituante ». Hélas, devenu maire de Paris en remplacement de Bailly, en 1791, Pétion se crut devenu tout puissant. A la Convention, il se rapprocha de la Gironde, fut proscrit au 2 juin. Il se cacha à Caen, puis à Bordeaux, et se suicida avec Buzot. Leurs corps ne furent retrouvés que huit jours plus tard, dans un bois, à moitié dévorés par les loups.

Pétion était de ces bourgeois patriotes qui rongeaient leur frein à la veille de 89, et qui ayant accédé aux honneurs, choisirent d'arrêter la Révolution. Tel fut aussi Barnave. J.Be.

577
Maximilien Robespierre (1758-1794)

par Claude-André DESEINE

Buste, terre cuite. H. 0,60 (dont le piédouche 0,14).
Inscription : au revers : « Le citoyen Maximilien Robespierre fait par Deseine. »
Historique : acquis en vente publique en 1986.
Bibliographie : Revue du Louvre, 1986, n° 6, p. 442.

Vizille, musée de la Révolution française (inv. RF. 3768).

Claude-André Deseine, « le sourd-muet » était aussi farouchement révolutionnaire que son frère Louis-Pierre était « monarchien ». Il semble avoir connu personnellement Robespierre et le buste qu'il a donné de lui, s'il peut surprendre les visiteurs plus familiarisés avec un certain dessin, très souvent reproduit, attribué à Gérard, est certainement véridique.

Il nous montre en tout cas l'image d'un homme jeune (Robespierre fut exécuté à l'âge de trente-six ans) au visage un peu poupin, au nez bien caractéristique, à l'expression douce et sérieuse.

Ce témoignage est certainement bienveillant mais confirme ce que l'on sait par ailleurs : à l'apogée de sa puissance (de germinal à prairial de l'an II) le petit « praticien d'Arras » (selon l'expression de Necker) n'avait renoncé à aucune de ses habitudes et demeurait épris de respectabilité, méticuleux et « insupportablement honnête » (Büchner, cité par Patrice Gueniffey dans Furet et Ozouf, 1988).

Robespierre reste, avec Danton, le personnage le plus controversé de la Révolution ; sa mort le 10 thermidor an II (28 juillet 1794) marque en tout cas une coupure dans le cours de la Révolution ; victime d'un complot qu'il avait lui-même renforcé en le dénonçant en termes obscurs, Robespierre le fut aussi de l'interven-

Mirabeau (cat. 569).

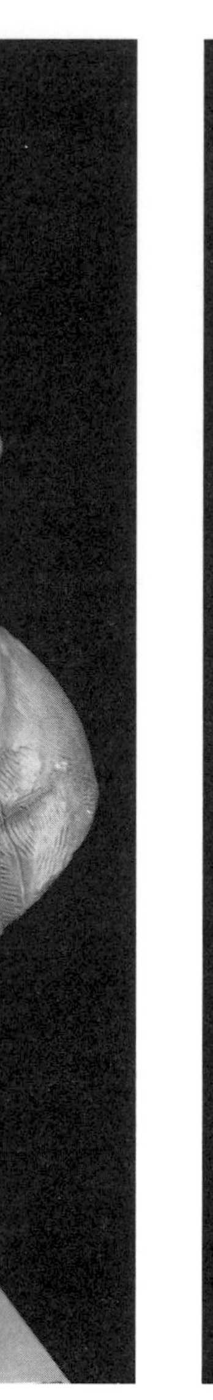

Bailly (cat. 572).

La Fayette (cat. 570).

Le Chapelier (cat. 571).

Roland de la Platière (cat. 574).

nave (cat. 573).

Maximilien Robespierre (cat. 577).

ssot (cat. 575).

Pétion (cat. 576).

Augustin Robespierre, dit Robespierre le Jeune (cat. 578).

tion de la Commune de Paris, qui mena en sa faveur une action dont l'illégalité ne pouvait être effacée que par un franc succès.

578
Augustin Robespierre, dit Robespierre le Jeune (1763-1794)

par Claude-André DESEINE

Buste, terre cuite. H. 0,48.
Inscription : au dos : « Deseine sourd-muet, 1792. »

Paris, collection particulière.

Augustin Robespierre fit toute sa carrière politique dans l'ombre de son frère dont l'appui lui permit d'être élu député de Paris. Le 9 thermidor, alors que nul ne songeait encore à mettre en accusation ce Conventionnel discret, il demanda à partager le sort de son frère comme il avait « partagé ses vertus ». Comme son frère, il échoua dans une tentative de suicide et fut traîné mourant à l'échafaud.
L'existence de bustes des deux frères dus au même artiste paraît confirmer le caractère intime de ces portraits.
Sur le plan historique, la principale action de Robespierre le Jeune fut sans doute de remarquer et de soutenir en tant que représentant en mission dans le Midi, un jeune capitaine jacobin nommé Bonaparte.

579
Georges-Jacques Danton (1759-1794)

par un auteur anonyme

Huile sur toile. H. 0,615 ; L. 0,490.
Inscription : traces de signature au milieu à droite.
Historique : collection Saint-Albin ; acquis de Mme Jubinal en 1883.
Exposition : 1987-1988, Tokyo, n° 16.
Bibliographie : Michelet, éd. La Pléiade, t. I, p. 504 ; Montgolfier, 1968, p. 21.

Paris, musée Carnavalet (inv. P.712).

D'après Michelet, ce portrait, le plus célèbre représentant Danton, aurait été esquissé par David et terminé par un de ses élèves. Cette hypothèse ne tient pas, quand on regarde le style de l'œuvre, et quand on sait que David s'était tourné vers Robespierre, dont Danton, éliminé du Comité de Salut public, allait bientôt critiquer la politique de la Terreur.
Personnage enthousiaste, non exempt de défauts, parfois sans scrupules, Danton demeure l'une des figures les plus grandioses de la Révolution. Malgré sa distance vis-à-vis du spectateur, ce portrait, réalisé sans doute en 1793, donne la meilleure image de ce révolutionnaire à la psychologie ambiguë. J.Be.

580
Louis-Antoine-Léon Saint-Just (1767-1794)

par Pierre-Paul PRUD'HON

Huile sur panneau. H. 0,500 ; L. 0,390.
Inscription : signé, daté et dédicacé au milieu à droite : « A Saint-Just, P.P. Prud'hon, 1793 ».
Historique : coll. Émilien Cabuchet ; coll. D. Victor Nodet à Bourg-en-Bresse ; acq. de Mme Nodet en 1955.
Expositions : 1878, Paris, n° 434 ; 1922, Paris, n° 39 ; 1954, Paris, n° 148, repr.
Bibliographie : Guiffrey, 1924, p. 232, n° 612 ; Tailhades, 1877, p. 328 ; Ollivier, 1954, p. 37 ; Vincent, 1956, pp. 20-22, n° VII-8, pl. XI-3.

Lyon, musée des Beaux-Arts (inv. 1955-2).

Artiste encore fort mal connu, Prud'hon se trouvait à Paris pendant la Révolution et semble avoit montré un véritable enthousiasme républicain, ainsi que le révèle son *Allégorie de la Constitution française* datant de 1793 (cat. 903).
Sa rencontre avec Saint-Just dut être déterminante pour sa prise de conscience politique. Toutefois, malgré ses appuis, nous ignorons pourquoi il fuit brusquement Paris en 1794 pour s'installer à Gray. Sans doute était-il trop mêlé à la politique robespierriste ?
Le portrait qu'il a laissé de Saint-Just, qui n'est peut-être pas le meilleur que l'on connaisse du révolutionnaire (*cf.* celui de l'ancienne collection Duruy, de l'école de David), est cependant très révélateur de la manière de Prud'hon à ses débuts, avec son sfumato qui dilue les formes dans la lumière et confère au personnage une psychologie très aiguë, assez proche finalement de ce que l'on sait de Saint-Just. Tailhades pour sa part, ne trouvait guère de ressemblance entre ce portrait et les autres effigies connues du Conventionnel.
Le docteur Cabuchet s'était fait peindre par Prud'hon en brumaire an IX. Il est possible qu'il ait précieusement recueilli le portrait de Saint-Just après les événements de Thermidor. J.Be.

581
Georges Couthon (1755-1794)

par un auteur anonyme

Buste, terre cuite. H. 0,37 ; L. 0,24 ; Pr. 0,14.
Historique : ancien fonds du musée.
Exposition : 1914, Lyon, n° 484.
Bibliographie : Ray, 1957, p. 16.

Lyon, musée historique de la Ville-musée Gadagne (inv. 418).

La présence d'un buste de Georges Couthon dans les collections de la ville de Lyon se justifie par le fait que ce grand révolutionnaire, membre du Comité de Salut public depuis le 30 mai 1793, avait été envoyé auprès de Kellermann pour assurer le blocus de la ville révoltée contre la Convention. Couthon avait entraîné à sa suite des contingents auvergnats de l'armée révolutionnaire, levés dans le Puy-de-Dôme, qui contribuèrent puissamment à la reddition de Lyon.
Mais ayant hésité à appliquer le décret de la Convention du 21 vendémiaire (12 octobre), « Lyon fit la guerre à la liberté, Lyon n'est plus », répugnant à la violence, Couthon fut remplacé le 7 brumaire (28 octobre), par Fouché et Collot d'Herbois.
Autrefois attribuée à Chinard, cette terre cuite ne peut en aucun cas être de cet artiste. Son côté caricatural, dont le traitement trop creusé, en fait une œuvre d'art presque populaire. Sans doute exécuté au moment du siège de Lyon, ce buste apparaît comme une sorte de profession de foi républicaine, un peu à la manière des effigies réalisées pour le culte des martyrs patriotes. J.Be.

582
Jean-Marie Collot d'Herbois (1750-1796)

par François BONNEVILLE

Eau-forte. H. 0,195 ; L. 0,130.
Inscription : « Collot d'Herbois/ Député par le Dépt. de Paris à la Convon Natle/Condamné à la Déportation l'an 4 de la Rép.-F. Bonneville del. et Sculp. »
Bibliographie : Roux, t. III, p. 205, n° 112 ; Vovelle, 1986, t. IV, p. 35.

Paris, Bibliothèque nationale, cabinet des Estampes (inv. N2).

Acteur et auteur à succès avant la Révolution — tout comme Fabre d'Églantine —, il fut l'ami de Billaud-Varenne au Comité de Salut public. Ses excès lors de la répression de la révolte de Lyon indisposèrent Robespierre. Une violente dispute les opposa peu avant le 9 thermidor. Président de la Convention ce jour-là, il aida puissamment à la chute de l'Incorruptible. Mais son passé de terroriste lui valut d'être déporté à Cayenne par les Thermidoriens.
Collot était un véritable cabotin, soignant sa voix et ses manières, le contraire de Billaud, qu'il complétait admirablement. J.Be.

583
Jean-Nicolas Billaud-Varenne (1756-1819)

par François BONNEVILLE

Eau-forte : H. 0,180 ; L. 0,120.
Inscription : « Billaud-Varennes/ Député par le Dépt. de Paris à la Convon Natle/Condamné à la déportation l'an 4 de la Rép. - F. Bonneville del. et Sculp. »
Bibliographie : Vovelle, 1986, t. IV, p. 35 et p. 287.

Paris, Bibliothèque nationale, cabinet des Estampes (inv. N2).

Billaud-Varenne est encore un exemple de ces bourgeois qui cherchaient leur voie à la veille de la Révolution, dans laquelle il se jeta avec passion. Un personnage sombre, farouche et renfrogné. Il représentait avec Collot d'Her-

ton (cat. 579).

Saint-Just (cat. 580).

thon (cat. 581).

Collot d'Herbois (cat. 582).

Billaud-Varenne (cat. 583).

Lesage-Senault, en représentant du peuple (cat. 584).

Carnot (cat. 585).

Babeuf (cat. 586).

bois la tendance sans-culotte au sein du Comité de Salut public. Bien qu'il ait pris part à la chute de Robespierre, il fut déporté à Cayenne, où il resta malgré la grâce qu'il obtint au 18 Brumaire. La Guyane redevenue française en 1816, il s'installa en Haïti, où il mourut.
J.Be.

584
Henri Lesage-Senault (1760-1823)

par Jean-Baptiste WICAR

Huile sur toile. H. 0,663 ; L. 0,555.
Inscription : signé au verso sous le châssis : « J.B. Wicar ».
Historique : legs Lesage fils en 1860.
Expositions : 1913, Paris, n° 254 ; 1955, Lille, n° 173 ; 1984, Lille, n° 3, repr.
Bibliographie : Lenghart, 1893, n° 895 ; Quarré-Rey Bourbon, 1895, p. 27 ; Beaucamp, 1939, t. II, p. 634, n° 38.

Lille, musée des Beaux-Arts (inv. P. 869).

Compatriote de Wicar, Lesage-Senault se fit peindre par l'artiste en costume de représentant du peuple, tenant son chapeau emplumé, sans doute en 1794-1795. En effet, Wicar rentra à Paris en octobre 1793, et retourna en Italie à l'automne 1795. Œuvre assez exceptionnelle dans la carrière du peintre, par sa mise en page comme par son dynamisme, ce portrait hautement psychologique compte parmi les grandes réussites de l'artiste. Hervé Oursel a fort justement remarqué la largeur du métier, qui fait encore référence à la technique du XVIIIe siècle, et n'annonce en rien le style proprement néo-classique des portraits futurs du Wicar.
J.Be.

585
Lazare Carnot (1753-1823)

par J.-B. COMPAGNIE, d'après François Bonneville

Eau-forte en couleurs. H. 0,180 ; L. 0,135.
Inscription : « Carnot/Membre du Directoire Exécutif/Né à Nolay dépt de la Côte d'Or, le 13 mai 1753. » ; « F. Bonneville del.-J. B. Compagnie Sculp. »
Historique : Roux, t. III, p. 204, n° 103.

Paris, Bibliothèque nationale, cabinet des Estampes (inv. N2).

Ce portrait de Carnot, « l'Organisateur de la victoire », fut dessiné par Bonneville dans ses *Portraits des personnages célèbres de la Révolution* (1793-1802, 4 vol.). Il fut publié en 1796 dans le second recueil d'effigies, réunion des planches parues en livraison à partir de septembre 1793.
Carnot est représenté en costume de directeur, ce qu'il fut, après être passé à la réaction, du 14 brumaire an IV (5 novembre 1795) au 18 fructidor an V (4 septembre 1797). Favorable aux monarchistes, Carnot s'était en effet rapproché de Barthélemy, nommé directeur le 7 prairial (26 mai). Le coup d'État organisé par Barras eut raison des velléités royalistes de l'ancien membre du Comité de Salut public.
J.Be.

586
Gracchus Babeuf (1760-1797)

par François BONNEVILLE

Gravure au pointillé. H. 0,113 ; L. 0,089.
Inscription : sous l'ovale : « Bonneville del. Sculp. ».
Bibliographie : Roux, t. III, p. 226, n° 224.

Paris, Bibliothèque nationale, cabinet des Estampes (inv. Qb1, 25 mai 1797).

C'est là le portrait le plus connu du grand révolutionnaire qui tenta en l'an IV (1796) de relancer la politique extrémiste de la Terreur, en rassemblant autour de son programme communisant, ses amis ralliés à ses théories, Buonarroti, Darthé, Maréchal, etc., les anciens Jacobins et les sans-culottes.
La gravure fut publiée par Bonneville dans son recueil de *Portraits des personnages célèbres de la Révolution*, 1793-1802, 4 vol. contenant deux cents portraits.
J.Be.

LE THÉÂTRE DES LUTTES

587
Les Activités de la Convention nationale dans la vertueuse République française

par C.A. EHRENSVÄRD

Plume et encre brun-noir. H. 0,121 ; L. 0,289.
Filigrane : Van der Ley (papier hollandais).
Inscription : « Nationaila conventets activitet i den Dygdiga Republiquen Franckricket. »

Stockholm, Nationalmuseum (inv. NMH 25/1874 : 54).

Ehrensvärd, qui considérait son propre monarque Gustave III comme un despote omnipotent et la classe supérieure à laquelle lui-même appartenait comme futile et oisive, avait salué les idées de la Révolution française avec satisfaction. Peu à peu, sa passion s'atténua cependant pour se transformer en une opposition véritable aux idées jacobines. Le dessin qui montre « les Activités de la Convention nationale dans la vertueuse République française » exprime sa vision de la liberté politique sans frein que les Français avaient instituée. Lorsque les arguments arrivaient à manquer ou se trouvaient laissés de côté, les bâtons et les gourdins avaient le champ libre. Quelques années plus tard, C. A. Ehrensvärd conçut cependant le projet extravagant de

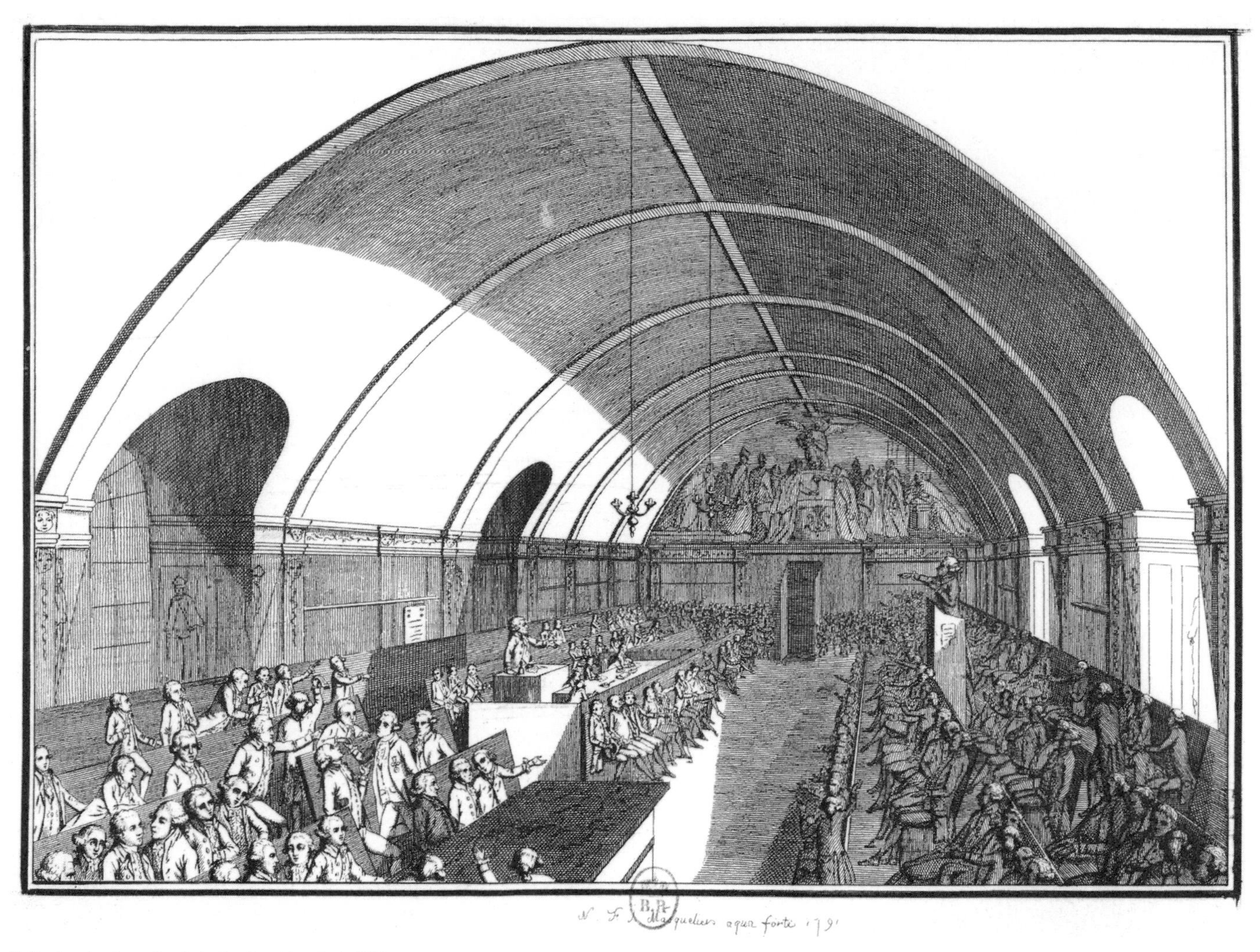

Salle de réunions du club des Jacobins (cat. 589).

Caricature de la Convention, par un artiste suédois (cat. 587).

ère à la tribune de la Convention (cat. 588).

s'installer avec sa famille en France. Une visite chez le ministre français à Copenhague, Philippe Antoine Grouvelle, devait toutefois l'éclairer sur l'inopportunité pour un noble suédois de chercher à s'établir comme propriétaire terrien dans la France républicaine. U.Ce.

588
Bertrand Barère de Vieuzac (1755-1841)

par Jean-Louis LANEUVILLE

Huile sur toile. H. 1,30 ; L. 0,98.
Inscription : sur les manuscrits : « Liberté, Egalité. Le Vendredi 4 janvier 1792. L'an 2e/ de la République Française une et indivisible/ discours sur le jugement/ de Louis Capet/ Citoyens/ Ce que... »
Historique : peint en 1793/1794 ; coll. Barère de Vieuzac ; 1834, coll. Lebrun, Tarbes ; coll. Gustave Rothan, Paris ; coll. baron Lambert, Bruxelles ; acquis en 1964 par la Kunsthalle de Brême.
Expositions : 1974-1975 (1), Paris, pp. 518-519, n° 117 ; 1980, Berlin, n° 45.
Bibliographie : David, 1883, pp. 13-17 ; Dorbec, février 1907, pp. 133-134 ; Dorbec, avril 1907, pp. 316-317 ; Antal, 1966, pp. 10-11 ; Busch et Schultze, 1973, ill. 85 ; Starobinski, 1973, p. 35 ; Verbraeken, 1973, pp. 13 et 17.

Brême, Kunsthalle (inv. 908/1965/7).

Le tableau, à la fois portrait et scène historique, montre Bertrand Barère à la tribune des orateurs de la Convention nationale. Président du tribunal dans le procès contre le roi, il avait procédé à l'interrogatoire de Louis XVI et avait plaidé, dans son fameux discours du 4 janvier 1793 — et contre l'avis des députés de la Gironde — pour la condamnation du roi par la Convention. C'est à cette date que fait référence le manuscrit. On a cependant remarqué que l'année 1792 qui est indiquée est erronée, et il y a des doutes quant à l'authenticité de l'inscription.
Le portrait de Laneuville, qui fut longtemps attribué à son maître David, est frappant de réalisme et de précision, avec la silhouette très bien dessinée devant un arrière-plan neutre. Le rouge de la veste se distingue de manière presque provocatrice du reste du portrait dont les couleurs sont plutôt sourdes. Barère a l'air très sûr de lui, la main gauche négligemment posée sur la hanche, la main droite qui montre avec insistance le manuscrit ; cette attitude est certes dans la tradition du portrait officiel, mais elle semble correspondre ici à un geste rhétorique et être partie intégrante d'une action réelle. Le portrait à mi-corps est réaliste, justifié par la tribune qui vient couper la silhouette. R.Sc.

589
Salle de réunions du club des Jacobins
dans l'ancien couvent de la rue Saint-Honoré

par Louis-Joseph MASQUELIER

Eau-forte.
Inscription : « Salle de réunions du club des Jacobins dans l'ancien couvent de la rue Saint-Honoré. Au fauteuil : Lameth, à la tribune : Mirabeau. »
Bibliographie : Vovelle, 1986, t. II, p. 76.

Paris, Bibliothèque nationale, cabinet des Estampes (inv. Ef 126).

Masquelier était-il membre des Jacobins ? Cela est possible, d'autant que l'on sait qu'il fut plus tard en relation avec Wicar, artiste très engagé à la suite de David. D'autre part, les séances n'étant pas ouvertes au public, il fallait être membre de la Société pour pénétrer dans le local.
Le club breton, origine des Jacobins, tenait ses séances au café Amaury à Versailles. Lorsque le pouvoir royal et l'Assemblée se fixèrent à Paris en octobre 1789, le club décida de les suivre. Dubois-Crancé, dans son *Analyse de la Révolution française*, décrivit ce transfert : « Il fallait un local à portée des séances du corps constituant, qui venait d'être établi au manège des Tuileries ; on trouva le prieur des Jacobins de la rue Saint-Honoré disposé à prêter la salle de la bibliothèque du couvent, et l'on s'y installa », c'est-à-dire fin octobre 1789. C'est cette vaste salle, aujourd'hui détruite, qu'a représentée Masquelier, long vaisseau ne présentant guère les avantages d'une salle d'assemblée, le président et les orateurs se faisant face.
La présence de Lameth et de Mirabeau permet de dater la gravure de la première période du club, entre novembre 1789 et février 1791 (périodisation établie par Michelet). Les affrontements entre le tribun et les futurs membres du triumvirat (Lameth, Barnave et Duport) furent décisifs en 1790. Mirabeau entendait juguler l'influence grandissante du club, pour gonfler le pouvoir exécutif. Le 2 mars 1791, Alexandre de Lameth l'accusait de collusion avec la cour. Mirabeau perdit toute influence ; il devait mourir le 2 avril suivant. Ces éléments permettent ainsi de dater la gravure avec vraisemblance des débuts de l'année 1791.
Fermé le 22 brumaire an II (12 novembre 1794), le club des Jacobins fut détruit en 1807 et remplacé par un marché. J.Be.

590
Le Comité central de Salut public

par un auteur anonyme

Aquarelle.
Inscription : en bas : « Comité central de Salut public. l'An IIème de l'assassinat libéral !!! »
Bibliographie : Vovelle, 1986, t. IV, pp. 32-33.

Paris, Bibliothèque nationale, cabinet des Estampes, collection Destailleur (inv. Ve 53 g., rés. n° 910).

Ce dessin très objectif, sans doute dessiné par un agent du Comité, constitue l'une des rares représentations des locaux du Comité de Salut public. Installé au pavillon de Flore, devenu celui de l'Égalité, aux Tuileries, l'organe suprême du gouvernement de la Convention, gonflé à l'excès à partir de l'automne 1793, déborda sur les espaces réservés aux autres comités. Ainsi que l'écrit Marc Bouloiseau (*le Comité de Salut public,* Paris, P.U.F., 1968), « En entrant au Palais-Égalité, les bureaux s'ouvraient sur un long corridor obscur, au fond duquel étaient installés les cabinets de travail des chefs de section. La salle des réunions, petite, tapissée de vert, était meublée d'une table recouverte d'un tapis de même couleur ; une autre pièce, qui la séparait du Conseil exécutif, servait à leurs séances communes. Le faste disparut. Sous les portiques de la galerie donnant vers les jardins, Barère se borna à faire placer des médaillons de consuls romains. Tout invitait à l'austérité et au travail. »
Celui-ci commençait à 7 heures du matin, parfois plus tôt. La réunion des douze membres (onze après l'exécution d'Hérault de Séchelles) avait lieu à 10 heures. C'était ensuite la séance de la Convention. Les affaires ne s'achevaient pas avant 1 ou 2 heures du matin. On dormait, on dînait souvent sur place. 500 à 600 affaires étaient traitées quotidiennement !
Les bureaux passèrent de 67 employés en frimaire an II (décembre 1793) à 252 en ventôse (mars 1794) et 418 en prairial (juin 1794). C'est l'antichambre du Comité que représente le dessin anonyme de la collection Destailleur. Au fond se tient une séance des Comités (?), tandis qu'au premier plan discutent des agents et des militaires. L'œuvre, écartant tout parti pris, semble avoir appartenu un moment à un royaliste qui ajouta au titre une note qui ne peut laisser de doute sur ses opinions. J.Be.

591
Intérieur d'un comité révolutionnaire durant la Terreur

par Louis-René BOQUET

Plume, encre noire et lavis gris. H. 0,199 ; L. 0,243.
Historique : collection Destailleur, acquise en 1890.
Bibliographie : Vovelle, 1986, t. II, p. 74.

Paris, Bibliothèque nationale, cabinet des Estampes, collection Destailleur (inv. Ve 53 g t. V n° 912).

Ce dessin populaire, si représentatif de l'atmosphère qui devait régner dans les clubs, les comités de surveillance ou les permanences des sections, par sa naïveté même semble nous plonger directement dans l'agitation révolutionnaire. Debout à la tribune, l'orateur est interrompu par un auditeur et par le président de séance, au-dessus duquel trônent les emblèmes de la République : bonnet phrygien et équerre, tables des Droits de l'homme, drapeaux. Les participants assis sur des bancs occupent le fond de la salle sur les murs de laquelle ont été affichés les lois et décrets de la Convention. Vêtus de manteaux et de panta-

Le Comité central de Salut public (cat. 590).

rieur d'un comité révolutionnaire durant la Terreur (cat. 591).

Une assemblée délibérante (cat. 592).

lons, coiffés de chapeaux ou de bonnets rouges, chaussés de sabots, tous les sans-culottes de la section arborent la cocarde tricolore.
Boquet, comme beaucoup d'artistes de l'époque, n'est plus qu'un nom. Toutefois, une inscription manuscrite séparée du dessin mais y faisant référence, précise que l'œuvre fut exécutée en 1793 « par Mr Louis-René Boquet ancien inspecteur des menus-plaisirs du Roi et dessinateur de l'académie Royale de musique ».
La collection Destailleur conserve un autre dessin de cet artiste, *Patrouille de gardes nationaux,* lavis gris, nº 911. J.Be.

592
Une assemblée délibérante

par Jean-Michel MOREAU le Jeune

Pierre noire et lavis de bistre. H. : 0,224 ; L. 0,346.
Historique : collection Gabriel Lemonnier ; don André Hippolyte Lemonnier au musée en 1868.
Bibliographie : Minet, 1890, p. 138, nº 1123 ; Marcel, 1913, p. 488.

Rouen, musée des Beaux-Arts (inv. 868-5-16).

Sans faire référence à une chambre précise, ce dessin témoigne de manière objective de l'atmosphère qui régnait dans les assemblées officielles de la Révolution.
Installée dans une architecture néo-classique, de style Louis XVI, semble-t-il, la députation est assise sur des bancs formés en demi-cercle, face à la table du président, au pied de laquelle se trouve une seconde table faisant office de tribune aux discours.
Vêtus de manière semblable, les députés ressemblent plus aux élus du Directoire ou du Consulat qu'à ceux des débuts de la Révolution ou de la Convention. Les écharpes tricolores qui ceignent la taille des membres de cette chambre ont un caractère uniforme et officiel que ne possédaient pas les costumes des députés précédents. Enfin, il règne dans cette assemblée un calme qui rappelle plus le Sénat conservateur de Bonaparte que les députations précédentes.
Tous ces éléments permettent de dater très certainement ce dessin des années 1800.
Ami de David, Moreau le Jeune exécuta quelques portraits de députés (Paris, Bibliothèque nationale), mais son engagement politique ne semble pas avoir dépassé les limites de l'intégration définitive dans le milieu artistique ; il fut membre de la Commission des arts en 1793, et professeur à l'École centrale en 1797. J.Be.

LES MOYENS DE LA LUTTE

593
Les Actes des apôtres

« Il fait naître des Fleurs, et brûle les Soucis » (frontispice du sixième volume).

Imprimé. Frontispice : gravure à l'eau-forte. H. 0,200 ; L. 0,130.

Paris, bibliothèque Sainte-Geneviève (inv. AE 8º 38 Rés.).

Principal organe des tenants de la monarchie, ce journal fondé par Peltier parut du 2 novembre 1789 à octobre 1791.
Parmi ses collaborateurs, on relevait les noms de Mirabeau, Clermont-Tonnerre, Sorleau et surtout Rivarol. Toutes les tendances royalistes y étaient représentées. Son ton était essentiellement satirique et visait à ridiculiser les révolutionnaires. *Les Actes des apôtres* disparut quand ses rédacteurs émigrèrent.
Très représentative de l'état d'esprit du journal, la gravure allégorique du sixième volume représente un Amour adorant le buste de Louis XVI placé dans un temple dont le dôme est une couronne royale, et brûlant les noms des révolutionnaires les plus extrémistes, Marat et Prud'homme en particulier. Il convient de remarquer que le nom de Mounier se situe, avec d'autres de la même tendance, à mi-chemin du roi et des révolutionnaires. Sur les trois colonnes du temple, sont inscrits : « Le Roi, Chambre des Pairs, Chambre des Communes », ce qui laisserait supposer que la tendance monarchienne, anglophile, apparaissait comme un certain idéal à ne pas dépasser... en 1790 du moins. J.Be.

594
Les Révolutions de France et de Brabant
(titre du livre 2)

« Délivrance d'un Prisonnier par des patriotes Brabançons » (frontispice du numéro 14, livre 2).

Imprimé. Frontispice : gravure à l'eau-forte. H. 2,05 ; L. 0,130.

Paris, bibliothèque Sainte-Geneviève (inv. AE 8º 37 Rés.).

Rédigé et édité par Camille Desmoulins du 28 novembre 1789 à juillet 1791, ce journal était l'un des principaux organes de la presse de gauche durant les premières années de la Révolution. Hebdomadaire, il se vendait par abonnements. Le brillant style satirique de Desmoulins lui fit obtenir un très vif succès.
L'affaire financière de ce journal avait été montée avec l'imprimeur Garnery. Brouillé avec celui-ci, Desmoulins fit appel à Laffrey, puis à Caillard. Mais après le massacre du Champ-de-Mars (17 juillet 1791), Camille jugea prudent de cesser son activité, et son journal disparut. Ce ne fut qu'en frimaire an II (décembre 1793), qu'il recommença à écrire, en lançant *le Vieux Cordelier*.
Le frontispice du livre 2 fait référence à la révolution qui éclata en Belgique à l'automne 1789, et triompha à Bruxelles le 10 décembre.
Au-dessus des patriotes, représentés d'une façon naïve, le portrait de Joseph II, empereur d'Autriche et souverain des Pays-Bas du sud, est resté en place. J.Be.

595
La Bouche de fer

Imprimé.

Paris, Archives nationales (inv. AD.XX.83).

Malgré ses qualités de prêtre de Saint-Roch et de prédicateur du roi, l'abbé Fauchet se jeta avec fougue dans la Révolution. En 1790, très populaire, il fonda le Cercle social (Société des amis de la vérité), sorte de club patriotique et philosophique, très radical et intransigeant, puisqu'il participa à l'affaire du Champ-de-Mars, le 17 juillet 1791.
Tenté par la sans-culotterie, Fauchet prônait la loi agraire, dans son journal, organe de son club, *la Bouche de fer,* qui disparut le 28 juillet 1791. Cette tendance lui fit encourir les foudres bourgeoises, particulièrement celles de Robespierre, qui parvint à exclure l'abbé des Jacobins en septembre 1792. Le nom du journal provenait d'une boîte aux lettres en fer blanc en forme de gueule de lion, dans laquelle les passants étaient invités à déposer leurs pétitions, réclamations ou dénonciations. Cette boîte était installée au siège du Cercle social, 4, rue du Théâtre-Français.
Après les attaques de Robespierre, Fauchet rallia les Girondins, ce qui le mena droit à la guillotine. J.Be.

596
Le Patriote français

Imprimé. H. 0,219 ; l. 0,165.

Paris, Archives nationales (inv. AD.XX.476).

Fondé par Brissot, qui revint des États-Unis où il avait été reçu par Washington et Franklin, au moment de la campagne électorale des États généraux, *le Patriote français* parut du 10 avril 1789 au 2 juin 1793.
Ce journal rendait compte des débats de l'Assemblée d'une manière extrêmement vivante. S'étant assuré le concours de Clavière, Condorcet et Pétion, Brissot transforma bientôt sa feuille en organe du « parti » girondin.
Le Patriote français disparut avec le groupe brissotin dans le grand nettoyage de la Convention au printemps 1793. J.Be.

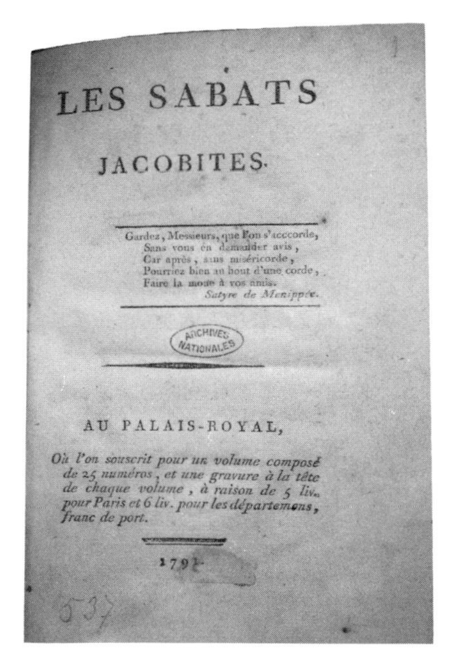
LES SABATS

JACOBITES.

Gardez, Messieurs, que l'on s'accorde,
Sans vous en demander avis,
Car après, sans miséricorde,
Pourriez bien au bout d'une corde,
Faire la moue à vos amis.
Satyre de Menippée.

AU PALAIS-ROYAL,

Où l'on souscrit pour un volume composé de 25 numéros, et une gravure à la tête de chaque volume, à raison de 5 liv. pour Paris et 6 liv. pour les départemens, franc de port.

1791.

« Les Sabats jacobites », journal monarchique (cat. 597).

597
Les Sabats jacobites

Imprimé. Numéro 1, 1791.
H. 0,195; L. 0,125.

Paris, Archives nationales (inv. AD.XX.537).

Dans son numéro 1 (1791), ce journal affirmait d'emblée : « Je déclare donc une guerre éternelle au club des jacobins, que je regarde comme le repaire de tous les ennemis de la nation, et l'antre où se forgent tous les malheurs de la France. Je voue la même haine à ces Carra, Marat, Camille Desmoulins, Fréron, Robert, etc., etc. En un mot à tous ces odieux libellistes bien dignes d'être les prôneurs d'un tel parti. » (Page. 4).
Toutefois, ce journal rejetait également les royalistes intransigeants, affirmant la politique du compromis monarchique. Traité sur le mode de la satire, ponctué de chansons et de vaudevilles, *Les Sabats jacobites* disparut en 1792, après la prise des Tuileries.

598
Le Père Duchesne

Numéro 296, fin juin 1793.
Imprimé.

Paris, Archives nationales (inv. AD.XX 479).

Figure populaire célèbre dès avant la Révolution, le père Duchesne, « marchand de fourneaux », donna son nom à deux journaux, *les Lettres bougrement patriotiques du véritable père Duchesne* de Lemaire, feuille royaliste, et *le Père Duchesne* d'Hébert. Ce dernier parut de novembre 1790 au printemps 1794. Il disparut avec l'exécution des Hébertistes.
Justement célèbre pour son style cru, très imagé — le langage de la rue —, et son radicalisme intransigeant, *le Père Duchesne* était l'organe de la sans-culotterie.
Le n° 296 présenté ici fait référence à l'élaboration de la Constitution de l'an I (1793). Hébert, habilement, établit un parallèle entre l'Évangile et la Constitution. « Songez, écrit-il, que l'évangile qui est le plus beau livre que nous ayons, qui n'avait été fait que pour notre bonheur, est devenu entre les mains des prêtres l'arme la plus meurtrière. Depuis dix-sept cents ans, avec ce livre, ils ont fait couler des flots de sang [...]; c'est pour cet évangile que l'infâme Médicis ordonna le massacre de la Saint-Barthélemy [...]; c'est encore pour l'évangile que les brigands de la Vendée pillent, ravagent, brûlent les fermes, les moissons, égorgent les femmes, les enfants, les vieillards. Eh bien! Sans-culottes, toute belle qu'elle est, votre Constitution fera autant de mal, si vous ne tenez pas la bride haute à tous les Brissotins, Girondins, Rolandins, qui ont juré de l'anéantir. »
En un mot, Hébert se méfiait des lois. Il craignait la Constitution. Sa réponse à la promulgation de cet acte républicain fut l'insurrection. En septembre 1793, la pression des sans-culottes faisait adopter les lois de la Terreur. La Constitution était oubliée.
Le style d'Hébert n'était pas toujours aussi calme. Étayée de « foutre! » et de « bougre! », sa feuille tendait d'une manière à peine voilée vers la démagogie. J.Be.

599
Marat endormi sur son lit

par Hubert ROBERT

Aquarelle. H. 0,230; L. 0,340.
Historique : collection du duc Albert de Saxe-Teschen.
Expositions : 1968, Bregenz, n° 404; 1980-1981, Hamburg, n° 353.
Bibliographie : Sentenac, 1929, p. 19; Carlson, 1978, p. 23 .

Vienne, Graphische Sammlung Albertina (inv. 12.439).

Jean-Paul Marat s'est assoupi dans son lit, il tient encore sa plume à la main et une bougie brûle sur la table devant le lit. Elle éclaire un texte « dénunciat(ion) de Robert par Baudoin ». Cette représentation plutôt obscure est éclairée par ces mots. Le peintre ne fut dénoncé qu'après le meurtre de Marat (13 juillet 1793), en octobre 1793 et incarcéré à la prison de Sainte-Pélagie puis transféré à Saint-Lazare. On a interprété ce dessin comme étant la réaction spontanée d'Hubert Robert à la suite de son arrestation injustifiée, le texte, étant lui, le symbole de la méthode de travail de Marat.
L'artiste, dans cette aquarelle de 1793, dessine Marat encore vivant mais évoque la menace qui pèse sur son futur destin : une lance et une épée au-dessus de lui. A son chevet se trouve le buste du républicain Michel Le Peletier, assassiné le 20 janvier 1792.
Peu avant son assassinat, Marat était déjà fort malade. Il avait dû effectuer plusieurs séjours prolongés dans les caves et les égouts de Paris, en raison des poursuites dont il fut l'objet à plusieurs reprises, ce qui lui occasionna une grave maladie de peau. Depuis septembre 1789, il rédigeait *l'Ami du peuple,* journal violent, inci-

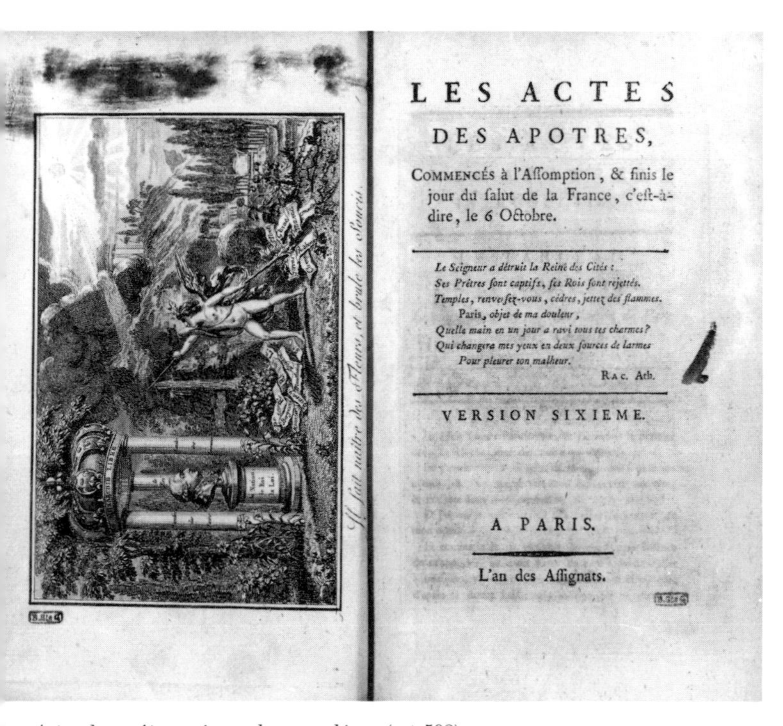
LES ACTES DES APOTRES,

Commencés à l'Assomption, & finis le jour du salut de la France, c'est-à-dire, le 6 Octobre.

Le Seigneur a détruit la Reine des Cités :
Ses Prêtres sont captifs, ses Rois sont rejetés.
Temples, renversez-vous, cèdres, jettez des flammes.
Paris, objet de ma douleur,
Quelle main en un jour a ravi tous tes charmes?
Qui changera mes yeux en deux sources de larmes
Pour pleurer ton malheur.
Rac. Ath.

VERSION SIXIEME.

A PARIS.

L'an des Assignats.

« Les Actes des apôtres », journal monarchique (cat. 593).

(1)

RÉVOLUTIONS DE FRANCE ET DE BRABANT.

N°. 14.

AVIS.

Les personnes de province qui n'ont pas le premier trimestre, composé de treize numéros, peuvent se le procurer en faisant passer 7 livres 10 sols, pour l'avoir franc de port.

FRANCE.

Le jugement du marquis de Favras condamné à être pendu & exécuté, pour ce que les aristocrates appellent héroïsme, amour de ses rois, sainte entreprise; ce que les *impartiaux*, les *modérés* (1) nomment ferveur de Judith, intempé-

(1) L'aristocratie, remarque M. Brissot de Warville, dans son journal, ne paroît plus qu'une chimère; on com-

N°. 14. A

« Les Révolutions de France et de Brabant », fondé par Desmoulins (cat. 594).

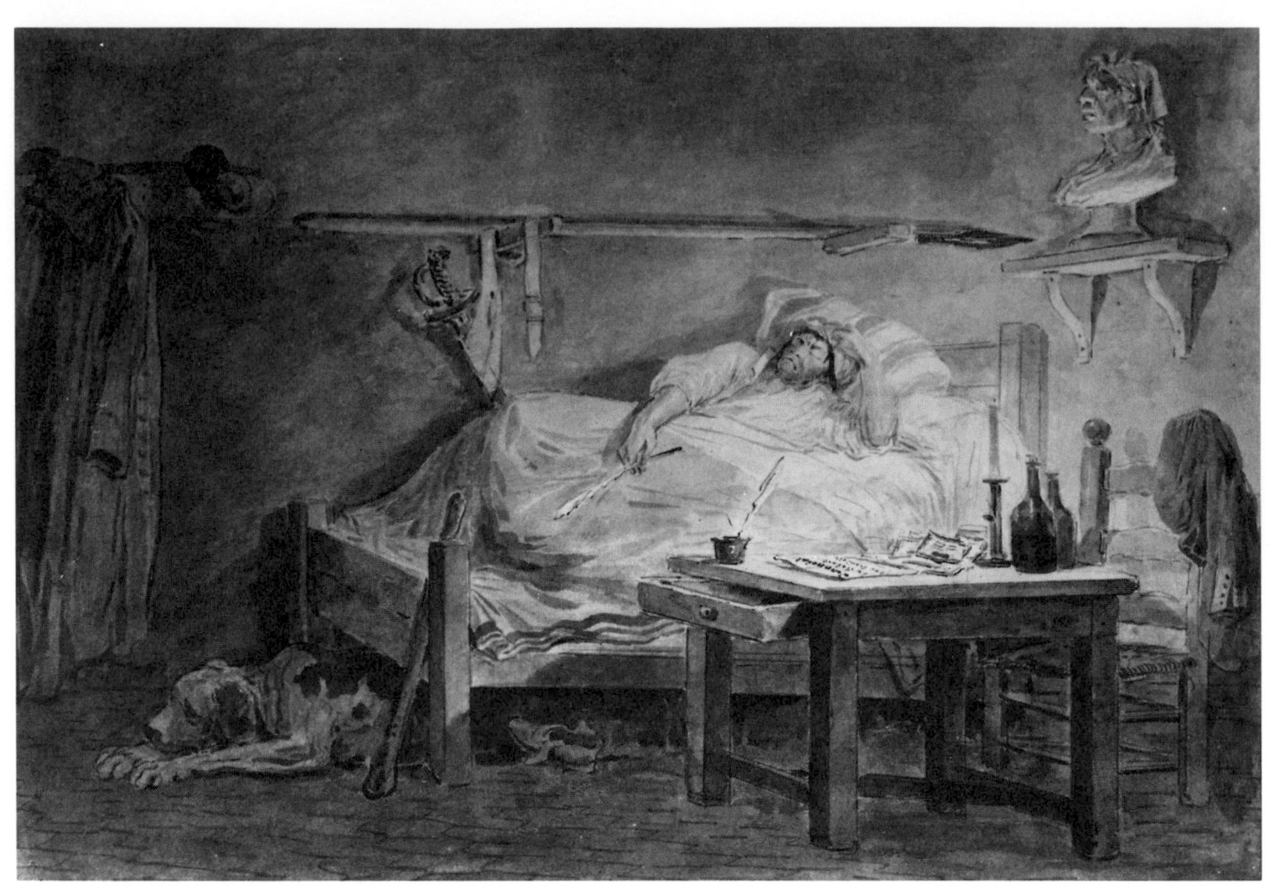

Marat assoupi, rédacteur de « l'Ami du peuple » (cat. 599).

tant au meurtre, mais extrêmement lucide. D'emblée, Marat s'était placé du côté du peuple, ce qui lui avait valu la méfiance de la bourgeoisie du tiers, et même celle de Robespierre.

Dès les débuts de la Révolution, *l'Ami du peuple* avait compris que seule la dictature sauverait la Liberté (*l'Ami du peuple,* 19 avril 1792, n° 634) et que les gouvernements de transition ne pourraient stabiliser les événements. « Oui, c'est en vain que vous voudriez arrêter le cours des réformes et les fixer à tel ou tel point, écrivait-il dans son journal le 30 juin 1790 (n° 149), les esprits ont pris l'essor, ils ne s'arrêteront qu'au bout de la carrière. » Cette compréhension du sens de la Révolution, si rare à l'époque, fit que l'on ne put se passer de lui. Combien d'événements ne prévit-il pas ? La fuite du roi, la marche à la guerre, etc. Contre l'endormissement du peuple, Marat prônait l'insurrection, car disait-il, « jamais la machine politique ne se remonte que par des secousses ». Elle était selon lui l'unique moyen du progrès, cette notion des Lumières à laquelle il se ralliait, mais avec violence. L.Po. et J.Be.

600
Le Rougyff

1er juillet 1793
Imprimé. H. 0,250 ; L. 0,190.
Paris, Archives nationales (inv. AD.XX. 536).

Armand Benoît Joseph Guffroy (1742-1801), élu à la Convention, s'agita beaucoup pour se faire remarquer. L'occasion de laisser un nom se présenta à lui après l'assassinat de Marat. Il se crut en effet autorisé à prendre la suite de *l'Ami du peuple,* et fonda un journal, *le Rougyff* (anagramme de son nom), ou le *Franck en vedette,* qui faisait pendant à *l'Ombre de Marat,* lancé par Jacques Roux. Dans cette feuille, Guffroy tentait d'assimiler le style du *Père Duchesne.* « Donne-moi la main, père Duchesne, écrivait-il dans son numéro 1, comme toi, je foutrais en déroute tous les triples chats qui nous égratignent, tous les tigres qui font la chatte-mitte. »

Bientôt, cependant, il abandonnait Hébert, pour applaudir Danton, qui s'élevait contre les mascarades religieuses, et suivre sa politique. Mais ainsi que le dit Louis Jacob, dans son *Hébert,* p. 260, « Les drelin, drelin de Guffroy étaient bien pâles en face des foutres d'Hébert. » Le journal disparut, remplacé auprès des Dantonistes par une feuille autrement plus forte, *le Vieux Cordelier* de Desmoulins. J.Be.

601
Gazette nationale ou *le Moniteur universel*

Numéro 183, 3 germinal an II.
Imprimé. H. 0,445 ; L. 0,280.
Paris, bibliothèque Sainte-Geneviève (inv. AE fol. 1 Rés.).

Créé par Panckoucke au moment de la réunion des États généraux, ce journal devint quotidien le 24 novembre 1789, et apparut dès lors comme un organe quasi officiel du gouvernement, ce qu'il devint effectivement le 28 décembre 1799, tout en demeurant la propriété de Panckoucke. Il ne disparut que le 30 juin 1901, supplanté par le *Journal officiel,* qu'il avait enfanté.

Malgré un prix d'abonnement élevé, 72 livres par an à Paris, 84 en province, *le Moniteur* connut une grande diffusion. Il comptait 8 500 abonnés en 1792.

Publication très prospère, ce journal, grâce à son style de strict rapporteur des événements, des séances de l'Assemblée et des nouvelles diverses, sut traverser la Révolution sans dommage. Parmi ses rédacteurs, on relève les noms de Ginguené, Maret, Marcilly, Thuan-Granville et La Harpe pour la partie littéraire. La page exposée indique, dans un style laconique, que le procès des Hébertistes a commencé le 1er germinal (21 mars 1794) — ils seront exécutés le 4 germinal (24 mars) —, et expose les noms et qualités des accusés, parmi lesquels Hébert, Ronsin, Vincent, Momoro, Mazuel et Cloots. J.Be.

602
Le Vieux Cordelier

Numéro 5 - 15 nivôse an II
Imprimé. H. 0,205 ; L. 0,130.
Paris, bibliothèque Sainte-Geneviève (inv. AE 8° sup. 96, rés. n° 1).

Avec l'appui de Danton, sans doute même avec l'assentiment de Robespierre, auquel il lut un ou deux numéros (*Moniteur*, t. XIX, p. 168), Camille Desmoulins, en perte de vitesse depuis l'instauration de la Terreur, lançait le 15 frimaire an II (5 décembre 1793), son *Vieux Cordelier*, journal qui allait devenir l'organe des modérés.
Remarquablement rédigée, cette feuille se voulait accusatrice, attaquant Cloots et Hébert, et réclamait la formation d'un Comité de clémence. « Qu'est-ce que la liberté ?, écrivait Desmoulins, ne serait-ce qu'un vain nom ? » Faisant allusion aux fêtes républicaines, il ajoutait : « N'est-ce qu'une actrice de l'Opéra, la Candeille, ou la Maillard promenées avec un bonnet rouge... »
La logique de Desmoulins, dangereuse pour lui comme pour ses amis, le poussa à remettre en cause le gouvernement révolutionnaire. « Je pense bien différemment de ceux qui vous disent qu'il faut laisser la Terreur à l'ordre du jour. Je suis certain, au contraire, que la liberté serait consolidée et l'Europe vaincue si vous aviez un Comité de clémence. »
Violemment attaqué par *le Père Duchesne* pour son modérantisme et sa condamnation de la Terreur, le « bourriquet à longues oreilles » (Desmoulins) ne fut plus lâché par les Hébertistes. Devenu leur bête noire, Camille était désormais définitivement compromis, d'autant que le nº 3 de son journal fut très applaudi. Les aristocrates se l'arrachaient à prix d'or.
Le Vieux Cordelier n'eut que sept numéros. Mais le dernier exemplaire ne parut pas. L'imprimeur n'osa pas le publier, car dès le 18 nivôse (7 janvier 1794), Robespierre condamnait le journal devant les Jacobins.
J.Be.

603
Le Tribun du peuple

Imprimé. H. 0,200 ; L. 0,125.
Paris, Archives nationales (inv. AD.XX. 577-578).

Fondé par Gracchus Babeuf en l'an III (1795), *le Tribun du peuple* fut l'organe de l'insurrection communisante du printemps 1796. Ce jour- dénonçait les abus de la Constitution de l'an III, et du gouvernement bourgeois, d'une manière assez virulente. Le *Manifeste des plébéiens* (des Égaux), rédigé par Sylvain Maréchal, y fut publié le 9 frimaire an IV (30 novembre 1795). Ce texte constituait le point de ralliement de tous les déçus du nouveau régime. Anciens Jacobins, Babouvistes, sans-culottes se rallièrent à Babeuf et ses amis, Darthé, Maréchal, Le Peletier. Mais, dénoncés, ils furent arrêtés. Jugés à Vendôme en l'an V, Babeuf et Darthé tentèrent de se suicider et furent portés sanglants à la guillotine. J.Be.

604
Journal général de la littérature de France

Ventôse an VI - Mars 1798
Imprimé. H. 0,205 ; L. 0,130.
Paris, bibliothèque Sainte-Geneviève (inv. AE 8º/28FF).

Sous le Directoire, de nombreux journaux apparurent. Mais ils ne possédaient plus cet aspect politique qui faisait la valeur de ceux qui naquirent au début de la Révolution. Ce furent le *Journal des arts, des sciences et de littérature*, le *Journal des bâtiments civils, des monuments et des arts*, le *Journal des spectacles, de la musique et des arts*,... et le journal ici présenté. Ces feuilles, relativement prudentes, se contentaient de donner les nouvelles de politique intérieure ou extérieure, les annonces de pièces ou de livres nouveaux et les comptes rendus des Salons. J.Be.

605
La Liberté de la presse

par un auteur anonyme
Aquatinte en couleurs. H. 0,26 ; L. 0,34.
Inscription : sur les journaux en train de sécher, « Journal du soir, le Père Duchêne, le Miroir, l'Ami de la Patrie, le Furet, le Parisien, l'Ami des Loix, le Voyageur, le Bultin des Sciences, Courrier des Spectacles, Affiches et Annonces, Journal universel » ; entre les mains des crieurs de journaux ; de gauche à droite, « le Rédacteur, le Parisien, le Mois, ouvrage périodique, le Propagateur, le Charognard, le Postillon par Calais, l'Ami des Lois, le Publiciste, la Veillée des Muses, le Journal des Dames et des Modes, le Propagateur, le Voyageur, l'Ami de la Patrie, le Furet, Mercure de france, le Messager, le Miroir, le Redou[table], la Clef du Cabinet des Souverains, Journal du Matin, Courrier des Spectacles, le Père Duchesne, Feuille du jour, Journal des hommes libres, le Bultin des Sciences » ; sur les feuillets de l'homme à terre, « Ca va mal, ça va mal, ça va mal ».
Bibliographie : Vovelle, 1986, t. II, p. 92.
Paris, Bibliothèque nationale, cabinet des Estampes (inv. Qb1, 1797, 10 mars).

Peu d'images évoquent le développement de la presse et du journalisme sous la Révolution. La presse elle-même, à l'exception des *Révolutions de Paris* de Prudhomme où l'on s'efforçait d'insérer de nombreuses gravures d'actualité, était peu illustrée.
Cette estampe représente de façon vivante, sinon parfaitement réaliste, à la fois le travail des typographes, le séchage des exemplaires fraîchement imprimés et la vente à la criée. Mais sous l'apparence d'une pittoresque scène de genre dans la tradition des *Cris de Paris* et malgré le caractère éclectique des titres des journaux et périodiques, cette image ne célèbre pas la liberté de la presse, et ne semble pas liée au rétablissement de cette liberté après Thermidor. Elle met au contraire l'accent sur le

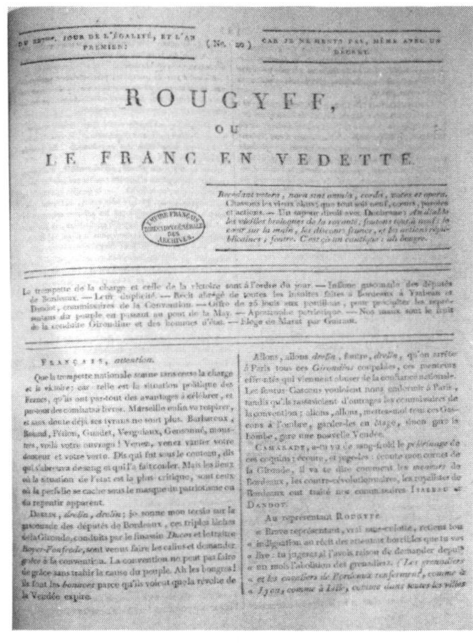
ROUGYFF,
OU
LE FRANC EN VEDETTE.

« *Le Rougyff* », *fondé par Guffroy* (cat. 600).

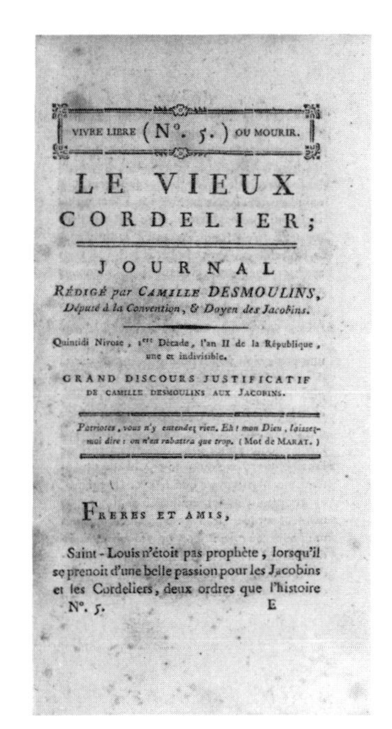
VIVRE LIBRE (Nº. 5.) OU MOURIR.

LE VIEUX CORDELIER;

JOURNAL
Rédigé par CAMILLE DESMOULINS,
Député à la Convention, & Doyen des Jacobins.

Quintidi Nivose, 1ere Décade, l'an II de la République, une et indivisible.

GRAND DISCOURS JUSTIFICATIF DE CAMILLE DESMOULINS AUX JACOBINS.

Patriotes, vous n'y entendez rien. Eh ! mon Dieu, laissez-moi dire : on n'en rabattra que trop. (Mot de MARAT.)

FRERES ET AMIS,

Saint-Louis n'étoit pas prophète, lorsqu'il se prenoit d'une belle passion pour les Jacobins et les Cordeliers, deux ordres que l'histoire
Nº. 5. E

« *Le Vieux Cordelier* », *fondé par Desmoulins* (cat. 602).

JOURNAL GÉNÉRAL
DE LA LITTÉRATURE DE FRANCE.

VENTOSE AN VI. — MARS 1798.

Les prix des articles de ce Journal sont ceux de Paris ; ils doivent nécessairement augmenter, vû les fraix de transport, en raison de la distance des lieux.

HISTOIRE.

ESQUISSE *historique des principaux événemens arrivés à St. Domingue*, depuis l'incendie du Cap jusqu'à l'expulsion de Sonthonax, leurs causes &c. p. *Cotterel Gelé.*

Le titre même annonce que ce mémoire est contre Sonthonax, & l'ouvrage de sa partie adverse. Ce député travaille de son coté à sa justification, il faut donc attendre le resultat des moyens d'attaque & de defense. Nous ne nous permettrons sur cette brochure qu'une seule observation. On y dit que Sonthonax avait l'excessive précaution dans des occasions *majeures*, de ne donner que des ordres *verbaux*. Si le fait est vrai, il faut convenir que ceux qui exécuterent de pareils ordres commirent d'excessives imprudences, & qu'il est peutêtre aussi imprudent d'avancer une pareille imputation, dont il est si difficile de donner la preuve.

Description topographique & politique de la partie espagnole de l'Isle de St. Domingue, avec des observations générales sur le climat, population, productions &c. par *Moreau de S. Mery.* 2 voll. gr. in-8. Philadelphie.

Cet ouvrage commence par un abrégé de ce qui a eu lieu relativement aux limites entre la colonie espagnole, & la colonie française ; après cela il y a une description topographique & politique de la partie espagnole de cette isle, où l'on traite de ses montagnes, plaines, bois, eaux minérales &c. L'auteur décrit un pays où il a vecu quelque temps, & qu'il a bien observé. L'ouvrage est orné d'une très belle Carte de la partie espagnole de St. Domingue.

Calendrier de Mars, ou Tableau chronologique des actions héroiques & des succès des armées de la Republique française ; tableau de 17 pouces de large sur 12 de haut.

La partie du tableau indiquant les jours du mois ne présente qu'une décade entière, sous chaque date de laquelle se trouve l'historique d'une victoire, le nom du général qui l'a remportée, & quantité de traits héroiques. A cette décade on fait succéder la suivante au moyen de deux cylindres cachés derriere le tableau, sur lesquels se déroule par 36 divisions decadaires le Calendrier en entier, composé de six feuilles d'impression.

Nous recommandons cette production intéressante aux Républicains ; elle est faite pour décorer leur cabi-

Journal gén. N.º 3. I

« *Journal général de la littérature de France* », *fondé sous le Directoire* (cat. 604).

La Liberté de la presse (cat. 605).

caractère désordonné, voire violent, de cette liberté. Des mains du malheureux gisant à terre et piétiné par les crieurs de journaux s'échappent des feuillets portant plusieurs fois répétée la phrase « Ça va mal », réplique contre-révolutionnaire au « Ça ira ».
Si cette estampe date bien de 1797, il est remarquable qu'on y trouve le titre du *Père Duchesne* disparu depuis près de trois ans mais ni le *Moniteur* ni les titres royalistes des débuts de la Révolution.

606
Deux Piques révolutionnaires

Fer forgé et bois pour le manche. L. respectives : 2,280 (lame : 0,600) et 2,185 (lame : 0,530).
Inscription : sur la lame, respectivement : « *ARM.* » « *NAT.* » et « *A.N.* »

Paris, musée de l'Armée (inv. 11.440 et K. 666).

Malgré les manches de bois modernes, ces piques constituent de très rares témoignages de l'armement des sans-culottes. Déjà défini par le pantalon, en opposition à la culotte aristocratique, le militant sectionnaire est inséparable de son bonnet rouge et de sa « sainte » pique, symbole du peuple en armes, image de la souveraineté populaire.
Hébert écrivait : « Quand les aristocrates manigancent quelque coup de chien contre la liberté, [le sans-culotte] prend son sabre et sa pique, il vole à la section. » Et Jacques Roux d'ajouter, à l'adresse des Conventionnels, le 25 juin 1793 : « Les sans-culottes avec leurs piques feront exécuter vos décrets » (cités par A. Soboul, *les Sans-Culottes*, Paris, 1968, p. 212). La pique ne devint cependant jamais une arme de guerre, malgré Carnot qui démontra les avantages de son utilisation devant l'Assemblée législative, le 25 juillet 1792, et proposa d'en pourvoir les soldats. « Le 1er août, l'Assemblée autorisait les municipalités à en faire fabriquer aux frais du Trésor et à les distribuer aux citoyens « (Soboul, *op. cit.*, pp. 212-213). Des manufactures nationales forgèrent des lames au chiffre de la patrie, « A.N. » (armes nationales), mais la pique demeura l'arme des conflits politiques intérieurs. J.Be.

607
Le Massacre du Champ-de-Mars
le 17 juillet 1791

par Johann Joseph ZOFFANY
Huile sur toile. H. 0,92 ; L. 1,25.

Historique : succession de l'artiste ; vente Robins, 9 mai 1811 (lot 85) ; collection privée anglaise ; vente Sotheby, Londres, 18 mars 1981 (lot 47) ; acquis par le musée de la ville de Ratisbonne en 1981.
Bibliographie : cat. vente Sotheby, 18 mars 1981, lot 47.

Ratisbonne, Museum der Stadt (inv. K 1981/16).

Joseph Farington écrit dans ses *Notebooks on artists* à la date du 1er août 1793 : « He [Zoffany] was painting one of his Parisian subjects, The Women & Sans-Culottes, etc., dancing over the dead bodies of the Swiss soldiers. » (Il était en train de peindre l'un de ses thèmes parisiens, les femmes et les sans-culottes en train de danser sur les cadavres des gardes suisses.) Cette mention de journal est la seul référence qui indique que Zoffany s'est intéressé aux événements de la Révolution française. Dans son œuvre qui est principalement constitué de « conversation pieces » (portraits de groupes) et de portraits de l'aristocratie, cette toile occupe une place à part. Il est probable que ce *Massacre du Champ-de-Mars* faisait partie d'un cycle car le catalogue de la succession de l'artiste en 1811 mentionne trois peintures sur ce même sujet, dont seule celle-ci ainsi qu'un *Pillage de la cave du roi* (cat. 785) ont été conservées.
Il est difficile d'identifier précisément la scène ; on discerne une foule agitée en présence du duc d'Orléans. L'image est sans doute le reflet

de rapports contradictoires décrivant le massacre au Champ-de-Mars le 17 juillet 1791 qui conduisit à une scission entre les révolutionnaires radicaux et les modérés. Regardant cette marée humaine où l'on distingue difficilement les personnages, on remarque sur la gauche le duc d'Orléans, que Zoffany peignit en copiant un portrait fait par Joshua Reynolds.

Les deux peintures de Zoffany qui nous sont parvenues témoignent des réactions de l'Angleterre face aux événements de la Révolution française. Cette attitude hostile trouva sa source dès 1790 dans les *Réflexions sur la Révolution française* d'Edmund Burke ; ce dernier décrivait une plèbe (« mob ») meurtrière et assoiffée de sang tentant d'anéantir toute vie civilisée. De même que pour les caricatures de James Gillray, on peut interpréter les peintures de Zoffany comme une condamnation sans appel des sans-culottes et comme une mise en garde contre l'éventuelle invasion de l'Angleterre par les Français, laquelle détruirait les structures sociales existantes et importerait les excès de la Terreur (*cf.* David Bindman, « The British Image of the revolutionnary crowd », dans *Kunst um 1800 und die Folgen, Werner Hoffmann zu Ehren*, Munich, 1988, pp. 87-94). M.An.

608
Le 2 Juin 1793

par Jean-Joseph-François TASSAERT, d'après Fulcran - Jean Harriet

Gravure au pointillé. H. 0,430 ; L. 0,590.
Bibliographie : Aubert-Roux, 1921, t. III, p. 644, n° 6160 ; Vovelle, 1986, t. IV, pp. 16-17.

Paris, Bibliothèque nationale, cabinet des Estampes (inv. Qb1, 1793, 31 mai).

Contre les Girondins qui refusaient l'union avec le peuple, la Commune de Paris organisa une série de manifestations à partir du 27 mai 1793, qui aboutit à la proscription des députés et des ministres brissotins.

Dès le 31 mai, tandis que Leclerc paralysait le service des postes, Hanriot nommé commandant en chef de la force armée parisienne, poussait la Convention à voter l'arrestation de vingt-deux Girondins. Prise entre son amour de la légalité et sa haine de l'agitation, la Montagne tergiversait. Aucune décision ne fut prise ce jour-là. Le 1er juin se passa dans l'expectative. Marat appelait à l'insurrection. Le 2 juin au matin, Hanriot fit entourer la Convention par la force armée. Une députation pénétra dans la salle des séances, renouvelant la demande d'arrestation des députés. On hésita longtemps, on chercha un compromis. A cinq heures du soir, Mallarmé céda sa présidence à Hérault de Séchelles, qui prit la tête d'un cortège pour aller signifier aux sans-culottes l'ordre de se disperser. Hanriot le rappela à la réalité : « As-tu servi jusqu'à ce jour la cause du peuple ? Le peuple attend que tu le serviras jusqu'à la fin. » Puis, se retournant vers sa troupe, il cria : « Aux armes ! Canonniers à vos pièces ! » Les députés cherchèrent d'autres sorties. En vain. Tout le château des Tuileries était bloqué. Il fallut céder. On vota finalement l'arrestation de vingt-neuf députés, parmi lesquels se trouvaient Vergniaud, Buzot, Barbaroux, Isnard et Guadet. La Montagne restait seule maîtresse de la Convention.

C'est la rencontre entre Hérault de Séchelles et Hanriot, devant la sortie de la Convention, que représente très précisément la gravure de Tassaert. D'après Harriet, c'est une œuvre à la fois objective et hautement dramatique, avec sa perspective bloquée par la multitude de figures hérissées de piques, qui assiègent le château.

Derrière Hérault, apparaissent les députés girondins, Brissot, Buzot, Pétion et Vergniaud. Au premier plan, Marat s'active, arrêté dans son élan par des députés soucieux de calmer le jeu.

Il ne s'agit pas là, à proprement parler, d'une gravure politiquement engagée. Tout comme Jean-Louis Prieur, il semble que Tassaert ait choisi la voie du témoignage, du reportage d'actualité. Ses autres productions, surtout des portraits (Camille Desmoulins, Charlotte Corday, le général Carteaux...) s'inscrivent tout naturellement dans cette perspective.

L'œuvre fut publiée en pendant à une *Nuit du 9 au 10 thermidor* ; mais sans doute les deux gravures furent exécutées à partir de dessins composés par Harriet à des époques différentes. En effet, le face à face un peu facile que l'on remarque dans la pièce ici exposée, a totalement disparu dans la seconde estampe. Celle-ci joue sur un clair-obscur brutal qui accentue les effets dramatiques de mouvement et de confusion. J.Bc.

609
Les Martyrs de Prairial

par Philippe-Auguste HENNEQUIN

Plume, encre brune, lavis brun sur traits de mine de plomb. H. 0,524 ; L. 0,779.
Inscription : annoté à l'encre de gauche à droite : « Duroy-Duquesnoy-Soubrany » et dans la marge en haut à gauche : « Duroy ne mourut pas sur le champ/ Duquesnoy se frappa mais ne mourut que/chez lui où il fut transporté,/il avait cessé de vivre lorsque le bourreau vint le chercher. » Dans la marge, à la mine de plomb, à gauche : « sur 10 pieds. »
Historique : fonds ancien du musée.
Bibliographie : Pommier, n° 1, 1988, pp. 20-23 repr.

Lyon, musée des Arts décoratifs (inv. n° 3075).

La « Journée » révolutionnaire

Parmi tous les événements qui ponctuèrent la Révolution, les historiens ont distingué plusieurs types de mouvements populaires. Si les émeutes et les insurrections furent caractérisées par la spontanéité, et n'aboutirent finalement à aucun résultat durable, les journées révolutionnaires en revanche furent organisées en vue d'exercer une pression politique sur le gouvernement, et d'obtenir satisfaction sur certaines revendications. Pourtant, il convient de différencier les journées des débuts de la Révolution de celles de 1793 à 1795. En effet, les premiers débordements populaires, très spontanés, furent surtout des « récupérations » de la part de politiciens avisés. Les exemples les plus caractéristiques de journées sont fournis par le 20 juin 1792, les 31 mai et 2 juin 1793, les 4 et 5 septembre 1793, qui furent voulus par certains hommes, et encadrés par les sans-culottes des sections.

D'abord situées en dehors du gouvernement, les journées devinrent ensuite le fait de la Terreur elle-même. Car les Jacobins, appliquant pleinement la phrase de Pétion : « La bourgeoisie et le peuple réunis ont fait la Révolution, leur réunion seule peut la conserver », furent les instigateurs des épurations de germinal an II. Mais ces journées se rapprochèrent alors du véritable coup d'État ; cette idée que la journée était nécessaire au salut de la Révolution passa dans la Déclaration des droits de 1793, article 35 : « Quand le gouvernement viole les droits du peuple, l'insurrection est, pour le peuple et pour chaque portion du peuple, le plus sacré des droits et le plus indispensable des devoirs. »

Les dernières journées révolutionnaires se déroulèrent en 1795, pendant la Convention thermidorienne. Mais liées à la famine, elles redevinrent spontanées et manquèrent de véritable encadrement politique.

Jérémie Benoit

Le Massacre du Champ-de-Mars le 17 juillet 1791 (cat. 607).

La «journée» du 2 Juin 1793 (cat. 608).

Le Suicide des derniers Montagnards après la «journée» du 20 mai 1795 (cat. 609).

Les Membres d'un comité révolutionnaire conduits au supplice (cat. 610).

...es révolutionnaires (cat. 606).

Identifié par Henriette Pommier grâce à la publication de l'étude sur papier calque des collections artistiques de l'université de Liège (*cf.* J. Benoit, 1986, p. 207, fig. 11), ce dessin se rapporte aux dramatiques événements du printemps de l'an III. Après la journée du 1er prairial an III (20 mai 1795), qui vit la Convention envahie par les sans-culottes affamés, l'assemblée vota l'arrestation de quatorze Montagnards, parmi lesquels Prieur de la Marne, Romme, Bouchotte, Soubrany, Duroy et Duquesnoy, seuls députés à être restés assis, par solidarité avec les émeutiers. Leur situation sur les bancs les plus élevés de la Montagne les fit appeler « Crêtois ». Condamnés à mort, ils choisirent le suicide ; mais Bouchotte, Duroy et Soubrany furent portés sanglants à l'échafaud.

Moins lisible que le calque de Liège, ce dessin fut sans doute réalisé auparavant. On assiste au suicide des députés nostalgiques du régime de la Terreur, que les forces de la Convention tentent de séparer. Dans l'esprit d'Hennequin, ce dessin devait sans doute être transcrit en peinture. Le tableau aurait mesuré 5,20 mètres de long sur 3,20 mètres de large. L'artiste se sentait naturellement proche de ces députés, dont il avait adopté les idées politiques. Mais il n'est pas certain que le dessin ait été réalisé au moment de l'événement. Nous pencherions plutôt pour les années 1798-1800.

Emprisonné à la suite de l'affaire du camp de Grenelle en septembre 1796, Hennequin évita de peu la guillotine, et fut libéré après six mois d'incarcération. Il préféra alors porter le combat politique sur le terrain artistique, moins dangereux que la politique active. Dans ses *Mémoires* (p. 193 à propos de son *Allégorie du 10 Août*), Hennequin écrivait : « J'aurais sans doute fait choix d'un autre sujet, si je ne m'étais abandonné entièrement à ceux qui me conseillèrent de consacrer par un tableau la journée du 10 Août. » Il est fort possible que cet « autre sujet » eut été *Les Martyrs de Prairial*. Mais la brutalité directe de la scène était trop compromettante. Aussi Hennequin préféra-t-il l'allégorie, tout aussi politique, mais plus diffuse.

Au concours institué en 1830 pour commémorer l'acte de Boissy d'Anglas lors de la journée du 1er Prairial, Hennequin inscrivit encore un dessin en rapport avec ces événements (collection particulière). J.Be.

610
Les Membres d'un comité révolutionnaire conduits au supplice

par Dominique Vivant DENON

Plume, encre noire et lavis gris. H. 0,225 ; L. 0,335.
Historique : acquis vers 1960-1965.

Chalon-sur-Saône, musée Denon (inv. D.157).

Denon, touché par un décret d'émigration alors qu'il se trouvait en Italie, revint à Paris en 1793. Ayant obtenu l'appui de David, il devint le graveur officiel de la Convention, gravant en particulier les costumes des autorités dessinés par le maître (cat. 914).

L'artiste, bien implanté dans les milieux parisiens, dut certainement assister aux exécutions quotidiennes, comme il ressort au vu de ce dessin, l'un des rares à représenter une « fournée » de la Terreur, avec le dessin de Pierre-Alexandre Wille montrant *Danton conduit au supplice* (musée Carnavalet) et celui, attribué à David, représentant Marie-Antoinette sur la charrette (musée du Louvre, département des Arts graphiques, collection Rothschild).

Si le titre de ce dessin est exact, il est possible que Denon l'ait exécuté après la Terreur. Les comités révolutionnaires, infrastructure du gouvernement robespierriste, furent en effet éliminés après Thermidor. Mais de quel comité s'agit-il ? Ils furent en effet environ 20 000 à travers la France. Il serait plus juste sans doute de voir dans ce dessin une simple représentation, très dure du fait de son objectivité, de condamnés conduits à la guillotine. J.Be.

611
Une exécution capitale, place de la Révolution

attribué à Pierre-Antoine DEMACHY

Huile sur papier collé sur toile. H. 0,370 ; L. 0,535.
Historique : achat du musée.
Exposition : 1987, Vizille, p. 116, n° 129, repr.
Bibliographie : Wilhelm, 1961, n° 1, pp. 12-13, fig. 10 ; Montgolfier, 1972, p. 26.

Paris, musée Carnavalet (inv. N.P. 1980).

On a voulu parfois reconnaître la main du fils

La guillotine

Afin de remédier à l'inégalité des peines prononcées sous l'Ancien Régime, écartèlement, roue, bûcher, pendaison, etc., correspondant à une hiérarchisation des classes sociales et des crimes commis, mais plus guère en vigueur au XVIIIe siècle, le docteur Guillotin, député parisien aux États généraux, proposa le 1er décembre 1789 un type d'exécution capitale qui fut le même pour tous. Il s'agissait d'une machine à décapiter, connue depuis le XVe siècle. Guillotin exposait ainsi le principe de l'instrument : « La mécanique tombe comme la foudre, la tête vole, le sang jaillit, l'homme n'est plus. » La maladresse oratoire du docteur fit rejeter l'adoption immédiate de cette loi, mais permit au chevalier de Champcenetz (plus tard guillotiné !) de créer un néologisme qui qualifia la machine : la « guillotine ».

Pourtant, l'idée généreuse de Guillotin fit son chemin : le 3 juin 1790, malgré Robespierre qui plaidait pour l'abolition de la peine de mort, l'Assemblée adoptait l'idée de la décollation des condamnés à mort. Il fallut cependant attendre 1792 pour que Sanson, exécuteur des hautes œuvres, donnât son avis et que l'on procédât à la réalisation de la machine. Celle-ci fut confiée au facteur de pianos allemand Tobias Schmitt, sous la direction du docteur Louis, et le 25 avril 1792, la guillotine fonctionnait pour la première fois sur un condamné de droit commun, Nicolas-Jacques Pelletier. La « Louison » ou « Louisette », comme elle fut alors appelée, servit ensuite place du Carrousel pour exécuter les défenseurs du roi, au 10 août. Du 10 mai 1793 au 8 juin 1794, elle fut installée place de la Révolution (Concorde), avant de gagner durant la Grande Terreur la place du Trône renversé (place de la Nation). Elle revint ensuite place de Grève et fut utilisée avec plus de modération. 16 594 victimes périrent en dix mois de Terreur sous la guillotine. Chaque département était également pourvu d'une guillotine, et les armées révolutionnaires furent jusqu'à leur dissolution, suivies d'une machine semblable.

Pourtant, la guillotine suscita d'innombrables questions dont Cabanis se fit l'interprète. Si le côté spectaculaire de l'exécution avait disparu avec l'emploi de l'instrument, l'égalitarisme dont elle était porteuse, la soumission de l'homme à la machine, la sérialisation de la mort, la séparation du corps et de la tête ne laissaient pas de poser des questions d'éthique et de religion. La mort coïncide-t-elle en effet avec la décapitation immédiate ? Le supplicié ne peut-il connaître l'inconnaissable même ? C'était en fait remettre en cause la théorie cartésienne de l'âme, puisque Descartes avait placé le siège de l'âme dans la glande pinéale, précisément à l'endroit où vient frapper le couteau de la guillotine.

Jérémie Benoit

Une exécution capitale, place de la Révolution (cat. 611).

«La Fréquentation des démocrates avec l'aristocratie» (cat. 612).

Les Guillotines de Cambrai et d'Arras (cat. 613).

de Pierre-Antoine Demachy, dans cette œuvre dont la qualité est notablement inférieure aux œuvres certaines de l'artiste. Toutefois, nous ignorons si ce fils, surtout un graveur, exécuta des peintures. Marie Petkowska songerait à une attribution à Victoire, fille de l'artiste, dont elle a retrouvé une peinture.

L'œuvre est bien datable grâce aux différents éléments représentés, particulièrement la statue de la *Liberté,* œuvre du jeune Lemot, rappelé spécialement de l'armée du Rhin pour réaliser cette figure, à l'emplacement de la statue équestre de Louis XV, détruite en 1792. En effet, cette *Liberté* en plâtre fut érigée le 10 août 1793, sur la place Louis XV, devenue place de la Révolution. Quant à la guillotine, après avoir été installée place du Carrousel, elle fut remontée entre le pont tournant des Tuileries et la statue de la *Liberté,* le 10 mai 1793.

Elle demeura à cet emplacement jusqu'au 13 juin 1794, moment où elle gagna la place du Trône renversé (place de la Nation). Ainsi, c'est à coup sûr en l'an II que le tableau a été peint. Mais il n'est pas du tout certain que le peintre ait voulu représenter une exécution particulière. C'est plutôt à une scène quotidienne de la vie révolutionnaire qu'il a convié le spectateur. Et ce choix est ainsi prétexte à montrer différents types populaires, bourgeois, marchands, gardes nationaux, attirés par le spectacle. Objective dans sa représentation, l'œuvre en apparaît d'autant plus dramatique. Donnant l'illusion de la scène vécue, elle présente pourtant un détail anachronique : la guillotine dont le couperet est actionné par deux cordes manipulées par le bourreau, est d'un modèle périmé depuis la fin de 1792. Il faut donc conclure de tous ces éléments qu'il s'agit d'une peinture réalisée en atelier, à partir de croquis pris à différentes époques : fin 1792, fin 1793. Daniel Arasse a fort justement relevé la présence du chien sur le devant du tableau, symbole de l'horreur que suscitaient ces animaux venant lécher le sang des guillotinés après les exécutions. J.Be.

612
La Fréquentation des démocrates avec l'aristocratie

par Carl August EHRENSVÄRD

Plume et encre brune, lavis. H. 0,168 ; L. 0,214.
Inscription : en bas, à gauche : « Demokraternes samqvem med adelen. »
Bibliographie : Frykensted, pp. 164-165, fig. 614.

Suède, collection particulière, en dépôt à la Bibliothèque royale de Stockholm.

En admirateur fervent du monde antique l'amiral comte Ehrensvärd considérait la république comme la forme de gouvernement idéale et n'avait que dédain pour la majeure partie de l'aristocratie à laquelle il appartenait. Ce dessin, qui porte le numéro 3, faisait apparemment partie d'une série représentant les événements marquants de la Révolution française dont les autres feuilles ont disparu. Il l'a intitulé : *La Fréquentation des démocrates avec l'aristocratie.* Symbole du peuple, Hercule à l'antique est placé au premier plan. P.Gr.

613
Les Formes acerbes
(la guillotine de Cambrai)

par NORMAND, sur dessin de Louis Lafitte, d'après Poirier de Dunkerque

Gravure à l'eau-forte. H. 0,320 ; L. 0,360.
Historique : publiée le 13 mai 1796 ; collection Charles Lebeau ; donation en 1926.
Exposition : 1988, Los Angeles, n° 152.
Bibliographie : Lorel-Ménétrier, 1926 ; Paulson, 1988, pp. 60 et 62.

Boulogne-sur-Mer, musée des Beaux-Arts et d'Archéologie (inv. 15 L.).

Envoyé en mission dans le Pas-de-Calais en 1793, Joseph Lebon, maire d'Arras et Conventionnel, se révéla très rapidement un terroriste zélé, ne dissimulant pas son plaisir devant la

guillotine. Soutenu par Robespierre, il fut défendu par Barère le 21 messidor an II (9 juillet 1794), en ces termes : « ... Des formes un peu acerbes ont été érigées en accusation, mais ces formes ont détruit l'aristocratie. » C'est cette formule, qui tournée en dérision, sert de titre à notre gravure.
Lebon, debout sur des cadavres, boit le sang des suppliciés, que lui versent alternativement les guillotines de Cambrai et d'Arras. A ces pieds, des furies dressent des tigres à dévorer les corps des victimes. A gauche, des détenus regardent le ciel où leur apparaît la Convention appuyée sur les tables des Droits de l'homme. La Justice dévoile la Vérité, qui tient deux brochures révélant les crimes de Lebon.
L'œuvre, d'une très haute qualité artistique, s'inscrit dans le contexte des débuts du Directoire, époque où l'on poursuivait les anciens terroristes. Comme beaucoup de gravures de l'époque révolutionnaire, elle se situe aux confins de la caricature et de l'art noble (cf. *Un sans-culotte, instrument de crimes*). Reprenant les anciennes formules des tableaux à deux registres, l'estampe présente un niveau réel dramatique et stylistiquement outrancier, auquel s'oppose un niveau allégorique plus calme, traité dans une manière néo-classique stricte. Les guillotines servent de relais entre les deux registres. Ainsi que l'écrit Daniel Arasse, dans son livre sur *la Guillotine et l'imaginaire de la Terreur,* l'horreur que suscita la machine fut souvent tournée d'une façon glorificatrice pour les victimes, la guillotine apparaissant comme le passage obligé vers l'au-delà. Son portique est en effet symbole de la « barrière de l'éternité », pour reprendre les termes de Chaumette (*cf.* Lamartine, *Histoire des Girondins,* (XLV, 29), Paris, 1884, t. III, p. 382). J.Be.

614
Robespierre guillotinant le bourreau

Taille-douce. H. 0,139 ; L. .0,083.
Inscription : « Robespierre guillotinant le bourreau après avoir fait guillotiner tous les français », sur la pyramide : « Cy gyt/toute/la France » ; sous les pieds de Robespierre : « Constitution de 1791. Constitution de 1793. »
Exposition : 1988, Los Angeles, n° 146.
Bibliographie : Aubert et Roux, 1921, n° 6539-6540 ; Blum, 1917, p. 188 (n° 577) ; Vovelle, 1985, I, p. 23.
Paris, musée Carnavalet (inv. HIST PC 022 C).

Cette gravure, l'une des plus célèbres de l'iconographie thermidorienne, rejette entièrement la responsabilité de la Terreur sur Robespierre, tyran ubuesque, assoiffé de sang. Les épurations successives ou simultanées (« Toutes les factions doivent périr ensemble ») qui furent imposées à la Convention expliquent sans doute l'épitaphe de la pyramide commémorative et les inscriptions portées sur les guillotines. Le style neutre et minutieux de la gravure contraste avec la violence du contenu et rend peut-être plus saisissant le caractère fantastique de cette forêt de guillotines.

Robespierre guillotinant le bourreau (cat. 614).

Chalier (cat. 617).

Le Peletier (cat. 615).

Marat (cat. 616).

Il est à noter que la planche appartenait au Conventionnel Courtois, qui la légua au comte de Seraincourt. Il existe donc des tirages relativement modernes de cette estampe.

LES MARTYRS

615
Louis-Michel Le Peletier de Saint-Fargeau (1760-1793)

Buste, biscuit. H. 0,740.
Historique : provient du temple de la Raison de Château-Gontier.

Château-Gontier, musée municipal (inv. 870.02).

616
Jean-Paul Marat (1743-1793)

Buste, biscuit. H. 0,780.
Historique : provient du temple de la Raison de Château-Gontier.

Château-Gontier, musée municipal (inv. 870.01).

Louis-Michel Le Peletier de Saint-Fargeau, ci-devant noble, élu député à la Convention, fut poignardé, pour avoir voté la mort du roi, par l'ancien garde du corps, Pâris, le 20 janvier 1793, veille de l'exécution du monarque, alors qu'il dînait chez Février au Palais-Royal.
Rapidement, la République célébra en lui un martyr, et après l'assassinat de Marat par Charlotte Corday, le 13 juillet, puis la décapitation de Chalier à Lyon, trois jours plus tard, un culte se mit en place, célébrant les nouveaux héros, auxquels on adjoignit parfois les deux enfants-soldats tués à la guerre, Barra et Viala.
De nombreuses effigies de Le Peletier et de Marat prirent place dans les édifices publics, salles des sociétés populaires, bureaux des Communes ou temples de la Raison, lorsque ce culte fut institué au début de l'année 1794 sous la pression des déchristianisateurs. Les bustes des héros républicains remplacèrent alors dans l'esprit des « fidèles », les saints du panthéon chrétien.
La plupart des églises furent à cette époque transformées en temples de la Raison, et les deux effigies du musée de Château-Gontier se trouvaient exposées en 1794 dans l'église Saint-Jean-Baptiste. Œuvres anonymes, ces bustes sont des représentations réalistes des personnages, et, sous différentes matières, se retrouvent dans plusieurs collections publiques françaises. Citons les deux bustes en plâtre peints au naturel conservés au musée Carnavalet à Paris, semblables en tout point à ceux-ci, uniques cependant par leur matériau. Ces portraits sculptés sur piédouche, encore dans la tradition du XVIIIe siècle, adoptent le costume légèrement négligé, « patriotique », que certains Conventionnels, comme Danton, se plaisaient à afficher. J.Be.

617
Joseph Chalier (1747-1792)

attribué à Clément JAYET

Buste, terre cuite. H. 0,55 ; L. 0,42 ; Pr 0,24.
Historique : obtenu par échange, en 1908, de J.A. Frederiks, La Haye ; prêté depuis 1969 à la commune de Velsen afin de servir au décor du domaine de Beeckestein.
Bibliographie : Jaarverlag Rijksmuseum, 1908, p. 44 ; cat. Amsterdam, 1915, n° 256, repr. 50 ; cat. Amsterdam, 1973, n° 755.

Amsterdam, Rijksmuseum (inv. N.M. 12069).

Joseph Chalier reçut une éducation religieuse jusqu'à être novice chez les dominicains. Enthousiasmé par la Révolution, il fut officier municipal à Lyon en novembre 1790 puis président du tribunal de commerce. Son engagement politique se radicalisa ; il devint le porte-parole des ouvriers en soierie contre une mairie modérée proche des Girondins. Président du district de Lyon, et fort du soutien des sans-culottes, Chalier prit d'assaut l'hôtel de ville le 6 février 1793 et instaura un régime dictatorial qui lui aliéna la population ; celle-ci réélit le maire girondin, qui fut chassé grâce à l'appui de la Convention. Chalier de nouveau au pouvoir accentua la pression fiscale contre la bourgeoisie et dressa des listes de proscription. Il semble que les théories de Chalier aient été plus proches de celles des Enragés de Jacques Roux que de celles des Jacobins, et que certains parmi ces derniers l'aient lâché. Une coalition de la peur s'instaura en face de lui ; le 29 mai 1793 la révolte chassa les Montagnards de la municipalité. Chalier fut arrêté, puis guillotiné dans des conditions atroces cinq jours après l'assassinat de Marat. Il devint avec ce dernier et Le Peletier de Saint-Fargeau le troisième martyr de la Liberté (décision du Conseil de la Commune de Paris en novembre 1793). On débaptisa à son profit rues et places urbaines (ainsi la place de la Sorbonne). Le 18 novembre fut commandé à Beauvallet un buste de Chalier d'après une estampe envoyée par les Lyonnais ; le Comité de Salut public commanda le 30 mai 1794 une gravure « représentant les derniers moments de Challier » — ce dernier était appelé « le Socrate de la Révolution française » — à Tassaert d'après un dessin de Caresme (*cf.* Claudette Hould, « la Propagande d'État par l'estampe durant la Terreur », dans *les Images de la Révolution française*, Paris, 1988, pp. 32-34). Chinard à son tour devait exécuter un buste rétrospectif de Chalier en terre cuite, commandé par le tribunal du district de Lyon en 1794.
L'œuvre du musée d'Amsterdam, peu connue, est un ajout intéressant à l'iconographie du révolutionnaire. La probable identification a été faite en comparant les traits du visage sculpté avec ceux présentés sur quelques gravures (*cf.* Vovelle, IV, 1986, pp. 230-231). On reconnaît en effet certains traits particuliers, comme le haut front dégageant la calvitie jusqu'à la guirlande de cheveux ceinturant le bas du crâne, le nez long assez proéminent, les lèvres minces et le menton accusé.
Le buste a été acquis et publié (1908 et 1915) comme étant l'œuvre de Chinard. Cette attribution en raison du style ne pouvant être maintenue, Mme Rocher-Jauneau a proposé en 1964 (communication écrite au Rijksmuseum) le nom de Clément Jayet, qui a été retenu dans le catalogue du musée publié en 1973.
L'artiste est lyonnais, membre de l'académie locale, et spécialiste des portraits (citons notamment ceux des peintres Berjon et Nonnotte, conservés respectivement au musée des Beaux-Arts et à l'académie de Lyon). Sa carrière est pour une large part ignorée ; a-t-il exécuté le buste pour faire oublier son activité sous l'Ancien Régime ? Le style de Jayet est vigoureux et sobre, volontiers expressif. Plusieurs de ses portraits se présentent selon une mise en page identique avec une coulée de draperie soulignant la découpe du buste. Jayet dans la définition du costume adopte ici la même solution que pour le portrait de Berjon : un compromis entre le costume contemporain et le drapé à l'antique. L'image héroïque de Chalier n'en sort pas simplifiée ; mais Jayet réussit à transcrire dans le regard du révolutionnaire la flamme de l'utopie égalitaire, comme il avait su rendre l'animation de Berjon conversant. G.Sc.

Vive la Noble
Et
Le Clergé
21
21
13
12
11
15
19
18
8
10
16
17

XV
L'ÉMIGRATION

L'émigration française liée aux événements de 1789 fut souvent la première forme de contact direct entre les débuts de la Révolution et les pays européens ; contact limité d'ailleurs car ceux qui émigrèrent très tôt, issus des classes privilégiées, fréquentèrent essentiellement, en Allemagne et en Italie, leurs pairs et furent parfois jugés sévèrement par le reste de la population. On a fait état de leur lucidité ; ceux qui émigrèrent dès le lendemain du 14 Juillet, tels le comte d'Artois, le prince de Condé suivi du jeune duc d'Enghien, le duc de Bourbon, les Conti... auraient été plus clairvoyants que la majorité des Français. On a moins insisté sur leurs illusions ; ils escomptaient un prompt retour en France, l'intervention victorieuse des monarques européens, une débandade rapide des armées républicaines, une nouvelle version, à plus large échelle de ce qui s'était passé aux Pays-Bas. Il faudrait bien davantage souligner leurs responsabilités dans le déclenchement de la Terreur et la répression de l'insurrection vendéenne ; dans les deux cas, la crainte obsessionnelle des républicains était la jonction entre l'opposition intérieure et la contre-révolution extérieure qui parut, à plusieurs reprises, sur le point de se réaliser.

L'iconographie de l'émigration n'est pas très abondante ; la première vague, celle de 1789-1790 et surtout la seconde (1791-1792), qui voit converger vers Coblence nombre d'officiers et d'ecclésiastiques, ont été tournées en ridicule. L'émigration n'y apparaît que comme un assemblage hétéroclite de nobles de cour, de prélats et de femmes légères.

Jusqu'en 1791, émigrer n'est pas un crime ; bien des révolutionnaires pensent, avec l'abbé Sieyès, que l'émigration facilite plutôt l'action des patriotes et que pour reprendre la légende d'une caricature anglaise « la France se purge peu à peu ». Après Varennes et lorsque la menace se précise, l'ironie devient plus grinçante et l'armée réunie par le prince de Condé inquiète, même si on affecte de la mépriser. Ensuite, c'est presque le silence : ni les prêtres réfractaires ni les émigrés de la Terreur, encore moins les paysans d'Alsace qui ont préféré franchir le Rhin, ne retiennent l'attention. Paradoxalement, si les émigrés ont par leurs récits circonstanciés contribué à avilir l'image de la Révolution dans toute l'Europe, ils ont aussi souffert de cet avilissement qui, par assimilation, avait touché tout ce qui était français. Il ne leur restait souvent le choix qu'entre la misère en terre étrangère et, s'ils figuraient sur la liste des émigrés, la mort certaine s'ils retournaient en France.

Divisée en coteries, et plus sérieusement en tendances politiques fort différentes, l'émigration déployait de grands efforts pour rester en contact avec l'opposition royaliste interne : du complot avorté, ou simplement rêvé, à la collecte de renseignements, cette activité a laissé peu de traces, et souvent contestées ("Dropmore Papers").

Comparés à d'autres mouvements de population, les cent cinquante mille émigrés français n'ont représenté qu'une masse assez modeste, mais leur poids fut déterminant à la fois dans l'évolution de la Révolution elle-même puis, positivement, dans l'affermissement du régime napoléonien, qui, en 1802, autorisa un grand nombre d'entre eux à regagner la France, facilitant la politique de ralliement.

«*Défaite des Contre-Révolutionnaires commandés par le petit Condé*» (cat. 622, détail).

618

Malle de voyage
de la princesse de Bourbon-Conti (1731-1802)

Bois, recouvert de cuir et clouté de cuivre doré sur le couvercle et la face antérieure. Doublure interne en toile de lin. H. 0,62; L. 1,08; Pr. 0,51.
Historique : legs Georges de Montenach, 1960.
Exposition : 1967, Coppet, n° 525.
Bibliographie : Andrey, 1972, pp. 78-83.

Fribourg, musée d'Art et d'Histoire (inv. 1960-8).

Fortunée-Marie d'Este, fille du duc de Modène, née en 1731, avait en 1759 épousé son cousin Louis-François-Joseph de Bourbon-Conti, qui hérita ultérieurement du titre de prince de Conti. La mésentente entre les époux fut d'ailleurs totale. « Sortie de France » sous le nom de comtesse de Triel, dès le début des troubles révolutionnaires, la princesse s'installa d'abord à Chambéry ; en juin 1791 elle s'établit à Fribourg non sans difficultés, car le Grand Conseil de cette ville avait décidé des mesures restrictives concernant l'accueil des émigrés. Elle n'avait nullement perdu l'espoir de rentrer en France puisque, le 11 avril 1792, elle emprunta 300 000 livres pour acheter un hôtel rue Saint-Dominique à Paris.
La princesse demeura à Fribourg jusqu'en 1798, date à laquelle l'avance des troupes françaises l'obligea à fuir à Landshut en Bavière, où elle mourut en 1802. Grâce à divers témoignages on connaît assez bien ce que fut sa vie dans la petite république suisse : train de vie modeste car il fallait faire vivre les huit personnes de sa suite sur la rente viagère de 12 000 livres qu'elle avait constituée en cédant ses diamants à son frère le duc de Modène, organisation de cérémonies funèbres à la mémoire de la princesse de Lamballe, du roi et de la reine, petite cour de prélats émigrés, secours aux prêtres réfractaires... Mais les témoins rapportent aussi ses aigreurs à l'égard de la république de Fribourg, qui ne lui accordait aucune considération particulière en tant que princesse et la soumettait aux mêmes règlements que tous les émigrés.
Cette malle, au riche décor héraldique, faisait partie (avec une autre malle conservée à l'abbaye Saint-Maurice dans le Valais) des bagages emmenés par la princesse lors de son départ hors de France. Objet à la fois utilitaire et luxueux, elle évoque le grand bouleversement politique et social qui amena les représentants des classes sociales privilégiées à mener à travers l'Europe une vie souvent errante, parfois misérable, toujours partagée entre l'espérance d'une restauration et l'incertitude du quotidien.

619

Chansons contre les émigrés

Estampe en taille-douce avec vignette coloriée au pinceau. H. 0,427; L. 0,225.
Inscription : « La Contre-Révolution/Pot pourri patriotique/Parodie de la Tentation de Saint-Antoine » ; sur le premier étendard : « Lettre pastorale » ; sur le second : « Vive la noblesse et le Clergé. »

Paris, musée des Arts et Traditions populaires (inv. 80.72.18.C).

Contemporaine de la formation de l'armée de Condé dans le duché de Bade, mais peut-être antérieure à l'installation en juin 1791 des frères du roi à Coblence (dont le nom n'est pas mentionné), cette collection de chansons attaque le prince de Condé, le cardinal de Rohan (« Cardinal Collier »), Mirabeau-Tonneau promoteur de la « légion noire », Séguier (dont le rôle fut pourtant secondaire), Autichamp, capitaine du régiment de Condé qui, en 1791, revint en France et se fit admettre dans la garde constitutionnelle du roi avant de devenir un des chefs de l'insurrection vendéenne et pratiquement le seul survivant (1859). L'une égratigne au passage Calonne, qui, jusqu'à 1792, fit fonction de Premier ministre du « comité » réuni par le comte d'Artois d'abord à Turin, puis à Bâle et enfin à Coblence ; la dernière chanson appelle à la vigilance contre les séductions de « toinette », c'est-à-dire la reine.
La vignette, reprise d'une estampe de Villeneuve (Vovelle, 1986, t. II, p. 218), évoque les deux rives du Rhin et ridiculise l'armée des émigrés menée par un prélat jouant du tambour suivi d'un porte-étendard qui tient une lampe en forme de crosse, suivi, entre autres, de deux sapeurs en froc de moine, d'un groupe de fantassins à l'armement hétéroclite et d'une cavalerie où se mêlent prêtres et filles de joie. Toutefois l'une des chansons avertit « De ce fier bataillon qui s'avance/Français, vous riez/ Fort bien ; mais en riant veillez. »

620

Jeu de l'émigrette

Ivoire tourné et clous en acier taillés à facettes. Diam. 0,06.
Historique : coll. Le Secq des Tournelles.
Bibliographie : d'Allemagne, 1928, p. 12.

Rouen, musée Le Secq des Tournelles.

Jusqu'en automne 1791, le fait d'émigrer n'était pas considéré légalement comme un crime. Mais le refus par le roi de sanctionner les décrets du 31 octobre et du 9 novembre avait fortement agité l'opinion, inquiète également des aller et retour de certains émigrés qui passaient les frontières encore fort perméables en fonction de la tournure des événements. Ce va-et-vient évoquant celui d'un yo-yo, on baptisa de tels jouets du nom d'*émigrette*. Certaines estampes en mettent dans les mains des émigrés eux-mêmes (*cf.* Vovelle, 1986, t. II, p. 212) et le thème connut une mode éphémère comme en témoigne une estampe intitulée *La Belle Adeleine faisant aller son Emigran* (*cf.* coll. de Vinck, n° 3700).

621

Mirliton d'un officier de chasseur à cheval d'un corps d'émigrés

Cuir, tissu noir et fils métalliques. H. 0,250 ; L. 0,200 ; L. de la flamme : 0,700.
Historique : legs Detaille en 1912.

Paris, musée de l'Armée (inv. Gb 96d - 0208).

Apparu à la fin de l'Ancien Régime, le mirliton coiffa les troupes de cavalerie légère sous la Révolution : hussards et chasseurs à cheval. Il fut remplacé sous l'Empire par le colback, bonnet de fourrure orné d'une flamme et d'une aigrette.
L'exemplaire exposé ici, orné d'une fleur de lys brodée sur la partie frontale, fut vraisemblablement porté par un officier émigré de l'armée des princes. Conçu sur le modèle français, il ne différait du mirliton républicain que par ses emblèmes.
Sans que l'on en ait de preuve, il est possible que ce mirliton ait été utilisé dans la légion levée par Mirabeau-Tonneau (1754-1795), fervent royaliste. Ce régiment se caractérisait par son uniforme noir orné de têtes de morts. A-t-on remplacé ces sinistres emblèmes par une fleur de lys, lorsque cette légion fut intégrée à l'armée du prince de Condé ? J.Be.

622

« Défaite des Contre-Révolutionnaires Commandés par Le petit Condé »

par un auteur anonyme

Estampe colorée. H. 0,395; L. 0,532.
Inscriptions : à gauche « 1. Le Grand Sabreur colonel de royal antropophage/2. L'abbé d'Erymen traînant les débris de l'oriflamme Episcopale/3. Le cheval de bois ex.commandant du Siège du pont neuf aide major de l'armée/4. Le nain des princes porte Etendart du Général/5. Deux capucins sauvages sapeurs de lavant garde/6. Le Général D'autichoamp présentant au petit (conde la cruche)... à l'eau/7. Necker baron de la ressource et autres lieux entrepreneur des vivres/8. Antoine Séquier brûle bon Sens regrettant son réquisitoire/9. Le petit Condé acceptant De M. Dautichoamplacruche/10. Dernière chutte de Mde Lamotte/11. L'ancien archevêque De Paris aumonier de l'armée/12. Son impuissance L'évèque De Spire sefforcant de relever Mme Lamotte/13. La pucelle de la contre-révolution perdant le courage/14. Le Baron de breteuil observateur de l'armée/15. Le Cardinal Collier tambour Major voulant convrir L'honneur de Mde Lamotte/16. Mirabeau tonneau L'hidrophore tombant de Carybde en Scylla/17. Chute De Calonne ou le trésor a vau l'eau/18. Pelé frisé lard tambour maitre battant la retraite/19. Les mignons du grand Chapitre/20. La comtesse jules De Pac vivandière De l'armée/21. Reliques des Emigrans/22. Personnages plus qu'important Examinant tranquillement L'action/23. Camp volant de l'armée tombée Dans le Rhin. »

Bruxelles, Bibliothèque royale Albert Ier, cabinet des Estampes (inv. S.II.143631).

Malle de voyage de la princesse de Bourbon-Conti en émigration (cat. 618).

LA CONTRE-RÉVOLUTION,

POT-POURRI PATRIOTIQUE,

Parodie de la Tentation de Saint-Antoine.

AIR : *Plus inconstant que l'onde.*

La France ô ciel! va-t-elle se dissoudre?
Je vois armer contre elle six cents bras
Tout prêts à lancer la foudre
Pour nous réduire en éclats,
Et mettre en poudre
Tous nos soldats.
Oh! Rhin,
Deviens un frein
A cette rage;
Que ton passage
Ne soit jamais
Connu que des Français.

AIR : *Du haut en bas.*

Au bord du Rhin,
Condé petit fils d'un grand père,
Au bord du Rhin,
Vient d'examiner le terrain;
A ses soldats alte il fait faire,
Il sent ralentir sa colère
Au bord du Rhin.

AIR : *Folies d'Espagne.*

Tambour-major et prêt à l'escarmouche
Marche à grands pas le cardinal collier;
On voit, auprès de sa timide bouche,
Ouvrir celle de son grand chancelier.

AIR : *Turlure et flon, flon.*

On voit des soldats
De tous les états,
De la ville et de la campagne,
De la Chine et de l'Allemagne;
On voit aussi des procureurs,
Des abbés, des moines, des sœurs,
Des nobles de toute couleur,
Des noirs sur-tout à faire peur,
Et flon, flon, flon, turelure,
Ils ont tous leur ton, leur allure.

AIR : *La faridondaine.*

Quelques-uns sur un gros tonneau
Affublant une tête,
Ont fait cravatte Mirabeau,
Capitaine tempête;
On va voir par ce champion,
La faridondaine, la faridondon,
L'ancien régime rétabli
Biribi,
A la façon de barbari,
Mon ami.

AIR : *Sous un ormeau.*

Séguier le nain,
Un réquisitoire à la main,
A tous les Français
Bientôt fera le procès.
Mais.

AIR : *Au fond de mon caveau.*

Le ferme d'Autichamp
Propose la retraite;
Nous n'aurons, dit-il, plus d'argent,
Calonne a la cassette;
De l'anti-révolution
La pucelle sur son
Trop ombrageux grison,
Quoique à califourchon
Chancèle tout de bon,
Et crie à tue tête:
Ecoutez donc.

AIR : *La pierre Fitoise.*

Mon cher Spire vous me foulez;
Non, ma reine, vous vous trompez.
Mon cher Spire vous me foulez,
Et vous me pesez sur le corps,
Fort.
Mais je vous le jure sur ma foi
Que ce n'est moi.
Ce n'est pas toi.
Ce n'est pas moi. *bis.*
Retenez donc votre cheval,
Il est un peu trop colossal;
Retenez donc votre cheval,
Car il me fait, cet animal,
Mal.

AIR : *Quand la mer rouge apparût.*

Malgré le bon d'Autichamp
L'armée murmure;
Soldats allons en avant,
Tentons l'avanture;
Les ennemis auront peur,
Car nous avons pour sapeur
Deux ca, ca, ca, ca,
Deux pu, pu, pu, pu,
Ca, ca, ca,
Pu, pu, pu,
Capucins sauvages,
Même antropophages.

AIR : *Nous autres bons villageois.*

Pour aide de lit-de-camp
Le cardinal a pris Lamotte,
D'une femme d'un haut rang
Elle a l'air fier et l'ame haute,
Et cette belle en traits de feu
Sur l'épaule porte en tout lieu,
De l'air le plus majestueux,
Les armes de ses ayeux.

AIR : *Du second quatrain des folies d'Espagne.*

L'abbé d'Aymar ce brillant Papimane,
Marche à leur tête aussi fier qu'un César;
Un grand feuillet des contes de peau d'âne
Est en ses mains en guise d'étendard.

AIR : *Va-t-en voir s'ils viennent.*

Le valet-chef Villequier
Envoye de France,
Un bataillon tout entier
Par la diligence.
Va-t-en voir s'ils viennent, Jean
Va-t-en voir s'ils viennent.

AIR : *Ah! maman que je l'échappe belle.*

De ce fier bataillon qui s'avance,
Français, vous riez
Et vous restez
Sans méfiance.
De ce fier bataillon qui s'avance
Français vous riez,
Fort bien; mais en riant veillez.

AIR : *Le démon malicieux et fin.*

Le démon aristocrate et fin
Est toujours à nous duper enclin;
Mais prendrait-il la forme de Toinette,
Son air charmant, sa taille et ses appas?
Un diadême ornerait-il sa tête?
Gardons-nous bien de voler dans ses bras.

Chansons contre les émigrés (cat. 619).

Jeu de l'émigrette (cat. 620).

Mirliton d'un officier de corps d'émigrés (cat. 621).

faite des Contre Révolutionnaires commandés par Le petit Condé» (cat. 622).

Il s'agit d'une estampe satirique révolutionnaire dirigée contre les émigrés royalistes (vers 1792). Ne sachant au juste dans ce ramassis de nostalgiques de l'Ancien Régime s'activant au-delà des frontières de la République qui organisait quoi, élaborait tel ou tel projet de reconquête, notre caricaturiste a allégrement réuni quelques-uns des opposants les plus connus sous la bannière de Louis-Joseph de Bourbon, prince de Condé (1736-1818). Celui-ci était en effet l'organisateur de la seule troupe militaire royaliste française qui pût prétendre s'apparenter à une armée. Plus symbolique que réellement menaçante pour la République, celle-ci stationna sur les bords du Rhin en 1794 et 1795 avant de le franchir pour s'étioler sous le contrôle de l'Angleterre, de l'Autriche et de la Russie et finalement être dissoute en Angleterre en 1801. Elle se composait d'une vingtaine de régiments ne dépassant pas quatre cents recrues hétéroclites, indisciplinées et en général mal entraînées. « C'était, reconnaît Chateaubriand, un assemblage confus d'hommes faits, de vieillards, d'enfants, descendus de leurs colombiers, jargonnant normand, breton, picard, auvergnat, gascon, provençal, languedocien. Un père servait avec ses fils, un beau-père avec son gendre, un oncle avec ses neveux, un frère avec un frère, un cousin avec un cousin. Cet arrière-ban, tout ridicule qu'il paraissait, avait quelque chose d'honorable et de touchant parce qu'il était animé de convictions sincères » (*Mémoires d'outre-tombe*, cité par J. Tulard, J.-F. Fayard, A. Fierro, 1987, p. 85). Si Charles Marie Auguste Joseph de Beaumont, comte d'Autichamp (1770-1859) a bel et bien servi Le Condé et s'est illustré dans les débris de l'armée royale, d'autres, comme André Boniface Mirabeau (1754-1795), pas plus que l'ancien directeur général des Finances, Jacques Necker (1732-1804), ou l'ancien chef et président du conseil royal des Finances, le baron de Breteuil (1730-1807), ou l'ancien contrôleur général des Finances, Charles Alexandre de Calonne (1734-1802), ou encore l'aventurière Jeanne de Luz, comtesse de La Motte (1756-1791), tous ridiculisés sur cette estampe, n'en firent pas partie. Peu importe, l'exploitation de cet amalgame devait servir à entretenir et stimuler le sentiment anti-monarchique d'une population à rallier à la cause révolutionnaire, représentée ici, sous la forme allégorique d'une République sereine plantant le drapeau tricolore sur la terre de France et exhibant la charte des 83 départements et le mot magique de « Liberté ». A.Ja.

623
Exécution d'émigrés en place de Grève

Eau-forte. H. 0,11; L. 0,19.
Inscription : « Neuf émigrés ayant été pris les armes à la main furent amenés à Paris, jugés par un conseil de guerre et exécutés sur la place de grève !/le plus âgé n'avait pas 30 ans. »
Historique : Illustration pour les *Révolutions de Paris*, numéro 172.

Paris, bibliothèque Sainte-Geneviève (inv. Aej.8° 39 Res.).

Avant même que la loi du 28 mars 1793 n'unifie et n'alourdisse encore les peines encourues par les émigrés arrêtés sur le territoire français, la peine de mort était appliquée, à partir de la déclaration de guerre, en avril 1792, à tout émigré pris les armes à la main. Tel fut le cas d'un certain nombre d'officiers capturés soit lors de la déroute des coalisés après Valmy, soit pendant la retraite de l'armée du prince de Condé qui participa aussi à des opérations en France au cours de l'été 1792.
Les *Révolutions de Paris*, l'un des plus célèbres parmi les journaux des débuts de la Révolution, et l'un des mieux informés, avaient pour originalité d'être illustré de gravures qui, avec un certain retard chronologique, suivaient néanmoins d'assez près l'actualité. Le journal avait paru la première fois le 12 juillet 1789 avec Loustalot (mort en 1790) comme rédacteur. Prudhomme, le fondateur, compta parmi ses collaborateurs Sylvain Maréchal, Chaumette, Fabre d'Églantine et la ligne politique était assez radicale. Par la suite, Prudhomme devint suspect de modérantisme et le journal cessa de paraître le 9 ventôse an II (28 février 1794).
La gravure ici exposée, malgré sa naïveté, reflète assez fidèlement la réalité. Un certain nombre de dessins préparatoires aux illustrations des *Révolutions de Paris* sont entrés, avec une partie de la collection Soulavie, et grâce au don d'Edmond de Rothschild, au département des Arts graphiques du Louvre, et notamment celui qui correspond à la scène ici présentée (inv. 3832 D.R., communication orale de Mlle Jean-Richard).
Prudhomme s'essayait volontiers à une certaine objectivité. S'il précise dans la légende que l'exécution n'a eu lieu qu'après jugement, il souligne aussi la jeunesse des condamnés; son illustrateur, tout en marquant le contraste entre l'élégant uniforme des émigrés et les costumes des spectateurs, a donné devant la mort à ces jeunes nobles une attitude digne qui n'a rien à voir avec l'image grotesque de l'aristocrate émigré à Coblence.

624
Jean-François de La Marche,
évêque de Saint-Pol-de-Léon, émigré en Angleterre

par Henry-Pierre DANLOUX

Huile sur toile, H. 2,23; L. 1,82.
Historique : peint en 1793; don Ernest-May, 1920.
Exposition : 1814, Paris, Salon, n° 234.
Bibliographie : Portalis, 1910, p. 202.

Paris, musée du Louvre, département des Peintures (inv. R.F. 2270).

Vêtu d'un habit noir à la française, l'évêque de Saint-Pol-de-Léon est représenté assis dans la modeste chambre qu'il occupait à Little Queen Street à Londres. Il avait émigré, en traversant la Manche en barque, après avoir été emprisonné dès 1791, sous l'accusation, probablement justifiée, d'avoir été mêlé aux troubles qui agitèrent alors la Bretagne. « Prélat sévère et borné, qui contribuait à rendre Mgr. le Comte d'Artois étranger à son siècle », selon Chateaubriand, Jean-François de La Marche est souvent loué pour le zèle qu'il a déployé pour secourir les prêtres réfractaires réfugiés en Angleterre.
Tel est apparemment le sujet du tableau : l'évêque reçoit les souscriptions en faveur des émigrés et plus particulièrement des ecclésiastiques. La commande de ce portrait était d'ailleurs liée à cette activité charitable car la gravure exécutée par Skelton fut vendue au profit de cette caisse de secours.
Mais on peut se demander si cette abondante correspondance ne fait pas allusion à un des-

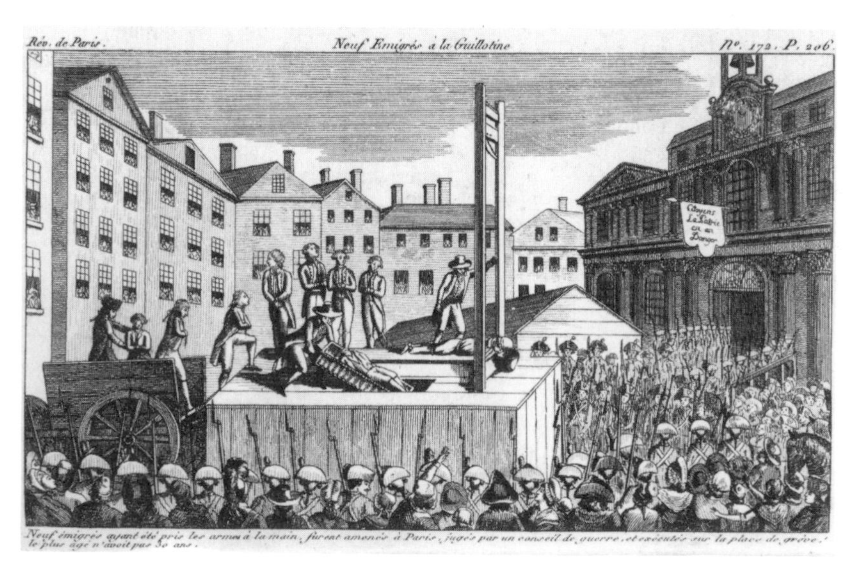

Exécution d'émigrés en place de Grève (cat. 623).

Ecclésiastique émigré lisant le dernier décret stipulant la mise à mort de ceux qui reviendraient en France (cat. 625).

Jean-François de la Marche, évêque de Saint-Pol-de-Léon, émigré en Angleterre (cat. 624).

sein plus large que celui de l'entraide matérielle entre émigrés. Homme de l'ombre, Jean-François de La Marche était peut-être aussi un homme d'influence et avait en particulier travaillé à un projet d'armistice entre le comte d'Artois et le Directoire. Danloux aurait souhaité, semble-t-il, exposer ce tableau au Salon de 1802 et David s'y serait opposé pour des raisons politiques. C'est donc après la mort de l'artiste et du modèle, mais aussi après le retour des Bourbons que ce tableau, auquel on attachait certainement une grande importance dans les milieux de l'émigration, fut exposé, au Salon de 1814.

Il y a un certain contraste entre le format imposant du tableau et le traitement de cette scène d'intérieur. Rien ne rappelle ici le portrait d'apparat des prélats de l'Ancien Régime : la pose de l'évêque est familière, presque désinvolte (il existe un dessin préparatoire dans un album, naguère chez les descendants de l'artiste); la pauvreté relative du mobilier, avec l'écran de cheminée figurant une vue de Cambridge, le détail curieux du verre cassé servant de presse-papiers, le crucifix presque invisible, ne détournent pas l'attention de l'essentiel : les lettres amoncelées sur le sol. Lorsque l'on sait le rôle joué par les évêques et les prêtres dans les réseaux de renseignements contre-révolutionnaires (et en particulier celui de « la Manufacture » sous la Convention thermidorienne et le Directoire), on ne peut s'empêcher de penser que toute cette correspondance n'est pas composée que de souscriptions. Peu d'images en tout cas donnent une idée plus exacte de ce que fut vraiment l'émigration dans sa réalité quotidienne.

625

Ecclésiastique émigré lisant le dernier décret stipulant la mise à mort de ceux qui reviendraient. *(Emigrant Clergy Reading the late Decree that all who return shall be put to Death)*

par Isaac CRUIKSHANK

Eau-forte. H. 0,212; L. 0,326.
Bibliographie : cat. British Museum, n° 8130.

Londres, collection particulière.

Voici une cruelle satire des membres du clergé qui avaient émigré en Angleterre après avoir refusé de jurer la Constitution civile du clergé. Le décret mentionné est une des nombreuses lois draconiennes, promulguées en France contre les émigrés, au début de la République. La gravure a été publiée le 15 novembre 1792, par S.W. Fores. D.Bi.

REPVBLIQUE
VAINCRE OU

XVI
LA GUERRE EXTÉRIEURE

Le caractère violent de la lutte pour la prise et le contrôle du pouvoir en France a fait parfois sinon négliger du moins relativiser l'importance des luttes extérieures de la Révolution. L'image de la Révolution isolée et assiégée par les armées des monarques européens bien décidés à la détruire et sauvée par la seule vertu du sursaut patriotique des « Soldats de l'An II » est en grande partie inexacte. L'analyse détaillée des faits montre surtout l'absence d'unanimité, les atermoiements et les arrière-pensées des coalisés.

Mais les hommes de la Révolution, ceux des clubs comme ceux des « journées », peu au fait des combinaisons des cabinets et des cours, furent bien plus sensibles aux menaces explicites du manifeste de Brunswick, aux intrigues des contre-révolutionnaires dont ils ne doutaient pas qu'ils étaient soutenus par l'or anglais, à l'incertitude des approvisionnements maritimes et à la pression bien réelle des armées étrangères, surtout aux frontières du Nord et de l'Est. Au slogan qui dénonce « Pitt et Cobourg » répond le réel enthousiasme des engagés volontaires dont témoigne une iconographie relativement abondante, parfois réaliste, parfois idéalisée.

Radicalisée par la guerre extérieure, la Révolution a péri aussi de la guerre, victime d'une menace perçue très vite par les plus lucides des révolutionnaires, celle du général victorieux s'emparant d'un pouvoir neutralisé par la lutte des factions ; mais pour que le 18 Brumaire puisse se réaliser, il fallait que l'armée populaire et imprégnée de l'idéal révolutionnaire, parfois sous ses formes les plus extrêmes, soit devenue une arme de métier et que la guerre de libération soit devenue une guerre de conquête, instrument d'un impérialisme économique et politique.

Le Serment des 1 500 soldats français à Montenesimo en 1797 (cat. 679, détail).

L'ARMÉE RÉVOLUTIONNAIRE

MALGRÉ ses proclamations de paix réitérées à l'égard des monarchies européennes, dès lors que la Révolution commençait à saper les fondements de l'Ancien Régime, elle s'attaquait nécessairement au fragile équilibre des relations internationales. Par là même, c'était l'Europe entière qui était remise en question, et l'on ne saurait limiter la porté des idées révolutionnaires à la seule France. En Belgique comme en Allemagne, nombreux furent ceux qui se sentirent solidaires des Français[1].

Par le jeu traditionnel des alliances familiales ou des intérêts de classe, il était prévisible, dès les origines de la Révolution, que les souverains de l'Europe ne laisseraient pas se développer un mouvement qui, à plus ou moins long terme, risquait de les emporter comme il emportait la monarchie française.

Néanmoins, entre 1789 et 1792, jamais la guerre n'apparut comme étant une solution irrémédiable. Et il n'était pas jusqu'à sa déclaration, le 20 avril 1792, qui ne présentât un caractère artificiel[2]. Ce qui explique le peu d'activité militaire que l'on observe sur la période de la Législative.

Pour la première fois dans l'histoire, une guerre se développait en effet sur des bases purement idéologiques que beaucoup de généraux étrangers ne comprirent pas. Il ne s'agissait ni de conquêtes territoriales ni d'affirmer un droit issu de la diplomatie traditionnelle[3]. La mobilisation des esprits ne s'opéra que du côté français, dans des conditions dramatiques de trahisons et de réorganisation de l'armée.

C. Katz, d'après P. Brut, *Aux armes citoyens*, 1794.
Paris, B.N., Cabinet des Estampes, Coll. de Vinck.

Armée d'Ancien Régime et armée nationale

Menacée par l'irruption sur la scène économique de la bourgeoisie d'affaires, la noblesse du XVIIIe siècle chercha à relever sa cause en radicalisant ses anciennes prérogatives : l'honneur, le titre, etc. Héritière d'une artistocratie guerrière d'origine franque[4], elle poussa le régime à favoriser au sein de l'armée les jeunes gens de sa caste. Cette démarche aboutit sous Louis XVI. En 1781, l'édit promulgué par le ministre de la Guerre, Ségur, fermait définitivement aux roturiers l'accès aux grades d'officiers[5]. L'image que donnait l'armée à la veille de

1. Les Pays-Bas du Sud, Belgique actuelle, supportaient mal la tutelle autrichienne. Au moment où commençait la Révolution, une assemblée nationale belge se réunissait, proclamant l'indépendance. Léopold II parvint à reprendre le contrôle du pays, et les Vonkistes ou démocrates, regroupés autour du Liégeois Doutrepont, se réfugièrent en France. En Allemagne, des troubles paysans avaient éclaté en Rhénanie-Palatinat, réclamant l'abolition des droits féodaux. En 1790, une véritable guerre opposa les paysans saxons aux seigneurs. Le meneur Geisler fut finalement arrêté en juillet. Plus tard, des clubs jacobins se créèrent à Mayence, appuyant les armées de Custine. Le problème de l'unification allemande était posé, d'une manière plus aiguë encore qu'en France problème auquel le jacobinisme apportait une réponse satisfaisante.

2. Les Girondins estimaient pouvoir détourner la violence populaire dans la guerre. Il s'agissait également pour eux de relancer l'économie, victime de la Révolution, par une production de type militaire.

3. La guerre de succession d'Autriche (1740-1748) débuta lors de l'accession de Marie-Thérèse au trône. Toutes les puissances réclamèrent une part de l'héritage autrichien.

4. Le comte de Boulainvilliers estimait que les nobles étaient les seuls descendants des Francs conquérants, les membres du tiers état étant les Gallo-Romains vaincus. Cette loi du sang restaurée poussa la noblesse à créer des écoles militaires spécialement destinées aux jeunes aristocrates : École militaire de Paris, douze collèges provinciaux, dont Brienne, d'où sortira Bonaparte.

5. De même au sein de la Marine, Choiseul eut tendance à privilégier les officiers rouges (nobles) au détriment des officiers bleus (roturiers), et à donner le pas à l'épée sur la plume. (*Cf.* Barol V., « Rouges et Bleus dans la marine de l'Ancien Régime », *Information historique*, septembre 1953).

la Révolution était ainsi celle de la France entière. Dans cette série de blocages sociaux, seul Turgot avait vu clair : « Qu'on nomme officiers ces hommes précieux (les roturiers), disait-il, et l'on verra ce qu'ils deviendront. » En 1789, Bernadotte n'était que sergent-major au Royal-Marine, Masséna adjudant au régiment de Provence. Et l'on pourrait multiplier à loisir ces exemples de futurs généraux que la société militaire de l'Ancien Régime entravait dans leur avenir.

Pourtant, cette réglementation participait de la refonte générale de l'armée entreprise après les revers de la guerre de Sept Ans. Conservée pour le grade de colonel, la vénalité des charges d'officiers ne disparut qu'en 1776 sous le ministère Saint-Germain[6]. C'était rendre à l'armée l'essentiel de son efficacité, en favorisant le talent ou la science, et non la richesse et le titre. La même année, le soldat adoptait l'uniforme à la prussienne, plus fonctionnel, et un nouveau fusil, plus performant, lui était distribué en 1777. L'artillerie n'échappa pas non plus à ce vaste remodelage — au système Vallières en place depuis 1732, on substitua le système Gribeauval, extrêmement moderne pour l'époque[7]. Les armées révolutionnaires bénéficièrent naturellement de tous ces avantages qui firent d'elles les meilleures armées de l'Europe jusque sous l'Empire. D'autant plus que ces innovations s'accompagnaient de réflexions théoriques autorisées par les méthodes introduites dans la conduite de la guerre par les Prussiens. Deux écoles s'opposaient, dont Guibert proposa une synthèse dans son *Essai général sur la tactique*, en 1774[8].

En 1789, la France se trouvait ainsi dotée d'une armée forte de 200 000 hommes, comptant cent soixante-quinze régiments[9]. Apparemment puissante, cette armée était en réalité minée par l'inégalité des carrières qui s'y déroulaient, et par l'intolérance dont les officiers nobles faisaient preuve à l'égard des soldats et sous-officiers roturiers. Ces derniers accueillirent avec enthousiasme la Révolution. Dès les premiers mouvements de foule qui menèrent à la prise de la Bastille, le régiment des gardes françaises avait pactisé avec les émeutiers. On le vit tirer, le 12 juillet, sur les soldats du Royal-Allemand. Deux jours plus tard, il se trouvait aux côtés des Parisiens, participant à l'attaque de la forteresse. Une scission s'opéra rapidement entre une troupe partisane des réformes et des officiers attachés à la monarchie.

Bientôt, tandis que la garde nationale bourgeoise se mettait sur pied pour enrayer la montée de la violence, beaucoup d'officiers démissionnaient. L'hémorragie de cadres laissait l'armée dans une situation douloureuse. L'agitation était partout, qui gagnait même les régiments étrangers. En 1790, le régiment Salm-Salm, allemand, pillait ses caisses aux cris de « Blut oder Geld ! » (sang ou argent). Bien plus grave fut l'affaire de Nancy, qui commença par la réclamation d'une solde impayée le 13 août 1790 et se termina par une répression dramatique menée par le général Bouillé.

Une refonte nouvelle se révélait nécessaire, tant pour adapter l'armée aux réformes de la Révolution, que pour arrêter la crise qui couvait. Le 18 août 1790, un décret fut promulgué, qui substituait aux noms des régiments, survivances de privilèges de propriété nobiliaire, un numéro d'ordre[10]. L'armée devenait ainsi celle de la Nation entière. Effectif à partir du 1er janvier 1791, ce décret ne s'imposa que fort lentement dans les esprits. Dans ses *Mémoires*, à propos du siège de Toulon, Napoléon citait encore le régime de Bourgogne (59e de ligne). Parallèlement, en remplacement des officiers nobles émigrés — on dénombrait environ 3 000 déserteurs en 1790 — les sous-officiers roturiers avaient été élevés aux grades supérieurs. Le calcul ne devait pas s'avérer mauvais. De grands soldats, autrefois gênés dans leur avancement, prirent ainsi le contrôle de l'armée. Mais il y eut aussi de nombreux errements. L'exacerbation de la guerre en 1793 devait révéler les piètres stratèges (Rossignol, Léchelle), comme les excellents généraux de la Révolution (Hoche, Jourdan, Kléber, Marceau) et de l'Empire (Lefebvre, Éblé, Chabert, Brune, Berthier, etc.). Une série de décrets promulgués durant l'année 1791, dans un contexte de radicalisation de la Révolution, devait finalement mener à la formation d'une armée nationale. Les 11 et 13 juin, on autorisa « la conscription libre des gardes nationales de bonne volonté ». La fuite du roi accéléra ce processus de mobilisation. Le 21 juin, jour de départ de la famille royale, l'Assemblée décrétait « la mise en activité » de la garde nationale. Cent soixante-six bataillons furent créés. Ces troupes nouvelles élirent démocratiquement leurs cadres, anciens soldats (Joubert, Moreau, Jourdan, etc.) ou volontaires sortis du rang (Lannes, Molitor, Claparède, etc.). Finalement, la guerre fut déclarée au « roi de Bohême et de Hongrie », le 20 avril 1792. Les Girondins seuls l'avaient désirée. Ni la France ni l'Europe n'étaient prêtes à assumer la guerre totale qui allait s'engager,

6. Le prix des régiments de La Fère et de Picardie était fixé à 40 000 livres, 20 000 pour les autres. Tous les grades d'officiers s'achetaient, ce qui explique l'incompétence de certains dirigeants du XVIIIe siècle.

7. Premier inspecteur de l'artillerie, Gribeauval commença à refondre cette arme en 1776, malgré de nombreuses oppositions. Il établit des matériels distincts pour chaque service : de campagne (pièces de 4, 8 et 12 livres, obusier de 6 pouces) de siège, de place, de côtes, et allégea considérablement le poids des affûts, ce qui améliorait la maniabilité des canons.

8. À la théorie du chevalier de Folard, qui préconisait l'ordre profond pour le choc, s'opposait celle de Guibert, qui préférait l'ordre mince pour le feu. Finalement, Guibert institua le mouvement en colonnes serrées par bataillons, le déploiement en tirailleurs, et en lignes pour le feu, l'assaut se donnant en colonnes à la baïonnette. Ce fut la tactique de la Révolution et de l'Empire.

9. Les dix-huit plus anciens régiments furent dédoublés en 1775-1776, permettant la création de dix nouvelles unités : le régiment de Provence fut issu du régiment de Picardie, celui du Blésois du régiment de Piémont, etc. Un régiment Colonel-Général fut reconstitué en 1780 pour le prince Louis de Condé. Tous ces régiments portaient des noms spécifiques, en relation avec une province ou son propriétaire : Bresse, Lyonnais ou Royal, La Reine, etc. On dénombrait neuf régiments d'infanterie allemands (Alsace, La Marck, Nassau, etc.), onze suisses (Sonnenberg, Castella, Rheinach, etc.) et trois irlandais (Dillon, Berwick et Walsh).

10. On compta ainsi cent un régiments d'infanterie. Dix autres furent créés jusqu'en 1793.

et qui devait durer plus de vingt ans, jusqu'en 1815, jusqu'à Waterloo.

Dès les premières offensives autrichiennes, les régiments se débandèrent. Les soldats accusèrent les nobles, jugés traîtres à la Patrie. Théobald Dillon, général à l'armée du Nord, était massacré le 29 avril, alors qu'il tentait de regrouper ses troupes.

Devant l'incapacité des nouvelles recrues à affronter le feu, Kellermann insistait déjà pour que les volontaires s'amalgamassent aux troupes de lignes[11]. Mais l'Assemblée ne suivait pas, continuant à mettre sur pied des bataillons sans expérience. Bientôt pourtant, alors que les Autrichiens et les Prussiens prenaient l'offensive, une armée nouvelle apparaissait, pétrie d'enthousiasme, dont le premier succès à Valmy arrêtait la pénétration étrangère (20 septembre 1792). Les difficultés extrêmes dans lesquelles se débattit la République durant l'année 1793 devaient pousser le Comité de Salut public à rationaliser l'armée, à l'uniformiser[12] et à conduire les opérations militaires. Carnot, « l'Organisateur de la Victoire », normalisa la division telle qu'elle avait été définie autrefois par Guibert.

Formée de deux brigades de six bataillons chacune, complétés par une batterie d'artillerie et un escadron de cavalerie légère, la division fut l'unité au sein de laquelle se réalisa l'amalgame, décidé en février 1793, mais qui ne prit définitivement forme qu'au début de 1794. Une autre solution fut également envisagée, afin de remédier à l'inexpérience des recrues : l'embrigadement. Deux bataillons de volontaires étaient mêlés à un bataillon de ligne, pour former la demi-brigade (2 400 hommes), nouveau nom porté par le régiment. Dubois-Crancé expliquait ainsi ces méthodes qui permettaient de créer un esprit national dans l'armée, et de soutenir le moral des jeunes recrues, naturellement émotives à la vue du feu : il s'agissait, disait-il, de « déroyaliser les régiments, de rompre l'esprit de la ligne et de confondre tous les éléments dangereux ».

Soutenue à l'arrière par un extraordinaire enthousiasme, entretenu d'ailleurs d'une main de fer par le Comité de Salut public, l'armée remporta à partir de l'automne 1793, une suite impressionnante de victoires, qui lui permirent de résorber l'invasion étrangère et de réduire les insurrections royalistes de l'intérieur. A la fin de l'année 1795, au moment où la Convention se séparait, 900 000 hommes se trouvaient sous les armes. Un tel effort n'avait été possible que grâce à la mobilisation de tous les Français et à la mise en place d'une économie de guerre.

L'étatisation du régime de la Terreur ne fut nulle part plus sensible que sur le plan militaire. Barère proclamait le 23 août 1793 : « Ce n'est pas assez d'avoir des hommes !... Des armes, des armes et des subsistances ! »

Tout fut donc mis en œuvre pour assurer la victoire des armées. Le 13 pluviôse an II (1er février 1794), Prieur de la Côte-d'Or créait la Commission extraordinaire des armes et poudres, que Bénézech fut chargé de diriger. Véritable ministère de l'Armement, l'industrie lourde lui fut rattachée. Les savants Monge, Fourcroy, Berthollet, Chaptal furent réquisitionnés pour la recherche. Car parallèlement à la production massive de fusils, sabres et canons, le Comité fit réaliser des armes secrètes. A Meudon, dans le domaine déserté, on testait les explosifs, en même temps qu'on mettait au point des ballons gonflés à l'hydrogène. L'*Entreprenant*, survolant la bataille de Fleurus, troubla l'ennemi en renseignant l'armée sur ses mouvements. Les innovations ne s'arrêtèrent pas là. Chappe installa la première ligne de son télégraphe optique entre Paris et la frontière du Nord. Tout était pour l'armée. La production, contre toute attente, atteignit 240 000 fusils par an, et 7 000 canons. Paris devint un immense arsenal, qui doublait les manufactures de Tulle, Moulins, Saint-Étienne, Thiers, Klingenthal, etc. L'industrialisation du pays sortit nécessairement accrue de la Terreur.

Pour assurer la subsistance des soldats, le Comité avait déterminé le 7 nivôse an II (27 décembre 1793) des aires d'approvisionnement pour chaque armée[13]. Les réquisitions étaient en principe payées au tarif du maximum par des payeurs généraux[14]. Mais des abus se firent jour, surtout chez les fournisseurs aux armées, qui passaient contrat avec l'État pour la fourniture et le transport du matériel. Ils rognèrent sur la quantité et la qualité. Certains d'entre eux, dénoncés, furent guillotinés : Chaseau, l'abbé d'Espagnac.

Suivis au niveau central par des représentants en mission, les généraux ne possédaient qu'un très petit champ de manœuvre, pour réaliser les plans de campagne établis par Carnot. On connaît les désaccords qui s'élevèrent entre Hoche et Saint-Just en nivôse an II (décembre 1793). Pourtant, certains Conventionnels firent preuve de beaucoup de science. Ce fut le cas de Saint-Just, et plus encore celui de Milhaud ou de Lacombe-Saint-Michel, qui suivirent une carrière de généraux sous le Directoire et l'Empire.

Cette guerre totale, véritable « croisade de la Liberté », se relâcha après la chute de Robespierre, après la victoire et l'invasion des territoires ennemis.

Mais l'esprit de l'an II avait porté ses fruits. L'afflux innombrable de volontaires et de recrues avait, depuis la levée en

11. « L'unité de la République exige l'unité dans l'armée », expliquait Saint-Just, très attaché à l'amalgame. Il s'agissait de mêler des recrues à d'anciens soldats dans un même bataillon. L'embrigadement au contraire faisait se côtoyer des bataillons de recrues et des bataillons de ligne dans une même demi-brigade. Le premier fut décrété le 21 février 1793, tandis que le second fut instauré le 2 frimaire an II (22 novembre 1793).

12. On tenta d'uniformiser les effectifs, les soldes, l'avancement. Le décret du 12 ventôse an II (2 mars 1794) fixa le détail des uniformes, aux couleurs nationales, simples et commodes comme il seyait aux soldats républicains. Depuis juin 1791, le drapeau tricolore remplaçait le drapeau colonel.

13. La Convention avait créé quatorze armées : Sambre-et-Meuse, Rhin-et-Moselle, du Nord, Pyrénées-Orientales, Côtes-de-Brest, Côtes-de-Cherbourg, etc.

14. Les commissaires des Guerres, aux ordres des ordonnateurs en chef, qui avaient rang de généraux, réglaient les questions relatives aux vivres, aux effets des soldats, en réquisitionnant sur les populations. Il y eut nécessairement des mécontentements, mais en contrepartie, les militaires aidèrent souvent aux travaux des champs.

masse, fait éclaté les structures de l'armée traditionnelle. Le soldat était devenu citoyen. Il n'était plus coupé de la Nation. La hiérarchie se conjugua avec l'esprit démocratique apporté par les volontaires sans-culottes, en même temps que la spontanéité et la contestation[15]. Pour améliorer le recrutement, le Comité de Salut public procéda à la création d'écoles militaires, destinées à former les futurs officiers et soldats de la République. Le 13 prairial (1er juin 1794), on installa dans la plaine des Sablons, l'école dite de Mars, qui rassemblait des adolescents éduqués dans un esprit spartiate, possédant un uniforme et couchant sous la tente. A peine née, cette école ne survécut pas à la chute de Robespierre, et disparut dès la fin de 1794.

Techniquement, la conduite de la guerre fut une adaptation aux conditions fournies par l'ennemi. Si dans les grandes batailles du Nord, classiques, Carnot avait déterminé la stratégie à mener le 14 pluviôse (2 février 1794)[16], ailleurs et particulièrement en Vendée, il fallut apprendre les méthodes de guérilla utilisées par les paysans. En septembre 1793, après les nombreux revers essuyés par les armées engagées en Vendée, les représentants en mission écrivaient à la Convention : « Nous n'entendons rien en vérité à la manière de guerroyer de ces Messieurs. » Les colonnes infernales de Turreau furent la réponse républicaine à la tactique vendéenne. Cette guérilla, une fois assimilée, fut constamment employée en Savoie et dans les Pyrénées.

Une place à part doit être réservée aux armées révolutionnaires, essentiellement composées de sans-culottes, portant des bonnets rouges. Créée le 9 septembre 1793, lors de la grande poussée démocratique de l'été, l'armée révolutionnaire du général Ronsin, ami d'Hébert, fut engagée en Vendée à l'automne. Suivies par une guillotine, ces armées n'étaient pas faites, aux dires du *Père Duchesne*, pour « enfiler des perles », mais pour « couper des têtes ». Dissoute le 14 frimaire (4 décembre 1793), dans le grand mouvement de normalisation de la Terreur, seule l'armée révolutionnaire parisienne de Ronsin subsista, jusqu'à l'exécution des Hébertistes en germinal. Après Thermidor, extrêmement critiquées, Barère les justifia en rappelant que « si elles excitèrent le fanatisme par quelques abus, elles apaisèrent les troubles par leur fermeté ».

Cette armée nationale, mal équipée, mal vêtue, où le soldat ne se distinguait plus du citoyen, fut en partie restructurée sous le Directoire. En même temps qu'on abaissait le nombre des hommes portés sous les drapeaux, on procéda à une refonte des régiments, en rompant l'ordre de leur numérotation, ce qui compliqua singulièrement leur gestion. Ainsi la 1re demi-brigade de ligne devint le 31e, tandis que la 2e devint la 9e. Ces nouveaux remaniements devaient conduire le gouvernement à organiser une armée permanente, qui, peu à peu, se coupa de la Nation. Mais cette évolution ne fut sensible que sous l'Empire. Dans l'immédiat, on se contenta de normaliser la réquisition. Le 19 fructidor an IV (5 septembre 1798), le général Jourdan institua la conscription : tout Français devait à la Patrie quatre ans de service en temps de paix. La durée était illimitée en cas de conflit. Cette loi permettait d'enrayer les désertions plus ou moins calculées que l'on avait remarquées depuis les débuts de la guerre. Enrôlés pour une campagne, les soldats étaient en effet retournés chez eux au bout d'une année. Il avait fallu sans cesse réactiver les levées pour combler les vacances observées dans les bataillons. Cette mesure touchait les classes âgées de 20 à 25 ans. Elle fut extrêmement utile à Napoléon, mais elle finit par démobiliser le soldat, dont l'enthousiasme patriotique n'avait plus rien de spontané.

C'est dans ce climat de restructuration permanente que furent donc menées les glorieuses campagnes de la Révolution.

La guerre girondine

Sous le commandement de généraux de l'Ancien Régime, Rochambeau, Luckner, maréchaux de France depuis 1791, et de La Fayette, plus politique que militaire, la guerre débuta fort mal. Des régiments entiers, comme le Royal-Allemand, passèrent à l'ennemi. Rochambeau démissionnait, La Fayette traitait avec les Autrichiens. La reine livrait les plans de campagne à l'ennemi. Dans ce contexte Robespierre disait : « Je ne me fie point aux généraux... Je dis que presque tous regrettent l'ancien ordre des choses. » Pour reprendre en main une armée trahie et déliquescente, il fallut le 10 août, l'irruption du peuple dans les affaires. L'enthousiasme et le patriotisme des nouvelles recrues devaient bientôt doubler et noyauter l'esprit de la ligne. Tandis que l'Assemblée, le 22 juillet, proclamait la Patrie en danger, le duc de Brunswick lançait le 25 juillet, un manifeste qui menaçait Paris de destruction totale. Dès le 20 août, Longwy, était investie, Verdun tombait le 2 septembre. La route de Paris était ouverte.

Dumouriez, remplaçant La Fayette, chercha alors à couper la retraite des Prussiens. Établissant ses troupes sur leurs arrières, il les força à combattre à Valmy, le 20 septembre 1792. Simple canonnade sans intérêt tactique, la bataille connut un retentissement énorme en Europe[17]. Pour la première fois dans l'histoire, une nation en armes arrêtait une invasion ennemie. La meilleure armée de l'Europe était vaincue par des soldats inexpérimentés, dont l'audace et le sentiment de liberté remplaçaient avantageusement la cadence de formation manœuvrière.

Parallèlement à cette victoire psychologique, la République était accueillie en libératrice en Savoie. Chambéry était occupé le 24 septembre par Montesquiou. Anselme entrait à Nice

15. Les études actuelles, délaissant l'histoire événementielle, s'attachent plus particulièrement aux mentalités des soldats.

16. Le 14 pluviôse an II (2 février 1794), Carnot expliquait la tactique à mener : « Agir toujours en masses et offensivement ; entretenir une discipline sévère et non minutieuse dans les armées ; tenir toujours les troupes en haleine sans les excéder ; engager en toute occasion le combat à la baïonnette et poursuivre constamment l'ennemi jusqu'à sa destruction complète. »

17. On connaît la phrase prononcée par Goethe, qui suivait les armées prussiennes : « En ce jour et dans ce lieu commence une ère nouvelle dans l'histoire du monde. »

le 29. Tandis que Custine pénétrait en Rhénanie, Dumouriez bousculait les Autrichiens à Jemappes le 6 novembre, et envahissait la Belgique. Les armées révolutionnaires avaient tenu les promesses de Valmy. Une première manifestation de républiques sœurs, satellites de la France, se faisait jour. Bâle, devenu République de Rauracie, se plaçait sous la protection française[18]. Partout la liberté se frayait un chemin. L'Assemblée par la bouche de Danton et des Girondins, reprenant à son compte la politique royale, posait le principe des frontières naturelles.

Dumouriez écrivait à Kellermann : « Le Rhin doit être la seule borne de notre campagne depuis Genève jusqu'à la Hollande. » Mais la « libération » des territoires investis se doublait de mesures fiscales et économiques. L'enthousiasme humanitaire connaissait ses premières bornes. Le zèle des Belges se refroidit rapidement face à l'exploitation à laquelle ils étaient assujettis.

Bientôt, alors qu'à l'intérieur, le fossé se creusait entre Montagnards et Girondins, que la levée de 300 000 hommes provoquait l'insurrection vendéenne, la coalition s'élargissait à l'Angleterre, à l'Espagne et aux États italiens, tandis que Prussiens et Autrichiens se ressaisissaient.

Custine était forcé de reculer sur le Rhin. Aix-la-Chapelle tombait aux mains de Cobourg le 2 mars 1793. Dumouriez, vaincu à Neerwinden le 18 mars, abandonnait la Belgique, et passait à l'ennemi le 5 avril. Un sursaut patriotique suivit cette défection, conduisant à la proscription des Girondins, et à la prise en main définitive des affaires par les Jacobins.

La guerre jacobine

Les frontières du Nord étaient à nouveau découvertes. En juillet, Condé-sur-Escaut tombait aux mains de l'ennemi (le 10), suivi de Valenciennes (le 28). À Mayence, le dernier carré de l'armée de Custine, qui résistait encore, capitulait le 23 avec les honneurs de la guerre.

Comme en août-septembre 1792, une radicalisation du gouvernement se fit jour, conduite par le Comité de Salut public. Une guerre totale se mettait en place. Contre les Girondins, qui n'avaient jamais cessé de séparer les pouvoirs civils et militaires, les Montagnards, procédèrent à une unification draconienne de la Nation, à la militarisation.

Les effets de la dictature se firent rapidement sentir : dès le 8 septembre, à l'issue d'un affrontement de deux jours, le général Houchard battait les Anglo-Autrichiens à Hondschoote. Mais pour n'avoir pas poursuivi l'ennemi, le vainqueur était destitué dès la fin du mois et envoyé à la guillotine. Une occasion exceptionnelle avait été perdue. « Les lois sont révolutionnaires, déclarait Robespierre ; ceux qui les exécutent ne le sont pas. » En conséquence, le gouvernement de la Terreur restructura la direction des armées. On nomma des généraux républicains (Jourdan, Hoche) auxquels s'adjoignirent les représentants en mission. Cette réglementation nouvelle porta rapidement ses fruits. Jourdan et Carnot remportaient le 16 octobre sur les Autrichiens la bataille de Wattignies. En frimaire (décembre), les Anglais étaient chassés de Toulon. Saint-Just et Hoche écrasaient les troupes autrichiennes de Wurmser au Geisberg le 6 nivôse (26 décembre). Dans les Pyrénées, Dagobert contenait les Espagnols. L'invasion était enrayée, mais l'impulsion du gouvernement ne s'arrêta pas en chemin. Il convenait d'assurer la tranquillité de la République. Carnot et Prieur de la Côte-d'Or s'attachèrent à la préparation de l'offensive du printemps 1794. Le principal effort porta sur l'armée du Nord, conduite par Jourdan. Battus à Tourcoing le 29 floréal (18 mai), puis à Fleurus le 8 messidor (26 juin), les Autrichiens abandonnèrent la Belgique, qui fut réoccupée par les Français, au moment de la chute de Robespierre. Le 20 messidor (8 juillet), Jourdan et Pichegru entraient à Bruxelles. Dans le sud, depuis floréal (mai), Dugommier occupait la Catalogne. Les armées révolutionnaires se trouvaient désormais en position de force. Il devenait possible de porter la guerre à l'étranger. La crise économique tenace pouvait dès lors être facilement résolue par l'exploitation des territoires conquis. Toute la politique extérieure de la Convention thermidorienne, et plus encore du Directoire, relèvera de cette constatation simple. L'idéologie libertaire de l'an II cédait le pas aux intérêts économiques de la République bourgeoise.

La campagne de l'an IV

Le gouvernement ayant relâché la surveillance des généraux, ceux-ci donnèrent libre cours à leurs ambitions personnelles. Comment analyser l'aventure italienne de Bonaparte en 1796-1797 sans avoir à l'esprit la faiblesse du pouvoir ? Soumis au bon vouloir des militaires, le Directoire était à leur merci. Dans un tel contexte, il devenait naturel que l'un d'eux opérât un coup d'État, l'armée entière tenant entre ses mains toute l'économie, possédant la confiance de la Nation, et assumant seule le respect et la sécurité de la France.

Dès janvier 1795, libéré des contraintes du régime de la Terreur, Pichegru, devenu général en chef de l'armée du Nord, passait les glaces du Waal et pénétrait en Hollande. Le 30 nivôse (19 janvier), il entrait à Amsterdam, et capturait la flotte hollandaise bloquée au Texel. Cette campagne éclair eut-elle été possible en l'an II ? L'extraordinaire série de succès remportés par les armées françaises contraignit bientôt les puissances étrangères à envisager la paix. La Toscane se séparait de la coalition le 21 pluviôse (9 février). Le 16 germinal (5 avril), c'était autour de la Prusse de signer les traités, suivie le 4 thermidor (22 juillet) de l'Espagne. Seules l'Autriche et l'Angleterre restaient en lice. Tandis que le Directoire annexait la Belgique et organisait en Hollande une République batave, satellite de la France, un nouveau plan de campagne était élaboré par Carnot, pour 1796. Les opérations en Allemagne du Sud, décisives, devaient être menées par Jourdan (armée

18. Bientôt annexé à la France, le territoire de cette république forma le département du Mont-Terrible.

de Sambre-et-Meuse) et Moreau (armée de Rhin-et-Moselle). Tandis qu'ils marchaient sur Vienne, Kellermann (armée des Alpes) et Schérer (armée d'Italie) devaient occuper le Piémont et la Lombardie, et les tenir en gage. Reprenant d'autre part les projets d'invasion de l'Angleterre préparés par Billaud-Varenne et Ruamps en 1793, Carnot avait confié l'armée d'Irlande à Hoche[19]. Ces plans devaient être bouleversés au dernier moment : le 12 ventôse an IV (2 mars 1796), Schérer était remplacé en Italie par Bonaparte. Alors qu'en Allemagne, Jourdan, après avoir pris Francfort, était contraint d'abandonner la Bavière en septembre, et que Moreau repassait le Rhin en octobre, Bonaparte étonnait l'Europe en écrasant successivement les Piémontais et les Autrichiens de Beaulieu. Milan était investie. Les secours envoyés pour débloquer Mantoue furent vaincus à Castiglione, à Bassano (Wurmser), à Arcole et à Rivoli (Alvinczy).

Au printemps 1797, la campagne reprit. Hoche, qui remplaçait Jourdan, fut vainqueur à Neuwied le 29 germinal an V (18 avril). Mais cette victoire n'apportait aucun résultat : le même jour Bonaparte signait à Leoben en Styrie, les préliminaires de paix avec l'Autriche. Parallèlement, il organisait ses conquêtes, créant une République cisalpine et une République ligurienne. Devant tant de victoires, face à une telle détermination, l'Autriche accepta de signer le traité de Campoformio le 26 vendémiaire an VI (17 octobre 1797). Le Directoire ratifia ce traité. Pouvait-il s'y opposer ?

Pour réduire l'Angleterre, Bonaparte fut bientôt placé à la tête d'une armée d'invasion. Les griefs à l'encontre de ce pays ne manquaient pas, particulièrement aux Antilles, où la Martinique, Sainte-Lucie et Tabago étaient perdues. A Saint-Domingue, si Toussaint-Louverture était parvenu à expulser les Anglais, l'autorité du Directoire était purement nominale ; mais malgré les efforts entrepris par Jean-Bon Saint-André et l'amiral Forfait en l'an II, la France manquait cruellement de navires[20]. Aussi, en pluviôse an VI (février 1798), Bonaparte, qui rêvait déjà de surprendre l'Angleterre en Orient, abandonnait l'idée d'une expédition navale dont les résultats étaient aléatoires.

19. L'échec du débarquement de Hoche en décembre 1796 n'avait pas mis fin aux espoirs des Irlandais, qui, profitant de la crise économique et financière, n'avaient cessé de se rebeller contre l'occupant anglais. O'Connor avait fixé au 23 mai 1798 une insurrection générale. La France ne laissa pas passer l'occasion. Le général Humbert débarqua à Killala le 22 août. Mais trop faibles pour résister aux Anglais, les Français furent forcés de se rendre au bout de quelques mois.

20. La marine française avait brillé une dernière fois pendant la guerre d'Indépendance américaine. Mais dès les débuts de la Révolution, l'émigration des officiers l'avait laissée dans un pitoyable état. Des mutineries éclatèrent, à Brest à Toulon. Lorsque la guerre se déclara contre l'Angleterre, l'infériorité française se manifesta avec acuité. Au sein du Comité de Salut public, Jean-Bon Saint-André tenta de remédier à cette situation, en construisant de nouveaux vaisseaux. Grâce à Forfait, la mise en chantier des frégates dépassa de trois fois celle des Anglais. Jamais pourtant la France ne put rattraper son retard.

La campagne d'Égypte

Dès l'an IV (1796), l'occupation de l'Égypte avait été conseillée par Magallon, consul français au Caire. Bonaparte reprenant l'idée à son compte imaginait de remplacer les Antilles par l'Égypte. Il s'agissait de trouver un nouveau débouché au commerce des produits exotiques, dont les pertes avaient été sensibles depuis les débuts de la Révolution. Le Directoire, de son côté, n'était pas fâché de se débarrasser d'un général encombrant, qui se passait volontiers de ses avis, et lui imposait sa politique.

L'Égype, dominée par les mamelouks, milice placée théoriquement sous l'autorité turque, tomba aux mains des Français après la bataille des Pyramides, le 3 thermidor an VI (21 juillet 1798). Mais Nelson détruisait la flotte française de l'amiral Brueys à Aboukir le 14 thermidor (1er août). Bonaparte se trouvait prisonnier de sa conquête. Il apparaissait que cette expédition était une erreur stratégique, au moment même où l'Europe, exaspérée par la politique expansionniste de la France en Italie, reformait la coalition.

Bonaparte, qui voyait la guerre reprendre sans lui, abandonna sa conquête. Les soldats français résistèrent jusqu'en 1801, d'abord sous les ordres de Kléber, puis sous ceux de Menou. Si ce n'est d'un point de vue culturel et scientifique, la conquête de l'Égypte n'avait rien apporté à la France.

La seconde coalition

L'expédition d'Égypte avait rapprochée la Russie de la Turquie. Un traité conclu le 23 décembre 1798 permit à la flotte russe d'entrer dans la Méditerranée. Bientôt, une alliance avec le royaume de Naples, qui craignait pour son indépendance, l'autorisa à intervenir en Italie où la guerre avait repris.

Créée à la suite d'une émeute au cours de laquelle fut massacré le général Duphot (28 décembre 1797), la République romaine fut envahie par les armées napolitaines le 26 novembre 1798. Aussitôt, Championnet marcha sur Naples, qui tomba le 23 janvier 1799, et fonda une République parthénopéenne, malgré les injonctions du Directoire, qui entendait tenir le royaume en gage pour mieux négocier.

L'Autriche livra alors le passage aux troupes russes : la France lui déclara la guerre le 22 ventôse an VII (12 mars 1799). Face au péril reconstitué, l'armée tendit à recouvrer son caractère national. Un nouvel élan révolutionnaire apparut. Jourdan, ministre de la Guerre, proposait de proclamer la « Patrie en danger ». Mais les trois armées engagées en Allemagne du Sud, Suisse et Italie du Nord, subirent de graves revers.

L'armée du Danube, commandée par Jourdan, était battue à Stockach le 25 mars, tandis que Schérer était forcé de reculer en Lombardie. Les Russes de Souvorov entrèrent alors en action, et Moreau, qui remplaçait Schérer, dut se replier en Piémont. Venant à son secours, l'armée de Naples, contre laquelle s'était retourné Souvorov, fut alors écrasée à la Trébie, après trois jours de durs combats (17-18-19 juin), et se réfugia à Gênes.

Au centre à la tête de l'armée d'Helvétie ; Masséna remportait la première bataille de Zurich (4 juin), mais abandonnait la ville, pour se fortifier sur le Limmat.

L'inquiétude née de ces échecs suscita une réaction néo-jacobine à laquelle le Directoire n'osa s'opposer. A l'été, après de nouveaux revers, un redressement s'opéra. Si Joubert était tué à Novi le 15 août, Masséna parvenait à vaincre le corps russe de Korsakov à Zurich les 25-26-27 septembre. Souvorov ne parvenant pas à forcer les passages des Alpes fut rappelé en octobre par le tsar Paul Ier. Au même moment, en Hollande, Brune écrasait les Anglo-Russes à Bergen (19 septembre) et à Castricum (6 octobre).

Sur ces entrefaites, Bonaparte, débarqué à Fréjus le 17 vendémiaire an VIII (9 octobre 1799), jetait bas le régime du Directoire, le 18 brumaire (9 novembre). Si le territoire de la République restait intact, si les forces coalisées étaient brisées en Hollande et en Suisse, l'Italie était cependant perdue.

La victoire définitive devait avoir lieu en 1800, sous le Consulat. Tandis que Moreau envahissait le sud de l'Allemagne et écrasait les Autrichiens à Hohenlinden (3 décembre), Bonaparte reconquit l'Italie après Marengo (14 juin).

La seconde coalition se soldait par le traité de Lunéville signé le 9 février 1801. L'Autriche acceptait la frontière du Rhin, confirmait la cession de la Belgique à la France et reconnaissait les républiques sœurs.

La République triomphait partout. Mais déjà l'ambition de Bonaparte allait donner une nouvelle tournure à l'histoire. L'armée française, perdant définitivement son caractère national, allait devenir un outil de conquête entre les mains de Napoléon, portant cependant à travers l'Europe entière les messages libertaires de la Révolution.

Jérémie Benoit

NOUVEAUTÉS TACTIQUES ET STRATÉGIQUES DES GUERRES DE LA RÉVOLUTION

Spectateur coutumier des champs de bataille, diplomate et poète, Johann Wolfgang von Goethe fit la remarque suivante à propos de la canonnade de Valmy qui visait les troupes de la Révolution : « Ici et aujourd'hui commence une nouvelle période de l'histoire de l'humanité et vous pourrez dire : j'y étais ! » Cette phrase ne prenait pas seulement en compte les suites politiques de ce geste désemparé de la part de l'Ancien Régime, mais pressentait le tournant évident dans l'art militaire.

Durant la seconde moitié du XVIIe siècle, à l'époque de l'absolutisme des princes, les commandants et chefs de guerre formés empiriquement sur le terrain durant les combats, furent remplacés par des généraux engagés au service des monarques ; ces nouveaux militaires déterminèrent leur style de commandement en fonction de lois militaires précises et de déductions logiques. Pour donner tout son effet à la volée de canons, une tactique se dégagea, qui consistait à mettre en mouvement des lignes bien étirées de fantassins durant la bataille — si l'on devait effectivement « se battre ». Car dans les opérations militaires, le combat était considéré comme un « mal », l'objectif stratégique étant plutôt de manœuvrer contre l'adversaire en marchant et en choisissant judicieusement une position de camp retranché. Cela permettait de parvenir à l'objectif politique qui était généralement la « réquisition » (c'est-à-dire une conquête sans dévastation) d'une région frontalière, la satisfaction de certaines prétentions d'héritage ou d'« intérêts ». D'après Bossuet, théoricien de l'absolutisme, seul le monarque avait le droit d'être armé et non pas les différentes classes sociales. L'armée qui était composée soit de volontaires, soit de conscrits ou de soldats recrutés de force, était toujours prête à l'action : pour l'État, contre ses sujets et contre une menace sur les frontières. Pour des raisons financières, il importait de la maintenir la plus petite possible et « en l'état », c'est-à-dire qu'elle ne faisait pas partie intégrante de la vie des citoyens.

Les idées des colons nord-américains et la tactique du « rifleman » (chasseur à pied) qu'ils employèrent contre des soldats anglais bien entraînés, furent les signes avant-coureurs d'un changement dans la pratique militaire. Elles firent, tout comme les conséquences de la défaite durant la guerre de Sept Ans en France, l'objet d'un débat public, se traduisirent bientôt par des règlements et commencèrent à être mises à l'épreuve.

La situation militaire désastreuse telle qu'elle se présentait au moment de la déclaration de guerre du 20 avril 1792, face à une armée française de ligne démoralisée et partiellement désorganisée avec son corps d'officiers d'origine noble, amena beaucoup plus rapidement que d'habitude une révision fondamentale de la tactique. La levée en masse de Lazare Carnot, la fusion entre des soldats-citoyens (organisés en partie au sein des gardes nationaux) et les troupes de ligne, permit de faire apparaître, tout au moins sur le papier, une armée de 600 000 à 1 000 000 d'hommes ; contre une armée d'environ 300 000 hommes que, par exemple, l'Autriche pouvait mobiliser à la fin du règne de l'empereur Joseph II. Cette nouvelle armée française avait seulement pour mission de défendre les idées de la Révolution en France ainsi que les principes de l'indépendance et de l'unité nationale ; on lui avait insufflé le désir d'une « victoire totale » et la haine de ses ennemis militaires, ces mercenaires et valets à la solde des tyrans. Après des pertes en hommes considérables au début, les armées révolutionnaires, commandées dorénavant par des officiers qui s'étaient détachés du rang en raison de leurs capacités et de leurs succès, ne firent bientôt plus feu qu'en tir individuel (escarmouches) ; elles allaient au combat en formant rapidement une colonne, ce qui leur permettait aussi une percée à la baïonnette. Elles bivouaquaient, réquisitionnaient si nécessaire, n'avaient plus besoin de tentes et d'intendance, marchaient vite.

C'est ainsi qu'elles purent au moins repousser leurs ennemis au-delà du Rhin, les chasser des Pays-Bas et prendre pied en Italie. Mais une première phase décisive ne fut vraiment atteinte qu'après le retrait de la Prusse qui, à partir de 1795, se tint pour une décennie à l'écart des guerres de coalition, préférant s'engager en Pologne et après que, l'année suivante, Napoléon Bonaparte eut repoussé les Autrichiens en Italie du Nord.

Ce général, bientôt chef politique de la France, eut le premier l'idée géniale de combiner la tactique efficace décrite précédemment avec une stratégie de terrain qui lui procura la victoire des années durant. Pour créer les conditions nécessaires à un tel système, il mit en place un commandement central et divisa l'armée en corps et en divisions, ce qui permettait à la fois des actions autonomes avec un commandement individuel des chefs, mais aussi une lutte concertée des différentes armes au sein d'une division. Il développa tout particulièrement l'artillerie en lui donnant le plus de mobilité possible et en la faisant avancer sur la ligne de combat pour préparer la mitraillade et la percée. Considérant la cavalerie comme décisive pour le sort de la bataille, il la retenait pour la faire ensuite attaquer de manière ponctuelle.

Car Napoléon cherchait toujours la bataille décisive et l'imposait en s'installant sur les lignes d'opération de l'adversaire comme, en 1800, en Italie du Nord à Marengo ou, en 1805, près d'Ulm. Ou bien, après avoir fait des calculs très précis et avoir soigneusement évalué les rapports fournis par son état-major entièrement réorganisé, il se glissait entre deux ennemis et les battait l'un après l'autre en déplaçant rapidement le centre des opérations : comme en 1796 en Italie ou en 1809 au début de la campagne contre les Autrichiens en Bavière. En d'autres termes, Napoléon maîtrisait parfaitement la marche de l'armée et le combat sur la ligne intérieure. Si le principal adversaire de Napoléon sur mer était l'Angleterre, sur terre c'était toujours l'Autriche.

Même si l'archiduc Charles d'Autriche, doué pour l'art militaire, avait rapidement publié ses impressions sur la tactique française moderne, il fallut du temps pour que lui-même, qui n'atteignit jamais le degré d'influence ni le pouvoir politique de Napoléon, puisse élaborer de nouveaux règlements, les mettre en vigueur et réorganiser l'état-major ; et surtout réformer le système de la conscription à vie afin de constituer à partir de 1807, et avec l'aide de son frère Johann, des milices paysannes. La guerre de 1809 éclata beaucoup trop tôt pour qu'il puisse appliquer efficacement ses réformes ; c'est durant cette guerre, lors de la bataille d'Aspern, que l'on vit pour la première fois apparaître du côté autrichien des colonnes formées en bataillon, attaquant avec l'appui de l'artillerie. Les milices paysannes ne purent être mises que partiellement à contribution.

Napoléon vainquit à Wagram mais cette fois-là il n'avait réussi ni à percer ni à encercler une aile. A partir de là, Napoléon ne sut pas se rendre compte que ses ennemis avaient entre-temps tiré parti de ses leçons en matière de tactique et de stratégie sur le terrain et qu'ils étaient en train de se rattraper au niveau de l'organisation. L'empereur des Français ne fut pas capable de préparer correctement sur le plan logistique sa campagne de 1812 contre la Russie. C'est ainsi que fut démantelée sa Grande Armée. Chez des recrues menées avec rigueur mais mal entraînées, qui venaient de France, d'Italie et d'Allemagne, naquit progressivement le sentiment de combattre pour un tyran insatiable ; en revanche, les soldats de l'adversaire, surtout les unités de « chasseurs », récemment réorganisées, les volontaires et les milices paysannes prussiennes — elles aussi mal entraînées — s'enthousiasmaient pour les idées de Johann Gottfried Herder, qui parlait d'un peuple en armes uni par la même langue, la même culture et la même histoire.

Napoléon avait trop centralisé son commandement militaire, ainsi que le prouvèrent les erreurs et les défaites de ses sous-commandements entre 1813 et 1815 ; il avait dédaigné les progrès militaires de ses ennemis et pratiquait depuis des années une politique extérieure irréaliste, fondée sur la domination et la force, mais pour laquelle il ne disposait pas des moyens militaires requis.

Des troupes anglaises débarquèrent en Espagne et soutinrent avec succès la guerre de partisans qui s'y déroulait. Pour la nouvelle coalition de l'Autriche, de la Russie et de la Prusse, le maréchal général des logis et chef autrichien de l'état-major, le comte Josef Radetzky, élabora un dispositif souple et bien coordonné sur la ligne intérieure, avec trois coins et la « forteresse de Bohême » au centre. C'est grâce à cette stratégie qu'il put presque encercler l'armée principale de Napoléon près de Leipzig à l'automne de 1813 et réaliser une percée en Italie et en France en 1814. La France exsangue dut capituler sur le plan militaire mais les idées de la Révolution restèrent vivaces.

Peter Broucek

CHEFS MILITAIRES ET POLITIQUES

627
Entrevue de l'empereur d'Allemagne, du roi de Prusse et de l'électeur de Saxe
à Pillnitz
le 25 août 1791

Gravure au burin. H. 0,234; L. 0,273.
Inscription : « Gég. v. M. Heydeloff n. Nbg. / Gest. v. Fr. Fleischmann in Nbg. »
« Zusammenkunft des deutschen Kaisers, des Königs von Preussen und des Churfürsten von Sachsen zu Pillnitz am 25ten Aug. 1791. »
Historique : legs Hennin à la Bibliothèque nationale en 1883.
Bibliographie : Duplessis, t. IV, p. 30, nº 11034.

Paris, Bibliothèque nationale, cabinet des Estampes (coll. Hennin, nº 11034).

L'empereur d'Autriche Léopold II n'était jamais resté sourd aux appels de sa sœur Marie-Antoinette. Au lendemain de la fuite manquée de Varennes, inquiet de la tournure que prenaient les événements, Louis XVI ayant été suspendu de ses fonctions le 25 juin 1791, il proposait aux souverains de l'Europe de se joindre à lui pour déclarer à la France que la cause du roi était liée à la leur. Mais Barnave sut le rassurer. Aussi, lorsque Léopold rencontra le roi de Prusse, et l'électeur de Saxe à Pillnitz, le 25 août suivant, s'était-il bien radouci. Face à Frédéric-Guillaume II, partisan de la guerre, il s'abrita derrière un consensus. La déclaration du 27 août fut finalement assez vague : « L'empereur et le roi de Prusse, était-il écrit, regardent la situation où se trouve actuellement le roi de France comme un objet d'un intérêt commun à tous les souverains de l'Europe. » Cette crainte voilée révélait suffisamment l'universalité des principes révolutionnaires. « Ils espèrent, continuait le texte, que ceux-ci ne refuseront pas d'employer, conjointement avec eux les moyens les plus efficaces, relativement à leurs forces, pour mettre le roi de France en état d'affirmer, dans la plus parfaite liberté, les bases d'un gouvernement monarchique également convenable aux droits des souverains et au bien-être de la nation française. Alors, et dans ce cas, l'empereur et le roi de Prusse sont résolus d'agir promptement d'un mutuel accord, avec les forces nécessaires pour obtenir le but proposé et commun. »
Menaçante, cette déclaration l'était. Mais elle était trop floue pour inquiéter la France. Ce fut Louis XVI qui eut le plus à souffrir de la prise de conscience des souverains. Etait-il le premier fonctionnaire de l'État ? Était-il au-dessus de l'État ? Et sa cause était-elle seulement française ? J.Be.

628
Franz de Paula, baron de Thugut

par Vincenz Raimund GRÜNER
Gravure au pointillé. H. 0,315; L. 0,253.
Inscription : « V.R. Grüner Sc. Viennae. »
Bibliographie : Allgemeine Deutsche Bibliographie, 1894, t. XXXVIII, pp. 138-158.

Vienne, Osterreichische Nationalbibliothek, Porträsammlung-Bildarchiv (inv. Pg 159.786 : I (3)).

Employé à Constantinople d'abord comme drogman puis comme secrétaire, Thugut devint, en 1771, internonce impérial auprès de la Sublime Porte. Il était depuis 1766 en correspondance secrète avec la France qui lui accorda en 1780 une pension de 13 000 livres. Après un poste diplomatique à Varsovie il vint à Paris en 1783 et entra en relation avec Mirabeau, La Fayette et La Marck. De 1787 à 1789 il fut ambassadeur à Naples.
Comme diplomate attaché à l'armée autrichienne aux Pays-Bas à partir de 1793, Thugut désirait s'assurer la possession de la Belgique. Après la mort du prince Kaunitz (1794), chancelier d'État, Thugut, qui n'était qu'un bourgeois, devint ministre des Affaires étrangères et dirigea les bureaux de la Chancellerie. Il poussa la première coalition à poursuivre la guerre et se montra hostile à la paix de Campoformio (1797), désavantageuse pour l'Autriche. Lors de la guerre de la deuxième coalition il ne voulut pas non plus conclure une paix déshonorante. Élève de Kaunitz, dont il partageait les idées, Thugut remporta son plus grand succès lors de la formation, en 1795, de la triple alliance austro-anglo-russe. Après l'armistice de Parsdorf (20 septembre 1800) conclu à son insu, il se démit de ses fonctions. L.Po.

Le Danemark et la Révolution française

L'annonce de la Révolution française fut accueillie au Danemark avec intérêt, curiosité, et parfois même enthousiasme. Depuis qu'en 1784, le prince Frédéric s'était, à l'âge de seize ans, emparé du pouvoir, le gouvernement avait entrepris une série de réformes sociales, notamment dans le domaine de l'agriculture. La loi sur la liberté de la presse de Johann Friedrich Struensee, supprimée lors de sa chute en 1772, venait d'être rétablie. Le gouvernement espérait par là encourager les critiques positives, susceptibles d'éclairer les dirigeants sur la conduite à suivre dans l'intérêt général. Une remise en cause de l'absolutisme n'était naturellement pas souhaitée mais les limites restaient imprécises. Danois et Norvégiens attendaient beaucoup de la poursuite des réformes et pensaient que le prince et ses conseillers accorderaient bientôt des droits politiques aux citoyens.

Il est vrai qu'au Danemark, en 1780, les affaires de l'État se discutaient déjà plus ouvertement et pour beaucoup la situation parisienne allait avoir une influence favorable. La prise de la Bastille fut même applaudie par la noblesse danoise. Quelques hauts personnages de l'État ainsi que leur famille se réjouirent de la tournure des événements. Le comte C.D. Reventlow, ministre et frère du comte Johan Ludvig Reventlow s'écria, en évoquant la prise de la Bastille : « Des scènes superbes, absolument splendides ! » La sœur et le beau-frère du prince héritier, la duchesse et le duc d'Augustenborg pleurèrent de joie en apprenant la nouvelle. On critiquait vivement le roi et la noblesse de France et la plupart des citoyens jugeaient les réactions du peuple français justes et raisonnables. Deux figures littéraires de l'époque, Jens Baggesen et Frederikke Brun allèrent en pèlerinage à Paris danser sur les ruines de la Bastille et applaudir la pièce de Voltaire, *Brutus*. À Copenhague, on parlait d'une constitution sur le modèle français ou américain.

Cependant, les sceptiques craignaient que les événements de France n'incitent le peuple danois à se révolter à son tour. De fait, la monarchie et la noblesse étaient fortement critiquées. Certains écrivains se permettaient d'écrire que le pouvoir politique appartenait au peuple et que les privilèges de la noblesse constituaient une injustice.

P.A. Heiberg, qui célébra par des poèmes, l'entrée du prince et de son épouse à Copenhague, en 1790, écrivit également à cette occasion une ballade d'une toute autre portée. En voici deux vers très connus :
« Ils accordent des médailles aux idiots,
des étoiles et des galons, à la noblesse uniquement. »

Et, fait caractéristique, malgré la loi si populaire sur la liberté de la presse, l'éditeur fut poursuivi par les autorités.

Au cours des années 1790, le malaise entre le peuple et le gouvernement s'accrut pour culminer, en 1799, avec la création d'une nouvelle loi sur la presse, qui annulait la précédente et réduisait à néant les espoirs de liberté politique. L'absolutisme au Danemark ne sera modifié qu'en 1830 et il faudra attendre 1849 pour que le pays obtienne une constitution libérale.

Patrick Kragelund et Karin Kryger

trevue de l'empereur d'Allemagne, du roi de Prusse, et de l'électeur de Saxe à Pillnitz (cat. 627).

Baron de Thugut, ministre autrichien (cat. 628).

William Pitt (cat. 629).

Charles James Fox (cat. 630).

629
William Pitt (1759-1806)

par Joseph NOLLEKENS
Buste, marbre H. 0,457.
Bibliographie : Smith, 1920, vol. 1, pp. 368-371.
Grande-Bretagne, collection particulière.

William Pitt, fils cadet de l'ancien Premier ministre, comte de Chatham, malgré une santé déficiente et sans le soutien d'un parti politique, s'acquit le respect de tous par son profond désintéressement et son talent d'orateur à la Chambre des communes. En 1783, à l'âge de vingt-quatre ans, Pitt réussit à faire de la minorité tory un parti puissant qui, grâce à l'appui de George III, le restera jusqu'à sa mort en 1806. Le parti tory était opposé à une réforme constitutionnelle aussi bien qu'à tout compromis avec la France révolutionnaire. La guerre avec la France, que Pitt conduisit sans défaillance (pendant quasiment les treize dernières années de sa vie), et dont l'Angleterre sortira victorieuse grâce aux victoires de l'amiral Nelson, lui gagna une grande popularité dans tout le pays. Il mourut huit mois après Fox, son rival politique.
Pitt ayant toujours refusé de servir de modèle à Nollekens, celui-ci dut en exécuter le buste d'après son masque mortuaire (1806) et les toiles célèbres de John Hoppner. Joseph Nollekens (1737-1823) fit fortune avec ses « stocks pieces », les bustes de Fox et de Pitt. Il aurait vendu soixante-quatorze exemplaires du seul buste de Pitt, au prix de 120 guinées chaque, plus six cents moules, à 6 guinées pièce.
C.B.-O.

630
Charles James Fox (1749-1806)

par Joseph NOLLEKENS
Buste, marbre. H. 0,705.
Inscription : « Charles James Fox/Aged 43 » ; « Nollekens Ft. »
Exposition : 1985-1986, Washington, p. 539, n° 476.
Bibliographie : Smith, 1920, vol. 1, pp. 381-382 ; Whitbread, 1951, p. 57.
Grande-Bretagne, collection particulière.

Charles James Fox fut le chef de file très populaire du parti whig, parti qui piétina le plus souvent dans l'opposition durant le long règne de George III en raison des opinions du roi, lequel n'appréciait pas particulièrement Fox. Celui-ci s'enthousiasma pour la Révolution française : « Voici l'événement le plus important de l'histoire du monde, et le plus heureux. » Son radicalisme devait le brouiller avec Burke et les modérés du parti whig. Mais son obstination romantique à tenir compte des transformations politiques en Angleterre inspira la génération suivante de whigs et entraîna la dislocation du torysme réactionnaire et le vote de la grande réforme parlementaire de 1832, le « Great Reform Bill ».
« Mr. Nollekens modela et sculpta deux bustes différents de Mr. Fox. Le premier le représente avec un toupet et des boucles sur les oreilles, la coiffure habituellement portée par ce Monsieur, vers 1783, au moment où sir Josuah Reynolds en exécuta la peinture » (*Life and Times of Nollekens*, 1829). Son premier buste de Fox contribua grandement à la réputation de sculpteur de Nollekens (1737-1823). On en connaît sept versions en marbre — le buste ici exposé date de 1791 — et une gravure à la manière noire par William Petler, datée de 1792. En 1801, Nollekens sculpta un second buste, plus classique et en 1806, il exécutait un masque mortuaire de Fox. C.B.-O.

631
Charles Guillaume Ferdinand, prince héritier de Brunswick-Wolfenbüttel (1735-1806)

par Johann Georg ZIESENIS
Huile sur toile. H. 0,137 ; L. 0,98.
Historique : première mention de 1860 dans la collection du Neues Palais de Potsdam ; de 1935 à 1966, prêté aux Kunstsammlungen der Universität Göttingen ; depuis 1966 à Berlin, au château de Charlottenburg.
Bibliographie : 1966, Berlin, n° 85 ; 1937, Hanovre, n° 102.
Berlin, Staatliche Schlösser und Gärten, château de Charlottenburg (inv. GK I 5340).

Le portrait du général est caractéristique de l'époque baroque, s'arrêtant au niveau des genoux. Ziesenis a néanmoins pris des libertés avec le modèle réalisé par Hyacinthe Rigaud, en ne peignant pas le prince en tenue de général mais en uniforme de l'armée prussienne, ce qui était plus conforme à la réalité. On reconnaît à l'arrière-plan, et seulement esquissée, une scène de bataille. Le portrait est vraisemblablement postérieur à 1773, année où Charles Guillaume Ferdinand entra dans l'armée prussienne.
C'est surtout comme commandant des armées prussiennes et autrichiennes que Charles Guillaume Ferdinand de Brunswick s'est rendu célèbre. Le fameux manifeste dit « de Brunswick », qu'il publia en juillet 1792 à Coblence, renouvelait sous une forme plus violente l'avertissement de la convention de Pillnitz, à savoir la destruction de Paris s'il était porté atteinte à la famille royale de France. Après la canonnade de Valmy, c'est sous son commandement militaire que l'armée prussienne entama sa retraite. Son nom sera désormais lié à ce premier échec d'une armée prussienne, auparavant sûre de sa victoire face aux troupes de la Révolution. K.Ku.

632
François-Christophe Kellermann (1735-1820)

par Joseph CHINARD
Buste, terre cuite. H. 0,625 ; L. 0,44 ; Pr. 0,23.
Inscription : au revers : « PORTRAIT DU GENERAL/ KELLERMANN J.C.F. 1797. »
Historique : acquis en 1947 dans le commerce parisien.
Bibliographie : Recht-Geyer, 1988, p. 333, n° 351.
Strasbourg, musée des Arts décoratifs, palais Rohan (inv. S. 236).

Militaire depuis 1752, Kellermann était maréchal de camp (général de brigade) à la veille de la Révolution, malgré ses origines roturières. Devenu célèbre à la suite de la victoire de Valmy, il fut mis à la tête de l'armée des Alpes, avec laquelle il dirigea le siège de Lyon en 1793. Il demeura général en chef de cette armée jusqu'en 1797, date de sa suppression. Le quartier général de l'armée des Alpes se trouvait à Lyon. C'est dans cette ville que Kellermann rencontra Chinard, à qui il commanda vraisemblablement son portrait, achevé avant qu'il ne quittât son poste. Du moins est-ce ainsi que l'on peut imaginer les conditions de réalisation de ce buste, car aucun document ne vient pour le moment expliciter l'œuvre.
Mettant l'accent sur le caractère, voire la psychologie, le portrait de Kellermann, au modelé d'une sensibilité vibrante, apparaît comme une production encore marquée par l'esprit du XVIIIe siècle : le piédouche, généralement abandonné durant la Révolution au profit de l'hermès, la présence des pupilles qui animent le visage, en font foi. Nous sommes loin ici des héros antiques que s'est plu à sculpter le néoclassicisme.
Outre ce buste, Chinard a représenté Kellermann une seconde fois en 1808, avec un médaillon en terre cuite, également conservé à Strasbourg. A cette époque, le général de la République était devenu maréchal d'Empire et duc de Valmy. J.Be.

633
Le Prince Frédéric-Josias de Saxe-Cobourg-Saalfeld (1737-1815)

par Ferdinand JAGEMANN
Huile sur toile. H. 2,53 ; L. 1,62.
Historique : provient du château d'Ehrenburg à Cobourg.
Munich, Bayerische Verwaltung der Staatlichen Schlösser, Gärten und Seen, prêté aux Kunstsammlungen der Veste Coburg
(inv. Schoß Ehrenburg M 532).

Ce portrait de général en chef, daté de 1814, représente le prince à l'âge de 77 ans ; il porte l'uniforme autrichien de maréchal, décoré de la Grand-Croix militaire de l'ordre de Marie-Thérèse. Le maréchal a une pose simple et

figée, qui rappelle les portraits officiels français de l'époque 1800 ; il se tient devant un paysage morne, encore assombri par un combat d'artillerie.
Le prince gagna ses premiers galons aux côtés des Autrichiens durant la guerre de Sept Ans. Maréchal et général d'Empire, il prit en 1793 le commandement des armées alliées de la Prusse et de l'Autriche durant la guerre de la première coalition. Malgré ses victoires sur l'armée française de la Révolution à Neerwinden, Louvain, Famars et Valenciennes, le généralissime et ses troupes, formées et équipées de manière traditionnelle, ne réussirent pas à l'emporter durablement sur les volontaires, qui constituaient une armée d'un nouveau type. En 1794, il dut se retirer de Belgique ; malade et déçu, il fit ses adieux.
Cette toile du peintre Jagemann de Weimar a sans doute été exécutée après la défaite de Napoléon par les coalisés. Le vieux général avait pu saluer avec satisfaction, un an avant sa mort, cette victoire sur les Français qui lui avait échappé. R.Sc.

634
Jean-Baptiste Kléber (1753-1800)

par François MASSON

Buste marbre. H. 0,660 ; L. 0,400.
Inscription : « KLEBER tué au Caire le 1800. »
Historique : commandé en 1800 ; exposé à Fontainebleau jusque sous Louis-Philippe ; exposé aux Tuileries jusqu'en 1871 ; rentré au Louvre.
Exposition : 1801, Paris, Salon, n° 444.
Bibliographie : Lejeaux, 1932, p. 136 ; Benoit, 1985, pp. 9-20 ; Soulié, t. I, p. 138 et p. 532 ; Lami, t. II, 1910, p. 120.

Paris, musée du Louvre, département des Sculptures (inv. M.R. 2647).

Lorsque Bonaparte s'installa aux Tuileries en 1800, il y fit effectuer des travaux de réfection par Percier et Fontaine et commanda parallèlement aux sculpteurs une série de bustes de généraux de la Révolution, hommage du grand bénéficiaire de la période à ses collègues morts depuis les débuts des guerres révolutionnaires. C'est ainsi que Taunay obtint le buste de Dugommier, Foucou celui de Dampierre, Dumont celui de Marceau, Boizot celui de Joubert et Delaistre celui de Hoche. Ces bustes s'inscrivaient dans une série de grands hommes, qui commençait à l'Antiquité pour s'achever à la Révolution. Peu après, l'annonce des morts successives de Desaix, de La Tour d'Auvergne et de Kléber, assassiné au Caire par un fanatique musulman, Suleyman, le 14 juin 1800, vint enrichir la commande, et Masson fut aussitôt chargé du buste du successeur de Bonaparte à la tête de l'armée d'Égypte (arch. du Louvre, S.-6).
Selon Jeanne Lejeaux, Masson avait été désigné en raison du portrait dessiné de Kléber qu'il avait réalisé avant le départ du général pour l'Égypte, en 1798. Malheureusement, cet auteur ne cite pas sa source.
Comme tous ses collègues, Masson se plia à la formule unitaire imposée par Vivant-Denon, directeur des musées : les bustes devaient être traités en hermès, à l'antique, et celui de Kléber est l'un des plus fidèles à ce type. En effet, à l'inverse du Dampierre de Foucou, revêtu de son uniforme, tout comme le Marceau de Dumont, Kléber est présenté nu, portant seulement un baudrier orné de foudres et d'étoiles. Pour échapper au hiératisme du modèle antique, Masson a tourné la tête de son buste vers la gauche, ce qui lui confère de l'énergie et de la vie.
Cette série de bustes de généraux, bientôt séparée de sa partie antique et moderne, fut régulièrement complétée jusqu'en 1809, par des figures de généraux tués durant les campagnes impériales.
Lorsque Louis-Philippe imagina de transformer le château de Versailles en musée de l'Histoire de France, il commanda une série de moulages de ces bustes. Le portrait de Kléber fut donc moulé en plâtre et l'œuvre se trouve aujourd'hui toujours exposée dans les galeries du château (inv. MV.532). Ayant quitté Fontainebleau où ils se trouvaient, les originaux en marbre furent alors exposés dans la salle des Maréchaux aux Tuileries, où peu d'entre eux échappèrent à l'incendie allumé par les Communards en 1871 durant la Semaine sanglante. Kléber est de ceux-ci. Il rentra alors dans les réserves du Louvre, et ne les a plus quittées depuis. C'est donc une véritable résurrection pour ce buste, que d'être exposé à l'occasion du bicentenaire de la Révolution.
J.Be.

635
Louis-Lazare Hoche (1768-1797)

par Simon Louis BOIZOT

Buste, plâtre bronzé. H. 0,410 ; L. 0,273 ; P. 0,173.
Historique : don de Georges Clemenceau au Louvre en 1921.
Exposition : 1939, Paris, n° 713.
Bibliographie : arch. Louvre, A[8] 1921, 15 décembre ; Vitry, 1922, n° 962 ; Vitry, 1922, t. I, pp. 85-87, repr. ; Vitry, 1922, pp. 19-29.

Paris, musée du Louvre, département des Sculptures (inv. R.F. 1759).

Jusqu'à l'entrée de ce buste en plâtre au Louvre, le portrait de Hoche n'était connu que par des exemplaires en biscuit, exécutés d'après l'unique original que possède le musée de Sèvres. Ce biscuit était vraisemblablement sorti de la manufacture de Nast, rue des Amandiers-Popincourt à Paris, car Hoche écrivait au général Mermet, le 26 ventôse an III (16 mars 1795), pour lui demander de prendre chez Nast plusieurs exemplaires de son buste. Sans en avoir la preuve formelle, il est à peu près certain que Boizot fut l'auteur du modèle. En effet, il donna à Sèvres plusieurs bustes, Bonaparte, Desaix, Joubert et deux médaillons de Hoche.
Le buste du glorieux général dut être exécuté d'après une empreinte de son masque mortuaire, prise au lendemain de son décès, alors que son armée, celle de Sambre-et-Meuse, se décidait à confier à Boizot un monument à Hoche, qui devait être érigé à Weissenthurm. Le sculpteur prit-il sur lui de réaliser ce buste tandis qu'il travaillait à la commande ? Cela est très probable. Toutefois, l'original du portrait n'est pas connu, et seul subsiste le plâtre du Louvre, œuvre assez lourde, et peu expressive qui ne traduit en rien le jugement porté par Napoléon sur Hoche, à Sainte-Hélène : « Hoche brûlait de ne pouvoir patienter. »
Ce buste non officiel n'empêcha pas Nicolas Delaistre d'obtenir la commande d'un buste de Hoche en 1800, destiné à orner le palais des Tuileries. Détruit dans l'incendie de 1871, ce portrait n'est plus connu que par un surmoulage en plâtre, réalisé par Jacquet vers 1827 (musée de Versailles, inv. L.P. 67). J.Be.

636
Jean-Charles Pichegru (1761-1804)

par François MASSON

Buste, marbre. H. 0,800, dont piédouche : 0,165 ; L. 0,600 ; P. 0,350.
Inscription : au revers : « MASSON F. 1797. »
Historique : acquis de M. Matelin le 13 juillet 1815.
Bibliographie : notice, 1837, p. 67, n° 454 ; Lejeaux, II, p. 136, repr.

Versailles, musée national du Château (inv. LL6-MV 5048).

Connu également par un plâtre conservé au musée d'Yverdon (Suisse), sans doute une réplique, plutôt que la maquette originale du buste, ce portrait de Pichegru fut réalisé par Masson au moment où le général prenait ses premiers contacts avec les activistes royalistes, en particulier avec Fauche-Borel.
Élu au conseil des Cinq-Cents, il se fit porter à la présidence par la majorité royaliste, mais fut proscrit au 18 fructidor an V (4 septembre 1797), et déporté en Guyane.
Pichegru était alors au faîte de la gloire. Pressentant parfaitement la faiblesse du gouvernement, qui laissait le champ libre à toutes les ambitions, il fut le premier général à tenter sa chance. Mais ce fut Bonaparte qui triompha en 1799.
Ayant comploté avec Cadoudal en 1804 contre le premier consul, il fut arrêté, et on le retrouva étranglé dans sa cellule.
Le buste de Masson, extrêmement énergique, représente Pichegru en héros antique. Bien qu'exécuté d'après nature, le dessein du sculpteur est de transfigurer le général, pour en faire une sorte de demi-dieu. L'idée était-elle de Masson ? Etait-elle de Pichegru ? La seconde hypothèse est la plus probable, quand on connaît l'arrivisme du général. Il n'empêche que ce buste apparaît comme un témoin tardif de la religion laïque mise en place sous la Terreur, mais il rejoint également la conception glorificatrice des images royales de l'Ancien Régime. Œuvre ambiguë — le héros n'étant pas encore mort —, le portrait de Pichegru est très révélateur de la carence gouvernementale du Directoire. J.Be.

Le Général prussien Charles-Guillaume Ferdinand de Brunswick (cat. 631).

Manuel Godoy, « Prince de la Paix » (cat. 638).

Le Maréchal autrichien de Saxe-Cobourg (cat. 633).

L'Archiduc Charles, maréchal autrichien (cat. 639).

Le Général néerlandais Daendels (cat.

Le Général Kellermann (cat. 632).

Le Général Pichegru (cat. 636).

Le Général Kléber (cat. 634).

Le Général Hoche (cat. 635).

637
Herman Willem Daendels (1762-1818)

par GROENIA

Médaillon ovale, gouache sur ivoire. H. 0,065; L. 0,054.

Amsterdam, collection Daendels.

Comme plus de dix mille autres patriotes, H. W. Daendels fut contraint de quitter le pays après la restauration du stathoudérat. C'était un homme qui éprouvait un grand besoin d'action : il fut chef de file du mouvement patriote dans sa ville natale Hattem et capitaine de la brigade gueldroise lors de la défense d'Amsterdam contre les troupes prussiennes. Dès 1789, il s'installa avec les siens à Dunkerque où il créa une entreprise qui se consacrait au commerce des armes. Daendels travailla avec ardeur à la création d'une « légion batave » spéciale qui aurait eu pour tâche de libérer sa patrie, mais il dut se contenter de commander le quatrième bataillon de la « Légion franche étrangère » (août 1792). Dans les années 1792-1795, Daendels prit part à l'avancée de l'armée du Nord, d'abord comme lieutenant-colonel et ensuite comme général de brigade, respectivement sous les ordres de Dumouriez et de Pichegru.
Le peintre Groenia était, tout comme Daendels, un émigrant néerlandais. On date le médaillon de 1792. B.K. et M.J.

638
Manuel Godoy Alvarez de Faria
(1767-1851)

par Mariano BRANDI, d'après Antonio Carnicero

Eau-forte. H. 0,574; L. 0,443.
Inscription : « El Principe de la Paz - Dibuxada por D. Antonio Carnicero, Pintor de Camara de S.M. y Academº de merito de la Rl de San Fernando Grabada por Mariano Brandi en 1796. »
Bibliographie : Paez Rios, 1983, t. I, p. 166.

Madrid, Biblioteca nacional (inv. I.H. 3806-4).

Favori de la reine Marie-Louise, devenu Premier ministre de Charles IV, Godoy avait entraîné l'Espagne dans une guerre contre la République française, qui prit fin le 22 juillet 1795 à la signature du traité de Bâle. Devenu prince de la Paix (Principe de la Paz), Godoy fut représenté par Mariano Brandi dans la plus pure tradition du portrait équestre espagnol, issue de Velasquez. J.Be.

639
L'Archiduc Charles (1771-1847)

par Joseph HICKEL

Huile sur toile. H. 1,90; L 1,30.
Historique : legs de l'ordre teutonique (?).

Vienne, Heeresgeschichtliches Museum (inv. BI 20.788).

Arborant l'uniforme de maréchal de camp, blanc comme toute l'armée autrichienne, l'archiduc Charles, troisième fils de l'empereur Léopold II, neveu de Marie-Antoinette est représenté vers l'âge de trente ans, autour de 1800, par le portraitiste officiel de la cour depuis Marie-Thérèse, Joseph Hickel.
A cette époque, l'archiduc Charles était le vainqueur de Jourdan, Moreau et Masséna, l'un des plus redoutables adversaires de la République puis de Napoléon, qui le battit à Wagram en juillet 1809. J.Be.

LE DÉPART DU VOLONTAIRE

640
Le Sacrifice à la patrie
ou *Le Départ du volontaire*

par Jean-Baptiste MALLET

Huile sur toile. H. 0,590; L. 0,715.
Historique : acquis par François Carnot pour le musée; don au musée lors de la création (1921).
Exposition : 1793, Paris, Salon, nº 35 (?).
Bibliographie : Vindry, 1967, repr.; Bordes, 1986, p. 303, fig. 2.

Grasse, musée d'Art et d'Histoire de Provence (inv. P. 88).

Spécialisé dans les scènes de genre peintes à la manière de Boilly, Mallet s'attacha durant la Révolution à la représentation d'événements patriotiques. Ses dessins représentant le *Mariage* et le *Divorce républicain* en particulier sont célèbres (musée Carnavalet).
Dans cette peinture, au groupe de droite, incarnant la Raison et la vertu civique, le peintre oppose à gauche le groupe des femmes et du vieillard, dont les attitudes se ressentent d'un sentimentalisme préromantique, marqué par Rousseau. La figure du vieillard en particulier est une variante des pères de famille peints par Greuze (cf. *Le Fils puni*, musée du Louvre). Dans cette œuvre se trouvent ainsi résumés tous les tiraillements intellectuels qui formèrent le fonds de la Révolution.
Les costumes sont encore ceux des débuts de la période révolutionnaire, ainsi que la décoration de la pièce et le mobilier. Il en est de même des uniformes de hussards portés par le volontaire et son camarade. Ces éléments permettent de penser que la peinture a été exécutée vers 1793. Il pourrait s'agir dans ce cas du nº 35 du Salon de 1793, mais les dimensions ne sont pas spécifiées dans le livret. Ainsi que le rappelle Philippe Bordes, Bruand, Hébert et Sjöberg pensaient pour leur part qu'il s'agissait du *Couple enlacé*, connu par la gravure de J.B. Guyard (1796) (Bibliothèque nationale, département des Estampes. Inventaire du fonds français. *Graveurs du XVIIIe siècle*, Paris, 1970, XI, p. 109, nº 27).
Le salon de 1793 avait vu d'autres artistes exposer des tableaux sur le même sujet. Citons Petit-Coupray (nº 103), dont l'œuvre est connue par la gravure, et Tourcaty, dont la peinture se rapprochait des allégories détournées : *Départ de Mars, précédé de la Terreur, pour la guerre.* J.Be.

641
Le Départ du volontaire

par un auteur anonyme

Huile sur toile. H. 0,730; L. 0,590.
Inscription : traces de signature à gauche.
Historique : acquis de M. Ancel en 1917.
Exposition : 1978, Tokyo, nº 128.
Bibliographie : Guide, 1932, p. 37; Marmottan, 1889; Mabille de Poncheville, 1928, p. 95; Marcus, 1976, p. 17, nº 6; Vovelle, t. III, 1986, p. 51; Rosenblum, pp. 88-89, fig. 91.

Paris, musée Carnavalet (inv. P. 1272).

Assez comparable dans sa conception à la peinture de Mallet, cette œuvre autrefois attribuée à Louis Watteau de Lille, puis à François, son fils, présente aussi quelques traits évoquant certaines œuvres de Doncre (cf. *Pierre-Louis-Joseph Lecocq et sa famille*, musée de la Révolution française à Vizille). Dans un intérieur bourgeois assez richement meublé, un garde national, portant l'uniforme des années 1792-1793, embrasse son épouse avant de partir pour l'armée. Reprenant une composition traditionnelle pour ce type de sujet, la scène des adieux, l'artiste cherche dans sa peinture à éduquer le public en lui montrant la déchirure de l'homme pris entre son devoir et ses sentiments. J.Be.

642
Le Départ des volontaires

par un auteur anonyme

Plume, encre brune, lavis gris et brun sur traits de pierre noire. H. 0,157; L. 0,196.
Historique : don de M. Aage Fersing en 1974; marque du musée en bas à droite (Lugt 1886).

Paris, musée du Louvre, cabinet des Dessins (inv. R.F. 35813).

Ce dessin, qui n'est pas sans évoquer le graphisme et l'esprit de certaines feuilles de Jean-Baptiste Wicar (élongation des figures, rapidité du trait), apparaît un peu particulier dans l'ensemble des œuvres produites sur le thème de l'engagement des volontaires. En effet, le moment représenté suit celui, plus traditionnel, des adieux, qui n'apparaît qu'au fond, sous l'arcade. C'est donc à un dédoublement d'une action que l'on assiste dans ce dessin.
À droite est érigé un arbre de la Liberté auquel est suspendue une pique avec un bonnet. Une

Le Départ du volontaire (cat. 640).

Départ du volontaire (cat. 641).

Le Départ des volontaires (cat. 642).

« *On doit à sa Patrie le sacrifice de ses plus chères affections* » (cat. 643).

Le Départ du soldat (cat. 644).

Le Dévouement à la Patrie (cat. 645). (Photographie avant restauration.)

bannière portant « Citoyens la patrie est en danger » donne le sens du dessin, qui serait incompréhensible sans cela. Le lion, symbole de force, permet de considérer cette feuille comme une scène située aux limites de l'allégorie et de la représentation véridique. J.Be.

643
On doit à sa Patrie le sacrifice de ses plus chères affections

---

par Pierre-Charles COQUERET, d'après Dutailly

Gravure en couleurs. H. 0,324; L. 0,257.
Inscription: au-dessous à gauche: «Dessiné par Dutailly», et à droite: «Gravé par Coqueret». Titré au-dessous, au centre. «A Paris, chez Gamble et Coipel.»
Bibliographie: Roux, t. V, p. 254, n° 30; Vovelle, t. III, 1986, p. 53.

Paris, Bibliothèque nationale, cabinet des Estampes (inv. AA 3 Rés.).

Déposée à Paris, le 24 thermidor an III (11 août 1795), cette gravure, très marquée par le style du XVIIIe siècle, s'inscrit dans la manière de Mallet ou de Boilly. A la légèreté des scènes de genre du règne de Louis XVI, la Révolution a substitué un esprit empreint de civisme.
Guère différente des autres œuvres traitant du même thème, cette gravure introduit cependant la figure allégorique de la Raison, destinée à contrebalancer le sentimentalisme des personnages.
Cette gravure fut publiée avec un pendant, *Il est glorieux de mourir pour sa Patrie*, décrivant le retour du jeune hussard blessé dans ses foyers. Ce type de composition en deux temps était traditionnel dans la scène de genre, depuis *Le Fils puni* de Greuze, exposé au Salon de 1761. J.Be.

644
Le Départ du soldat

---

par Jean-Baptiste ISABEY

Pierre noire et rehauts de couleur. H. 0,400; L. 0,330.
Historique: don Paul Fourché en 1907.

Orléans, musée des Beaux-Arts (inv. 794 B).

Contrairement aux autres artistes ayant représenté le départ du volontaire (Mallet, Lethière, l'auteur anonyme du musée Carnavalet), Isabey n'insiste guère sur le sentiment patriotique. Le sujet, lui, est surtout prétexte à dessiner une scène familiale, la mère tendant son enfant à son mari partant pour l'armée.
De même, Isabey ne représente pas la traditionnelle défaillance de l'épouse à l'instant de la séparation, comme c'est le cas chez Mallet en particulier. Aux yeux des contemporains en effet, ainsi que le rappelle W. Olander (*Pour transmettre à la postérité. French Painting and Revolution. 1774-1795*, Ann Arbor, 1984), la fermeté des femmes dans ces circonstances dramatiques était considérée comme contre nature. Dans le dessin d'Isabey, pourtant, la faiblesse a fait place chez la femme à la fierté, à l'admiration et au dévouement. L'enfant est là pour évoquer l'avenir, que son père partant à la guerre est chargé de préparer.
Revêtu de l'uniforme des dragons, le soldat a cependant plus l'air d'un homme touché par la conscription que d'un volontaire. Cette hypothèse permettrait de dater le dessin de 1798-1799, si elle se vérifiait.
Connu également par la gravure de Darcis, ce dessin possédait un pendant, *Le Retour du soldat dans ses foyers*. J.Be.

645
Le Dévouement à la Patrie

---

par un auteur anonyme

Huile sur toile. H. 0,530; L. 0,645.
Historique: don de M. G. Bernard en 1933.

Paris, musée Carnavalet (inv. P. 1560).

Cette petite peinture, longtemps demeurée dans les réserves du musée Carnavalet, aujourd'hui restaurée, présente de manière à la fois brutale et grandiose, un aspect du patriotisme révolutionnaire. Elle fait suite aux nombreuses œuvres traitant du départ du volontaire. Mais ici, le sujet est transfiguré par l'esprit civique du soldat amputé, dont le regard quasi religieux se tourne vers le drapeau.
La grandeur du militaire trouve son équivalent dans la fermeté des assistants, particulièrement les femmes. L'auteur de cette toile est peut-être à chercher parmi les élèves de David, dans la mouvance de Lesueur. Partant d'une scène anecdotique, d'un événement banal, le peintre parvient à transmettre des notions abstraites, amour de la Patrie, civisme, républicanisme, qui transforment l'œuvre en une sorte d'allégorie réelle. J.Be.

L'ARMÉE RÉPUBLICAINE

646
Le Capitaine Barthélemy (1765-1835)

---

par un auteur anonyme

Huile sur toile. H. 0,960; L. 0,785.
Historique: don au musée après 1903.
Exposition: 1979-1980, Paris, Arts décoratifs, n° 49.
Bibliographie: Mirimonde, 1959, p. 74, n° 235.

Gray, musée Baron-Martin (inv. 357).

Né à Gray en 1765, Nicolas-Martin Barthélemy est le type même de ces militaires engagés pendant la Révolution, qui poursuivirent leur carrière jusqu'au grade de général d'Empire, après s'être attachés à Bonaparte en Italie et en Égypte.
Le portrait du musée de Gray le représente en uniforme de chef d'escadron du régiment des guides, en Italie (1797). Son bicorne est orné d'une cocarde tricolore, tandis qu'à son ceinturon brille une plaque portant les insignes de la République.
Le peintre a sans doute connu le portrait de M. Antony, peint par Prud'hon en 1795 (musée de Dijon). En effet, le portrait de Barthélemy se présente d'une manière semblable, mais accompagné d'un cheval. Toutefois, on ne retrouve pas ici le sfumato et la poésie propres à Prud'hon. L'œuvre est au contraire objective, distante, et rappelle plutôt en ce sens les portraits peints par Laneuville. J.Be.

647
Jean-Baptiste Milhaud (1766-1833)

---

par un peintre de l'entourage de Jacques-Louis David

Huile sur toile. H. 1,170; L. 0,900.
Inscription: en bas à gauche: «Au conventionnel Milhaud son collègue David, 1793.»
Historique: don de la marquise Arconati-Visconti, en souvenir de son père, M.A. Peyrat, en 1913.
Expositions: 1935, Paris, n° 636; 1948, Paris, n° 39.
Bibliographie: Brière, 1924, n° 3063; Sterling-Adhémar, 1959, n° 565; Compin-Roquebert, t. III, p. 188; Holma, p. 132, n° 12; Guiffrey, 1913, pp. 40-43; Brière, 1945-1946, p. 172; Vovelle, t. IV, 1986, p. 64.

Paris, musée du Louvre (inv. R.F. 2061).

Élève du génie, Milhaud devint chef de la légion de la garde nationale d'Aurillac en 1791, ce qui lui permit de se faire élire à la Convention et de siéger sur les bancs de la Montagne.
Envoyé en mission auprès des armées des Ardennes et du Rhin, puis à la fin de 1793 auprès de l'armée des Pyrénées-Orientales (général Dugommier) en compagnie de Soubrany, il se révéla un Jacobin fervent et impitoyable, allant jusqu'à changer son prénom en Cumin, découvert dans le calendrier révolutionnaire (ce cas n'était pas isolé; citons Anaxagoras Chaumette, Anacharsis Cloots, ou Aristide Couthon; Fouché baptisa sa fille Nièvre; on mentionne un « Montagnard sansculotte », etc.).
Milhaud qui, comme Lacombe-Saint-Michel, fera plus tard une carrière de général d'Empire, est peint en uniforme de représentant en mission de la Convention. Personnage imposant et volontaire, il porte avec fierté les attributs de sa mission. La date de 1793 inscrite sur le tableau, bien qu'apocryphe, laisse cependant penser que le tableau fut réalisé alors que Milhaud se trouvait sur la frontière du Nord.
En effet, nous aurions eu dans le cas d'une peinture exécutée dans les Pyrénées, une date conforme au calendrier républicain.
Autrefois attribué à David lui-même, ce très beau portrait a été rapproché par Brière d'une miniature de Garneray, conservée au Louvre, copie d'après ce tableau. Estimant que l'artiste

Le Capitaine Barthélemy, chef d'escadron (cat. 646).

Le Conventionnel Milhaud, avec les insignes de représentant en mission (cat. 647).

Appel à la désertion, lancé par les Français, durant la première coalition (cat. 649).

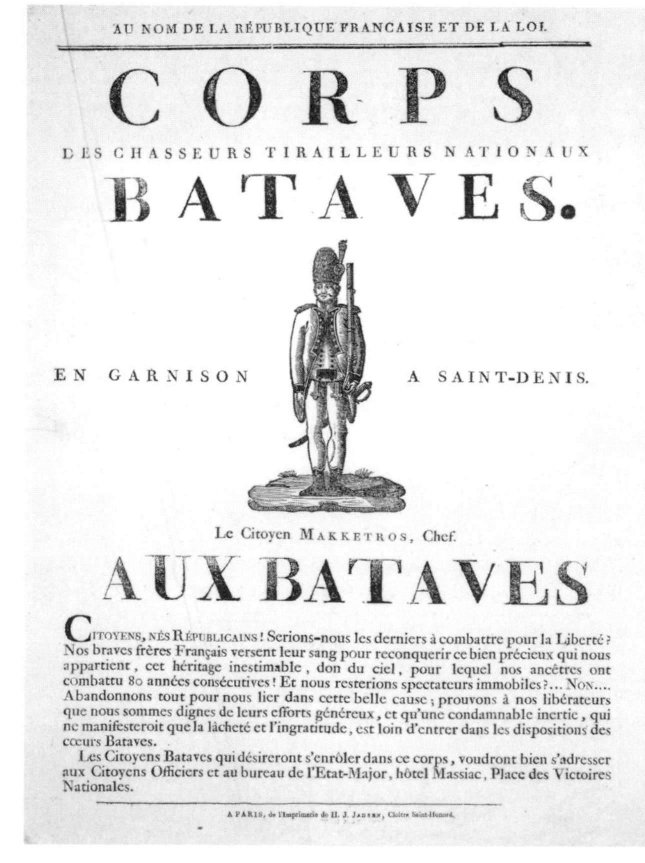

AU NOM DE LA RÉPUBLIQUE FRANCAISE ET DE LA LOI.

CORPS

DES CHASSEURS TIRAILLEURS NATIONAUX

BATAVES.

EN GARNISON A SAINT-DENIS.

Le Citoyen MAKKETROS, Chef.

AUX BATAVES

CITOYENS, NÉS RÉPUBLICAINS ! Serions-nous les derniers à combattre pour la Liberté ? Nos braves frères Français versent leur sang pour reconquerir ce bien précieux qui nous appartient, cet héritage inestimable, don du ciel, pour lequel nos ancêtres ont combattu 80 années consécutives ! Et nous resterions spectateurs immobiles ?... NON.... Abandonnons tout pour nous lier dans cette belle cause ; prouvons à nos libérateurs que nous sommes dignes de leurs efforts généreux, et qu'une condamnable inertie, qui ne manifesteroit que la lâcheté et l'ingratitude, est loin d'entrer dans les dispositions des cœurs Bataves.

Les Citoyens Bataves qui désireront s'enrôler dans ce corps, voudront bien s'adresser aux Citoyens Officiers et au bureau de l'Etat-Major, hôtel Massiac, Place des Victoires Nationales.

A PARIS, de l'Imprimerie de H. J. JANSEN, Cloître Saint-Honoré.

Appel aux Néerlandais résidant en France (cat. 650).

n'aurait pas omis la mention « d'après David », remarquant d'autre part certaines défaillances techniques sur la toile, il est le premier à avoir refusé à l'œuvre l'attribution à David. J.Be.

648
La Soirée du camp

Imprimé. Numéro 549.

Paris, Archives nationales (inv. AD. XX. 549).

Le général Doppet, très jacobin, avait proposé en 1793 de créer auprès de chacune des armées de la République, un comité de propagande, afin de garantir le civisme des soldats. En germinal an II (avril 1794), au moment de la suppression des ministères, Bouchotte, ministre de la Guerre, signalait qu'en une année il avait dépensé 450 000 F pour les abonnements aux journaux ; 118 000 F avaient été versés pour le seul *Père Duchesne*, ce qui avait irrité Danton contre Bouchotte. Pour enrayer l'influence d'Hébert sur les militaires, Carnot, chargé de la guerre au sein du Comité de Salut public, lança *La Soirée du camp*, feuille qui ne survécut pas à la Terreur. J.Be.

649
Appel à la désertion durant la première coalition

par F.B.

Eau-forte. H. 0,278 ; L. 0,315 (épreuve rognée).
Inscription : en bas à gauche « F.B. » ; au milieu : « Hundert Livres Leibrente » ; en dessous à gauche : « 100[b] de rente à ceux des soldats du despotisme qui/viendront s'enrôler sous les drapeaux de la liberté. Loi donnée à Paris le 3 août 1792 » ; à droite : « 100 livres leibrente für diejenigen Soldaten des Despotismus/welche sich unter die Fahnen der Freiheit begeben/Gesetz zu Paris am 3. ten august 1792 » ; en dessous : « Se trouve à Paris à l'Imprimerie du Cercle Social rue du Théâtre Français, N° 4. »
Exposition : 1984, Vienne, n° 5/21.
Bibliographie : Drugulen, 1863, juin 1792, n° 5335 (140).

Vienne, Historisches Museum der Stadt (inv. 110.543).

Des soldats français se tiennent sur la rive gauche du Rhin, désignée par une inscription bilingue comme « Terre de la Liberté et de l'Égalité » ; un bonnet jacobin est planté sur un mât devant leur tente. Sur la rive opposée on voit un soldat prussien recevoir la bâtonnade (« gratification Prussienne/Preussischer Gnadenlohn »). La ville, vue en silhouette à l'arrière-plan, ne correspond pas à une réalité géographique mais par son inscription « Vienne » symbolise le despotisme, assimilé à l'empereur, que combat la jeune République française. Les Français cherchent à encourager les désertions par des promesses de dons en argent. Le Cercle social, qui publiait ce véritable tract bilingue, était, en 1792, subventionné par les Girondins, qui avaient de fait la charge de mener la guerre qu'ils avaient contribué à déclencher. L.Po.

650
Affiche du « Corps de chasseurs tirailleurs nationaux bataves »

Imprimé. H. 0,53 ; L 0,425.
Bibliographie : Muller Atlas, t. II, 1876, n° 5248A (supplément).

Amsterdam, Rijksprentenkabinet, Rijksmuseum (inv. 5248A).

Cette affiche est un appel aux Néerlandais résidant en France ; elle leur demande de rejoindre l'armée française de libération dans le « Corps batave » sous le commandement du Hollandais Makketros. Cette légion batave constituée le 5 mars 1793 fut rapidement dissoute (le 6 novembre 1793). B.K. et M.J.

651
Caisse d'administration
du quatrième bataillon d'infanterie de la Légion franche étrangère

Bois. H. 0,44 ; L. 0,82 ; Pr. 0,47.

Amsterdam, collection Daendels.

Caisse de bataillon (vers 1793) provenant des possessions de la famille Daendels. B.K. et M.J.

L'ARMEMENT

652 A
Pièce de campagne de 12 et son affût
Système Gribeauval

Bronze, acier et laiton patiné. L. totale : 0,380 ; diamètre de la bouche : 0,020 ; L. des flasques : 0,550 ; diamètre des roues : 0,240.
Inscription : en avant du centre de gravité : « DIANE ».
Historique : collection du général Sorbier ; son neveu Frédéric Jean Flamen d'Assigny ; don au musée en 1850.
Exposition : 1985, Nevers, n° 1.

Nevers, Musée municipal (inv. N.M.M. 12 et N.M.M. 11).

L'ensemble de la collection de modèles réduits système Gribeauval du musée de Nevers appartenait au général Sorbier, ancien élève à l'École de Brienne, sous-lieutenant en 1783, devenu général en l'an III (1795), qui fit toutes

Caisse d'administration d'un bataillon de la Légion batave (cat. 651).

les campagnes de la Révolution et de l'Empire avant de succéder à Lariboisière, puis à Éblé, tous deux morts d'épuisement à Königsberg en 1812 à leur retour de Russie, comme premier inspecteur général de l'artillerie (29 mars 1813).
À l'échelle de 1/6, ces modèles réduits permettent de se faire une idée très précise des capacités et de la maniabilité des canons du système établi par Gribeauval, premier inspecteur de l'artillerie à la fin du règne de Louis XV, système dont l'application réelle remonte à 1791.
Sorbier forma une compagnie d'artillerie légère, dite volante qui, à Valmy, eut une grande part dans la victoire. On le retrouva ensuite à Toulon, où, exécutant les ordres de Bonaparte, il concentra son artillerie sur le fort de l'Aiguillette.
Le canon de 12 était la plus grosse pièce du système Gribeauval. Sa portée, à 6 degrés, était de 1715 mètres.
Réformé une première fois an l'an XI (1803), le système Gribeauval disparut sous Louis-Philippe, remplacé par le système Valée (du nom du maréchal comte Sylvain-Charles Valée (1773-1846). J.Be.

652 B
Canon de campagne de 12
Système Gribeauval

Bronze, bois, fer. H. 1,50 ; L. totale : 4,00 ; L. canon : 2,20.
Inscription : sur le bandeau de culasse : « PERIER Frères. PARIS An II. A.N. ».

Paris, musée de l'Armée (inv. N. 182).

La pièce de 12, la plus grosse du système Gribeauval adopté le 19 décembre 1764, était dite « de réserve ». Elle n'était pas en effet, comme les canons de 8 et de 4, répartie *a priori* entre les divisions, mais était attribuée en renfort selon le déroulement de la bataille, de même que l'obusier de 6 pouces.
L'exemplaire présenté ici sur un affût du même système, mais réalisé en 1820 à l'arsenal de Metz, fut coulé en 1793-1794 dans la fonderie industrielle de Chaillot, créée dans le cadre de l'économie étatisée de la Terreur par les frères

Modèle réduit d'un canon, système Gribeauval (cat. 652 A).

Canon de campagne, système Gribeauval (cat. 652 B).

Affût-traîneau des campagnes d'Italie (cat. 653).

Canon autrichien (cat. 654).

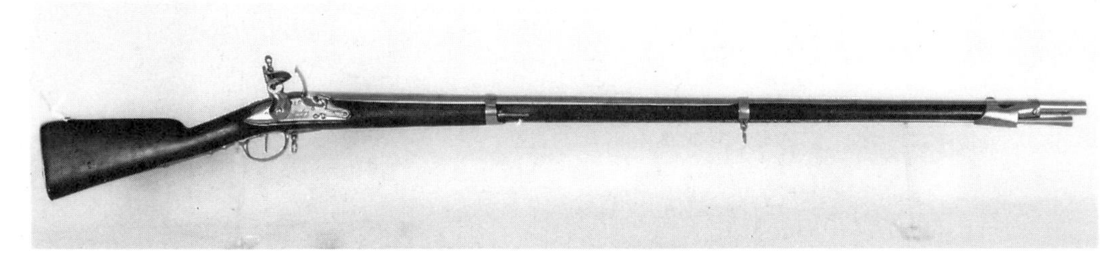

Fusil d'infanterie modèle 1777 (cat. 655).

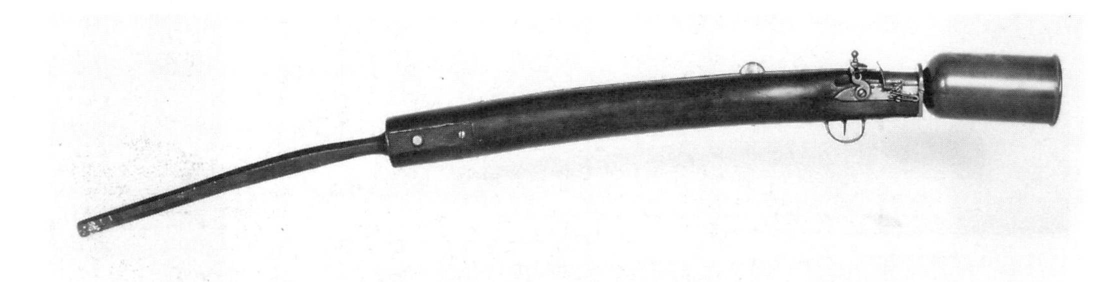

Grenadier à main, genre de lance-grenades (cat. 656).

Sabre « petit Montmorency » d'officier des volontaires nation
(cat. 657, détail).

Sabre « petit Montmorency » d'officier des volontaires nationaux (cat. 657).

ue de fusilier d'infanterie modèle 1791 (cat. 658).

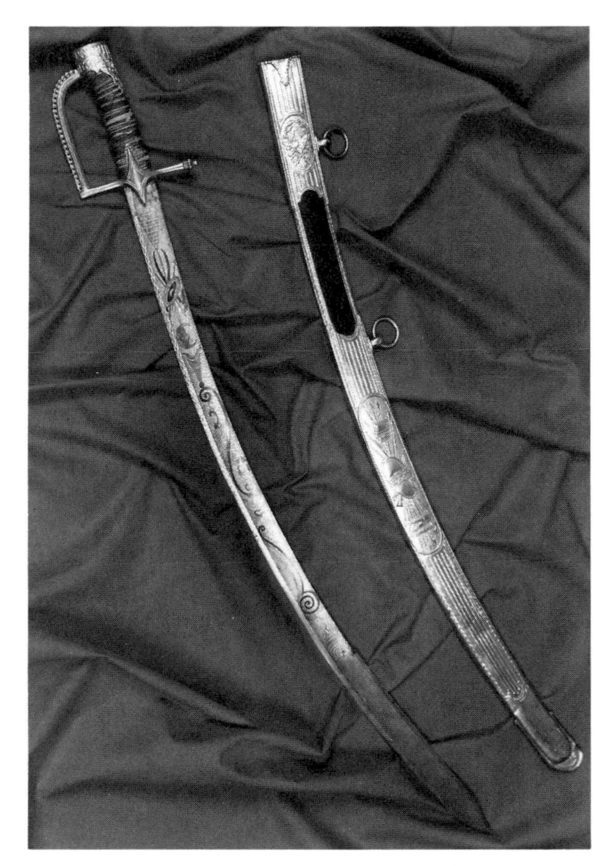

Sabre du général Kellermann et son fourreau (cat. 661).

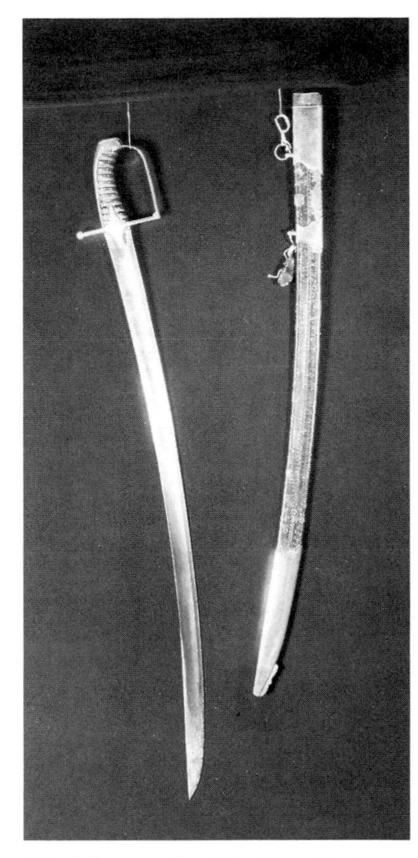

Sabre d'honneur du général Daendels (cat. 662).

Mitre d'un régiment russe lors de la campagne de 1799 (cat. 659).

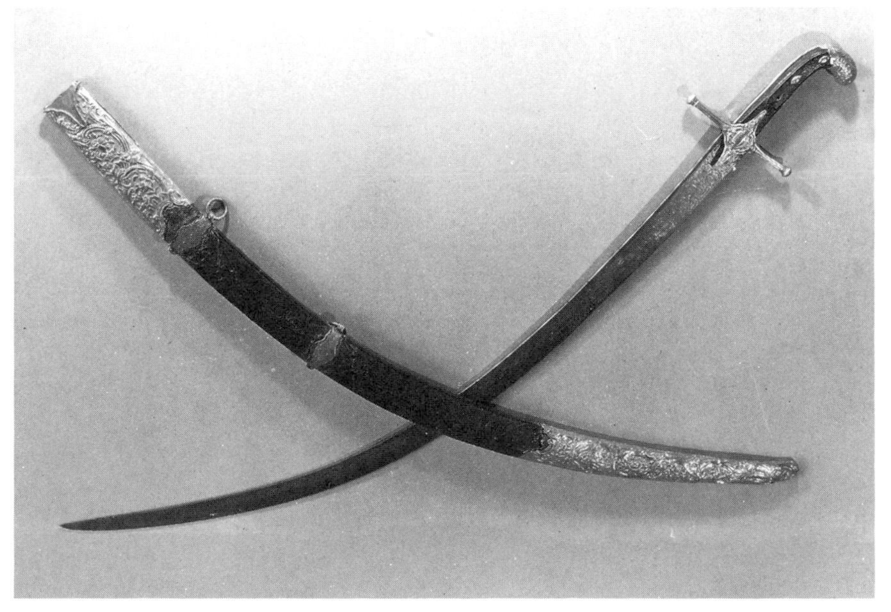

Sabre de Bonaparte à Aboukir (cat. 663).

Bonnet de police d'un soldat français (cat. 660).

Périer, industriels de la région de Grenoble. Les lettres A.N. (Armes Nationales) sont gravées pour rappeler l'effort militaire fourni par la France de l'an II.
La hausse de visée « en verrou », modèle 1791, fait défaut, tout comme les accessoires amovibles de l'affût, à l'exception de la chaîne d'enrayage.

653
Affût-traîneau des campagnes d'Italie
(1796-1800)

Bois, fer. H. 0,70; L. 1,70; P. 1,00.
Historique : à l'arsenal de Vincennes en 1873.

Paris, musée de l'Armée (inv. N. 215).

Dans son système d'artillerie, Gribeauval n'avait pas défini de transport spécifique pour les pièces de 8 et de 12. Les conditions particulières des opérations transalpines conduisirent au développement de différents moyens de transport. On utilisa ainsi des procédés de fortune (billes de bois évidées lors du passage du Grand-Saint-Bernard le 20 mai 1800 ; *cf.* le dessin du Louvre attribué à Charles Meynier, inv. R.F. 3157), ou des matériels non réglementaires comme ce traîneau.

654
Canon autrichien, pièce de 3

Fin du XVIIIe siècle.

Canon lisse, poignées lisses, encloué.

Bronze. L. 1,27; calibre : 0,075.
Bibliographie : Gabriel, 1984, n° 34.

Vienne, Heeresgeschichtliches Museum (inv. 81.303).

655
Fusil d'infanterie modèle 1777

Manufacture royale de Maubeuge.

Fer et noyer. L. 1,515; L. du canon : 1,138; L. de la platine : 0,160; calibre 1,870.
Inscription : sur la culasse du canon : « 1777/1786 ».
Poinçon sur la platine : A couronné (contrôleur Alexandre).
Historique : achat du musée en 1929.

Paris, musée de l'Armée (inv. 04539).

Le fusil à silex modèle 1777 était la première arme de série à faire l'objet d'une fabrication industrielle. Subissant plusieurs modifications en l'an XI (1803), 1816 et 1822, il équipera l'armée française jusqu'en 1840, date de l'apparition du fusil à percussion. C'est ce fusil qui sera utilisé durant les guerres de la Révolution et de l'Empire.
L'innovation de cette arme à feu est due à Gribeauval, qui en uniformisa la fabrication, fixant aux manufactures un cahier des charges précis, accompagné de « modèles déposés ».
Le fusil ici exposé est du deuxième type de fabrication (1786), comportant un canon caractérisé par cinq pans courts.

656
Grenadier à main d'époque révolutionnaire

Bronze, bois et fer. L. totale : 1,490; L. du fût de bois : 0,800.

Platine à silex portant l'inscription : « Manufacture de Libreville ».

Paris, musée de l'Armée (inv. 6370).

Ce genre de lance-grenades est une innovation du maréchal de Maillebois, en prévision de la campagne d'Italie de 1745-1746 (guerre de Succession d'Autriche). Fabriqué massivement à partir de 1747, il était essentiellement prévu dans la composition des équipages de montagne.
La première forme était celle d'un fusil-obusier. Par la suite, les formes se diversifièrent allant du pistolet-obusier, au grenadier à hampe, tel que celui qui est ici exposé.
Cette hampe, tenue à la main, prenait appui sur le sol. Ces grenadiers — celui-ci a effectivement servi — tiraient des grenades explosives sphériques d'un calibre de 4 (84 millimètres), et avaient une portée pratique de 250 mètres. Ce grenadier date vraisemblablement de l'an II, la municipalité de Charleville ayant changé de nom durant la Révolution pour prendre celui de Libreville (ce fut aussi le cas de Marseille, Lyon, Toulon, etc.).
Le grenadier à main est l'ancêtre du tromblon lance-grenades à fusil apparu en 1917. J.Be.

657
Sabre « petit Montmorency »
d'officier des volontaires nationaux

Bronze et acier doré. Fourreau en cuir et en laiton. L. totale : 0,850; L. lame : 0,710.
Exposition : 1987, Vizille, Paris, n° 39.
Bibliographie : Ariès, 1970, fasc. 4, fig. 1.

Paris, musée de l'Armée (inv. P. O. 2708).

Ce modèle de sabre, dit « petit Montmorency à coquille », ainsi nommé en raison de sa lame « à la Montmorency », issue de celles des sabres de dragons de la guerre de Sept Ans (à deux pans creux sur toute la longueur), connut une grande vogue dès la fin de l'Ancien Régime. Mais son heure de gloire apparut avec la Révolution. Lorsque la garde nationale se mit sur pied, dès le 17 juillet 1789, le « petit Montmorency » devint son arme de prédilection. « Attribut essentiel de la souveraineté populaire » (Soboul), la pique, et particulièrement le « petit Montmorency », concurrençait avantageusement l'épée, emblème de la noblesse.
La coquille s'ornait de différents motifs décoratifs, qui affirmaient le civisme du possesseur du sabre. On rencontrait des Bastille, des lions, images de la force, et plus tard, des Liberté, des trophées militaires, des coqs, symboles de la République. (*Cf.* cat. exp. : *Aux Armes, Citoyens ! Les sabres à emblèmes de la Révolution*, Vizille, musée de la Révolution française et Paris, Archives nationales, 1987).
Notre sabre présente pour sa part sur sa coquille un emblème maçonnique, le triangle, surmonté du bonnet phrygien et entouré de rameau d'olivier, avec cette devise : *Vaincre ou mourir pour la Loi.*
Devant la demande qui s'établit dans ce domaine bien particulier de l'emblématique révolutionnaire, les manufactures ne purent fournir assez de sabres, et les gardes nationaux firent très rapidement appel aux producteurs privés. J.Be.

658
Casque de fusilier d'infanterie
modèle 1791

Cuir et laiton, turban de peau, chenille d'ours. H. 0,30; L. 0,30; Pr. 0,30.

Paris, musée de l'Armée (inv. Gb 24896).

Prescrit par l'Instruction provisoire du 1er avril 1791, ce casque devait coiffer les fusiliers et les chasseurs de la ligne et de l'infanterie légère. Il remplaçait le casque à cimier de 1770, jugé trop dispendieux. Lui aussi jugé trop cher, sa fabrication fut arrêtée en 1795, et l'infanterie reprit le traditionnel chapeau de feutre.

659
Mitre du régiment des grenadiers de Iekaterinoslav

Cuir, drap jaune et laiton. H. 0,300; L. 0,250; P. 0,250.
Historique : collection Edouard Detaille; legs au musée de l'Armée en 1912.

Paris, musée de l'Armée (inv. 0223 et Hb 58D).

Cette mitre au chiffre du tsar Paul Ier (1797-1800), portant la devise « Snami bog » (Dieu est avec nous), constitue un rare exemplaire de coiffure du régiment d'Iekaterinoslav, basé en Lituanie, et qui, aux ordres du lieutenant général Rimski-Korsakov, participa à la campagne russe de 1799.
Lors de la seconde bataille de Zurich, les 25 et 26 septembre 1799, un bataillon de ce régiment assurait la garde du quartier général de Korsakov. La mitre ne disparut qu'en 1805, lorsque le tsar Alexandre Ier réorganisa l'armée. Elle fut alors remplacée par le shako.

660
Bonnet de police

Drap brodé de fils de soie. H. 0,300; L. 0,250; P. 0,200.
Historique: don du chef de bataillon Blanc en 1929.
Paris, musée de l'Armée (inv. Gb. 1013[2]).

Ce bonnet à longue pointe triangulaire en drap bleu, recouvert à la base de drap rouge, est caractéristique des coiffures militaires des soldats au cantonnement.
Ornée d'une cocarde tricolore et brodée sur le devant d'un emblème républicain avec faisceau et bonnet phrygien encadré de deux drapeaux, cette coiffure est probablement celle d'un volontaire des années 1792-1794. Le numéro 17 correspond sans doute au régiment auquel appartenait le propriétaire de ce bonnet.

ARMES DE PRESTIGE ET D'HONNEUR

661
Sabre de Kellermann et son fourreau

Garde en bronze doré, fuseau de bois recouvert d'une toile et de filigranes de cuivre doré, lame courbe à l'orientale dorée aux deux tiers et bleuie. Fourreau en bronze doré à deux vues de cuir noir et deux bélières. L. totale: 1,023; L. sabre: 0,985; L. fourreau: 0,880.
Historique: général Kellermann; général Rigaud; sergent de Gaulle; ses héritiers; vente 21 juin 1966; comte d'H...; achat du musée en 1985.
Exposition: 1892, Reims.
Vizille, musée de la Révolution française (inv. 85.605; sabre, 85.605.1, fourreau, 85.605.2).

Authentifié en 1892 par la princesse Ginetti, née Henriette de Valmy, petite-fille du maréchal Kellermann, à l'occasion de l'exposition du centenaire de la bataille de Valmy, ce sabre paraît bien être celui que portait le général le 20 septembre 1792. Après un violent combat d'artillerie, formant ses troupes en colonnes pour l'assaut, Kellermann brandit son sabre à la pointe duquel il avait placé son chapeau et s'écria : « Vive la Nation », clameur reprise par toute l'armée, qui surprit les Prussiens et détermina la victoire.
Bien que ne possédant aucun attribut révolutionnaire, ce sabre qui date des dernières années de l'Ancien Régime est un objet hautement symbolique de la Révolution. J.Be.

662
Sabre d'honneur du général Daendels

Poignée en cuivre, fourreau en cuir, garniture en cuivre.
Inscription: « Pour la Liberté, l'Egalité et la Fraternité. »
Hattem, Streekmuseum.

Ce sabre d'honneur appartint au général Daendels (cat. 637).

663
Sabre de Bonaparte à Aboukir

Acier, bronze. L. du sabre: 0,970; L. du fourreau: 0,870.
Historique: offert par Napoléon au général Bertrand en 1814; offert à la ville en 1840.
Bibliographie: cat. Châteauroux, 1874, p. 83; Beulay, 1910, p. 214, n° 1168; cat. Châteauroux, 1942, p. 29.
Châteauroux, musée Bertrand (inv. 794).

Offert par Napoléon au général comte Henri-Gratien Bertrand (1773-1844) lors des adieux de Fontainebleau en 1814, ce sabre oriental fut donné en 1840 à la ville de Châteauroux par le général, avant qu'il prenne part à l'expédition du retour des cendres de l'empereur. Une lettre de Bertrand, datée de Toulon (7 juillet 1840), annonce au maire de Châteauroux le don de ce sabre et de trois décorations ayant appartenu à Napoléon. La remise de ces objets fut effectuée par le frère du général, Bertrand-Boislarge. Remportée sur les Turcs le 7 thermidor an VII (25 juillet 1799), la bataille d'Aboukir permit d'effacer le souvenir du désastre de la flotte française détruite par Nelson sur le même site le 14 thermidor an VI (1er août 1798). C'est en cette occasion que Kléber, arrivé trop tard pour participer à l'action, s'élança vers Bonaparte en s'écriant : « Général, vous êtes grand comme le monde ! » Ce sabre, porté par Bonaparte lors de la bataille, est un élément de l'ensemble des objets militaires orientaux mis à la mode au moment de la campagne d'Égypte, et dont le régiment des dromadaires, mis sur pied par arrêté du 20 nivôse an VII (9 janvier 1799) demeure l'aspect le plus célèbre. J.Be.

LE THÉÂTRE DES GUERRES

664
Carte de la France Divisée en Départemens et Districts

plan gravé par d'HOUDAN
Burin et aquarelle. H. 0,530; L 0,630.
Inscription: « Vérifiée au Comité de Constitution. Dédiée et Présentée à l'Assemblée Nationale Constituante en l'Année 1790. »
Paris, Archives nationales (inv. NN 65/7).

Cette carte, qui reproduit la France administrative découpée selon les départements (décret du 22 décembre 1789), représente en outre la division militaire du pays. Quatorze armées avaient été créées par les Révolutionnaires, qui évoluèrent avec les événements. C'est ainsi que l'armée des Côtes-de-Cherbourg et celle des Côtes-de-Brest formeront sous les ordres de Hoche, en 1795, une armée de l'Ouest, qui deviendra armée de l'Océan en décembre 1795 par annexion de l'armée des Côtes-de-La Rochelle.
Avec le développement des républiques sœurs, on créera de nouveaux corps sous le Directoire : armées d'Helvétie, de Hollande, du Danube, d'Égypte, etc. J.Be.

665
Théâtre de la Guerre
ou *Carte des Frontières de la République Française et de l'Empire d'Allemagne*

par C.F. Delamarche
Gravure au burin. H. 0,740; L. 1,010.
Inscription: « A Paris, rue du Foin S. Jacques. An 1793 ».
Paris, Archives nationales (inv. NN 27/4).

Cette carte, dressée par le géographe Delamarche en 1793, permet de visualiser le théâtre des guerres sur la frontière du Nord. On relève les noms d'Hondschoote, de Fleurus, de Wissembourg, lieux des grandes victoires de la République. J.Be.

666
Bombardement de Lillè
pendant le siège de 1792

par François-Louis-Joseph WATTEAU de Lille
Huile sur toile. H. 0,650; L. 0,820.
Inscription: en bas à droite : « J. Watteau 1794 ».
Historique: acquis en 1903 par le Louvre; déposé à Versailles en 1942.
Bibliographie: Constans, p. 135, n° 4654; Marcus, p. 24, n° 105, fig. XLI; Vovelle, 1986, t. III, p. 169.
Versailles, musée national du Château (inv. L 41830 - M.V. 5601).

La scène se déroule à la fin de septembre ou au début d'octobre 1792. Les Autrichiens, commandés par le duc Albert de Saxe-Teschen, arrivèrent devant Lille le 23 septembre et dès le 25, la ville était déclarée en état de siège. Le bombardement, qui atteignit surtout les faubourgs de Saint-Sauveur, cessa le 6 octobre, lorsque la nouvelle de la victoire de Valmy fit refluer les Autrichiens sur tous les fronts.
Dès la fin de l'année 1792, Louis Watteau (1731-1798), enthousiasmé par la République, proposait au district de Lille de peindre plu-

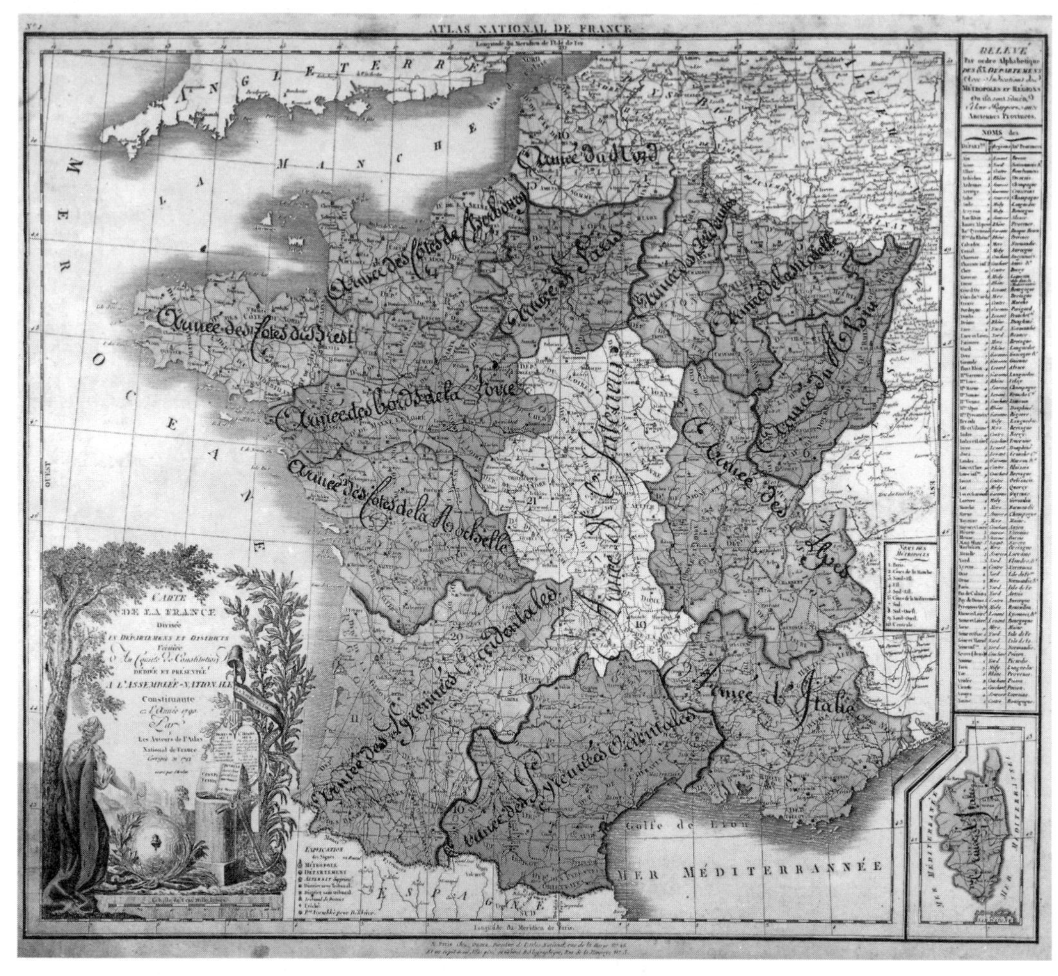

Carte des départements et districts français avec la répartition géographique des quatorze armées révolutionnaires (cat. 664).

Bombardement de Lille par les Autrichiens pendant le siège de 1792 (cat. 666).

troduction des Anglais dans le port de Toulon, août 1793 (cat. 667 A).

Évacuation des Anglais du port de Toulon (cat. 667 B).

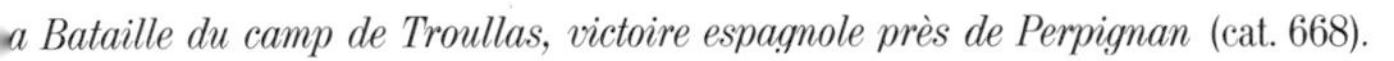

a Bataille du camp de Troullas, victoire espagnole près de Perpignan (cat. 668).

Drapeaux enlevés par les Espagnols à l'armée française pendant la guerre de 1793 (cat. 669).

Épisode de la guerre franco-espagnole dans les Pyrénées (cat. 670).

sieurs tableaux pour sa salle de réunion. Il s'agissait du bombardement de Lille, de la proclamation du décret de la Convention, de la fédération de Lille en 1790, de l'érection de l'obélisque de la Convention et de la bataille de Jemappes. Seul fut retenu le bombardement de Lille pour des raisons d'économie, mais Watteau réalisa également la proclamation (tous deux au musée des Beaux-Arts de Lille).
Trois années avant son père Louis, François Watteau peignit également le siège de Lille. Sur ce tableau, l'arrière-plan, éclairé par le feu traversé par les boulets, le clocher de l'église Saint-Sauveur se détache sur le ciel. C'est encore lui que l'on voit sur le tableau de Louis Watteau, *La Proclamation dans les ruines de Lille du décret de la Convention « Les habitants de Lille ont bien mérité de la Patrie »* (Lille, musée des Beaux-Arts). Le bombardement de ce quartier populeux fit dire aux méchantes langues que les Autrichiens avaient eu soin d'épargner les quartiers aristocratiques situés à l'ouest de la ville.
Au premier plan, dans la pénombre, François Watteau a placé différents personnages s'activant sous les explosions : on emporte quelques biens pour fuir le bombardement, on soigne les blessés, dont le maire André, pansé par un chirurgien.
Autant Louis Watteau avait cherché dans son tableau de 1797, à donner un aperçu topographique du siège, en représentant dans une vue panoramique les installations militaires autrichiennes, autant François Watteau se fait l'interprète du bombardement vu de l'intérieur de la ville. Il témoigne de la vie des habitants du quartier Saint-Sauveur, prétexte à peindre l'anecdote, dans un esprit proche de la peinture flamande du XVIIe siècle. J.Be.

667 A
Introduction des Anglais dans le port de Toulon

par François et André FERAUD

Plume et lavis gris. H. 0,590 ; L. 0,810.
Inscription : en bas à gauche : « Andreas Feraud invenit et pinxit », et en bas à droite : « Franciscus Feraud filius delineavit. »
Historique : don de la Société artistique du Var en 1861.
Exposition : 1985, Toulon.
Bibliographie : Ginoux, n° 297 ; Forget, 1983.

Toulon, musée (inv. 970-10-2).

667 B
Évacuation du port de Toulon par les puissances coalisées

par François et André FERAUD

Plume et lavis gris. H. 0,590 ; L. 0,810.
Inscription : en bas à gauche : « Andreas Feraud invenit », et en bas à droite : « A.F. Feraud filius invt. »
Historique : don de la Société artistique du Var en 1861.
Exposition : 1985, Toulon.
Bibliographie : Ginoux, n° 297 bis ; Forget, 1983.

Toulon, musée (inv. 970-10-1).

Livrée aux Anglais de l'escadre de l'amiral Hood par les habitants, les 27 et 28 août 1793, Toulon fut délivrée grâce à Bonaparte le 29 frimaire an II (19 décembre). Ce sont ces deux événements clefs de l'histoire de la ville durant la Révolution que Féraud a représentés dans ces deux dessins, qui furent gravés.
Ces œuvres topographiques, assez naïves, offrent une excellente reconstitution du port à la fin du XVIIIe siècle. De ces visions objectives ne ressortent ni un sentiment dramatique ni une vision militaire des faits, permettant soit de traduire l'horreur de la situation, soit de comprendre comment les armées républicaines de Dugommier investirent la ville. J.Be.

668
La Bataille du camp de Troullas

Eau-forte. H. 0,284 ; L. 0,401.
Inscription : « Vista de la batalla del Cam.^po de Troullas. » Annoté au crayon en bas à droite : « 1793/1780 ».

Madrid, Biblioteca nacional (inv. 14844).

Le général Dagobert ayant remporté plusieurs succès contre les Espagnols, fut nommé général en chef de l'armée des Pyrénées-Orientales en septembre 1793, en remplacement de Barbentane. Mais, dès le 22 septembre, il se faisait battre par le général del Rossellon au camp de Troullas, près de Perpignan.
C'est cette bataille que représente notre gravure, image naïve de tendance topographique. J.Be.

669
Drapeaux et bannières enlevés à l'armée française pendant la guerre de 1793

par un auteur anonyme

Gravure au burin. Épreuve colorée. H. 0,215 ; L. 0,310.
Inscription : « N.S. DE ATOCHA. / VISA D. LAS BANDAS I. BANDERAS QUE HAN COGIDO LOS ESPAÑOLES / EN LA GUERRA CONTRA LOS FRANCESES EL A. D. 1793. REYNADO CARLOS IV. / LAS QUE FUERON PUESTAS EN LA REAL CAPILLA D. N. S. COMO ESTA AQUI. / N° 1 la bandas. / N° 2 las Banderas de la libertad ô la muerte. / N° 3 Estandarte de Caballería con el mismo titulo. / N° 4 un Gorro atravesado de un balazo sin haber herido â la / persona por milagro de N.S. »
Bibliographie : Carrete-Diego-Vega, 1985, t. I, n° 173.

Madrid, Biblioteca nacional. (inv. 70.896).

Sans doute très abusive — les Espagnols n'ayant guère fait de prouesses dans la guerre contre la République — cette gravure représente les drapeaux pris aux Français en 1793, entourant une image de la Vierge, tels qu'ils furent exposés dans la chapelle Notre-Dame de Atocha, située à proximité du palais royal de Madrid. J.Be.

670
Épisode de l'armée des Pyrénées - bataille du Boulou

par Jacques GAMELIN

Huile sur panneau. H. 0,348 ; L. 0,592.
Historique : don de M. Lapret en 1859.
Exposition : 1938, Carcassonne, n° 24.
Bibliographie : Labor, 1890, n° 74 ; Yché, 1900-1901, p. 143 ; David, 1928, p. 125.

Béziers, musée des Beaux-Arts (inv. 74).

Connue également par un dessin conservé au musée de Narbonne, cette composition panoramique fut réalisée alors que Gamelin, devenu militaire, était attaché à l'armée des Pyrénées-Orientales comme peintre de l'état-major du général Dugommier, que l'on voit au centre du tableau sur un cheval cabré.
L'œuvre représente la bataille du Boulou, qui se déroula le 12 floréal an II (1er mai 1794), et au cours de laquelle les Français s'emparèrent du camp des Espagnols du général La Union.
La guerre dans les Pyrénées comporta peu de grandes batailles, mais fut surtout composée de brillants coups de main comme celui-ci. Sur le tableau de Gamelin, tandis que la cavalerie charge les Espagnols à droite, les Catalans, à gauche, manifestent leur joie en brandissant leurs bonnets.
Plus qu'une œuvre de reportage topographique, cette peinture apparaît comme un véritable acte de foi républicaine. Gamelin ne se contentait pas de prendre des croquis de combats auxquels il assistait. Il les recomposait en atelier pour en tirer des « monuments » de civisme. J.Be.

671
Plan général du blocus et du siège de Mayence

Manuscrit en couleurs. H. 0,865 ; L. 0,805.
Echelle : 1/19107.
Inscription : « Fait par la garnison, achevé à Pont-à-Mousson le 18 août 1793. »
Exposition : 1987, Paris, Archives nationales, n° 115.

Paris, Archives nationales (inv. AF IV 1955²).

Prise par Custine le 21 octobre 1792, la ville de Mayence, occupée par 22 000 volontaires commandés par Kléber et Aubert-Dubayet, subit un siège très difficile à partir d'avril 1793, mené par 40 000 Prussiens. Plus que les tranchées ennemies déployées le long des fortifications à la Vauban élevées par les Français, ce fut la famine qui eut raison de la garnison. Celle-ci capitula le 22 juillet avec les honneurs

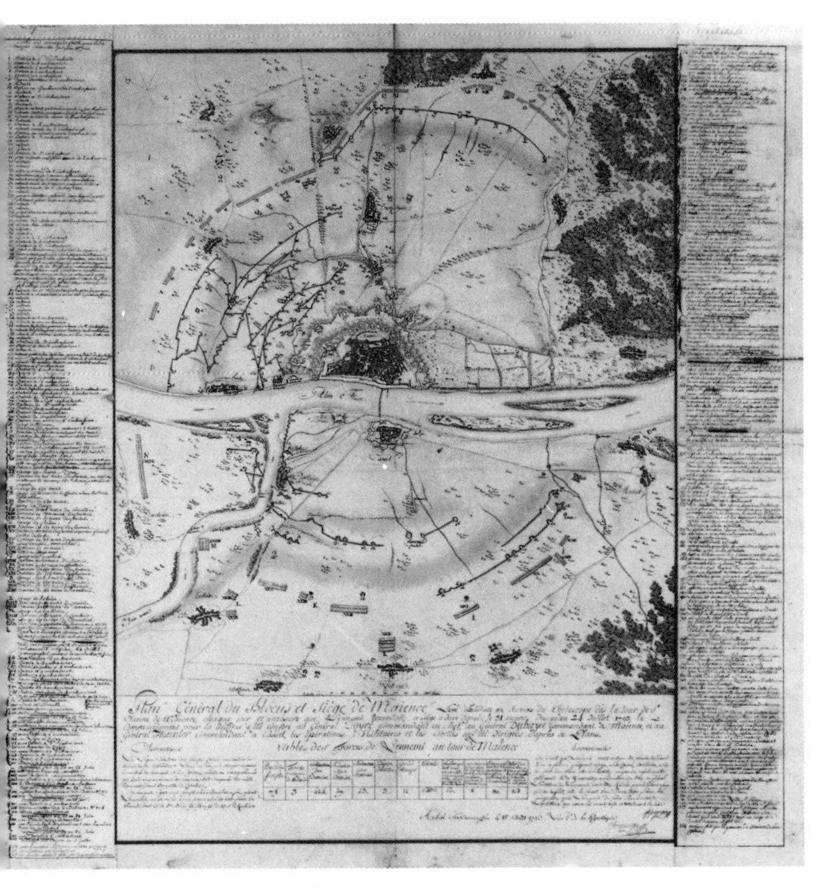

n général du blocus et du siège de Mayence (cat. 671).

Le Siège de Mayence en 1795 (cat. 672).

La République de Mayence

C'est grâce à la protection des armées révolutionnaires françaises qui, en septembre-octobre 1792, progressèrent depuis la place forte de Landau en direction du Rhin sous le commandement du général Custine, que naquit en neuf mois, dans la région située entre Landau et Bingen, la première république en terre allemande. Les Allemands favorables aux idées de la Révolution française eurent alors l'occasion de faire preuve de leur sympathie à l'égard des événements qui se déroulaient dans le pays voisin, non plus seulement en publiant certains écrits mais en s'engageant activement dans l'action politique.

Avant 1789 déjà, Mayence, où régnait Carl Friedrich von Erthal, prince électeur éclairé, était devenue un centre où se rencontraient ceux qui soutenaient les idées radicales des Lumières. Marqué par la Révolution française, Erthal opéra une volte-face politique, qui aboutit à la création d'une opposition contre son régime de plus en plus despotique ; de cette opposition émergea, après l'arrivée de Custine et la fuite de la cour princière, le club des Jacobins de Mayenne, « Société des amis de la liberté et de l'égalité ».

C'était Georg Wilhelm Böhmer, secrétaire de Custine, qui avait appelé à la fondation de ce club. Anton Josef Dorsch et Friedrich Cristoph Cotta qui, influencés par la Révolution française, avaient émigré à Strasbourg et espéraient maintenant pouvoir jouer un rôle politique dans la patrie de Custine, apportèrent une contribution essentielle dans la mise en place du club de Mayence ; celui-ci vit affluer de nombreux adhérents jusqu'en décembre 1792, date à laquelle il connut son apogée avec presque cinq cents membres. Le professeur de droit naturel, Andreas Hofmann, et le fameux navigateur autour du monde et savant rationaliste, Georg Adam Forster, en furent élus présidents (cat. 897). Les activités de cette société, qui n'était pas formellement associée au club jacobin de Paris mais entretenait des contacts étroits avec ce dernier, consistaient avant tout à s'exercer à des comportements démocratiques et à faire de l'agitation politique. Les discours qui y étaient tenus presque tous les soirs étaient ensuite diffusés sous forme de tracts à travers la ville et le pays.

En dehors de leurs activités au sein du club, les révolutionnaires de Mayence se livrèrent avec frénésie au journalisme. Peu après l'entrée des armées françaises, on vit paraître sept journaux d'inspiration rationaliste et démocratique ; les idées de la Révolution furent également diffusées sous forme de vers, de poèmes et de chants. Enfin, on érigea des arbres de la Liberté qui étaient prétexte à des fêtes populaires et à une agitation politique pour servir la cause de l'ordre nouveau. Le 18 novembre, le général Custine créa une administration générale dirigée par Dorsch et Forster pour l'ensemble de la zone d'occupation, ainsi que des administrations municipales pour Mayence, Worms et Spire. L'une des principales missions de cette nouvelle structure consista à préparer les élections pour la Convention nationale allemande du Rhin qui eurent lieu en février-mars 1793 ; suite à une campagne d'obstruction des contre-révolutionnaires sur les formalités de vote et à une suppression trop lente des vieilles institutions, seuls treize pour cent environ de la population put participer à ces élections qui comprenaient également une prestation de serment sur la nouvelle Constitution. La Convention nationale allemande du Rhin, premier organe représentatif jamais élu en terre allemande, put néanmoins se réunir pour la première fois le 17 mars 1793. Présidée par Hofmann, la Convention déclara solennellement l'abolition de la féodalité et la fin de l'appartenance au Reich pour la région de Landau à Bingen. Consciente qu'un petit État démocratique indépendant ne pourrait ▶

▶ survivre à long terme, l'Assemblée décida quelques jours plus tard de se faire rattacher à la France et envoya une demande d'annexion à Paris. Cettre requête, transmise par une délégation dirigée par Forster, fut acceptée à l'unanimité par la Convention nationale de Paris le 31 mars 1793.

Cependant l'ombre de l'armée prussienne planait déjà sur la mise en place de la République de Mayence et sur son rattachement à la France. Dès le 2 décembre 1792, les Français avaient dû se retirer de Francfort et le 10 avril, les troupes prussiennes entreprirent le siège de Mayence. La ville fut reprise le 23 juillet et c'est ainsi que se termina cette brève expérience d'une république sur le sol allemand. Une partie des démocrates allemands qui l'avaient soutenue comme Hofmann, Dorsch, Wedekind et Eickmeyer, purent fuir vers l'Alsace voisine ; d'autres en revanche comme Blau, Metternich et Böhmer, restèrent dans les geôles prussiennes jusqu'à la paix de Bâle en 1795. Georg Forster qui ne put quitter la France, empêché par les événements de la guerre, mourut à Paris en 1794.

Katrin Kusch

Bibliographie

Franz Dumont, *Die Mainzer Republik von 1792-1793. Studien zur Revolutionierung in Rheinhessen und der Pfalz.*, Alzey, 1982.

Deutsche Jakobiner-Mainzer Republik und Cisrhenanen, Mayence, 1981.

Heinrich Scheel (Hrsg.), *Die Mainzer Republik. Protokolle des Rheinisch-Deutschen Nationalkonvents...*, 2 vol., Berlin, 1981.

Les aérostiers de la République

En 1793, la République française est en péril, le sol de la patrie est menacé par l'Europe coalisée. Les découvertes les plus récentes sont mises à contribution pour sa défense. Sur la proposition de Gaspard Monge, le Comité de Salut public crée la « Commission des épreuves » chargée de l'étude des applications de la science aux intérêts de l'État. Elle regroupe plusieurs savants : Monge, Berthollet, Carnot, Lavoisier, Fourcroy, Guyton de Morveau.

Ce dernier propose d'utiliser les ballons dont la naissance ne remonte en France qu'à dix années pour observer les mouvements de l'ennemi. Peu après la mort du général Meusnier, le 13 juin 1793, près de Cassel, le Comité de Salut public fait rechercher les plans de son dirigeable imaginé en 1785. Monge les retrouve à Cherbourg, mais après examen, on recule devant sa construction, étant donné les moyens de l'époque. On choisit une voie plus simple : le Comité de Salut public remet à Guyton de Morveau le ballon saisi dans les biens d'un émigré, à charge pour lui d'en définir la meilleure utilisation. La seule restriction qu'il se voit imposer est de ne pas se servir d'acide sulfurique pour la préparation de l'hydrogène, le soufre étant rare et réservé à la fabrication de la poudre. Le chimiste Coutelle est chargé de renouveler en grand l'expérience de Lavoisier : obtenir de l'hydrogène par le passage d'eau sur de la limaille de fer portée au rouge dans un four de briques.

Le ballon réparé est gonflé aux Tuileries. Les essais sont une réussite. Le Comité de Salut public ordonne alors la construction d'un ballon captif pouvant emporter deux observateurs.

Nicolas Conté, le père des crayons, qui avait suppléé Coutelle, est désigné pour prendre la direction des opérations au Château-Vieux de Meudon. Il a laissé le témoignage de ses travaux dans un album de magnifiques aquarelles, qui font partie des collections du musée de l'Air et de l'Espace.

Le 2 avril 1794 (13 germinal an II), la Convention arrête la création d'une compagnie d'aérostiers placée sous les ordres de Coutelle nommé capitaine ; celui-ci est ainsi le premier officier d'aéronautique de tous les temps. La compagnie est formée d'un lieutenant, d'un sergent-major faisant fonction de quartier-maître, d'un sergent, de deux caporaux et de vingt hommes. Ce nombre est porté par la suite à une cinquantaine de personnes. Le même arrêté fixe l'uniforme des aérostiers ; il s'inspire de celui du génie. Le 3 mai 1794, la compagnie nouvellement formée et instruite rejoint l'armée Sambre-et-Meuse commandée par le général Jourdan.

Le ballon captif *l'Entreprenant*, retenu au sol par deux cordages, s'illustre à Maubeuge assiégé par les Autrichiens, puis après une sortie de nuit, il est transporté, gonflé, au prix de grands efforts, jusqu'à Charleroi, qui est occupé grâce aux renseignements qu'il fournit. L'épisode le plus connu est celui de la bataille de Fleurus le 26 juin. *L'Entreprenant* tient l'air toute la journée, renseignant l'état-major de Jourdan et le représentant Saint-Just installé au moulin de Jumet. Le baron de Selle de Beauchamp, officier aérostier, rapporte dans ses mémoires : « L'aspect de cette magnifique tour, improvisée au milieu d'une plaine où rien ne gênait l'observation, avait porté une espèce de découragement parmi les soldats étrangers qui n'avaient aucune idée d'une chose pareille. »

D'autres ascensions ont lieu encore au cours des combats et devant les succès remportés, le Comité de Salut public crée, le 23 juin 1794, une seconde compagnie d'aérostiers ayant des effectifs semblables à la première.

Personne ne met plus en doute l'utilité des aérostats. Le 31 octobre 1794 (10 brumaire an III) est établie par décret l'École nationale d'aérostation de Meudon sous la direction de Nicolas Conté. Plusieurs ballons sont construits ; on retiendra leurs noms inspirés par l'idéologie révolutionnaire de l'époque : *le Martial, l'Émule, le Céleste, l'Industrieux, le Précurseur, le Svelte, le Vétéran, l'Agile.*

La seconde compagnie entre en opération en 1795 en Allemagne ; la première compagnie continue à suivre l'armée du Nord, ascensionnant à Bruxelles et à Liège. Malheureusement, Jourdan, qui protège le flanc de l'armée du Rhin, est battu à Wurtzbourg, le 3 septembre 1796 ; la place tombe entraînant la capture de la première compagnie et de son ballon *l'Hercule.*

Les aérostiers sont libérés par le traité de Leoben en avril 1797. Mais la guerre de mouvement nuit à une bonne utilisation des ballons, qui exigent de nombreuses réparations et la construction d'un four de maçonnerie pour la préparation de l'hydrogène.

Bonaparte utilise encore le matériel d'aérostation au siège de Mantoue en 1796 mais le corps des aérostiers demeure le plus souvent dans l'inaction, cantonné à Strasbourg. En 1797, Conté et Coutelle insistent néanmoins vivement auprès du général Bonaparte pour l'envoi d'aérostiers en Égypte. Après son accord, une compagnie est formée à partir d'éléments des deux compagnies. Hélas, tout le matériel des aérostiers disparaît avec le naufrage du navire *le Patriote* en rade d'Alexandrie et la destruction du vaisseau amiral *l'Orient* à Aboukir en août 1798. Le personnel est reconverti à des tâches techniques ; Conté et Coutelle retrouvant alors leur vocation de savants, explorent les richesses de l'Égypte. Au retour de la campagne, les deux compagnies sont définitivement supprimées le 28 janvier 1799. L'école de Meudon est fermée. L'École du génie de Metz, chargée de conserver ses traditions, ne maintient en fait aucun enseignement théorique ni pratique. C'est l'abandon pur et simple malgré quelques vaines tentatives épisodiques de reconstruction d'une aérostation militaire.

Il faut attendre soixante-dix ans pour que soit créé à nouveau en France un corps d'aérostiers militaires.

Alain Dégardin

de la guerre. En revanche, il lui fut interdit de combattre la coalition pendant un an. C'est la raison pour laquelle elle fut envoyée en Vendée.
Mayence devait être assiégée une seconde fois en 1795 par Kléber qui, souhaitant sans doute prendre sa revanche, ne parvint cependant pas à faire tomber la ville. J.Be.

672
Le Siège de Mayence en 1795

par Nicolas-Jacques CONTÉ

Plume, encre noire et aquarelle sur traits de pierre noire. H. 0,543; L. 0,406.
Historique: Ecole du génie de Metz jusqu'en 1870; palais de Fontainebleau; retrouvé en 1876 par Tissandier dans les archives du parc aérostatique de Chalais-Meudon (ministère de la Guerre).
Expositions: 1978, Münster; 1983, Paris.
Bibliographie: Bruel, 1909, repr. pl. 154; Grand-Carteret et Delteil, repr. p. 73; Dollfus et Bouché, 1942, p. 48; Cornu-Thénard, 1955, repr. pl. XIII.

Le Bourget, musée de l'Air et de l'Espace (inv. 3805).

Ville-symbole de la pénétration des idéaux révolutionnaires en Allemagne, Mayence avait été érigée en République en février 1793, dominée par les Jacobins locaux, Hofmann et Forster. Mais le premier siège de la ville, qui capitula en juillet, mit fin à ce rêve libertaire.
À la suite des victoires obtenues durant la Terreur, les Français pénétrèrent à nouveau en Rhénanie. Marceau prenait Coblence le 2 brumaire an III (2, 3 octobre 1794), tandis que Kléber, chassé de la ville en 1793, mettait le siège devant Mayence en frimaire (décembre).
Le dessin de Conté représente *l'Entreprenant*, aérostat captif, utilisé durant le siège pour surveiller les mouvements ennemis (avril 1795). Le général Meusnier commandait la 2e compagnie d'aérostiers, dans laquelle servait le commandant Coutelle, monté dans le ballon. Ce dessin ne fut pas réalisé d'après nature, comme c'est le cas des feuilles montrant la fabrication des aérostats à Meudon. Conté l'exécuta d'après les indications de Coutelle. Il recrée donc un paysage avec la ville de Mayence, et le général représenté à cheval, échangeant des signaux avec les officiers du ballon, est sans doute Lefebvre, qui servait alors sous les ordres de Kléber. Coutelle avait combattu les projets de Conté, qui préconisait des parties fixes pour attacher l'aérostat au sol. Ici, le ballon est retenu par des soldats qui tirent sur les cordes. Nous savons par son carnet de souvenirs, que Coutelle avait préféré ce procédé plus souple à celui de Conté. Plus qu'un dessin à caractère technique, cette feuille se veut surtout le témoin des innovations apportées dans la conduite de la guerre par les Révolutionnaires. J.Be.

673
Engagement près de Fontaine-l'Évêque en mai 1794

par un auteur anonyme

Huile sur toile. H. 0,595; L. 0,785.
Historique: provient de la collection de la famille du lieutenant général et comte Maximilian Latour qui participa à la campagne de 1794; vente chez Dorotheum à Vienne, septembre 1980, n° 432; acquis en 1980 par le musée.

Vienne, Heeresgeschichtliches Museum (inv. EB-N° 1980-68).

Fontaine-l'Évêque, situé à environ dix kilomètres de Charleroi, avait déjà été attaqué par les Français les 11 et 12 mai 1794; les 28 et 29 mai, ils livrèrent à cet endroit et près de Piéton une bataille aux Autrichiens pour pouvoir passer la Sambre et assiéger Charleroi le 31 mai. Le 3 juin, les troupes autrichiennes menèrent un combat victorieux contre 40 000 à 50 000 Français et réussirent à desserrer l'étau autour de Charleroi. Mais après le quatrième siège, Charleroi dut capituler le 25 juin. Cette peinture a été attribuée à Johann Christian Brand (1722-1795). Elle est en tout cas de la même main qu'une série de tableaux de batailles des guerres de coalition qui appartiennent au prince du Liechtenstein.
A droite de la ville fortifiée, on voit l'infanterie et la cavalerie autrichiennes dans un engagement avec les troupes françaises, qui traversent le fleuve vers le milieu du tableau. Les troupes impériales avancent en lignes selon la tactique traditionnelle. L.Po.

674
Le Général Daendels faisant ses adieux au lieutenant-colonel C.R.T. Van Krayenhoff à Maarssen

par Adriaan De LELIE et Egbert VAN DRIELST

Huile sur bois. H. 0,45; L. 0,60.
Bibliographie: cat. Amsterdam, 1976, n° A 2231.

Amsterdam, Rijksmuseum (inv. A 2231).

Le 18 janvier 1795, Daendels, à la tête de la division la plus avancée de l'armée du Nord, avait atteint Maarssen. Daendels, convaincu que la révolution qui donnerait naissance à la république devait avoir lieu avant la venue des Français, y rencontra quelques membres du comité révolutionnaire d'Amsterdam. Il fut décidé d'envoyer Krayenhoff à Amsterdam en éclaireur afin de préparer le renversement de la municipalité avant l'arrivée des troupes françaises (un jour plus tard). Ce tableau montre le moment où Daendels (debout au milieu et à l'avant-plan) fait ses adieux à Krayenhoff qui se tient à droite.
Les personnages sont peints par De Lelie (voir également le portrait de Jan Nieuwenhuizen, cat. 376), le reste est peint par Van Drielst plus connu comme paysagiste. B.K. et M.J.

675
Les Remparts et la porte d'Utrecht

par Jacob CATS

Lavis noir, gris et blanc sur papier teinté. H. 0,421; L. 0,592.
Bibliographie: Bakker, 1978, p. 96.

Amsterdam, Gemeentelijk Archiefdienst (Service des archives communales) (inv. G 5 - 2).

Ce dessin de 1795 montre l'entrée dans Amsterdam, le 19 janvier 1795, de « l'armée de libération » française, transie et exténuée; celle-ci gagnait les casernes en bois situées dans la ville en passant par la porte d'Utrecht. B.K. et M.J.

676
Entrée des Français à Amsterdam

par Jean DUPLESSI-BERTAUX

Plume, encre noire et lavis gris. H. 0,105; L. 0,155.
Historique: collection Paul Oulmont; legs à la ville en 1913; déposé au musée départemental en 1920.
Bibliographie: Philippe, 1929, p. 138, n° 22.

Épinal, musée départemental des Vosges (inv. D. 1920-1922).

Le 19 nivôse an III (8 janvier 1795), l'armée du Nord, aux ordres de Pichegru, passait le Waal gelé, et pénétrait en Hollande. Après une courte campagne, aidée également par les adversaires du stathouder, elle faisait son entrée à Amsterdam le 30 nivôse (19 janvier), cependant que le gouvernement se réfugiait en Angleterre. Le général Daendels, qui servait sous les ordres de Pichegru, pouvait déclarer: « Amsterdam est de plain-pied avec Paris », faisant allusion à la fois au gel qui durcissait les fleuves et aux idées révolutionnaires. La République batave était finalement proclamée le 15 pluviôse (3 février) an III.
Seul le relâchement de l'encadrement politique des militaires avait permis à Pichegru d'agir à sa guise. C'était la première entorse faite à l'autorité de la Convention. Bientôt l'ambition personnelle des généraux ne connaîtra plus de bornes, et Bonaparte sera le grand bénéficiaire de la carence gouvernementale du Directoire.
Ce dessin est préparatoire à la gravure à l'eau-forte publiée dans les *Tableaux historiques de la Révolution française*, œuvre entreprise par le graveur Berthault, d'après les dessins de Jean-Louis Prieur. Après la mort de ce dernier, exécuté avec Fouquier-Tinville, il fit appel à Swebach-Desfontaines et à Duplessi-Bertaux. Le tirage, signé « J. Duplessi Bertaux inv. 8 Sculp. 1798 », est conservé à la Bibliothèque nationale (Ef. 133 fol.). (*Cf.* Roux M., *Inv. du fonds français*, t. VIII, p. 319, n° 383.) J.Be.

Engagement franco-autrichien près de Fontaine-l'Evêque en mai 1794 (cat. 673).

Le Général Daendels faisant ses adieux à Krayenhoff, envoyé à Amsterdam pour préparer le nouveau gouvernement révolutionnaire batave (cat. 674).

Entrée de l'armée française à Amsterdam, par Duplessi-Bertaux (cat. 676).

Entrée de l'armée française à Amsterdam, par le Néerlandais Cats (cat. 675).

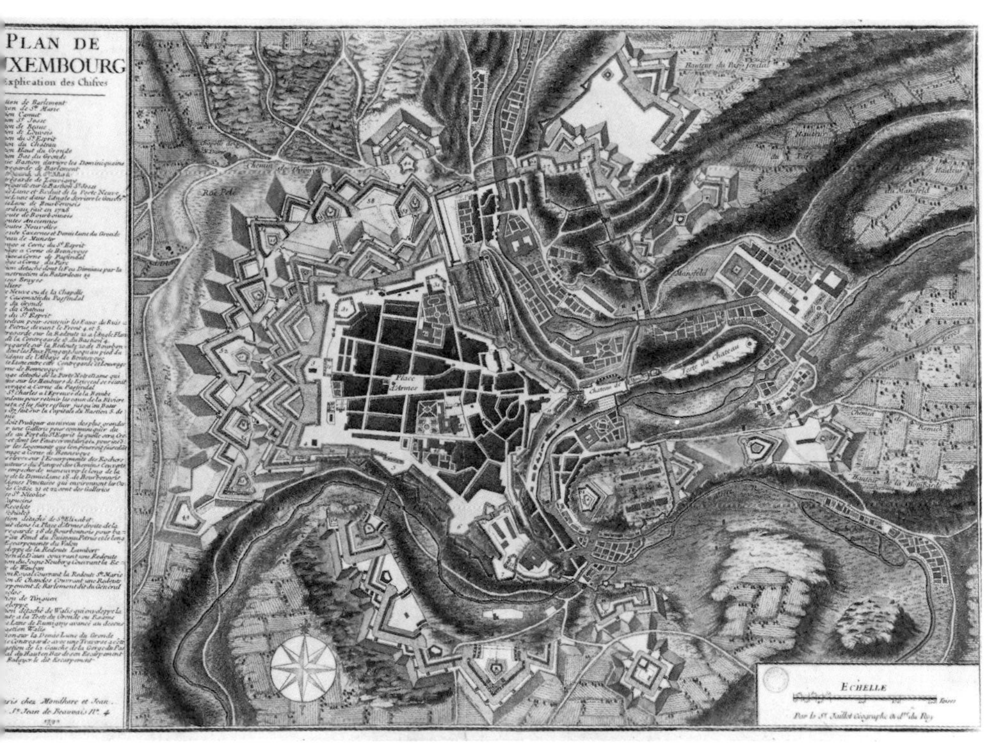

de la ville et de la forteresse de Luxembourg (cat. 677 B).

de la ville et de la forteresse de Luxembourg (cat. 677 A).

Capitulation de la garnison autrichienne de Luxembourg (cat. 677C).

uation de la tête de pont d'Huningue, sur le Rhin, par les troupes françaises (cat. 678).

677 A
Vue de la ville et forteresse de Luxembourg

par un auteur anonyme

Estampe. H. 0,22; L. 0,335.

Luxembourg, musée national d'Histoire et d'Art (inv. 3-37).

Cette estampe date des environs de 1790.

677 B
Plan de la ville et forteresse de Luxembourg

par B.-H. JAILLOT

Estampe. H. 0,423; L. 0,58.

Luxembourg, musée national d'Histoire et d'Art (inv. 3-18a).

L'édition de ce plan date de 1790.

677 C
Capitulation de Luxembourg

par un auteur français anonyme

Estampe. H. 0,315; L. 0,445.
Inscription : « Dessinée et gravée par un Volontaire français du Camp. »

Luxembourg, musée national d'Histoire et d'Art (inv. 3-64).

La gravure montre les vainqueurs français, entre autres le général Hatry, recevant la capitulation des officiers autrichiens, ainsi que plusieurs soldats français (nos 10) « qui se f't deux ».
La capitulation de la garnison autrichienne eut lieu le 7 juin 1795, après un siège de plus de six mois. G.Th.

678
Évacuation de la tête de pont d'Huningue par les troupes françaises

par Christian von MECHEL

Estampe coloriée. H. 0,316; L. 0,422.
Inscription : « A Basle chez Chret[n] de Mechel 1797. »

Zurich, Musée national suisse (inv. LM 30931).

La campagne de l'an IV en Allemagne n'ayant pas porté ses fruits, en raison de l'absence de coordination entre Jourdan (armée de Sambre-et-Meuse) et Moreau (armée de Rhin-et-Moselle), qui n'effectuèrent pas leur jonction, les troupes françaises se replièrent derrière le Rhin. Le général Abbatucci soutint à Huningue un siège de trois mois contre les 25 000 Autrichiens du duc de Furstenberg, pour assurer la défense de la frontière du Rhin. Blessé le 30 novembre 1796, il devait mourir le 2 décembre. Ses troupes sortirent de la ville avec les honneurs de la guerre. C'est cet événement que relate la gravure de Mechel. L'offensive reprit en mars 1797, quand Hoche remplaça Jourdan à la tête de l'armée de Sambre-et-Meuse. J.Be.

679
Le Serment des 1 500 Républicains à Montenesimo en 1797

par Joseph Anton KOCH

Estampe. H. 0,385; L. 0,677.
Inscription : en bas à gauche : « Comp. et gravé par Koch à Rome » ; au milieu : « Serment fait, le 21 Germinal an 4e, par 1500 républicains attaqués par une armée de deffendre la redoute important de Montenesimo ils remplissent leur Serment ; et la Victoire la plus Complette fût remportée par l'armée francaise » ; en bas : « Se vend à Nuremberg, chés Jean Fréderic Frauenholz. 1797. »
Exposition : 1980-1981, Hambourg, n° 387.
Bibliographie : Lutterotti, 1985, p. 39, fig. 246 ; Becker, 1971, p. 82, fig. 149.

Vienne, Graphische Sammlung Albertina (inv. ÖK Koch fol. 19)

Koch, autrefois membre du club des Jacobins de Strasbourg, réunit sur cette estampe la harangue tenue par Bonaparte avant la bataille et le serment prêté par les 1 500 soldats du général Rampon de verser au combat jusqu'à leur dernière goutte de sang.
La composition (on en connaît une version par Jean-Baptiste Wicar) est influencée par le *Serment des Horaces* de David, qui fut exposé à Rome en 1784, ville où Koch réalisa cette gravure. L.Po.

680 A
Départ des volontaires viennois au combat

par August ZENGER, d'après Johann Adamek

Eau-forte coloriée. H. 0,312; L. 0,404.
Inscription : « Joh. Adamek del. Aug. Zenger x. » ; en dessous : « Auszug der trenen Wiener / zu der allgemeinen Landesvertheidigung, am 17ten April 1797. »
Exposition : 1982, Vienne, n° 221.

Vienne, Historisches Museum der Stadt (inv. 55. 564).

La levée des volontaires viennois fut ordonnée après la chute de Mantoue (2 février 1797), alors que non seulement l'Autriche proprement dite mais même sa capitale étaient menacées par les Français. Mais ces troupes ne prirent pas part aux combats car dès la fin du mois de mars commençaient les pourparlers qui aboutirent au traité de Leoben (18 avril 1797). Des hymnes et des cantates furent consacrés aux volontaires de la levée de 1796-1797 par Rautenstrauch (musique de Süssmayer) et Lorenz Leopold Haschka. Les juifs participèrent aussi financièrement à cet effort de guerre (*cf.* cat. exp. : *Wien 1800, Empire und Biedermeier*, Vienne, Hist. Museum der Stadt, juin-octobre 1969, n°s 18-22). L.Po.

680 B
Retour des volontaires viennois en mai 1797

par August ZENGER, d'après Johann Adamek

Eau-forte coloriée. H. 0,346; L. 0,411.
Inscription : « Joh. Adamek del. Aug. Zenger x. » ; en dessous : « Rückkunft der treuen Wiener Von der allgemeinen landes vertheidigrung/am 3ten May 1797 » ; en bas à droite : « zu haben bei Johann Otto in Wien. »
Exposition : 1982, Vienne, n° 222 (épreuve analogue).

Vienne, Historisches Museum der Stadt (inv. 19.939).

Cette planche est un pendant à la représentation du *Départ des volontaires viennois au combat* (cat. 680 A). L.Po.

681
Épisode de la campagne d'Italie. L'Occupation de Pavie

par Nicolas-Antoine TAUNAY

Pierre noire, plume et encre noire, lavis gris. H. 0,228 ; L. 0,364.
Inscription : en bas à droite à la pierre noire : « Taunay ».
Historique : collection Denon.

Paris, musée du Louvre, cabinet des Dessins (inv. 2962).

Investie à la suite des premières victoires de Bonaparte en Italie (avril-mai 1796) Pavie — comme Milan, Turin, Parme et Modène — fut rançonnée à l'excès, pour renflouer le trésor du Directoire. L'occupation devint vite insupportable aux habitants, et, le 24 mai, une insurrection éclatait. Bonaparte avait proclamé que « l'armée française traiterait avec paternité les habitants paisibles et tranquilles », mais qu'« elle serait terrible comme le feu du ciel pour les rebelles et les villages qui les protégeraient ».
Il eut l'occasion de mettre ce principe à exécution dès le 26 mai à Pavie. La municipalité fut fusillée, la ville livrée au pillage des troupes. Le dessin de Taunay représente très précisément l'entrée des cavaliers français dans Pavie, devant lesquels fuient les rebelles. Cette œuvre objective, sans doute composée à partir de croquis pris lors du voyage de l'artiste en Italie avant la Révolution, se veut un simple témoignage d'un événement, sans aucune ambition d'engagement politique. Le site est parfaitement défini ; le vaste édifice du fond n'est autre

Le Serment des 1 500 soldats français à Montenesimo en 1797 (cat. 679).

Départ au combat des volontaires viennois en avril 1797 (cat. 680 A).

Retour des volontaires viennois en mai 1797 (cat. 680 B).

cupation de Pavie par les troupes françaises (cat. 681).

Attaque de deux commissaires français par la populace romaine en 1798 (cat. 682).

Le Combat du «Pont du Diable» entre les Russes et les Français au passage du Saint-Gothard en 1799 (cat. 683).

Une division française arrivant à l'hospice du mont Saint-Bernard, début 1800 (cat. 685).

Cosaques de l'armée de Souvorov (cat. 684).

que le Castello Visconteo, le château construit par Galeazzo Visconti dans la seconde moitié du XIVe siècle. J.Be.

682

Attaque de deux commissaires français par la populace

près de la colonne Trajane le 10 février 1798

attribué à Jean-Louis DEMARNE

Plume, encre noire et lavis gris et brun. H. 0,323; L. 0,248.
Historique: collection Denon; collection du comte de Durante; acquis en 1896.
Expositions: 1900, Paris, n° 625; 1958, Paris, n° 49.
Bibliographie: Guiffrey-Marcel, t. V, p. 8, n° 3556.

Paris, musée du Louvre, cabinet des Dessins (inv. R.F. 3153).

Le pape Pie VI, inquiet des succès de Bonaparte en Italie, avait réussi à détourner les Français de Rome par le traité de Tolentino (19 février 1797), qui reconnaissait à la France la possession d'Avignon et du comtat Venaissin. Mais le mécontentement romain grossissait en raison de la lourde contribution de guerre à laquelle les États du pape étaient astreints. Joseph Bonaparte, représentant de la France, encourageait l'agitation. Le 28 décembre, une émeute éclata dans laquelle périt le général Duphot. Malgré les excuses formulées par la Curie, le Directoire transforma l'affaire en assassinat. Berthier marcha sur Rome. Le 10 février 1798, on proclamait la République romaine. Le pape fut déporté en Toscane. Les Romains réagirent peu, mais les «Jacobins» locaux étaient mal perçus par la population.
C'est dans le contexte de la création de la nouvelle république sœur que se situe ce dessin, qui ne semble pas faire référence à un événement précis. Il est d'ailleurs très possible que la date du 10 février 1798, qu'on lui accole habituellement, soit totalement fantaisiste. N'a-t-on pas plutôt affaire à un «fait divers» survenu durant l'année 1798, sans plus de précision?
Prétexte à dessiner une vue et un monument de la Ville éternelle, cette feuille est traditionnellement attribuée à Demarne, artiste dont la prolixité et la variété interdisent, dans l'état actuel de notre connaissance, de porter tout jugement affirmatif ou négatif quant à ce dessin. J.Be.

683

Le Combat du «Pont du Diable»

entre les Russes et les Français au passage du Saint-Gothard en 1799

par Johann SEELE

Huile sur toile. H. 0,77; L. 0,99.
Inscription: en bas à droite, «Seele pinx. 1802».
Historique: biens de la couronne de Wurtemberg: en 1803 au «Neues Schloss» de Stuttgart.
Exposition: 1980, Hambourg, n°s 394-395.
Bibliographie: Fleischhauer-Baum-Kobell, 1952, p. 52; Mildenberger, 1984, pp. 73-82, cat. 83.

Stuttgart, Staatsgalerie (inv. L. 16, KRGT 9782).

Le peintre a représenté un épisode de la guerre de la seconde coalition, d'après les renseignements fournis par les comptes rendus des opérations militaires, sans connaissance directe ou indirecte de la topographie. Dans la bataille qui se déroula aux abords du passage du Saint-Gothard, le général russe Souvorov et son armée austro-russe engagèrent le 26 septembre 1799 un combat aventureux contre les troupes françaises du général Masséna au lieu-dit «Teufelsbrücke».
Par un retour au type traditionnel du tableau de bataille, Seele a peint un corps à corps exacerbé sur un étroit pont de pierre lancé au-dessus d'un ravin profond. Par la découpe resserrée qui cache à la vue la base du pont et laisse seulement deviner l'abîme, le peintre a accentué le caractère dramatique de la situation. Dans une position qui paraît n'offrir aucune possibilité de retraite aux antagonistes, les soldats se précipitent les uns contre les autres avec le courage du désespoir, convergeant vers l'endroit où, au centre du tableau, quelques poutres prêtes à rompre assurent seulement la liaison entre les deux parties du pont. L'issue du combat paraît douteuse.
Les détails réalistes de cette représentation laissent supposer que Seele a connu des reproductions graphiques de tableaux de batailles français. Ainsi a-t-il utilisé pour les officiers français le schéma iconographique bien connu que Thévenin et Gros avaient utilisé pour leurs tableaux de la bataille du Pont d'Arcole.
Mildenberger a conclu de la représentation héroïque des vaincus que le peintre avait, dans son œuvre, tenu compte de la situation politique de l'année 1802 et en avait fait une «déclaration de sympathie» à l'égard des Français. Le Wurtemberg avait conclu cette année-là une alliance avec la France qui devait lui assurer la continuité territoriale et des compensations pour ses possessions perdues sur la rive gauche du Rhin. R.Sc.

684

Cosaques de l'armée de Souvorov

par Carl HESS

Plume, encre noire et aquarelle. H. 0,245; L. 0,398.

Paris, musée de l'Armée (inv. Fc. 769).

Envoyé par le tsar Paul Ier en Italie du Nord et en Suisse pour combattre la République française, le général Alexandre Vassilievitch Souvorov (1729-1800) amenait avec lui des troupes régulières, garde impériale, fantassins, artilleurs, et des troupes irrégulières, les cosaques, formés en régiments selon leur provenance (Volga, Don).
Le dessin de Hess (sans doute Carl Hess (1769-1849), spécialiste des chevaux et des scènes militaires) représente ces farouches cosaques, montés sur de petits chevaux, armés de piques, coiffés de bonnets, sans uniforme précis. L'observation de l'artiste va jusqu'à différencier les types ethniques: on reconnaît en effet des Russes, avec leur longue barbe, mais aussi des Tatars, au faciès mongoloïde.
Chassés de Suisse par Masséna, à la suite de la seconde bataille de Zurich (3-4 vendémiaire an VII - 25-26 septembre 1799), les Russes ne reviendront qu'en 1814, et occuperont Paris. J.Be.

685

Une division arrivant à l'hospice du mont Saint-Bernard

attribué à Charles MEYNIER

Plume, encre noire, lavis gris et brun et rehauts de blanc sur traits de pierre noire. H. 0,475; L. 0,460.
Historique: collection Denon; entré au Louvre en 1895.
Bibliographie: Guiffrey-Marcel, t. X, p. 43, n° 9875.

Paris, musée du Louvre, cabinet des Dessins (inv. RF. 3157).

Prétexte à multiplier les anecdotes, ce dessin exceptionnel n'en possède pas moins un véritable sentiment d'épopée.
Proche d'un tableau de Taunay conservé à Versailles, représentant *Le Passage de la sierra de Guadarrama par l'armée française*, il évoque la difficile traversée des Alpes par les troupes françaises allant reconquérir l'Italie au début de 1800, après les revers importants subis en 1799. Tirés par les soldats, les canons étaient posés sur des traîneaux dont un exemplaire est présenté dans cette exposition (cat. 653).
L'attribution à Meynier repose sur des considérations stylistiques. Par comparaison avec d'autres dessins contemporains, dont *Napoléon sur le champ de bataille d'Eylau* (musée du Louvre), la conception de cette feuille est bien la même. Meynier répugne en effet à privilégier un personnage ou une scène particulière. Sa vision de la peinture militaire s'éloigne nettement de celle, synthétique, de Gros. Même par rapport à Taunay, il refuse de plonger le spectateur dans l'événement. Son art est celui d'un artiste néo-classique distant du public, contraint de se soumettre aux sujets contemporains. J.Be.

LA GUERRE NAVALE

686
Vue de l'intérieur du port de Brest

par Jean-François HUE

Huile sur toile. H. 1,62; L. 2,60.
Historique : le 2 septembre 1791, l'Assemblée constituante charge J.-F. Hue de l'exécution de quatre tableaux (une vue du port de Lorient et trois vues de la rade et du port de Brest), afin d'achever la série des *Ports de France* que Joseph Vernet (1714-1789) avait abandonnée en 1765. Les quatre tableaux sont achevés et livrés au Louvre le 15 frimaire an IV, puis envoyés à Versailles pour rejoindre les quatorze tableaux peints par Joseph Vernet. Le 7 fructidor an VII, le Directoire signe un arrêté précisant que tous les tableaux et modèles relatifs à la marine seront réunis place de la Concorde, dans l'ancien garde-meuble national devenu ministère de la Marine. Le citoyen Hue, chargé de l'inventaire des peintures, dessins et estampes, s'empresse d'y faire venir la série des *Ports de France.* Mais dès 1803, les œuvres de Vernet et de Hue sont transférées au palais du Luxembourg. Dépôt du département des Peintures du Louvre (INV. 5396).
Expositions : 1795, Paris, Salon; 1973, Anvers.
Bibliographie : Chatelle, 1939; Boudriot, 1976; cat. musée de la Marine, 1975, n° 540.

Paris, musée de la Marine (inv. 7 OA 2).

La vue de l'intérieur du port de Brest, depuis la rive droite de la Penfeld, en amont de la forme de Pontaniou, peut être datée de 1793 d'après l'étude des différents vaisseaux représentés dans le port, et ce malgré la présence des pavillons tricolores complets rendus réglementaires le 20 mai 1794 et certainement rajoutés ultérieurement. Trois vaisseaux de 110 canons, *la Bretagne* et *le Républicain*, en armement, *l'Invincible*, dans la forme de radoub, ont été formellement identifiés, et leur présence dans le port de Brest durant l'été 1793 est confirmée par l'état de la Marine pour cette période.
Jean-François Hue a parfaitement représenté les bâtiments qui longent le quai, notamment à gauche le magasin général où étaient entreposés les matériaux nécessaires aux constructions, l'horloge du port, la machine à mâter et, au fond, l'enceinte du château. A droite, côté Recouvrance, se situent les ateliers, magasins et bureaux, la salle d'armes et, sur le plateau rocheux, les casernes des matelots.
Selon la tradition, la scène, au premier plan, représenterait l'ingénieur Sané déroulant le plan de l'un de ses vaisseaux devant Jean-Bon Saint-André, membre du Comité de Salut public. M.Mo.

687
L'Océan, vaisseau de 118 canons

Maquette en bois, cuivre et ivoire, gréée, échelle 1/48. H. 1,61; L. 2,09; Pr. 0,74.
Historique : il s'agit probablement du modèle présenté à la Convention nationale par les citoyens Fromy et Hervé Ksurus, et placé dans le salon de la Liberté selon le décret du 25 ventôse an II. Restauré sous la direction de l'ingénieur Sané, d'août à novembre 1810, le modèle fut transporté à Trianon pour figurer dans la galerie des modèles de bâtiments de guerre, selon le souhait de Sa Majesté. En juin 1828, Gustave Zédé, premier conservateur du Musée naval (créé par l'ordonnance du 27 décembre 1827), fit revenir au Louvre les quatorze modèles de Versailles, dont celui de *l'Océan.* Il porte le n° 1 de l'inventaire ancien du musée de la Marine.
Bibliographie : Chatelle, 1939; Bayle et Mordal, 1978; cat. musée de la Marine, 1975, n° 507.

Paris, musée de la Marine (inv. 13 MG 20).

C'est sur l'instigation du chevalier de Borda, inspecteur général des constructions navales, que fut adopté en 1782 et 1784 un plan unique pour chaque type de vaisseau de 74, 80 et 118 canons. Cette standardisation, déjà souhaitée par Colbert, marque un tournant dans l'histoire de la construction navale française à la fin du XVIIIe siècle. Les plans retenus après concours furent ceux de l'ingénieur Jacques-Noël Sané (1740-1831), nommé sous-directeur des constructions navales en 1789.
Le modèle de *l'Océan* représente le premier des quinze vaisseaux de 118 canons construits sur ce plan type. Don des États de Bourgogne au roi, il prit le nom de cette province dès sa mise en chantier à Brest en septembre 1785. Il fut lancé le 5 novembre 1790, arborant le pavillon blanc frappé au guindant d'un quartier tricolore, que venait d'instituer l'Assemblée constituante. Rebaptisé successivement *la Coste d'Or* (1793), *la Montagne* (nom sous lequel il se distingua au cours du célèbre combat du 13 prairial an II), *le Peuple*, puis *l'Océan* (30 mai 1795), il termina sa longue carrière à Brest où il fut démoli en 1855.
Ce modèle est une représentation très exacte du vaisseau dans son état de 1806, après une importante refonte. M.Mo.

688
Quatrième Combat de la frégate la Loire

par Louis-Philippe CRÉPIN

Plume et lavis. H. 0,265; L. 0,415.
Inscription : sur le passe-partout d'origine : « Vendémiaire AN VII - 4ème combat de la Loire - Capitaine Segond - Crépin fecit AN IX. »
Historique : légué au musée de la Marine par M. Millius en 1937, ainsi qu'un autre dessin de Crépin intitulé *Cinquième Combat de la frégate la Loire.*
Bibliographie : cat. du musée de la Marine, 1975, n° 637.

Paris, musée de la Marine (inv. 31 OA 1).

Le combat de *la Loire* constitue l'un des épisodes de la question d'Irlande (1796-1798).
Une première expédition, destinée à transporter 18 000 hommes pour prêter main-forte aux Irlandais opprimés, avait échoué en décembre 1796 en raison du mauvais temps et de l'indécision de certains officiers. Cette tentative n'avait fait qu'envenimer la situation en provoquant une sanglante répression de la part des Anglais.
En mai 1798, un nouveau mouvement de révolte éclata en Irlande. Mais aucun accord officiel n'était encore intervenu entre le gouvernement français et les insurgés. D'ailleurs aucune expédition importante ne pouvait être mise sur pied pour répondre à l'appel des Irlandais puisque la plus grosse partie de la flotte avait déjà appareillé vers l'Égypte avec Bonaparte. Trois petites divisions furent cependant envoyées en vain au secours des insurgés, puis une quatrième, en renfort, sous les ordres du commandant Bompard, avec *le Hoche* de 78 canons et huit frégates, dont *la Loire*, capitaine Segond, qui quitta Brest le 16 septembre 1798. Attaqués le 11 octobre par une division anglaise, les bâtiments français furent poursuivis pendant sept jours et engagèrent plusieurs fois le combat jusqu'à la reddition.
Le dessin de Crépin retrace le quatrième combat de *la Loire*, le 17 octobre 1798, aux prises avec la frégate anglaise *Mermaid* qu'elle va mettre en fuite. *La Loire* sera contrainte à amener son pavillon le lendemain, au cours d'un cinquième combat décisif. M.Mo.

689
Combat de la corvette la Bayonnaise contre la frégate anglaise l'Ambuscade, 1798

par Louis-Philippe CRÉPIN

Huile sur toile. H. 2,46; L. 3,45.
Historique : exécuté en 1801; acquis par le musée du Louvre (INV. 3591), exposé au musée de Versailles; dépôt au musée de la Marine depuis 1935.
Expositions : An IX, Paris, Salon, n° 74; 1935, Paris, Orangerie.
Bibliographie : cat. musée de la Marine, 1975, n° 541.

Paris, musée de la Marine (inv. 9 OA 17).

Louis-Philippe Crépin fut l'élève de Hubert Robert et de Joseph Vernet. Son œuvre fut très largement inspirée par la Marine qu'il connaissait bien pour y avoir servi pendant plusieurs années comme gabier et timonier.
Il débuta au Salon de 1796 avec *La Sortie du port de Brest* et continua à envoyer régulièrement des œuvres au Salon jusqu'en 1835, notamment ses tableaux retraçant les combats de la Révolution et de l'Empire.
Louis-Philippe Crépin fut, avec Théodore Gudin, le premier peintre officiel « attaché au ministère de la Marine », de 1830 à 1848.
Bien qu'il s'agisse d'une action isolée, le combat de *la Bayonnaise*, le 14 décembre 1798, fut l'un des épisodes les plus sanglants de la lutte

Vue de l'intérieur du port de Brest (cat. 686).

Océan, vaisseau de 118 canons (cat. 687).

Quatrième Combat de la frégate « la Loire » contre les Anglais, en 1798 (cat. 688).

Combat de la corvette « la Bayonnaise » contre la frégate anglaise « l'Ambuscade », en 1798 (cat. 689).

franco-anglaise et eut un énorme retentissement dans l'opinion publique.
Rentrant de Cayenne, la corvette française, armée de 20 canons de 8 livres, se trouvait à proximité de l'île d'Aix lorsqu'elle fut attaquée par la frégate anglaise *l'Ambuscade*, armée de 42 canons. Les Anglais, disposant d'une puissance de feu très supérieure, auraient dû remporter rapidement le combat. Mais le capitaine français Richer ordonna l'abordage avant que *la Bayonnaise* ne soit totalement démâtée. Vainqueurs au corps à corps, les marins français prirent possession de la frégate anglaise dont ils se servirent pour remorquer jusqu'à Rochefort leur propre bâtiment. M.Mo.

A l'issue du Salon de l'an VII, Crépin reçoit un prix d'encouragement de quatrième classe d'un montant de 2 000 francs pour « l'esquisse terminée du *Combat de la corvette "la Bayonnaise"* », présenté sous le n° 56 du livret (coll. Deloynes, t. LVI, n° 1761 ; A.N. F^{17}1058, dos. 6) ; le tableau définitif sera exposé au Salon de l'an IX sous le n° 74 avec la mention : « Ce tableau est pour le Gouvernement. » B.Ga.

690
Bataille entre navires anglo-bourboniens et républicains
dans le canal de Procida (vue de Miliscola)

par Saverio DELLA GATTA

Gouache. H. 0,516 ; L. 0,769.
Inscription : en bas à droite, « Xav. Della Gatta p. 1800. »
Exposition : 1986, Naples.
Bibliographie : Praz, 1979 ; Spinosa, 1987.

Naples, museo nazionale di San Martino (inv. 23902).

En avril 1799, la flotte anglaise de l'amiral Nelson vint prêter main-forte à la marine bourbonienne, pour tenter de contraindre à la capitulation la fragile République parthénopéenne ; simultanément, les troupes sanfédistes, avec à leur tête le cardinal Fabbrizio Ruffo, faisaient mouvement de la Calabre vers Naples. L'épisode représenté ici évoque la bataille, déclenchée dans le canal de Procida, entre les navires anglais conduits par Troubridge, lieutenant de Nelson, et les vaisseaux napolitains, qui tentèrent en vain d'éviter la reddition de l'île de Procida. On distingue nettement au premier plan les vaisseaux tricolores de la république napolitaine, inspirés du modèle français : simplement le blanc a été remplacé par le jaune.
Après la chute de la république, Ferdinand de Bourbon avait commandé à Saverio Della Gatta, « vedutiste » et peintre de figures réputé, déjà actif à la cour du roi de Naples, une série de quatre gouaches, dont celle-ci, qui témoigneraient des événements. L'une de ces gouaches (également conservée au musée San Martino de Naples) représente la même bataille, mais vue de l'autre rive du canal de Procida, du côté de l'île, avec au premier plan les navires anglais et bourboniens ; les deux autres, aujourd'hui conservées dans la collection Praz à Rome, figurent : l'une « la flotte anglaise et bourbonienne au mouillage dans le port de Naples tandis que les troupes françaises font halte sur la rive après la reddition du fort Saint-Elme, bastion de la révolution » ; l'autre, en guise d'avertissement pour tout sursaut révolutionnaire, « les troupes du cardinal Ruffo, qui alignent près du pont de la Madeleine les patriotes contre un mur et s'apprêtent à les fusiller ». R.Ci.

Bataille entre navires anglais et républicains napolitains, en avril 1799 (cat. 690).

L'EXPÉDITION D'IRLANDE

691
L'Apothéose de Hoche
(The Apotheosis of Hoche)

par James GILLRAY

Eau-forte. H. 0,486; L. 0,377.
Historique : acquis de M. Hawkins.
Bibliographie : cat. British Museum, nº 9156.
Londres, British Museum. (inv. 1868-8-8-8-13695).

La puissance étonnante de cette planche est d'autant plus remarquable qu'elle a été conçue et apparemment réalisée par des amateurs, J.H. Frere et le Rev. Walter Sneyd. Elle date de l'époque où Gillray travaillait pour un groupe progouvernemental réuni autour du jeune George Canning, proche de Pitt, qui était à la tête du journal *The Anti-Jacobin* et se voulait la « bête noire » des radicaux et sympathisants de la France. Le sujet en est la mort du général Hoche, le 19 septembre 1797, mais il s'agit en réalité d'une satire des funérailles grandioses qui lui ont été consacrées à Paris et de l'emphase des discours prononcés à cette occasion. La gravure s'accompagnait à l'origine d'un commentaire sur l'événement, présenté comme issu du *Redaction* et qui révèle l'intérêt que portaient les milieux cultivés en Angleterre aux cérémonies révolutionnaires. La planche, publiée le 11 (janvier ?) 1798 par H. Humphrey, est en elle-même une remarquable composition à partir d'éléments tirés des apothéoses de saints ou des Jugements derniers inspirés des modèles italiens. Les symboles chrétiens y sont impitoyablement transposés sur le mode humoristique. D.Bi.

« L'Apothéose de Hoche », caricature anglaise (cat. 691).

La révolte de 1798 en Irlande

« La violence de l'esprit démocratique engendrée par la Révolution française déferla, tel un ouragan, sur l'Europe toute entière ; et déchaîna de soudaines passions, assoupies depuis des siècles... »
W.E.H. Lecky

Sous l'influence de deux révolutions, celle d'Amérique et celle de France, les institutions politiques et les gouvernements se virent de jour en jour plus contestés dans toute l'Europe. En Irlande, les années 1790 ouvrirent une période d'agitation grandissante, qui culmina avec l'insurrection de 1798 et aboutit au vote, en 1800, de l'Acte d'Union avec l'Angleterre. Tout au long de la décennie, l'Irlande vécut une période d'effervescence, secouée par une succession de crises politiques, des problèmes d'ordre public, des conspirations armées, et embrasée par une fièvre politique ininterrompue. En surimpression, et faussant les clivages politiques, régnait une situation de sectarisme particulière à l'Irlande, où une population catholique majoritaire se voyait privée du droit de vote du fait des mesures discriminatoires imposées par les « lois pénales » (Penal Laws). Dans les circonstances nouvelles qui caractérisèrent la décennie, l'abolition des « Penal Laws » (Émancipation des catholiques) devint une question de plus en plus brûlante de l'actualité politique ; de même qu'elle figura parmi les objectifs d'un mouvement plus large en faveur d'une représentativité du gouvernement irlandais au Parlement, de sa séparation d'avec l'Angleterre et de l'établissement d'un gouvernement républicain, démocratique. Pour atteindre ces objectifs, les Irlandais unis, la principale association de réformateurs, recherchèrent le concours de la France. Grâce surtout aux efforts déployés par leur principal négociateur, Theobald Wolfe Tone, ils obtinrent de la France la promesse d'une aide militaire pour combattre les Anglais (en guerre contre la France depuis 1793).

Le club des Irlandais unis était une association d'avant-garde fondée en 1791, dont le but était d'obtenir une réforme complète du Parlement lui donnant une représentation fidèle du pays. Ses membres, en majorité des avocats et des marchands, recrutés au début dans les rangs des radicaux de Dublin et de Belfast, regroupaient sans distinction protestants (principalement presbytériens) et catholiques. Les presbytériens indépendants de Belfast jouaient un rôle particulièrement influent. Les Irlandais unis, qui soutenaient également l'émancipation des catholiques, partageaient une plate-forme commune avec le « Comité catholique » réorganisé, regroupant des catholiques des ▶

692
La reddition du général Humbert au général Lake,
le 8 septembre 1798, à Ballynahinch

par un auteur anonyme

Gravure. H. 0,155 ; L. 0,100.
Inscription : « The Surrender of the French General Humbert / to General Lake at Ballinamuck September, 8th 1798. »

Dublin, National Library of Ireland (inv. R12201).

Après la défaite britannique en Amérique du Nord (traités de Paris et de Versailles de 1783), le gouvernement de Londres souhaite voir se réduire les tensions importantes qui existent en Irlande entre catholiques et protestants et envisage une série de réformes devant mener à une autonomie plus grande de l'île. En effet en 1785, Pitt définit ainsi sa position sur le problème irlandais : « Entre la Grande-Bretagne et l'Irlande, deux systèmes seulement sont possibles. L'un consiste à soumettre complètement le plus petit au plus grand, de telle sorte que tout le travail du premier ne profite qu'au second, ainsi que cela a eu lieu jusqu'ici. Le second établit l'égale répartition de la communauté des avantages : il ne cherche que l'intérêt général du royaume sans en opprimer une partie. » La fondation par Theobald Wolfe Tone du mouvement des Irlandais unis en 1791 et la crainte d'une contamination du mouvement révolutionnaire français incitent le gouvernement britannique, mené par Pitt, à suspendre en partie son projet de réforme. Néanmoins, en 1793, les catholiques acquièrent le droit de devenir électeurs, mais non encore celui d'être éligibles. Le renvoi en 1795 du gouverneur lord Fitzwilliam, jugé trop favorable aux catholiques, amène une réelle aggravation des tensions et à un renforcement des liens des patriotes irlandais avec la France, notamment au travers d'une entente entre Wolfe Tone, O'Connor, futur chef rebelle et les Français Clarke (d'origine irlandaise) et Hoche. La première expédition de soutien à l'Irlande en 1796, menée par Hoche, même si elle aboutit à un échec, ne décourage pas les Irlandais. Une nouvelle révolte est prévue le 23 mai 1798 (six mois après la mort de Hoche) ; l'arrestation des principaux meneurs amène l'Église à en prendre la tête. « Les prêtres conduisent les masses au combat... C'est une conjuration jacobine qui emploie des instruments cléricaux, l'ardente bigoterie des papistes servant mieux les chefs républicains que le mécontentement froid et calculateur des presbytériens », déclare le nouveau secrétaire d'État d'Irlande, Castlereagh. La seconde expédition d'aide à l'Irlande révoltée se situe à la fin de l'été de 1798 ; elle est commandée par le général Jean Joseph Amable Humbert (1767-1823). Ce dernier, à la carrière militaire fulgurante (de sergent de la garde nationale de Lyon en 1789, il devient capitaine en 1792, puis général de brigade en 1794), débarque en Irlande à la tête d'un millier d'hommes. Après quelques succès, il est défait à Ballynahinch et est contraint de se rendre au général Lake dès le début de septembre 1798 ; à la fin de l'année, il est échangé et peut regagner la France où il poursuit une carrière qui s'achève en 1803, lorsqu'il est condamné et destitué pour malversations. Il émigre alors aux États-Unis d'Amérique septentrionale.
La gravure fut publiée dans le *Walker's Hibernian Magazine* de septembre 1798. V.B.-F.

La reddition du général Humbert lors de la seconde expédi d'aide à l'Irlande révoltée, été 1798 (cat. 692).

► classes moyennes et supérieures engagés dans la lutte pour l'abrogation des « lois pénales ». En 1792, le Comité catholique organisait à Dublin une « Grande Convention Nationale », sorte de démonstration de force, qui réunit nombre des principaux Irlandais unis, dont Wolfe Tone. La crainte de voir se répéter les événements de France incita le gouvernement à promulguer les *Catholic Relief Acts* en 1792 et 1793. Mais ces lois incomplètes ne répondirent pas à l'attente de l'émancipation catholique, les catholiques n'ayant toujours pas accès au Parlement. Le *Relief Act* de 1793 était assorti d'un texte très impopulaire instituant une milice, et qui loin de satisfaire les activistes catholiques par les concessions accordées, les remplit d'amertume. La loi déclencha par ailleurs un tollé chez les loyalistes conservateurs (favorables quant à eux au gouvernement en place et au maintien des liens avec l'Angleterre et avec la « Protestant Ascendancy »), qui réclamaient des mesures répressives accrues à l'encontre du Comité catholique et des Irlandais. La situation se dégrada rapidement et les Irlandais unis, déçus par la politique parlementaire conventionnelle, se radicalisèrent. Interdite en 1794 à la suite d'assauts répétés du gouvernement, l'association des Irlandais unis se transforma en une société secrète et militante, bien décidée à fomenter une révolution avec l'aide militaire française. Wolfe Tone quitta l'Irlande en août 1795 à destination de Philadelphie, puis vint se fixer en France le 1er février 1796. Se révélant très vite un habile ambassadeur et négociateur, il entra en contact avec Carnot et le Directoire. Il réussit à les convaincre d'utiliser les Irlandais unis pour fomenter en Irlande un soulèvement sympathisant, lequel avec l'aide militaire de la France, serait immanquablement voué au succès. L'idée était séduisante pour le Directoire, encore sous le coup de l'attitude indigne de l'Angleterre qui avait appuyé la chouannerie de Vendée.

Entre-temps, la situation continuait à se dégrader en Irlande. Fitzwilliam, un vice-roi connu pour ses sympathies catholiques, fut rappelé en 1795 sous la pression des loyalistes. Le nouveau vice-roi Camden se laissa convaincre par ces mêmes loyalistes d'adopter des mesures de sécurité draconiennes, ignorant les procédures politiques et agissant en marge de la loi. Les injustices flagrantes de cette politique, notamment quand elle fut appliquée par lord Carhampton dans le Centre et l'Ouest, eurent pour effet de rallier les hésitants à la cause des Irlandais unis. Pendant ce temps, le club des Irlandais unis, réorganisé militairement, essaimait rapidement dans l'arrière-pays de Belfast, avec le soutien actif des presbytériens. À la fin de 1796, il avait forgé des liens avec la très puissante société secrète des *Defenders* (Défenseurs), instituée dans le comté d'Armagh lors des troubles suscités, dans les années 1780, par la situation de sectarisme existante. Regroupés au départ pour organiser la défense des catholiques d'Ulster contre les attaques des Peep-O'Boys (les gars du Point du Jour), des pilleurs protestants (précurseurs de l'ordre d'Orange), les *Defenders* étaient devenus une « union proto-commerciale » d'une remarquable efficacité, formée de catholiques pauvres, recourant à la violence comme moyen d'intimidation dans ses luttes communales ; au début de 1790, la société éclata en multiples cellules composées de tisserands, de laboureurs, d'artisans ruraux et de maîtres d'école, le Défendérisme associait à une longue tradition populaire, à une solidarité ethnique et une sorte de millénarisme des objectifs très concrets : lutte contre les petites oppressions et luttes communales concernant dîmes, taxes, fermages, salaires et conditions de vie. En 1796, ils sévissaient dans le sud de l'Ulster, le nord du Leinster et les comtés du Centre-Ouest. Lorsqu'ils décidèrent de rejoindre les forces des Irlandais unis forts de leur leadership relativement sophistiqué et de leur républicanisme lié à la France, il y avait réuni là tous les éléments d'un cocktail révolutionnaire ►

► d'une puissance virtuelle explosive. Face à cette nouvelle alliance de catholiques pauvres et de presbytériens riches, les loyalistes désespérèrent presque de conserver leur suprématie et réclamèrent à l'Angleterre une aide militaire massive. Si en 1796 les Français avaient débarqué, on ne voit pas comment une rébellion aurait pu échouer.

Cependant, grâce au succès de la diplomatie de Wolfe Tone, la France envoyait une expédition, qui échoua par un concours de circonstances malheureux. Un homme aussi prestigieux que le général Hoche en avait accepté le commandement. Il quitta Brest le 16 décembre 1796 à la tête de 14 450 hommes, avec un armement de 41 644 pièces : une force virtuellement dévastatrice. Mais les divisions internes françaises, des préparatifs trop précipités, les mauvaises conditions climatiques et un manque de coordination se conjuguèrent pour faire échouer l'expédition. La frégate de Hoche se sépara de la flotte principale qui atteignit, le 21 décembre 1796, la base de Bantry. Après cinq jours d'hésitation dans la baie dans l'attente d'instructions, la flotte, faisant la part du feu, rentra à Brest. Une occasion exceptionnelle venait d'être gaspillée.

Échauffés par l'annonce de l'expédition française, les Irlandais unis continuèrent à s'organiser au printemps 1797, tandis que l'excitation était à son comble dans le pays, dans l'espoir d'un soulèvement imminent. Les chefs, cependant, hésitaient : fallait-il organiser un soulèvement local ou attendre d'abord un débarquement français ? Leur hésitation brisa le puissant élan amorcé avec le mouvement. Entre-temps, le gouvernement avait décrété un renforcement des mesures de sécurité, tandis que le général Lake était envoyé en Ulster pour désarmer la province, ce qu'il fit avec une brutalité militaire sans pareille, ignorant délibérément les subtilités de la loi. Cette campagne n'aboutit pas à la destruction complète des Irlandais unis et ne réussit qu'à les plonger dans un immense désarroi et à ranimer le moral des loyalistes. Le 19 septembre 1797 mourait le général Hoche, et avec lui disparaissait un partisan loyal et fidèle d'une expédition française en Irlande, tandis que se renforçaient les divisions au sein de la direction des Irlandais unis. Par ailleurs, le gouvernement, de connivence avec la gentry locale, s'employait activement à provoquer la rupture de l'alliance en Ulster, si inquiétante pour lui, entre Défenseurs catholiques et Irlandais unis presbytériens. Mettant en vedette le sectarisme, encourageant l'ordre d'Orange furieusement anti-catholique à rejoindre la *yeomanry* (volontaires militaires auxiliaires) pour venir à bout des rebelles, au mépris de toute justice et grâce à une campagne de presse soigneusement orchestrée, il réussit à modifier la situation : à la fin de 1797, les presbytériens se séparaient peu à peu des Irlandais unis et rejoignaient les loyalistes protestants. Une crise grave fut ainsi évitée, mais au prix d'un sectarisme institutionnel frappant la loi et le gouvernement irlandais.

Au printemps de 1798, les chefs des Irlandais unis, toujours paralysés par l'indécision, se divisèrent en deux factions incapables de se mettre d'accord sur la date de la Révolution et sur l'aide éventuelle de la France. Cette indécision fut perçue par la base comme une dangereuse hésitation, et cela d'autant plus à un moment où les membres de la société subissaient chaque jour davantage les tracasseries du gouvernement, qui par ailleurs accordait un soutien accru aux activités de l'ordre d'Orange. L'arrestation en mai 1798 de certains des grands chefs activistes (notamment lord Edward Fitzgerald et les frères Sheares) décapita le mouvement. L'insurrection, qui couvait depuis longtemps, éclata cependant à la fin du mois, de façon décousue et mal coordonnée, non pas en Ulster (où s'était concentrée la principale force du mouvement) mais dans le sud du Leinster, à Carlow, Wicklow, Kildare et notamment dans le comté de Wexford. Un cas typique de « trop peu, trop tard ». Cependant, l'insurrection dans le comté de Wexford fut magnifique et remporta des victoires importantes. Ce fut une campagne intense du style Vendée par divers aspects : de graves fractures catholiques/protestants, l'organisation des Irlandais unis, une population très politisée, une crise économique localisée et une forte mentalité de « frontière ». Les rebelles de Wexford, malgré leur infériorité en nombre et un commandement amputé, résistèrent avec une ardeur et un courage stupéfiants. Un mois durant, ils contrôlèrent le comté, gagnèrent même plusieurs batailles rangées contre l'armée régulière et accomplirent des prodiges de bravoure. Il fallut la campagne militaire coordonnée et orchestrée par le général Lake pour venir enfin à bout de l'insurrection, au cours d'une bataille rangée qui se déroula le 21 juin 1798 à Vinegar Hill, près de Enniscorthy.

Dans l'intervalle, le nord s'était à son tour soulevé, sans préparation et sans guère d'enthousiasme. Les Défenseurs refusèrent de participer à l'insurrection. Alors qu'au début de 1797, c'était la province toute entière qui s'était embrasée, cette fois les presbystériens avaient pris leurs distances avec le mouvement. Seules certaines parties du Down et de Antrim, sous la direction de Henry Joy McCracken, se soulevèrent et furent aisément vaincues à Ballynahinch. Les lendemains de la révolte furent marqués par une grande opération de nettoyage, une campagne sanglante de représailles englobant sans distinction participants et non-participants. On dénombra un nombre considérable de morts, sans doute davantage que lors des campagnes militaires. Seule l'arrivée fin juin de lord Cornwallis commandant en chef et lord Lieutenant, mit un terme à cette politique de représailles, à la grande déception des loyalistes intransigeants, qui l'avaient soutenue avec enthousiasme. L'accord conclu entre les chefs des Irlandais unis emprisonnés et le gouvernement, pour que toute la lumière soit faite sur la conspiration, en échange de l'immunité pour les rebelles, mit fin à la guerre. Mais la longue saga des Irlandais unis devait s'enrichir d'un nouveau chapitre.

L'annonce que les Irlandais s'étaient enfin soulevés avait suscité un nouvel enthousiasme en France chez les partisans de l'invasion et les Irlandais unis exilés à Paris furent repris d'un fol espoir. Une armée française fut hâtivement mise sur pied pour venir en aide à l'insurrection irlandaise, mais elle était commandée par des chefs de seconde zone, la fine fleur de l'armée française étant engagée dans la campagne d'Égypte. Le commandant en chef, le général Humbert (*cf.* cat. 692), homme d'une grande bravoure sur le terrain, était en revanche totalement dépourvu de sens militaire. Quand Humbert, à la tête de 1 019 hommes et un armement de 6 000 pièces, prit la mer le 5 août 1798, le mouvement irlandais était pratiquement fini. Le 22 août, ses trois frégates transportant 800 hommes mouillèrent dans la baie de Killala (Sligo), et les Français s'emparèrent aisément de la ville. Ils reçurent un accueil délirant de la population ; mais ils avaient débarqué dans l'une des communautés les plus pauvres et isolées d'Irlande, où les Irlandais unis n'étaient pas bien établis. Les nouvelles recrues de l'armée française se révélèrent incapables d'affronter la discipline et les rigueurs d'une vie militaire.

L'annonce du débarquement français suscita la plus grande inquiétude à Dublin et Londres : treize régiments recrutés dans la milice britannique furent envoyés sur-le-champ en Irlande. Le reste des Irlandais unis, démontés par les événements du début de l'été, se montrèrent incapables d'orchestrer une défense locale d'importance. Humbert, au lieu de défendre sa tête de pont et d'attendre les renforts, avait fièrement décidé de s'enfoncer à l'intérieur des terres pour attaquer la grande ville la plus proche, Castlebar dans le comté de Mayo, malgré la supériorité en nombre des troupes ennemies. Chose stupéfiante, lors de la rencontre entre les deux forces, l'armée de la Couronne lâcha pied et prit honteusement la fuite, offrant aux Français sur un plateau d'argent la fameuse victoire baptisée par plaisanterie « les Courses de Castlebar ! ». La nouvelle de la défaite se répercuta dans l'Irlande toute entière : le reste de la garnison de Connacht s'enfuit, abandonnant complètement la province aux mains de 800 Français. Humbert, au lieu de consolider sa position, poursuivit sa progression vers l'est, tandis que Cornwallis, à la tête d'une formidable force de 20 000 hommes marchait à sa rencontre vers l'ouest. Les deux armées se rencontrèrent le 8 septembre à Ballynahinch (Longford) ; après un semblant de résistance pour la forme, les Français se rendirent et furent traités en prisonniers de guerre, leurs alliés Irlandais furent massacrés sans pitié. Tel fut le dénouement malheureux de cette alliance franco-irlandaise qui, dans les années troublées de 1790, avait semblé si triomphante.

Les conséquences de l'insurrection de 1798 furent dramatiques. Le sectarisme atteignit de nouveaux sommets à tous les niveaux de la vie en Irlande ; les divisions au sein des communautés irlandaises se renforcèrent, se durcirent même ; un héritage d'amertume fut ainsi légué aux futures générations du peuple irlandais. La conséquence immédiate se traduisit par le vote précipité en 1800 de l'Acte d'Union avec l'Angleterre, qui abolit le Parlement irlandais et fit de l'Irlande, encore plus qu'avant, une colonie. Les problèmes posés par cette solution ne sont toujours pas résolus.

Kevin Whelan

LA CAMPAGNE D'ÉGYPTE

693
La Campagne d'Égypte

par Noël DEJUINE

Album factice de 62 dessins parfois relevés d'aquarelle et de gouache. H. 0,290; L. 0,195. Carte pliée à la fin du volume.
Inscription : donné en 1892 à la bibliothèque de l'Institut de France par le baron Hyppolyte Larrey qui l'avait reçu de Noël Dejuine, sous-officier retraité en pension aux Invalides.
Expositions : 1938, Paris, Orangerie; 1969, Paris, Bibliothèque nationale.
Bibliographie : Beaucour, 1983.

Paris, bibliothèque de l'Institut de France (inv. ms. 1688).

Pour des raisons de politique internationale mais aussi parce qu'un tel projet correspondait aux convictions les plus profondes des hommes de la Révolution, héritiers des Lumières, l'expédition d'Égypte avait été dès le départ conçue à la fois comme une entreprise militaire et comme une mission scientifique; près de deux cents savants et spécialistes s'embarquèrent avec Bonaparte : le résultat le plus spectaculaire de cet aspect de l'expédition fut bien entendu la publication de 1809 à 1828 des neuf volumes de textes et des quatorze atlas de la *Description de l'Égypte*. Mais le goût de la découverte et le sens de l'observation n'étaient pas l'apanage des seuls savants de l'expédition qui constituèrent l'Institut d'Égypte. L'album de dessins de Noël Dejuine (1798-1801) est un témoin modeste mais remarquable sur la mentalité d'un soldat qui partit pour l'Égypte avec le grade de vaguemestre et en revint comme sous-officier. Soldat de l'an II (il s'était engagé le 17 décembre 1793, à Abbeville, à l'âge de vingt-deux ans), il entra au 20e régiment de dragons et en mars 1798 se trouvait sous les ordres du général de division Desaix. Ses dessins permettent de suivre son itinéraire à Malte, Alexandrie, El Ramanieh sur le Nil, Le Caire, les pyramides, Benisouf, Le Fayoum, Beith Thora, la Haute-Égypte avec Denderah et Edfou (où l'on a retrouvé son nom gravé sur des pierres des temples), Thèbes, Louxor, Damiette, Lesbeh, Aboukir et enfin Marseille en septembre 1801.
Dejuine s'intéresse aussi bien aux monuments antiques (fos 12, 18, 24, 25) qu'aux coutumes arabes (fo 62 : homme du désert) et aux événements; ainsi le dessin no 13 montre une chaloupe du pacha descendant le Nil après sa capitulation devant Kléber. Mais ce sont surtout les paysages qui dominent avec notamment des vues de Malte (fos 35, 36 et 37), d'Aboukir (fo 11) et de Damiette (fos 6 et 34). Dejuine n'a pas participé à l'expédition de Syrie. Il est probable qu'il a en revanche accompagné les savants en Haute-Égypte et qu'il s'est inspiré de leurs méthodes. L'album qu'il fit remettre à Larrey était le seul qu'il ait pu sauver; les autres furent perdus, semble-t-il, lorsque atteint d'ophtalmie endémique à son retour d'Égypte (il mourut aveugle), il fut hospitalisé aux Invalides d'Avignon.

694
Siège de la colonne de Pompée
Science in the Pillory
(La Science au pilori)

par James GILLRAY

Eau-forte. H. 0,502; L. 0,413.
Historique : don de William Smith Esq.
Bibliographie : British Museum, no 9352.

Londres, British Museum (inv. 1851-9-1-959).

En mai 1798, Bonaparte débarquait en Égypte avec un corps expéditionnaire de 38 000 hommes et une équipe de 175 archéologues et savants. L'année suivante, le moral des Britanniques remontait après la destruction de la flotte française en rade d'Aboukir par l'amiral anglais Nelson et la défaite de Bonaparte à Saint-Jean-d'Acre (celle-ci intervenant peu après l'édition de cette gravure, le 6 mars 1799 par H. Humphrey). La caricature de Gillray ironise sur le goût des Français pour les abstractions philosophiques : assiégés sur une colonne classique, les savants, terrorisés, ne sont pas de taille à lutter avec les Turcs et les Arabes pragmatiques, en dessous. Aucun des Français n'a pu être identifié avec certitude; toutefois, parmi les savants figurent probablement le mathématicien Gaspard Monge (un des livres tombant de la colonne a pour titre *Tableau de logarithmes*) et le chimiste Claude Berthollet, connu pour avoir suivi Bonaparte en Égypte. Le commandant (Bonaparte ?) s'adresse aux assiégeants par un écriteau : *Vive Mahomet, qui protegeoit les Sciences*, ce qui prouve que l'admiration de Bonaparte pour l'Islam était déjà connue de l'Angleterre.

C.B.-O.

Dessins réalisés par un soldat de l'expédition d'Égypte (cat. 693).

(cat. 693).

La Bataille des Pyramides, le 21 juillet 1798 (cat. 695).

695
La Bataille des Pyramides

par François-André VINCENT

Plume, encre noire, lavis brun et rehauts de blanc sur papier bistre. H. 0,210 ; L. 0,420.
Historique : ancienne collection du comte Rapp ; achat en 1937.
Bibliographie : Cuzin, 1986, p. 42.

Paris, musée des Arts africains et océaniens (inv. AF 10414).

En 1800, Lucien Bonaparte, ministre de l'Intérieur, commanda à Vincent, pour le compte du Premier consul, une *Bataille des Pyramides*, souvenir de la victoire remportée en Égypte sur les mameloucks, le 3 thermidor an VI (21 juillet 1798), qui ouvrit les portes de la ville du Caire aux conquérants français. L'œuvre devait avoir 8 mètres de longueur sur 5 mètres de hauteur, mais en 1803, Denon, directeur des musées, indiquait que Vincent n'avait guère avancé son travail. A cette époque en effet, l'artiste, vieilli et malade, dont la vue s'affaiblissait n'était plus en mesure de peindre de vastes compositions. En 1806, il renonçait à la commande et acceptait qu'elle fut confiée à un autre artiste. Ce fut Hennequin qui hérita du tableau. L'œuvre de celui-ci, exposée au Salon de 1806 (n° 252), se trouve conservée aujourd'hui à Versailles. Le sort de la toile de Vincent, confiée à l'Institut, n'est pas connu, mais l'esquisse achevée, seule livrée, est exposée à Versailles. Une autre esquisse a été récemment acquise par le musée du Louvre (H. 0,800 ; L. 1,250 ; *cf.* cat. exp. : *Anciens et Nouveaux*, Paris, Grand Palais, 1985 - 1986, p. 178, n° 104, repr.).

« Siège de la colonne de Pompée », caricature anglaise de l'expédition d'Égypte (cat. 694).

Allégorie sur la paix de Bâle (cat. 696).

Hennequin, fort mal perçu par ses collègues en raison des opinions républicaines qu'il ne cessait d'afficher, s'était inquiété, non sans raisons, de ce transfert de commande à son profit. On l'accusa en effet de pillage et surtout d'être le favori de Denon. Au Salon, l'œuvre obtint finalement un médiocre succès.
Par comparaison avec le tableau d'Hennequin, la composition du dessin de Vincent apparaît beaucoup plus archaïque. Bien qu'il tente de retracer la bataille, c'est encore le traditionnel « choc militaire » qui domine sa conception, héritée du XVIIIe siècle. Certes, il tente d'opposer la discipline française à l'exubérance des mameloucks, certes son œuvre est dynamique, mais elle n'a pas l'ampleur panoramique des peintures militaires de l'époque, peintes par Hennequin, Gros ou Gérard. On n'y trouve pas l'esprit d'épopée que des artistes plus jeunes avaient su faire passer dans leurs toiles. Plus proche de l'art baroque que du néo-classicisme, le dessin de Vincent apparaît cependant comme un important chaînon de l'évolution d'un style à un autre.
Si la commande de Bonaparte n'aboutit pas, Vincent devait pourtant peindre un tableau sur le même thème en 1810. Berthier lui avait en effet commandé une *Bataille des Pyramides*, destinée à décorer son château de Grosbois, avec d'autres œuvres militaires dues à Gros, Meynier, Thévenin, Taunay, etc. La composition de cette seconde peinture reprend presque exactement celle de la commande de 1800. J.Be.

LES TRAITÉS

696
Allégorie sur la paix de Bâle

par Johann F.C. RIESE, d'après Johann Gottfried Schadow

Groupe, biscuit. H. 0,311.
Inscription : en bas, sur la terrasse, « JUSTAM EUROPAE PACEM ».
Exposition : 1797, Berlin, Akademie, n° 200.
Bibliographie : Mackowsky, 1951, p. 60, fig. 39 ; Köllmann et Jarchow, t. II, 1987, fig. 191.

Berlin, Staatliche Schösser und Gärten
(inv. KS VIII 613).

La Prusse conclut, en 1795, une paix séparée, dite « paix de Bâle » avec la République française. Pour s'assurer ses possessions de Pologne, menacées par des révoltes, et pour gagner une marge de manœuvre, la Prusse renonça à la rive gauche du Rhin. En contrepartie, la France acceptait une ligne de démarcation qui garantissait la neutralité de l'Allemagne du Nord et une hégémonie de la Prusse sur ces territoires jusqu'en 1806.
Ce groupe avait été moulé en fait trois ans

avant ce traité, pour commémorer la paix de Jassy qui termina la deuxième guerre russo-turque grâce aux efforts de médiation de Frédéric-Guillaume II. L'ouverture des hostilités avec la France fit reculer cet événement à l'arrière-plan. C'est à l'occasion de la paix de Bâle, en 1795, que l'œuvre fut exposée à l'Académie de Berlin. Des copies, coûtant trois talers pièce, furent diffusées.
Frédéric-Guillaume II, équipé d'une armure à l'ancienne, se tourne vers la déesse Europe qui se repose sur ses armes. La Paix lui tend un rameau d'olivier. Derrière le roi, Némésis juge de la valeur de toute action avec sa jauge. Les mots suivants, sont inscrits sur la terrasse : « Justam Europae Pacem », c'est-à-dire « Une paix juste pour l'Europe. »
Schadow, qui a conçu l'esquisse de ce groupe allégorique, montre une inspiration différente de ses autres œuvres plutôt marquées par le réalisme. Le thème traditionnel de la commémoration d'un événement politique s'organise ici en un ensemble cohérent de figures, bien que concentré. K.-D.P.

697
Allégorie du traité de paix entre la Convention et le grand-duc de Toscane

par Jean-Baptiste WICAR.

Pierre noire et rehauts de gouache sur calque huilé.
H. 0,370 ; L. 0,460.
Inscription : en bas à gauche : « Wicar inv. del. 1795. L'an III. »
Historique : legs Wicar à la Société des sciences de Lille, 1834 ; don à la ville en 1865.
Exposition : 1984, Lille, n° 33, repr. p. 46.
Bibliographie : Pluchart, 1889, n° 1854 ; Beaucamp, t. II, p. 663, n° 128.

Lille, musée des Beaux-Arts (inv. Pl. 1854).

Cette grande composition allégorique, l'une des œuvres les plus importantes de la production révolutionnaire de Wicar, est connue également par deux autres dessins. L'un, très semblable à celui-ci est aussi conservé à Lille (inv. W. 3209) ; le second, définitif, destiné à la gravure de J.-L. Pérée (B.N. Est. coll. Hennin, t. CXXXVII, 12105), est conservé à l'académie des Beaux-Arts de Pérouse (inv. 828).
Cette allégorie est ainsi expliquée par Wicar lui-même, dans la longue annotation manuscrite portée sur la feuille : « Le peuple français se reposant à l'ombre de l'olivier Pacifique est couronné par la victoire. Il est accompagné de la justice et de l'Humanité des droits de l'homme et de la constitution de 93. Il accueille favorablement la toscane qui introduite par le comte Carletti lui présente une branche d'olivier. Derrière elle on aperçoit mercure le dieu du commerce. Elle a à sa suite tous les arts et le fleuve de l'arno qui a été le témoin de leur Prodiges, l'abondance tient la 1ère place. Derrière l'arno paraît l'hideux gouvernement anglais en proie à sa rage impuissante. Deux génies détachent deux branches d'olivier pour marquer que cette heureuse époque n'est que le prélude de plusieurs autres traités. Dans le haut est la Renommée qui d'une main tient le traité conclu avec la Toscane et de l'autre se prépare à emboucher la trompette. Le fond représente l'isle de corse que nous bombardons et dont cet heureux évènement nous facilite la reprise. »
Le comte Francesco Carletti, dont il est question dans cette notice, seule figure réelle représentée sur ce dessin, était le ministre plénipotentiaire du grand-duc de Toscane. C'est à lui qu'il revint de signer le traité de paix avec la France. La Toscane était ainsi la première puissance à quitter la coalition le 21 pluviôse an III (9 février 1795). Wicar avait réalisé en 1793 un autre portrait, gravé par Pérée, de ce personnage que Fabre peindra également en 1798 (musée de Montepulciano).
Fervent adepte du néo-classicisme, et particulièrement de l'allégorie, qu'il considérait comme un exercice didactique essentiel pour l'édification des Français, l'artiste ne concevait cependant pas à quel point ce mode de représentation se situait en rupture de la réalité. Quoi de plus éloigné de l'événement en effet que cette allégorie, incompréhensible sans texte explicatif ? Le dessin de Wicar participe encore de l'ensemble des productions allégoriques qui couvrent la période de la Terreur et de la Convention thermidorienne. La tendance à réaliser des œuvres aux significations plus directes ou plus claires ne se fera jour que sous le Directoire : ce sera alors la grande période de la peinture mythologique, dont les sujets seront adaptés à la politique moderne.
Comme cela est très souvent le cas à l'époque, la figure du peuple français est représentée sous les traits d'Hercule (*cf.* Hennequin, l'*Hercule français*, 1800, plafond de la salle des Antonins au Louvre). Ici, Wicar semble s'être inspiré directement du projet de rideau dessiné par David pour le Théâtre des Arts, *Le Triomphe du peuple français*, dont deux dessins sont conservés, l'un au Louvre, l'autre au musée Carnavalet (1793-1794). David avait lui-même emprunté son personnage au Grand Camée de Vienne, la *Gemma Augustae*, conservé à la Bibliothèque nationale. J.Be.

Allégorie du traité de paix entre la Convention et le grand-duc de Toscane (cat. 697).

XVII
LA LUTTE ANTIRELIGIEUSE

Le conflit entre la Révolution et l'Église catholique était-il inévitable ? Les liens étroits noués au fil des siècles entre la monarchie et le clergé français, même s'ils étaient parfois conflictuels, avaient pour conséquence que l'on ne pouvait modifier la nature de la première sans bouleverser les structures de l'autre. La mise en place de la Constitution civile du clergé, sans tentative préalable d'accord avec Rome et en négligeant au nom de la Raison les principes les plus élémentaires du droit canon, est en général considérée comme la cause principale de la rupture. Ce qu'avait décidé la Constituante était-il vraiment beaucoup plus insupportable pour l'Église que les mesures prises par Joseph II ? L'hostilité du haut clergé aggrava sans aucun doute la situation, et plus encore son émigration, qui faisait de tout ecclésiastique, même « jureur », un complice potentiel de la contre-révolution.

A l'inverse, beaucoup de catholiques convaincus acquirent très tôt la certitude que le but final de la Révolution était moins la chute de la royauté que la destruction de toute religion. L'athéisme militant de certains « patriotes », le rôle de la franc-maçonnerie dans les débuts de la Révolution et l'évidente filiation entre la philosophie des Lumières et les idéaux révolutionnaires suffisaient comme preuves : la Révolution avait réussi à « écraser l'Infâme ».

Il est vrai que dans sa lutte antireligieuse, la Révolution fut amenée à s'en prendre à des adversaires plutôt humbles : prêtres réfractaires, qui veillaient à assurer avec un matériel liturgique de fortune la continuité du culte, religieux et religieuses fidèles à leurs vœux, paysans fidèles à une foi peu éclairée sans doute mais ardente, voire membres du clergé assermenté, appauvris, menacés mais demeurés croyants à défaut d'être canoniques.

De cette lutte découlèrent les événements les plus dramatiques de la Révolution, ceux qui, à long terme, par la nature même de tout ce qui touche au domaine religieux, sont restés le plus ancrés dans la mémoire collective. Affrontement nécessaire, voire souhaitable, ou gigantesque malentendu, le problème des rapports entre la Révolution et l'Église demeure posé.

Le Serment du clergé à la Constituante (cat. 698, détail).

LA QUESTION RELIGIEUSE AU CŒUR DE LA RÉVOLUTION

« Jésus-Christ a prêché le premier
la liberté et l'égalité »
Parrein, président de la commission révolutionnaire de Lyon, an II[1]

La lutte antireligieuse fut une composante majeure de la politique révolutionnaire. La réorganisation de l'Église commença dès la nuit du 4 août 1789 où furent improvisés les décrets supprimant les dîmes et le casuel, préparant l'abolition des droits seigneuriaux que possédait le clergé. La crise fiscale, qui avait été une des causes de l'effondrement de la monarchie, amena les députés à confisquer les biens ecclésiastiques — presque un quart des quelque deux cents « cahiers généraux » du tiers état (rédigés pour être portés au roi) demandait la saisie d'une partie des biens de l'Église — et à considérer le clergé comme un corps de fonctionnaires rémunérés par l'État. Les ordres monastiques furent abolis le 13 février 1790 ; c'était une revendication écrite à de nombreuses reprises dans les cahiers de doléances, bien que l'on n'y puisse trouver aucune trace d'irreligion. La Constitution civile du clergé, votée le 12 juillet 1790, réorganisa le clergé séculier : l'Église de France devenait une Église nationale, la carte des évêchés recoupait celle des départements : plus de cinquante évêchés furent abolis ; les évêques et les curés étaient élus respectivement par les assemblées électorales laïques de département et de district, et institués par leurs supérieurs ecclésiastiques (pour les évêques leurs métropolitains, et non plus le pape). Ainsi la réforme religieuse était liée étroitement à la refonte administrative et à la question financière.

Le 27 novembre 1790, l'Assemblée constituante exigea de tous les prêtres le serment de fidélité à la Constitution du royaume, donc à la Constitution civile qui s'y trouvait incorporée (le décret fut signé par le roi en janvier 1791). « Cet événement toucha même les villages les plus petits et les plus isolés et fit vivre clairement et sans ambiguïté aux hommes et aux femmes les plus simples, l'expérience révolutionnaire[2] » : il devait symboliser la réorganisation radicale de l'Église, et bouleverser profondément le pays, un grand nombre de prêtres hésitant à formuler un serment contredisant celui qu'ils avaient prêté lors de leur ordination, et pouvant mettre en danger le salut de leurs âmes. C'est ainsi que la mise en application du serment durant l'hiver 1791 fut difficile, de nombreux curés exprimant des restrictions validées par des municipalités soucieuses de paix civile. Deux tests furent importants : la réaction aux brefs du pape (mars-avril 1791) condamnant sans appel la Constitution civile, et la reconnaissance des évêques tous élus à la fin du printemps ; par exemple plus de la moitié des prêtres jureurs de Haute-Saône devinrent réfractaires quand ils furent obligés d'accepter le nouvel évêque. L'historien américain Timothy Tackett a récemment établi une carte géographique du serment, qui permet de montrer les zones à prédominance de prêtres réfractaires (le « grand triangle de l'Ouest », le cœur du Massif central et le Languedoc, une bande frontalière du Nord et de l'Est) et de prêtres jureurs (le Bassin parisien et ses prolongements « coupant en diagonale le cœur historique du pays, de la frontière des Pays-Bas autrichiens à l'embouchure de la Gironde », et le Sud-Est) : « L'Antéchrist de la Révolution a pu prendre, selon les régions, des visages bien différents : pour certains prêtres, la Constitution était l'œuvre des protestants à la recherche du pouvoir, pour d'autres, un complot de la philosophie et de l'anticléricalisme, tandis que d'autres encore y voyaient la marque du jansénisme[3]. »

Cet éclatement du clergé en 1791 aura des répercussions profondes sur les mentalités religieuses : « La France où le clergé refuse massivement la Constitution civile est aussi celle où, cent cinquante ans plus tard, les populations sont restées plus pratiquantes ; la France où l'acceptation est massive, celle ensuite de la plus faible pratique[4]. » C'est le serment de 1791, plus que toute autre mesure révolutionnaire, qui modela la géographie religieuse du pays, et dicta les comportements profonds du peuple.

Le culte réfractaire, toléré en mai 1791, devint le foyer d'une opposition contre-révolutionnaire ; après la chute de la monarchie, l'Assemblée fit appliquer le décret concernant l'internement et la déportation des prêtres réfractaires. Mais le discrédit atteint le clergé constitutionnel, première étape de la déchristianisation du pays : interdiction de porter le costume ecclésiastique hors de l'église, laïcisation de l'état-civil (confié aux municipalités en septembre 1792 ; de nombreux prénoms révolutionnaires sont choisis : quarante pour cent de ceux du canton

1. Cité par Michel Vovelle, *la Révolution contre l'Église — De la raison à l'Être suprême*, Paris, 1988, p. 123.
2. Timothy Tackett, *la Révolution, l'Église, la France*, Paris, 1986, p. 19.
3. Tackett, *op. cit.*, p. 316.
4. Claude Langlois, « la Déchirure », postface de Tackett, *op. cit.*, p. 320.

de Versailles sont empruntés aux héros de l'Antiquité), institution du divorce, adoption de l'ère républicaine, qui substitue aux dimanches trois décadi par mois, et du calendrier avec les nouveaux noms des mois proposés par le conventionnel Fabre d'Églantine (octobre 1793), laïcisation de noms de lieux (plus de vingt mille communes changèrent de nom).

Parallèlement aux décrets officiels de l'Assemblée se met en place, à l'initiative des sans-culottes, l'organisation d'un culte révolutionnaire destiné à se substituer au culte chrétien. On peut chercher l'origine de ce culte révolutionnaire dans la fête de la Fédération du 14 juillet 1790, première manifestation civique — de même que les pompes funèbres — jusqu'à la fête purement laïque, organisée par David, de l'Unité et de l'Indivisibilité du 10 août 1793. La déchristianisation proprement dite eut son apogée de l'automne 1793 à l'hiver 1794, imposée à la Convention et au Comité de Salut public par certains représentants en mission, comme Fouché dans la Nièvre, inaugurant un buste de Brutus dans la cathédrale de Nevers, Lequinio à Rochefort mariant les prêtres, Albitte dans l'Ain et le Mont-Blanc, rasant les clochers et imposant un nouveau serment civique pour uniformiser les abdications de prêtrise. La Commune de Paris inspirée par Chaumette interdit en octobre les cérémonies religieuses hors des églises avant de contraindre l'évêque constitutionnel de Paris Gobel à abdiquer (novembre). La cathédrale Notre-Dame fut consacrée à la Raison, puis toutes les églises de la capitale et un certain nombre en province. A la faveur de cette dévotion nouvelle plusieurs municipalités (Bordeaux, Lille, Montpellier, Marseille...) mirent en chantier des temples de la Raison qui devaient être réalisés par les artistes les plus célèbres (Brongniart, Verly, Pajou, Réattu...). Le culte des martyrs de la liberté (Marat, Le Peletier, Chalier) se substitua au culte chrétien, tout en s'inspirant de l'ancien rituel.

Le mouvement déchristianisateur est sorti de la sans-culotterie, parfois relayé par l'armée révolutionnaire ou les bataillons de volontaires nationaux, et fut pris en charge par les organisations populaires (sociétés, comités révolutionnaires[5]). Son intensité varia selon les régions — la carte de la déchristianisation de l'an II et celle du serment de 1791 sont similaires, « mêmes pôles d'adhésion, mêmes pôles de refus dans l'ensemble » (Vovelle, 1988, p. 263) — et le rôle des représentants en mission, se greffant sur un fonds d'anticléricalisme populaire ; dans le *Père Duchesne*, n° 301 (octobre 1793), Hébert parle du « sans-culotte Jésus... l'ennemi juré des prêtres » ; le clergé était accusé de collusion avec l'étranger à un moment tragique pour le pays, menacé d'invasion par la coalition — c'est dans ce contexte que furent fondues les cloches et l'argenterie des églises afin de contribuer à l'effort de guerre — et rassemblait sur lui les mécontentements issus de la crise des subsistances : « Les régions déchristianisatrices correspondent souvent à celles où les problèmes frumentaires étaient les plus aigus... obsédés par la question du pain quotidien, paysans parcellaires, journaliers et manouvriers à la limite de l'indigence et de l'errance, étaient prompts à ranger le prêtre parmi les suspects[6]. »

Le danger d'une guerre civile générale, et d'une confusion des valeurs — l'adoration envers les reliques de Marat, parfois excessive quand il y avait transfert à ce dernier des qualités surnaturelles du Christ ou des saints catholiques (la propa-

Barthélemy-François Chardigny.
Le Clergé et la Noblesse vaincus par le Tiers-État sous la protection de la Loi.
Musée Granet, Aix-en-Provence.

5. « Reflet d'un état des attitudes religieuses, la crise de l'hiver et du printemps 1794 est également dans le temps court le reflet d'un moment de la politisation du pays... En découvrant... les trois France, la France méridionale où la parole est portée par les sociétés populaires, celle du Nord-Est et partiellement de l'Ouest, où elle revient aux administrations (département et district) faute sans doute d'une poussée suffisante à la base et celle du Bassin parisien, et du Nord-Ouest, où les municipalités tiennent le rôle qui revient ailleurs aux clubs, nous apprécions les voies du cheminement d'une opinion en voie de politisation, mais suivant des modes différents, et avec un succès inégal », Vovelle, 1988, pp. 266-267).

6. Albert Soboul, la *Civilisation de la Révolution française*, t. II, Paris, 1982, p. 417.

gande contre-révolutionnaire avait saisi cette sacralisation pour ridiculiser les Jacobins) étant souvent un appel à l'insurrection — amena le Comité de Salut public et la Convention à stopper la déchristianisation ; le 21 novembre 1793, Robespierre se prononça aux Jacobins pour la liberté des cultes, suivi par un décret de la Convention (6 décembre) qui ne fut pas respecté. Il s'était violemment élevé contre le culte de la Raison : « De quel droit... troubler la liberté des cultes, au nom de la liberté, et attaquer le fanatisme par un fanatisme nouveau ? » Il fit condamner au printemps 1794 les partisans de l'athéisme (Chaumette, Gobel, Cloots...), comme agents de l'étranger voulant par leur rôle antireligieux déconsidérer la Révolution. Les fêtes populaires — mascarades et autodafés — furent interdites (mai 1794) : seules étaient autorisées dorénavant les fêtes civiles organisées par le gouvernement. Le 7 mai 1794, suivant un rapport de Robespierre, « le peuple français reconnaît l'existence de l'Être suprême et l'immortalité de l'âme ». Pour Robespierre, « l'athéisme est immoral et aristocratique ; l'idée de l'Être suprême et de l'immortalité de l'âme est un rappel continuel à la justice : elle est donc sociale et républicaine ». Le 8 juin eut lieu à Paris la fête de l'Être suprême et de la Nature, ouverte par Robespierre, alors président de la Convention, apogée de la mise en scène révolutionnaire (David, Méhul et Gossec), mais aussi scénographie coupée de toute spontanéité (« la Révolution est glacée », Saint-Just). Le même jour une fête comparable se déroula à Lyon, organisée par Chinard et Hennequin, avec devant l'autel une représentation de l'Athéisme s'appuyant sur la Discorde et l'Égoïsme, surmontée sur l'autel par la statue de la Liberté.

Après Thermidor, les mesures contre les réfractaires furent maintenues, de même que le strict emploi du calendrier républicain dans tous les actes de la vie publique, l'interdiction des processions, associations, habits ecclésiastiques et sonneries de cloches.

Dès septembre 1794 la séparation de l'Église et de l'État fut implicitement décrétée par la Convention : la République ne payait plus « les frais ni les salaires d'aucun culte », et ce régime fut réglementé en février 1795. Les églises, pour la plupart fermées durant la Terreur, furent réouvertes et livrées indistinctement à toutes les religions possibles. Si le clergé constitutionnel tenta de se réorganiser sous la direction de Grégoire, la baisse de l'influence et du prestige de l'Église était insurmontable. Les mesures anticléricales furent encore plus fortement soulignées après le 18 fructidor et l'écrasement des royalistes par Barras. Quelques cultes éphémères — la théophilanthropie du directeur La Revellière-Lépeaux ou religion des adorateurs de Dieu et amis des hommes, et le culte décadaire, réglementé le 9 septembre 1798 par une loi prévoyant en particulier des fêtes tous les décadi, jours chômés — furent définitivement abrogés par le Consulat. Bonaparte, « s'il reconnut le catholicisme comme religion de la majorité des Français, lui refusa le rang de religion d'État... La séparation de l'Église et de l'État disparut pour un siècle, mais l'État demeura laïque[8]. »

Guilhem Scherf

7. L'ex-prêtre Lordeyrol à Arles : « Nous ne devons avoir pour divinité que Marat » (cité par Vovelle, 1988, p. 178).

8. Albert Soboul, *Histoire de la Révolution française*, 4e éd., t. II, Paris, 1979, p. 333.

LA CONSTITUTION CIVILE DU CLERGÉ

698
Le Serment du clergé à la Constituante

par Claude-Louis DESRAIS

Plume, encre noire, lavis brun et rehauts blancs. H. 0,22 ; L. 0,34.

Expositions : 1931, Paris, Carnavalet, n° 112 ; 1970, Paris, musée Notre-Dame, n° 73 ; 1982, Paris, Carnavalet, n° 31.

Bibliographie : Lévêque, 1987, p. 177.

Paris, musée Carnavalet (inv. D. 4760).

Cette célèbre caricature représente allégoriquement une séance à l'Assemblée constituante lors des débats qui ont suivi la loi de la Constitution civile du clergé. On peut préciser la date grâce au titre de la gravure qui fut éditée anonymement (exemplaire B.N., coll. de Vinck, n° 3477 ; *cf.* Vovelle, 1986, t, II, p. 253, repr. et Langlois, 1986, p. 179, n° 4, repr.) : « Mrs les Noirs lancent leur venin anti-constitutionnel contre les Décrets de l'auguste/ Assemblée Nationale sur l'abolition des pouvoirs temporels du Clergé — Mrs les Evêques du côté gauche prononcent le serment civique décrété le 27nbre / Je jure de maintenir la Constitution décrétée et acceptée et d'être fidèle à la Nation, à la Loi et au Roi. » La gravure complète le dessin par quelques inscriptions, en particulier « La Nation, la Loi, le Roi » dans les trois côtés du triangle. Le 27 novembre 1790, en effet, l'Assemblée vota le décret exigeant un serment d'allégeance à la Constitution de la part de tous les évêques, prêtres de paroisse et professeurs de séminaire. Ceux qui refuseraient le serment perdraient leur poste et seraient remplacés. Ce décret semble avoir été l'œuvre du Comité des recherches et du Comité des rapports, deux organismes de surveillance et de répression nettement plus révolutionnaires [que le Comité ecclésiastique qui avait reçu, dès le 4 août 1789, la tâche de rédiger la Constitution civile du clergé, laquelle fut votée le 12 juillet 1790], et parfois décrits comme les prédécesseurs du Comité de Salut public. Considérant la question de l'acceptation de la Constitution civile uniquement sous son angle politique [« La théologie est à la religion ce que la chicane est à la justice », Pétion, discours du 27 novembre 1790], « les membres de ces deux comités ne semblent pas avoir saisi la portée religieuse de cette mesure » (Tackett, *op. cit.*, pp. 38-39). Ce fut effectivement l'obligation de prêter serment qui provoqua la crise de 1791, et non la Constitution civile, qui ralliait une majorité de suffrages favorables au sein du clergé. La décision était politique, et ce n'est pas un hasard si le prêtre déculotté à qui on administre un sérieux lavement — selon les bonnes lois de la caricature scatologique antireligieuse, illustrée aussi hors de France, par exemple en Brabant — est l'abbé Maury (il porte sur la gravure les lettres « MY » marquées sur sa fesse gauche...) ; ce dernier s'était manifesté dans les débats avec l'évêque de Clermont, soulevant les questions d'ordre théologique et canonique, tergiversant dans l'attente de la décision du pape.

Le débat du 27 novembre fut particulièrement

houleux. « Le refus patent des évêques et de certains prêtres de se plier, sans restriction à une loi émanant de la souveraineté populaire... avait provoqué une exaspération proche de la fureur » (Tackett, p. 39), et l'on parlait volontiers de ligue antipopulaire constituée par une partie du clergé.
La caricature de Desrais illustre parfaitement cette thèse. A droite, le camp de l'ombre et du venin, l'abbé Maury, « que l'évêque de Tréguier (Le Mintier) inspire à l'aide d'un soufflet » (Bruel, 1914, t. II, p. 543, nº 3477) ; il est accompagné des archevêques de Paris (Juigné) et de Rouen (La Rochefoucauld), ainsi que de l'abbé Royou, journaliste monarchiste ; si La Rochefoucauld se montra toujours un partisan obstiné des privilèges du clergé, refusant la réunion au tiers état lors des États généraux et opposant acharné de la Constitution civile, Juigné eut une position moins claire : au départ opposé aux réformes, il prêta serment puis se ravisa et émigra ; à gauche, le règne de la lumière avec le président et les parlementaires et au premier plan, selon Bruel, Talleyrand — initiateur de la nationalisation des biens du clergé, il sacra les nouveaux évêques constitutionnels élus — et Gobel, le premier évêque député à avoir prêté serment à la Constitution, et le successeur en mars 1791 de Juigné ; aux gestes tendus et agressifs des ennemis de la Nation correspondent la sérénité et l'ouverture des hommes du droit et de la vérité. G.Sc.

699
Le Prêtre jureur

par un auteur anonyme

Gravure coloriée. H. 0,20 ; L. 0,15.
Inscription : « Vanité des Vanités/Tout n'est que Vanité. »
Bibliographie : Vovelle, 1986, t. II, p. 262, repr. ; Langlois, 1986, p. 179, nº 7, repr.

Paris, musée Carnavalet (inv. Ha 014 A 017).

Cette œuvre représente un « prêtre patriotique prêtant de bonne foi le serment civique », titre que l'on peut lire sur une version de la gravure par Villeneuve (*cf.* Langlois, *op. cit.*).
La mise en application du serment fut relativement rapide. « La plupart des premières cérémonies semblent s'être déroulées en janvier ou au début de février 1791, même dans les régions les plus reculées du pays » (Tackett, p. 45). On peut constater ici l'efficacité des nouvelles administrations locales (départements, districts et municipalités) pourtant en cours de rodage. G.Sc.

700
La France repousse les bulles du pape

par un auteur anonyme

Eau-forte. H. 0,208 ; L. 0,355.
Inscription : « BULLES DU 18e siècle/Pendant que Pie VI, environné de sa garde faut jou-jou, l'Abbé Royou, armé d'un Paquet de Plumes qu'un Général d'Ordre lui a taillées avec un poignard, fait mousser le savon apostolique. Deux grandes Dames, ont beau faire, la France/repousse les Bulles avec un sourire dédaigneux ; Le cardinal de Bernis qui a ramassé les Lunettes du Pape les lui présente cassées. L'Abbé Mauri, Prieur de Lions, monté sur un âne se presse tellement pour venir chercher à Rome le cha-/peau de Cardinal, qu'il fait chopper le pauvre animal. Sous le Roc de la Constitution sont anéantis pour jamais ces ordres qu'enfanta l'Orgueil et le despotisme. Le reste s'explique de lui-même. » ; dessous à gauche : « AIR.Autant en emporte le vent./Des Foudres de Notre Saint Pere,/Royou loin de nous menacer,/ Crains pour toi-même la colere/D'un peuple prest à se lasser./En vain ta plume fanatique,/Bât le savon apostolique,/On y croit plus, c'est jeu d'enfant/Autant en emporte le vent. » ; à droite : « AIR.adieu paniers/ Oui, quoi qu'en disent les Caillettes,/Mes beaux mignons Ultramontains,/Il faut chanter à vos lutrins,/ Adieu paniers vendanges sont faites. »
Bibliographie : Bruel, 1914, t. II, pp. 522-523, nº 3437 ; Langlois, 1986, p. 180, nº 15.

Paris, musée Carnavalet (inv. Ha 016 bis G 004).

La condamnation du serment et de la Constitution civile par le pape (par deux « brefs », et non des « bulles », en mars-avril 1791) venant après celle de la Déclaration des droits de l'homme, fut l'aboutissement d'un long suspense. Cette décision négative en effet n'était pas évidente — le roi avait bien signé le décret début janvier — et plusieurs évêques, en particulier celui d'Aix-en-Provence, Boisgelin, espéraient éviter le schisme. Il semble que l'entourage de Pie VI, et en premier lieu le cardinal de Bernis, ambassadeur au Vatican, l'ait poussé dans une attitude intransigeante, lui faisant valoir la possibilité d'un soulèvement généralisé du peuple contre les décisions de l'Assemblée. Le contexte politique ne doit pas être occulté : le souverain pontife s'inquiétait de ses possessions temporelles en Avignon et dans le comtat Venaissin agitées par les propagandistes du rattachement à la France.
Cette caricature complexe, d'une exceptionnelle qualité, est bien explicitée par la longue inscription. La France monarchique (manteau aux fleurs de lys, couronne) mais s'appuyant sur les emblèmes de la justice (le faisceau) et de la liberté (le bonnet), résumés par les deux grands textes de la Constitution et de la Déclaration des droits de l'homme, surmonte le couple terrassé de l'aristocrate et de l'évêque ; elle repousse d'une chiquenaude les bulles (les lettres patentes, comminatoires) que lui envoie le pape. Aux pieds de celui-ci est agenouillé l'instigateur de la décision, le cardinal de Bernis ; sa main a laissé choir son chapeau et différents papiers (mangés par les rats) sur lesquels on peut lire le nom d'Avignon. A gauche de Pie VI, Thomas-Marie Royou (beau-frère de Fréron et son associé à *l'Année littéraire*, depuis 1789 fervent défenseur de la monarchie) prépare le savon qu'il fait mousser. Il tient un feuillet avec l'inscription *Ami du Roi*, titre du journal qu'il avait fondé avec Montjoie en 1790 (supprimé le 4 mai 1792) et qui était la principale feuille du parti royaliste.
Dans le fond l'abbé Maury, porte-parole de l'opposition contre-révolutionnaire à l'Assemblée — émigré après la dissolution de la Constituante, il fut fait cardinal par le pape, et devint le représentant du comte de Provence à Rome — est juché sur un âne dans une image que retiendront nombre de mascarades ; les deux femmes sont Mesdames, tantes de Louis XVI, connues pour leur dévotion, qui se réfugièrent à Rome en février 1791, après une longue équipée. G.Sc.

701
Le Prêtre réfractaire

par un auteur anonyme

Gravure coloriée. H. 0,187 ; L. 0,139.
Inscription : « L'Ecclésiastique Réfractaire/Au milieu de l'Eclat le plus pur/Tu reste dans le Clair obscur. »
Bibliographie : Bruel, 1914, t. II, p. 545, nº 3484 ; Vovelle, 1986, t. II, p. 265, repr. ; Langlois, 1986, p. 179, nº 6, repr.

Paris, musée Carnavalet (inv. Ha 016 bis F 004).

Après la condamnation du pape, le schisme était consommé ; pourtant les partisans du compromis avaient été nombreux : « De nombreux évêques et l'écrasante majorité des prêtres de paroisse faisaient tout leur possible pour coopérer avec la Révolution » (Tackett). La césure coupa la France entre prêtres jureurs ou assermentés, et prêtres réfractaires ou insermentés. La gravure montre un prêtre au long nez grotesque, crosse et mitre à ses pieds, livre liturgique ouvert, tenant un petit encensoir ; il reste dans l'ombre alors que le triangle de l'égalité luit et que resplendit la lumière de l'ère nouvelle. G.Sc.

702
Le Serment forcé dans une église de paroisse

par un auteur anonyme

Eau-forte coloriée. H. 0,151 ; L. 0,201.
Inscription : « Moyen de faire prêter serment aux Evêques et Curés aristocrates, en présence des/ Municipalités suivant le décret de l'Assemblée Nationale. »
Bibliographie : Bruel, 1914, t. II, p. 545, nº 3483, repr. pl. XIII, p. 509 ; Vovelle, 1986, t. II, p. 263, repr. ; Langlois, 1986, p. 179, nº 5, repr.

Paris, musée Carnavalet (inv. Ha 016 bis F 001).

Cette gravure plaisante montre comment un mécanisme de câbles et de poulies peut effectivement contraindre un prêtre à prononcer le serment.
Une telle image est rare, et son « traitement unique. Sans doute, pensons-nous, parce que le geste du serment garde encore pour les mentalités toute sa valeur sacrée et qu'il risque d'être mal venu de s'en moquer » (Langlois, *op. cit.*). T. Tackett en effet a clairement démontré

Le Serment du clergé à la Constituante (cat. 698).

La France repousse les bulles du pape (cat. 700).

Le Prêtre jureur (cat. 699).

Le Prêtre réfractaire (cat. 701).

Le Serment forcé dans une église de paroisse (cat. 702).

la valeur symbolique du serment dans les mentalités. « La cérémonie du serment jouait depuis longtemps un rôle important dans les relations sociales et politiques de l'Ancien Régime... Briser son serment ou faire un faux serment était considéré comme un blasphème. De toute évidence le serment était une chose grave » (pp. 32-33). « Le peuple ne plaisante pas avec ce nœud sacré » reconnaissait le journal *la Révolution de Paris*. Cette importance extraordinaire du serment dans la psychologie collective explique bon nombre de réticences — le nouveau serment contredisant celui de l'ordination — et le choix d'une existence clandestine préférable à un parjure compromettant toute vie éternelle. G.Sc.

703
Scène allégorique

attribuée à Pierre CARTELLIER

Bas-relief, terre cuite. H. 0,172; L. 0,252; Pr. 0,20.
Inscription : à droite, sur la tablette, « les hommes/ naissent et/meurent/libre et/égaux en/droit. les distinctions/... [lle] »; à gauche, « Bible », « épitre », « évangile », « bref »; en bas à droite : « P.C. »
Historique : don de M. Blaizot, 25 avril 1876.
Exposition : 1900, Paris, Exposition universelle (exposition centennale de l'Art français).
Bibliographie : Lami, 1910, t. I, p. 186 (Chaudet).

Coutances, musée municipal (inv. 876-1).

Cette œuvre était autrefois considérée comme étant un projet de Chaudet pour son bas-relief du Panthéon. Ce dernier, encore visible actuellement à l'extrême droite sous le péristyle, représente le *Dévouement patriotique* et est fort différent par son style et sa composition de l'esquisse de Coutances. Le bas-relief central sous le péristyle — grande composition en longueur réalisée par Boichot — était consacré, en revanche, aux Droits de l'homme; il n'est plus connu aujourd'hui que par le dessin conservé au musée de Chalon-sur-Saône (cat. 847) et quelques fragments du modèle en plâtre, récemment découverts au Panthéon. Le style de l'esquisse ici commentée est également incompatible avec celui de Boichot; son nom est de toute façon écarté à la lecture des initiales « P.C. » qui signent l'œuvre à droite. Un artiste en revanche, Pierre Cartellier, nous semble rassembler le plus d'hypothèses positives en faveur d'une attribution.
Le sculpteur, étudié naguère par Gérard Hubert (« Pierre Cartellier, statutaire, œuvres et documents inédits », *B.S.H.A.F.* (1976), Paris, 1978, pp. 316-318) débuta sa carrière sous la Révolution; il obtint en 1796 un prix d'encouragement (cat. 1101) après avoir participé notamment au décor du Panthéon (un pendentif de la nef orientale, payé en 1793).
Le style de Cartellier privilégie la ligne — comparons avec le quadrige de la *Gloire* du Louvre, ou le tombeau de Joséphine dans l'église de Rueil —, les formes allongées avec une grande élégance dans le choix des poses, éléments que ne dément pas l'observation du relief de Coutances.
Quelle était la destination de l'œuvre ? Le sujet est relativement obscur. Le Temps présente la Déclaration des droits de l'homme à un héros (le Peuple souvent identifié dans l'iconographie révolutionnaire à Hercule ?) soutenu par une matrone assise (l'Histoire ?). A gauche la Foi ou l'Église — reconnaissable à son chapelet —, tête baissée, les mains devant le visage, se laisse conduire par l'épaule par une figure féminine énergique dont les attributs ont été détruits (ce qui expliquerait les lacunes de matière à gauche ?); à ses pieds sont déposés les ouvrages chrétiens — Bible, épître et évangile — et un « bref », évidente allusion aux brefs de Pie VI condamnant la Constitution civile du clergé (mars-avril 1791). Le bas-relief pourrait se lire ainsi : l'Histoire dévoile au Peuple l'immortalité de la Déclaration des droits de l'homme et du citoyen (adoptée le 26 août 1789, elle devint le préambule de la Constitution de 1791), tandis que la Liberté (?) foulant aux pieds les instruments du prosélytisme chrétien (la Constituante avait refusé le 13 avril 1790 de reconnaître le catholicisme comme religion d'État) entraîne l'Église hors de la scène publique.
L'éveil du peuple se manifeste grâce au règne de la Déclaration des droits, qui détruit l'ancienne autorité religieuse.
On serait tenté de dater le relief vers 1791, et peut-être effectivement de le rapprocher du grand chantier du Panthéon, l'ancienne église Sainte-Geneviève. On sait que la Constituante, par le décret du 4 avril 1791, décida de réaliser un nouveau décor au Panthéon, à la place de celui prévu par Soufflot, et en relation avec la nouvelle fonction de l'édifice. Ce fut Quatremère de Quincy qui fut chargé de l'opération. On a déjà rappelé la collaboration de Chaudet et de son ami Cartellier.
Ce dernier voulut-il présenter une esquisse relative aux Droits de l'homme en concurrence avec Boichot ? L'arrêté du Directoire du département de Paris concernant le péristyle date du 17 mai 1792, et on conserve aux Archives nationales l'échelonnement complet des paiements (1792-1793 : O[1] 1699.164 à 191) de même que les soumissions des cinq sculpteurs du portail (Le Sueur, Roland, Boichot, Fortin et Chaudet); aucune trace n'a pu être trouvée dans les archives d'une activité de Cartellier pour le péristyle; peut-être avait-il été écarté à une date précoce.
Quoi qu'il en soit, et dans l'attente de documents nouveaux permettant de préciser auteur et destination, le bas-relief de Coutances est un témoignage passionnant de l'invention iconographique au moment de la Constituante, alors que la question religieuse était au cœur du débat public. G.Sc.

704
Apollon terrassant la Religion

par Joseph CHINARD

Groupe, plâtre. H. 0,515; L. 0,133; Pr. 0,12.
Inscription : sur la figure féminine : « Religion ».
Historique : don Ph. Burty au musée Carnavalet; dépôt au musée du Louvre en 1937.
Bibliographie : La Chapelle, 1887, p. 42; Vitry, 1909, sous le n° 14; Saunier, 1910, pp. 32-34; Lami, 1910, t. I, p. 201; Hubert, 1964, p. 41; Wennberg, 1978, p. 17, repr.; Bresc-Bautier, 1980, p. 54.

Paris, musée du Louvre, département des Sculptures (inv. R.F. 2478).

C'est durant son second séjour à Rome — il fut, durant le premier, lauréat de l'académie de Saint-Luc (1786) — que Chinard reçut en 1791 une importante commande de la part de Van Risemburgh, un riche négociant, lyonnais comme lui. Il s'agissait de sculpter deux bases de candélabres en bronze, *Jupiter foudroyant l'Aristocratie* (cat. 825) et *Apollon foulant aux pieds la Superstition et l'Ignorance* (les titres suivent les résultats de l'enquête effectuée dans les archives par La Chapelle); seules les terres cuites (aujourd'hui au musée Carnavalet) et les plâtres ici exposés, conçus vraisemblablement en vue de la réalisation des groupes en bronze, ont été exécutés. On peut penser que c'est surtout le dernier sujet, particulièrement provocateur à Rome, qui choqua le gouvernement pontifical. Chinard fut arrêté en septembre 1792 et emprisonné au château Saint-Ange; libéré après deux mois d'incarcération à la suite d'une intervention de David à la Convention et du cardinal de Bernis à Rome — la lettre de Roland, alors ministre de l'Intérieur, inspirée par sa femme, arriva après sa libération (Rocher-Jauneau, 1978, p. 2 et p. 45) —, il revint triomphalement à Lyon. Selon Gérard Hubert, reprenant une biographie de Wicar, ce fut la fermeture et la saisie des registres de la loge maçonnique « qui fut la cause de son arrestation ». Le groupe d'*Apollon* (comme le *Jupiter*) est une récupération d'éléments iconographiques traditionnels au service d'un nouveau sujet. L'*Apollon* se réfère bien entendu aux nus virils de l'Antiquité, plus précisément au groupe de *Castor et Pollux*. Cet antique ne se trouvait plus à Rome depuis le XVIIe siècle, mais il avait été gravé, et surtout une copie était visible à l'Académie de France (*cf.* Haskell et Penny, *Taste and the antique*, Yale, 1982, p. 174). Chinard reprend le contrapposto de l'adolescent de gauche avec l'idée du pied en retrait, le torse et le mouvement des deux bras du héros de droite. Il affuble son dieu antique d'une gloire de rayons — procédé peut-être influencé par la peinture qui aime ainsi irradier de lumière ses divinités —, d'une paire d'ailes et d'une torche baissée (que tient également Castor ou Pollux). Ces deux derniers éléments se rattachent à une iconographie de type génie funéraire — par exemple celui de Canova du monument de Clément XIII à Saint-Pierre —, une telle connotation n'est pas hors de propos, Apollon se voulant ici dans l'esprit de Chinard le « fossoyeur » de la religion.
Il foule en effet aux pieds une figure bien traditionnelle de la Foi, voilée, tenant croix et calice, également proche de l'art italien du XVIIIe siècle, Corradini (par exemple la *Foi* debout du Dôme d'Este) ou Canova (la *Mansuétude* du monument de Clément XIV, église S.S. Apostoli de Rome), quoique la forme fémi-

Apollon terrassant la Religion (cat. 704).

Démolition de l'abbaye de Montmartre (cat. 705).

Scène allégorique faisant allusion à la Déclaration des droits de l'homme et à la Constitution civile du clergé (cat. 703).

nine de Chinard soit plus ramassée, et que la pose — la Religion est ici assimilée à Satan vaincu par saint Michel — soit parfaitement originale. Le groupe de Chinard, on le voit, est l'œuvre d'un artiste dont l'œil s'est enrichi — parfois à la limite du pastiche — de la vision des sculptures romaines. Fut-il influencé par son compatriote et ami le peintre Hennequin (Saunier, *op. cit.*, p. 34), qu'il connut à Lyon avant son départ à Rome, et avec qui il travaillera au printemps 1794 ? Le travail d'appropriation des grands modèles sculptés par Chinard permet d'infirmer cette thèse qui ne repose sur aucun document, même si l'art des deux artistes puise parfois dans le fonds commun des sources et du répertoire stylistique néo-classique.

L'exploitation de ce patrimoine néo-classique au service d'une propagande blasphématoire, au lendemain de la condamnation par Pie VI de la Constitution civile du clergé, ne pouvait que choquer davantage les esprits échauffés contre la nouvelle France. Chinard en effet se montre précurseur du mouvement déchristianisateur qui n'était pas encore à l'odre du jour en 1791. La religion qu'il foule par l'intermédiaire d'Apollon, lumière de la Raison, est celle du clergé réfractaire, mais rien ne permet d'indiquer ici le triomphe de la nouvelle Église constitutionnelle. Ce laïcisme militant devait lui ménager à son retour le regard favorable de la municipalité révolutionnaire de Lyon.

G.Sc.

705
Démolition de l'abbaye de Montmartre

par Louis-Gabriel MOREAU, dit l'Aîné

Huile sur papier marouflé sur toile. H. 0,67 ; L. 0,48.
Inscription : étiquette ancienne au revers (voir *infra*).
Historique : vente anonyme, 8 mars 1920, Paris, Galerie Georges Petit, n° 31 ; attribué au musée du Louvre par l'Office des biens privés, 1950.
Exposition : 1988, Châtellerault, n° 21.
Bibliographie : Wildenstein, 1929, p. 59, n° 11 ; Compin-Roquebert, 1986, t. IV, p. 114.

Paris, musée du Louvre, département des Peintures (inv. M.N.R. 130).

Dès le 29 septembre 1789 à l'Assemblée constituante, l'idée de prélever les richesses de l'Église fut fermement soulevée en particulier avec l'approbation d'influents aristocrates comme l'archevêque de Paris, Leclerc de Juigné, « s'appuyant sur le principe que les canons de l'Église ordonnent de vendre les vases sacrés pour secourir les pauvres » (*cf.* Robinet, *le Mouvement religieux à Paris pendant la Révolution*, Paris, 1896, t. I, p. 451). Le plus fervent était l'ancien physiocrate Dupont de Nemours, qui démontra clairement durant cet automne 1789 la filiation entre l'esprit des Lumières (le réformisme économique) et la Révolution (la destruction d'un ordre privilégié). Dans un discours retentissant (le 24 septembre) qui fut imprimé immédiatement, il établit économiquement la dette du clergé envers le budget de la France : « Le clergé a tantôt esquivé, tantôt nettement refusé la contribution qu'il devait pour les besoins de la patrie... les biens du clergé sont à la nation. » C'est avec une argumentation serrée, chiffres et tableaux à l'appui, que Dupont de Nemours ouvrit le débat décisif, complété par la célèbre motion de Talleyrand le 10 octobre où fut décidée l'aliénation des biens du clergé, ce dernier assimilé à un propriétaire féodal, et le décret du 2 novembre promulguant : « Tous les biens ecclésiastiques sont à la disposition de la Nation. » le 13 février 1790 le clergé régulier était supprimé. Le décret du 17 août 1792 signifia qu'« à partir du 1er octobre 1792, toutes les maisons actuellement occupées par des religieux seront évacuées et mises en vente ».

L'abbaye de Montmartre fut vendue relativement tard. L'acte de vente a été publié (*Bulletin du Vieux Montmartre*, IIIe série, tome II, 1897-1900, pp. 42-47) : les bâtiments de l'abbaye et du prieuré de Montmartre furent adjugés aux enchères le 24 floréal an II (24 mai 1794) en tant que « ci-devant couvent de l'Abbaye de Mont-Marat » ; « l'église ci-devant conventuelle, le chœur, chapelles, etc., sont construits en pierre, carrelés en liais et marbres. Les colonnes, autels, pilastres, statues, gradins, grandes tablettes de marbre qui les décorent, sont réservés pour les dépôts publics des monumens » (3e lot, p. 45). L'abbaye fut démolie au profit d'entrepreneurs, maçons, carriers qui suivirent les indications de l'acte de vente : « Dans les quinze arpens de ce lot (le troisième) il y en a environ dix exploitables en carrières de pierre à plâtre » (*idem*, p. 45). Le 2 juillet 1794 la quarante-sixième et dernière abbesse de Montmartre, Louise de Montmorency-Laval, âgée de 71 ans, était guillotinée.

Le délicat tableau de ce rare paysagiste que fut Moreau l'Aîné (peintre du comte d'Artois avant 1787) nous montre la démolition de l'église abbatiale, identifiée grâce à l'étiquette ancienne apposée au revers. On en connaît une autre version (huile sur toile : H. 0,646 ; L. 0,467) qui présente quelques variantes, en particulier sur le nombre, la localisation et l'activité des personnages ; signée avec des initiales, elle figura au Salon de 1804 et fut gravée (*cf.* catalogue de la vente à Paris, hôtel Drouot, 19 juin 1971, n° 183, repr.). L'œuvre, proche par l'esprit de la *Démolition de l'église des Feuillants* de Hubert Robert (musée Carnavalet) participe de ce courant ruiniste qui caractérise tout un pan de la peinture française du dernier tiers du XVIIIe siècle.

G.Sc.

OBJETS LITURGIQUES

706
Ostensoir

Fer forgé. H. 0,485 ; L. 1,0240 ; Pr. 0,125.
Historique : don abbé Rousset, curé d'Issé (Loire-Atlantique), 1872.
Exposition : 1935, Nantes, n° 208.
Bibliographie : Costa, 1967, n° 81 (et bibliographie antérieure).

Nantes, musées départementaux de Loire-Atlantique, musée Dobrée (inv. 872.11.1).

Cet ostensoir fut sans doute exécuté à Châteaubriant ou dans les environs sur le dessin de Jean-Baptiste Rohart, curé à Issé (1750-1812).

707
Ciboire

Fer blanc. H. 0,20 ; D. 0,112.
Historique : collection de M. l'abbé Camin ; don de l'*Ancienne Auvergne*, juillet 1923.

Clermont-Ferrand, musée Bargoin (inv. 312).

Le ciboire fut utilisé par un prêtre réfractaire de la commune d'Augerolles.

708 A
Ostensoir

Fer. H. 0,34 ; L. 0,12.
Historique : achat.

Bayonne. Musée basque (inv. 2179).

708 B
Ciboire

Fer. H. 0,210 ; L. 0,110.
Historique : achat.

Bayonne. Musée basque (inv. 2180).

708 C
Encensoir

Étain H. 0,180 ; L. 0,100.
Historique : don de M. l'abbé Charbonneau, curé de Guiche.

Bayonne. Musée basque (inv. 2163).

Objets liturgiques ayant servi au culte réfractaire :

Ostensoir (cat. 706).

Ciboire (cat. 707).

Ostensoir (cat. 708 A).

Ciboire (cat. 708 B).

Encensoir (cat. 708 C).

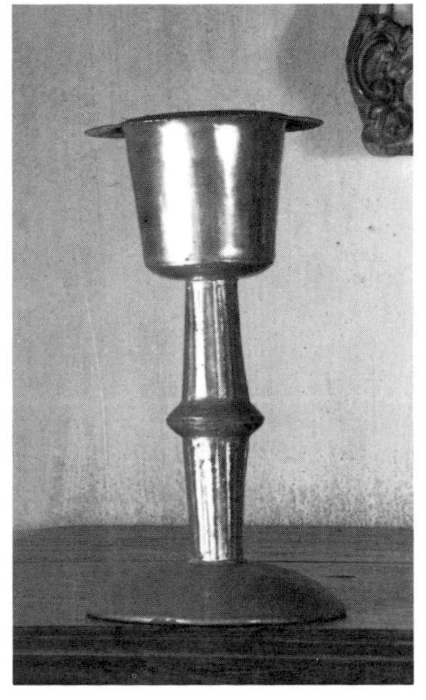

Calice avec sa patène (cat. 708 D).

Verre ayant servi de calice (cat. 708 E).

Verre ayant servi de calice pour le culte réfractaire (cat. 709).

Ciboire réalisé après la liberté des cultes, en août 1795 (cat. 711).

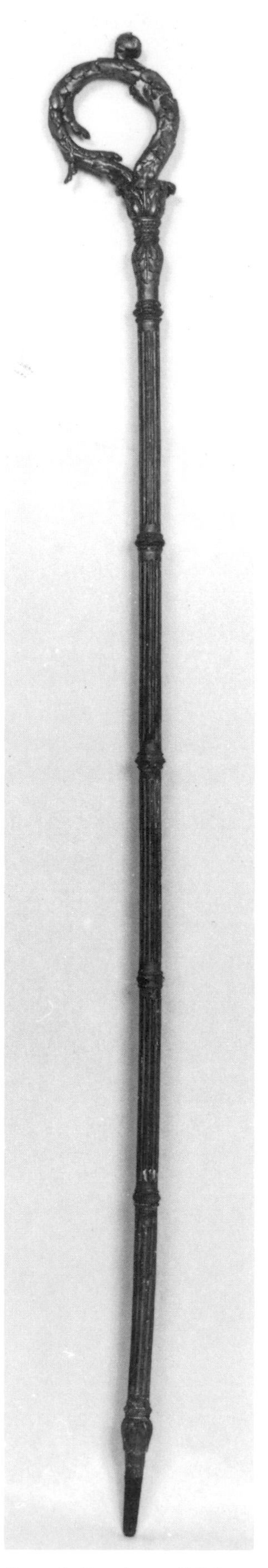

Crosse de Monseigneur Pelletier, évêque constitutionnel d'Angers (cat. 710).

708 D
Calice avec sa patène

Fer. H. 0,245; L. 0,125.
Historique: achat.

Bayonne. Musée basque (inv. 2181).

708 E
Verre ayant servi de calice

Verre. H. 0,090; L. 0,085.
Historique: provient de Itxassou (Pyrénées-Atlantiques); appartenait à M. l'abbé David, curé de Maisons-Alfort; don Mme David, Saint-Jean-de-Luz.

Bayonne. Musée basque (inv. 80.28.1).

709
Verre ayant servi de calice

Verre. H. 0,243; D. 0,09.
Historique: collection Imbert.
Bibliographie: cat. Thouars, 1962, p. 21.

Thouars, musée Henri-Bassé (inv. 1400.02.125).

Le calice aurai servi à l'abbé Jacault.
Les prêtres insermentés devaient vivre dans la clandestinité, officiant avec des objets de fortune. Ceux présentés ici proviennent de trois régions à dominante réfractaire : la Vendée et les Deux-Sèvres, le Massif central et les Pyrénées-Atlantiques. S'agissant de Thouars, Timothy Tackett mentionne que « les patriotes lançaient des accusations invérifiables sur les dirigeants locaux du district qui protégeaient les prêtres et les moines, et refusaient de faire quoi que ce soit pour remplacer les prêtres réfractaires ». Cette collusion entre la population locale républicaine et « son » clergé paroissial — on pourrait citer d'autres exemples en France — montre bien l'incompréhension « sur le terrain » des mesures parisiennes ; la déchristianisation et les cultes révolutionnaires devaient masquer le « grand vide » (Fouché) ressenti par les populations privées de référence religieuse.
L'Auvergne était dominée par la personnalité de l'évêque de Clermont ; député à l'Assemblée constituante, il fut dès l'été 1790 un des opposants à la Constitution civile ; son serment restrictif — « j'excepterai de mon serment tout ce qui regarde les choses spirituelles » — fut largement suivi et servit de référence. L'Auvergne fut une région exemplaire où le refus du serment fut général, et la présence d'une forte communauté calviniste a pu servir de catalyseur, le clergé catholique apparaissant comme le rempart de l'identité catholique de la région compromise par une Assemblée aux mains des protestants. De nombreux prêtres jureurs y furent persécutés.
Au moment de la déchristianisation de l'an II, toute une partie du Massif central se trouva dans une situation quasi insurrectionnelle où

des bandes de rebelles encadrées par des prêtres réfractaires fomentaient des troubles. « Un épicentre ancien, travaillé depuis 1790, et sans cesse ravivé, manifeste son dynamisme, associant Lozère, nord du Gard, Ardèche, Haute-Loire, Cantal, Lot et Aveyron. Ici l'activisme révolutionnaire trouve une de ses frontières, en se heurtant à un pôle d'hostilité enracinée, une véritable Vendée manquée serait-on tenté de dire » (Vovelle, 1988, *op. cit.*, p. 234).
Quant au pays basque, la région rejeta en bloc le serment, marquée par un catholicisme influencé par l'Espagne ; on retrouve ce même phénomène dans le Roussillon où est attestée l'action de moines espagnols prêchant la croisade contre la Révolution. G.Sc.

710
Crosse de Monseigneur Hugues Pelletier, évêque constitutionnel d'Angers

par un auteur anonyme

Bois sculpté et doré avec pointe ferrée. H. 2,18 (dont pointe ferrée : 0,09) D. bâton : 0,045 ; D. nœud : 0,09 ; L. volute : 0,185.
Historique : don Joseph Thomas, notaire à Angers, et sa femme, Antoinette Louise Dubois, 1858.
Bibliographie : Port, 1878, p. 69 ; cat. Angers, 1884, p. 361, n° 2183.

Angers, musées (inv. I R 671).

Hugues Pelletier, né à Angers le 28 janvier 1729, eut une carrière ecclésiastique honorable sous l'Ancien Régime, chanoine régulier de Sainte-Geneviève, curé de Sacé (Maine) et depuis 1779 prieur-curé à Beaufort. Le *Dictionnaire historique, géographique et biographique de Maine-et-Loire*, rédigé par Célestin Port au début de la troisième République (Paris et Angers 1874-1878 ; sur Pelletier : t. III, p. 69) ne tarit pas d'éloges sur le personnage — « esprit charmant et lettré », « de mœurs douces et pures, de cœur charitable et distribuant largement aux pauvres les revenus de son opulent bénéfice », « renom de mérite et de vertu » — afin de convaincre le lecteur de « l'éclat de son dévouement public aux idées nouvelles, qui ralliait à son exemple son clergé presque tout entier ».
Il fut élu évêque constitutionnel d'Angers le 6 février 1791 ; il prêta le serment le lendemain après un *Te Deum* ; et reçut la consécration à Paris des mains de Gobel. Rapidement il eut à faire face à une vive opposition du clergé réfractaire. Sa première *Lettre pastorale* du 20 septembre provoqua la vive réponse de Chatizel (*A Frère Hugues Pelletier, invaseur du Siège épiscopal d'Angers, un curé catholique au sujet de la lettre pastorale de cet intrus...*), curé de paroisse envoyé à la Constituante et fermement opposé à la Constitution civile (Port, *op. cit.*, t. I, pp. 644-645). Le département du Maine-et-Loire se signala par un grand zèle de la part des patriotes afin d'appliquer strictement la Constitution et obtenir le serment. Dès 1791, les réfractaires furent emprisonnés au petit séminaire d'Angers, et les prêtres constitutionnels furent imposés par la force à la population ; les pèlerinages populaires furent réprimés, de même que les désordres lors des cérémonies du serment. Le 24 mai 1791 dans le Maine-et-Loire fut signé le premier arrêté de répression générale exigeant le départ de leur paroisse des prêtres réfractaires. Cette politique dure de l'administration — qui favorisa le soulèvement de la Vendée — fut peut-être, comme le souligne T. Tackett, le prolongement de certains cahiers de doléances de 1789 à l'anticléricalisme parfois violent, dans une des zones les plus fortement cléricalisées de France. La réponse des réfractaires, de leur côté, était vive, exerçant dans les campagnes un chantage au refus des sacrements, méthode qui était autrefois employée contre les jansénistes.
Dépassé par les événements, pris dans le mouvement déchristianisateur de l'an II, Pelletier abdiqua le 30 septembre 1793 — précédant de cinq semaines la déprêtrisation solennelle de Gobel à la Convention —, le 19 novembre il faisait « à la Raison, sur l'autel de la Patrie (cat. 956) le sacrifice de tous ses titres, dans la ferme croyance... [de] la seule loi, la seule religion naturelle » (cité par C. Port, *op. cit.*, p. 69). Il mourut à Angers le 5 avril 1795.
Cette évolution de Pelletier — du prêtre constitutionnel au prêtre abdicataire — est typique du mouvement général. Michel Vovelle (1988, p. 109) a remarqué que la répartition géographique des constitutionnels et des abdicataires était la même : la carte que l'on peut dresser montre les mêmes zones de forte densité (Bassin parisien, axe Bourgogne - Provence, Morvan-Limousin-Poitou) et les zones préservées (Ouest et bande littorale atlantique, Sud-Ouest, Nord-Est et frontière du Nord). L'effet de transfert de la part de certains prêtres abdicataires qui se tournent vers le culte de la Raison, opérant un nouveau baptême civique, est également illustré par Pelletier. G.Sc.

711
Ciboire

Ébène, ivoire, nacre. H. 0,26 ; D. pied et coupe : 0,14.
Inscription : sur la base : « FECIT MAURICE MARTIN NATIF DE PARIS LORIENT 6 FRUCTIDOR AN III. »
Historique : provient de Port-Louis ; classé par les Monuments historiques le 24 avril 1961 ; mis en dépôt au Trésor de Vannes vers 1971.
Expositions : 1966, Vannes, n° 28 ; 1971, Vannes, n° 34.
Bibliographie : Auzas, 1986, p. 328, n° 31, fig. 8.

Vannes, trésor de la Cathédrale.

Ce ciboire, daté du mois d'août 1795, permet d'évoquer le Morbihan, un des départements les plus anciennement réfractaires de France ; les cérémonies du serment furent organisées le plus tard possible, tellement l'hostilité du clergé local était grande, et la peur des responsables locaux d'affronter un désordre général. A Vannes plusieurs milliers de paysans marchèrent sur la ville à la veille de la cérémonie (cité par Tackett).
Dès juin 1791, des mesures répressives à l'encontre des réfractaires furent prises — ils étaient incarcérés précisément dans la citadelle de Port-Louis — et on connaît la part prise par l'affrontement religieux dans le soulèvement de l'Ouest. Le zèle d'envoyés de Carrier comme Le Batteux, usant de pouvoirs discrétionnaires pour terroriser les villages, exacerba les passions. Les accords de La Jaunaye (17 février 1795), accordant l'amnistie aux Vendéens — qui avaient été précédés le 13 janvier par le rétablissement de la liberté de culte dans le Morbihan — furent le signe de la détente dans la région ; la liberté des cultes fut décrétée par la Convention le 21 février dans tout le pays. La réalisation de ce ciboire en matériaux précieux est un bon exemple du renouveau de la fabrication et du commerce des instruments liturgiques sous les Thermidoriens. G.Sc.

LA DÉCHRISTIANISATION

712
Profanation d'une église pendant la Révolution

par Jacques-François SWEBACH, dit Swebach-Desfontaines

Huile sur bois. H. 0,325 ; L. 0,46.
Inscription : sur le cartel accroché au mur : « Swebach dit Fontaines ».
Historique : acquis de M. Delaporte en 1889.
Exposition : 1939, Paris, Carnavalet, n° 313 (« Désaffection (sic) officielle de l'église de Saint-Germain-en-Laye »).
Bibliographie : guide Carnavalet, 1903, p. 147, n° 363 ; guide Carnavalet, [1930], p. 35 ; Vovelle, 1986, t. IV, 1986, p. 159, repr.

Paris, musée Carnavalet (inv. P. 317).

Ce tableau est une des œuvres les plus célèbres de Swebach-Desfontaines, collaborateur de la suite gravée des *Tableaux historiques de la Révolution* d'après les dessins de Prieur.
La profanation des églises était l'une des premières mesures de la déchristianisation. Il fallait faire table rase, détruire toute trace de l'ancienne croyance. Dès l'automne 1793 les profanations et fermetures d'églises se multiplièrent dans le pays, avec des décalages selon les départements. Selon Vovelle (1988, p. 78), la fermeture générale des églises s'échelonna de frimaire (novembre-décembre) dans le Nord, pluviôse ou ventôse (février-mars) dans le Midi, à floréal-prairial (fin avril-mi-juin) ; elle fut la conséquence bien souvent de l'abdication des prêtres privant les lieux de culte de desservants. Dans un premier temps la récupé-

ration des métaux précieux, partie de l'effort de guerre de la République, cautionna les opérations de livraison de l'argenterie sacrée et de descente des cloches. A cet égard les premières instructions remontent à novembre 1790, mais les confiscations (les « offrandes civiques ») ne se multiplièrent qu'après le 10 août 1792 (Cambon fit effectuer un inventaire des objets reçus à la Monnaie en mars 1793); il y eut ainsi un flux continu dans le dépouillement des églises. Transformer les cloches en canons, boire à la santé de la République dans les ciboires et les calices, brûler dans les autodafés les livres pieux — « éteindre les torches du fanatisme et allumer le flambeau de la raison » (témoignage dans l'Hérault, cité par Vovelle, 1988, p. 98) — faisaient partie d'une liturgie régénératrice à l'égal des cérémonies parisiennes (le 10 août 1793) avec en plus le souvenir des martyrs de la liberté; le thème du sacrifice expiatoire s'ajoute ici à celui du bûcher régénérateur.

Les églises vides, « purifiées », se transformaient en temples de la Raison. En effet les cas de destructions d'églises ou de nivellement de clochers (sauf dans l'Ain, le Mont-Blanc, la Lozère, où le rôle de représentants en mission comme Albitte en font des cas particuliers) sont plus rares qu'on ne le pense ordinairement. Le réemploi des édifices était partie intégrante de la nouvelle sacralité de substitution. G.Sc.

713
Parodie de procession

par un auteur anonyme

Huile sur bois. H. 0,31; L. 0,47.
Historique : ancien fonds du musée.
Exposition : 1914, Lyon, n° 487.
Bibliographie : Desvernay, Lyon, 1915, p. 193, n° 487; cat. Lyon, 1957, p. 17.

Lyon, Musée historique (musée Gadagne) (inv. 362).

714 A
Mascarade anticléricale

par un auteur anonyme (Étienne Béricourt ?)

Aquarelle sur papier. H. 0,22; L. 0,35.
Historique : collection Hennin, léguée en 1883.
Bibliographie : Duplessis, t. IV, 1882, n° 11.701; Vovelle, 1986, t. IV, p. 154.

Paris, Bibliothèque nationale, cabinet des Estampes (coll. Hennin n° 11.701).

714 B
Mascarade anticléricale

par un auteur anonyme (Étienne Béricourt ?)

Aquarelle sur papier. H. 0,22; L. 0,37.
Historique : collection Hennin, léguée en 1883.
Bibliographie : Duplessis, 1882, t. IV, n° 11.702; Vovelle, 1986, t. IV, p. 155 repr.

Paris, Bibliothèque nationale, cabinet des Estampes (coll. Hennin n° 11.702).

Les mascarades antireligieuses furent l'élément spontané et désacralisateur des sans-culottes au moment de la déchristianisation effective, c'est-à-dire d'automne 1793 au printemps 1794. Alors qu'en octobre 1793, la Commune de Paris avait interdit les cérémonies religieuses hors des églises, de nouvelles processions se mirent en place, détournant les symboles les plus sacrés. Elles se multiplient à partir du décret du 16 brumaire autorisant toute commune à renoncer au culte catholique. Certains représentants en mission se firent une gloire d'organiser les mascarades iconoclastes, relayés par les noyaux durs des sections locales : Fouché dans la Nièvre, apologue du mariage des prêtres, Hésine (Loir-et-Cher) brûlant le missel sur la place publique. En l'honneur des mânes de Chalier des mascarades furent organisées à Lyon par Fouché et Collot d'Herbois. Les mascarades étaient diverses : cortège de l'âne mitré (spécificité lyonnaise), défilé des objets du culte sur des brancards ou tenus à la main comme des gobelets; elles se terminaient souvent par un autodafé : le bûcher était le grand feu de l'hiver qui réchauffait la collectivité.

Des cortèges burlesques sont signalés dans le Sud-Est avant 1793 : « Tel cérémonial lors même qu'il est repris par les autorités s'inspire très directement de tout un héritage culturel populaire où se retrouvent certains des gestes du charivari (la promenade de l'âne), ou du carnaval (le défilé burlesque, le brûlement de Caramantran) » (Vovelle, 1988, p. 166).

De tels débordements déplurent; dès le 26 novembre 1793, Danton s'éleva violemment contre les mascarades, s'alignant sur la décision de Robespierre de mettre un terme à la déchristianisation.

Le dessin n° 11.701 de la collection Hennin fut rapproché par Pascal de La Vaissière (cat. exp. : Paris, Carnavalet, 1982, p. 16) d'un ensemble de dessins attribués avec plus ou moins d'incertitude à Étienne Béricourt, artiste largement ignoré; ce groupe d'œuvres, qui est loin d'être homogène, se caractérise par un souci de description littérale, soigneusement colorée, et une réelle vivacité de ton. Ces qualités sont celles d'une production à consommation rapide, proche de l'imagerie dont il serait intéressant de préciser à qui elle était destinée, et quels en étaient les canaux de diffusion. G.Sc.

715
Allégorie révolutionnaire

Tapisserie en laine et soie, sur châssis. H. 0,935; L. 0,57.
Historique : don 1912.
Exposition : 1962, Paris, musée Guimet, n° 275.

Beauvais, musée départemental de l'Oise (inv. 12.79).

Cette tapisserie à emblématique révolutionnaire est un intéressant témoignage de la récupération des thèmes chrétiens par l'idéologie révolutionnaire et on regrette de ne pas en savoir plus long à l'heure actuelle sur les circonstances exactes de la commande, ainsi que sur l'atelier de tapisserie qui diffusait un tel programme. Il s'agit ici d'une nouvelle image du Golgotha avec les trois figures de la Vierge, saint Jean et sainte Madeleine (accompagnée de son vase d'aromates). Au lieu de la croix se dresse une pique coiffée du bonnet phrygien à cocarde — image officielle de la République, répandue sur beaucoup d'en-têtes de papiers officiels —, et enlacée par un faisceau de licteur, emblème bien connu de justice et d'unité. Le drapeau pourrait être une allusion à la bannière triomphale qui orne la croix portée par le Christ ressuscité dans l'iconographie religieuse traditionnelle; la pique révolutionnaire serait le symbole régénérateur de la République victorieuse de la croyance chrétienne, dont l'affliction des principaux protagonistes sonne le glas, et on sait combien la notion de régénération est importante, en particulier depuis le 10 août 1793 et l'établissement du calendrier révolutionnaire.

Les rochers nus du Golgotha deviennent la montagne sacrée des révolutionnaires sur laquelle peut pousser un arbre de la Liberté; le coq du reniement de la religion est aussi celui du gallicanisme triomphant.

La présence du serpent et de la pomme du péché originel, accompagnés du crâne d'Adam est la condition de l'homme confronté à la mort; l'inscription « la mort est absorbée » est une traduction littérale du texte biblique « Absorpta est mors in victoria... » (Corinthiens, I, XV, 54), « la mort a été engloutie dans la victoire. Ô mort où est ta victoire... », repris de Isaïe (XXV, 8), « Praecitabit mortem in inferno », « Il fera disparaître la mort pour toujours. » Cette allusion à la Résurrection s'inscrit dans le thème général de l'œuvre, celui de la régénération, subtil transfert de l'iconographie chrétienne au mythe révolutionnaire.

La partie inférieure de la tapisserie a visiblement été rapportée; on voit clairement que les deux languettes de tissu portant l'inscription ont été grossièrement cousues et rajoutées à l'ensemble de la composition. G.Sc.

716
Figure de Vierge (XVIIe siècle)
réemployée comme déesse de la Raison

attribuée à Jean GIROUARD le Père

Statue, pierre calcaire. H. 1,70; L. 0,87; Pr. 0,87.
Historique : dans la cathédrale de Poitiers pendant la Révolution; cour du couvent des Filles-de-Notre-Dame; atelier de sculpture dit de Saint-Hilaire, près du baptistère Saint-Jean; entrée au musée en 1867, don du R. Père Bény à la Société des antiquaires de l'Ouest.
Bibliographie : cat. Société des antiq. de l'Ouest, 1854, p. 75, n° 243; Bull. Soc. antiq. de l'Ouest, 1867, p. 427; cat. Soc. des antiq. de l'Ouest, 1884, p. 86; Brouillet, 1891, p. 331; Lami, 1906, p. 217.

Poitiers, musée de la ville et de la Société des antiquaires de l'Ouest (inv. S.A.O. 243).

anation d'une église lors de la déchristianisation (cat. 712).

Parodie de procession religieuse (cat. 713).

Mascarade anti-cléricale (cat. 714 A).

Mascarade anti-cléricale (cat. 714 B).

Allégorie à sujet déchristianisateur (cat. 715).

Cette sculpture de *Vierge* attribuée par Brouillet à Jean Girouard le Père (actif à Poitiers durant le deuxième tiers du XVIIe siècle) — sans que l'on puisse préciser son identification ni sa fonction première — fut installée pendant la Révolution dans la cathédrale de Poitiers afin de figurer une déesse Raison (ou la Liberté); « L'image est ambiguë au niveau des pratiques : Raison, Victoire ou Liberté [sont des] déités féminines interchangeables » (Vovelle, 1988, p. 183).

Figure de Vierge datant du XVIIe siècle réemployée comme déesse Raison (cat. 716).

Le réemploi de statues anciennes pendant les mois de la déchristianisation et du culte de la Raison est bien attesté dans plusieurs endroits en France. Citons seulement la *Vierge de l'Assomption* du chœur de la cathédrale du Puy, attribuée à Pierre Vaneau (fin du XVIIe siècle), qui fut affublée d'un bonnet phrygien et déplacée au centre de la ville sur un arc de triomphe (cat. exp. : *Vaneau*, Le Puy, 1980, non paginé), et la *Vierge de l'Assomption* de Bridan au maître-autel de la cathédrale de Chartres, qui, devenue « bonne républicaine », fut elle aussi coiffée d'un bonnet de la Liberté (P. Gautherot, *le Vandalisme jacobin*, Paris, 1914, p. 246).
D'autres sculptures monumentales réemployées ont survécu jusqu'au XXe siècle, par exemple la déesse Raison en bois toujours conservée dans la mairie de Verneuil-sur-Avre dans l'Eure (cf. *Bulletin municipal*, no 13, avec une illustration partielle) ou celle qu'exposait le musée Carnavalet en 1939 (no 311) provenant de Lamballe, également en bois peint. Un travail de recensement systématique de ces vestiges éparpillés en France, mené conjointement avec un dépouillement de documents concernant les réemplois des œuvres restées en place dans les églises, permettrait de préciser utilement certaines pratiques du culte de la Raison, en particulier ce fascinant transfert d'images religieuses.
Le point de départ de ce culte réside dans les diverses proclamations de la Raison en hiver 1794 (sections parisiennes et communes proches de Paris); citons, après Michel Vovelle, que nous reprenons pour cette brève évocation du culte de la Raison, la proclamation de la députation des jeunes de la section des Piques : « Désormais la Sainte Raison/Fera notre religion/Ah plus de superstitions/Ni prêtres fainéans/Nourris à nos dépens... » (Vovelle, 1988, p. 158). Les églises vidées de toute trace du culte catholique sont consacrées au nouveau culte. Le cas du bourg méridional de Pont-Cèze (Gard) est exemplaire : « La Commune... fait offrande à la République de l'argenterie de son église dont elle fait un temple de la Raison..., lieu du civisme d'où jaillira une instruction publique qui amènera le peuple à la propagation des vrais principes républicains... [chaque décadi on y fait la] lecture et explication simple des lois » en présence de la députation des communes du canton (cité par Vovelle, 1988, pp. 159-160). Ce vécu « administratif » et impeccablement civique ne doit pas masquer l'aspect du nouveau culte. On connaît les défilés des déesses, statues réemployées (*cf.* le cortège dessiné, attribué à Étienne Béricourt, B.N. coll. Hennin, repr. dans M.-L. Biver, *Fêtes révolutionnaires à Paris*, Paris, 1979, p. 73, no 33) ou personnifications réelles, (simples citoyennes dont l'âge allait de dix-sept ans à... cent ans, selon de savoureux témoignages); ils se déroulaient à l'occasion de la consécration du Temple, de la plantation de l'arbre de la Liberté à la place de l'ancienne croix, et souvent en association directe avec les célébrations des martyrs de la Liberté ou des victoires de la République (essentiellement la reprise de Toulon), « objets d'une incitation officielle » (Vovelle, 1988, p. 164). La mise en place du culte de la Raison, « imposé et spontané, officiel et marginal tout à la fois, saut dans l'inconnu... explosion polynucléaire », ne doit pas être confondue avec le « grand geste de conformisme sécurisant qu'a représenté l'adhésion à l'Être suprême » (Vovelle, 1988, p. 187). Administrativement, le relais d'un culte à l'autre va être mis en place très efficacement (dès le 25 floréal, soit une semaine après le discours de Robespierre à la Convention, le Conseil général de la Commune de Paris annonce qu'il va faire effacer les inscriptions des temples de la Raison pour les transformer en l'honneur de l'Être suprême), et l'interdiction des fêtes spontanées, propices à de nombreux amalgames, va museler l'expression populaire en la privant désormais de toute initiative. G.Sc.

CULTES RÉPUBLICAINS

717
La Raison rendant hommage aux emblèmes de la Liberté et de l'Égalité

par un auteur anonyme

Huile sur toile. H. 0,94; L. 0,62.
Historique : ancien fonds du musée (créé en 1921).
Expositions : 1914, Lyon, no 489; 1968, Paris, Archives nationales, no 314, p. 75.
Bibliographie : Devernay, 1914, pp. 193-194, no 489.
Lyon, Musée historique (musée Gadagne) (inv. 361).

Cet étonnant tableau, de la main d'un artiste resté anonyme, se place parmi les allégories révolutionnaires dont les plus nombreuses furent celles dédiées à la Liberté et à la République.
L'allégorie, très lisible, nous montre la Raison, traditionnellement représentée sous les traits d'une jeune femme vêtue à l'antique et portant de grandes ailes car la Raison permet de s'élever. A sa gauche, dans un médaillon, on identifie les emblèmes de la Liberté, bonnet phrygien et clef, et ceux de l'Égalité, balance, faisceau de licteur et le triangle irradié.
La Raison tient de la main gauche, au-dessus des emblèmes de la Liberté et de l'Égalité, une couronne de laurier qui, comme la palme qu'elle porte à droite, symbolise leur immortalité et leur victoire. Sur la poitrine de la jeune femme, l'œil entouré de rayons solaires représente la clairvoyance de la Raison; notons que l'œil pourrait également figurer ici en tant que gardien de la Justice. À gauche du tableau est placé un petit autel où brûle le feu votif et sacré. Cette allégorie dont la représentation avoue un pinceau un peu archaïsant et naïf n'est pas sans nous faire penser à certaines gravures populaires, à l'exemple de celles qui servirent de frontispices aux almanachs d'époque révolutionnaire. B.Ga.

718
Le Peuple français reconnaît l'Être suprême

Plaque, ardoise, dorure. H. 0,91; L. 1,90.
Inscription : « Le peuple français reconnaît l'Être Suprême et l'immortalité de l'âme. »
Historique : provient du fronton de la façade de l'église de Beaufort-en-Vallée (Maine-et-Loire) où la plaque fut accrochée en mai 1794.
Bibliographie : Denais, 1905, p. 125, n° 897; Chancel, 1988, p. 156.

Beaufort-en-Vallée, musée municipal Joseph-Denais (inv. 897).

Cette plaque est un rare exemple conservé de l'introduction dans la province française du culte de l'Être suprême, décrété par la Convention, à la suite du célèbre rapport de Robespierre (***Sur les rapports des idées religieuses et morales avec les principes républicains, et les fêtes nationales - Séance du 18 floréal*** [à la Convention]), le 17 mai 1794 : « Le peuple français reconnaît l'existence de l'Être suprême et de l'immortalité de l'âme » (article premier).
L'instauration de ce culte était rendue nécessaire après les excès de la déchristianisation, qui avaient été la cause de nombreux troubles dans le pays. « Que vouloient-ils, ceux qui, au sein des conspirations dont nous étions environnés, au milieu des embarras d'une telle guerre, au moment où les torches de la discorde civile fumoient encore, attaquèrent tout-à-coup tous les cultes par la violence, pour s'ériger eux-mêmes en apôtres fougueux du néant, et en missionnaires fanatiques de l'athéisme ?... Qui donc t'a donné la mission d'annoncer au peuple que la divinité n'existe pas... quel avantage trouves-tu à persuader à l'homme qu'une force aveugle préside à ses destinées, et frappe au hasard le crime et la vertu » (p. 38 et p. 44).
L'ancien archevêque de Paris, Gobel, venait d'être guillotiné avec les Hébertistes pour athéisme. Robespierre quant à lui se montre déiste convaincu : « Si l'existence de dieu, si l'immortalité de l'ame, n'étoient que des songes, elles seroient encore la plus belle de toutes les conceptions de l'esprit humain... Il s'agit de considérer seulement l'atéisme comme national et lié à un système de conspiration contre la république... L'idée de l'Être Suprême et de l'immortalité de l'âme est un rappel continuel à la justice; elle est donc sociale et républicaine » (pp. 48-49). On ne peut douter que les références de Robespierre viennent de la philosophie des Lumières, en particulier de Voltaire, qui emploie le terme d'Être suprême dès 1738 dans ses ***Éléments de la philosophie de Newton*** (premier chapitre) : « Toute la philosophie de Newton conduit nécessairement à la connaissance d'un Être Suprême qui a tout créé, tout arrangé librement » ; d'autre part on peut repérer une influence certaine des conceptions franc-maçonnes que son ami Couthon devait véhiculer.
Il ne faut pas méconnaître le geste politique. Si Robespierre attaque nommément Hébert et Chaumette (p. 55), il commence son discours par une apologie de la vertu — « Le fondement unique de la société civile, c'est la morale... L'immoralité est la base du despotisme, comme la vertu est l'essence de la république » (p. 17 et p. 24) — qui sonne comme une mise en garde, à l'heure où il tend à critiquer les Comités.
Robespierre ne donne pas d'indications très précises quant à l'organisation pratique du culte. Il insiste sur le rôle capital des fêtes — « Le véritable prêtre de l'Être suprême, c'est la nature; son temple, l'Univers; son culte, la vertu ; ses fêtes, la joie d'un grand peuple rassemblé [...] un système de fêtes nationales seroit à la fois le plus doux lien de fraternité et le plus puissant moyen de régénération » (p. 74 et 80). L'article 7 du décret donne la liste des fêtes « aux jours de décadi » — on y relève en particulier les dédicaces « aux martyrs de la liberté », mais aussi « Pudeur », « Amour », « Frugalité », « Malheur »... — et l'article 15 annonce la grande fête du 20 prairial. La diffusion du culte fut extrêmement rapide, « une des plus fortes mobilisations de l'époque révolutionnaire » (Vovelle, 1988, p. 47), de la fin de floréal à messidor et prairial, un « constat de succès inattendu, encore qu'inégal suivant les lieux » (Vovelle, 1988, p. 191). Plusieurs gravures diffusèrent le mot d'ordre du peuple français reconnaissant l'Être suprême, avec les cautions de Voltaire, Rousseau... et Junius Brutus (Vovelle, 1986, t. II, p. 196). La façade de l'église de Houdan est toujours ornée de l'inscription peinte.
La présence de cette plaque vouée à l'Être suprême, rédigée en parfaite concordance avec l'actualité parisienne, ne doit pas étonner à Beaufort, lieu de cure initial de l'évêque constitutionnel et abdicataire Pelletier. Le département de Maine-et-Loire fut en effet un bastion du cléricalisme réfractaire; les offensives patriotes y furent particulièrement sévères pour imposer les décisions parisiennes : répressions contre les prêtres insermentés, mascarades antireligieuses lors de la déchristianisation... se greffèrent sur le fonds de la guerre de Vendée, dans un climat de luttes et d'excès partisans.

G.Sc.

La Raison rendant hommage aux emblèmes de la Liberté et de l'Égalité (cat. 717).

Plaque provenant de la façade de l'église de Beaufort-en-Vallée (cat. 718).

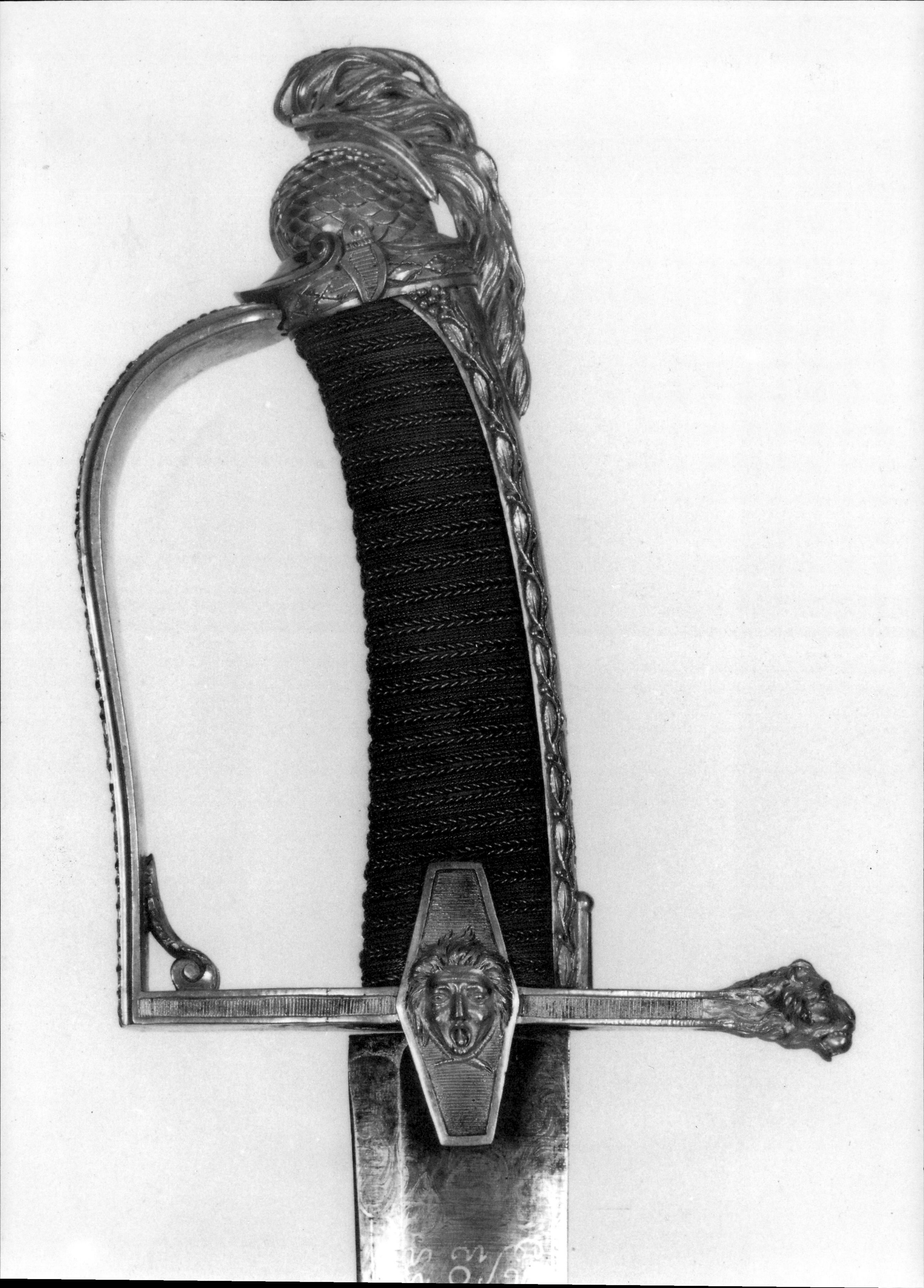

XVIII
LA GUERRE INTÉRIEURE

*La guerre menée par les gouvernements révolutionnaires à l'intérieur des frontières de la France contre de larges couches de la population soulevées contre l'ordre nouveau est au centre des plus récentes polémiques sur la Révolution française. Entre la vision républicaine d'une répression, horrible certes, mais nécessaire en raison du danger extérieur qui pesait sur la nation et le « génocide franco-français », préfiguration de tous les massacres idéologiques du XX*e *siècle, il n'y a sans doute pas de voie moyenne à proposer.*

Dans un contexte européen deux phénomènes méritent peut-être de retenir l'attention. D'une part, après leur entrée victorieuse dans plusieurs pays d'Europe, les armées révolutionnaires se heurtèrent à des mouvements insurrectionnels qui — aux yeux des contemporains eux-mêmes — présentaient, à une échelle plus réduite, des traits communs avec ceux de Vendée : en Allemagne, sur la rive droite du Rhin, en Suisse dans les cantons de Lucerne et de Berne et dans le Valais, dans le pays de Waes entre Gand et Anvers, en Italie à Pavie et à Lugo. Ce sont dans tous les cas des insurrections essentiellement paysannes, dans des régions très catholiques, encouragées par des éléments issus de la petite noblesse et du clergé (mais rarement par la hiérarchie). On y retrouve la même hostilité à la conscription, le même désir de préserver la religion traditionnelle, la même animosité des ruraux à l'égard des gens des villes, les mêmes stratégies de harcèlement et de guérilla, les mêmes échecs des insurgés en cas de bataille rangée, la même difficulté enfin pour les forces de l'ordre à venir à bout de mouvements qui renaissent sans cesse.

Il faut noter, d'autre part, que les insurrections de l'ouest de la France ne suscitèrent qu'un écho limité en Europe. L'Angleterre et l'Espagne s'intéressèrent bien davantage au mouvement fédéraliste du Midi, qui leur permit effectivement de disposer pendant quelques mois du port de Toulon alors que l'expédition de Quiberon, décidée sur la base d'une analyse contestable de la situation, sans doute trop tardivement et avec une notable insuffisance de moyens, se solda par un échec total. Dans une certaine mesure, cette indifférence se reflète dans l'iconographie et il est significatif que face à la propagande républicaine qui sut trouver des artistes pour exalter Barra, Viala ou « l'héroïne de Saint-Milhier », la contre-révolution fit peu pour faire connaître l'héroïsme incontestable des Vendéens.

Et sous la Restauration, c'est sur la base de documents parfois fort contestables que furent peints de solennels portraits des chefs de la Vendée militaire, ordonnés par Louis XVIII.

Sabre d'honneur du général Hoche (cat. 738, détail).

LES SOULÈVEMENTS CONTRE-RÉVOLUTIONNAIRES : FÉDÉRALISME, CHOUANNERIE ET VENDÉE

JAMAIS guerre menée par la Révolution pour imposer le généreux dessein qu'elle s'était fixé ne fut conduite avec plus d'inexorabilité qu'à l'intérieur. « La Vendée doit être un cimetière national », déclarait le général Turreau en janvier 1794. Fouché renchérissait : « Il faut marcher à la liberté sur des monceaux de cadavres. »

L'intransigeance des partis, tant du côté républicain que du côté royaliste, ne peut s'expliquer que par un sentiment de trahison réciproque, la conscience d'une lutte fratricide implacable. Dans ce contexte de violence extrême, comment ne pas admirer l'humanité dont firent preuve certains acteurs du drame vendéen, comme Bonchamp ou Marceau ? Celui-ci, répondant à sa sœur qui le félicitait de ses victoires du Mans, et de Savenay, écrivait : « Quoi ! ma chère sœur, vous m'envoyez des félicitations sur ces deux batailles ou plutôt sur ces deux carnages, et vous voudriez avoir des feuilles de mes lauriers. Ne songez-vous pas qu'elles sont tachées de sang humain, de sang français ? Je veux porter mes armes contre l'étranger[1]. »

Alors qu'aux premières heures de la Révolution, la presque totalité des Français se ralliait d'enthousiasme aux idées nouvelles, une fracture intervint en 1793, qui exacerba les passions, et permit de grossir les rangs de la contre-révolution, pourtant mal perçue et originellement minoritaire.

Mais cette contre-révolution recouvrit plusieurs aspects, et ne forma jamais un front unitaire. Rétrograde dans son ensemble, elle correspondait très souvent à une réponse provinciale face au centralisme, au jacobinisme parisien. L'idée royaliste ne fut généralement qu'un pis-aller, qui vint se greffer sur des mouvements de revendications locales, en se substituant à eux. Ainsi en fut-il de la Vendée, de la rébellion lyonnaise, ou de la révolte de Toulon.

Structure socio-culturelle de la contre-révolution

L'extrême disparité des régions françaises à la veille de la Révolution constitue l'un des facteurs principaux de la rupture de 1793. A comparer les pourcentages de propriétés religieuses et nobiliaires, l'implantation des loges maçonniques, l'alphabétisation, etc., en Vendée et dans le reste de la France[2], on s'aperçoit que ce département était l'un des plus retardataires à la fin de l'Ancien Régime. Il faut convenir également que la dispersion de l'habitat dans cette région de bocage n'était pas faite non plus favoriser la diffusion des idées. On se souvient d'ailleurs que les élus vendéens de la noblesse aux États généraux se présentèrent à Versailles en vêtements paysans et sabots. N'était-ce pas un signe évident d'archaïsme ?

Pourtant, les premières mesures de la Révolution furent accueillies partout, et particulièrement en Vendée, avec beaucoup d'espoir. Lorsque se développa la Grande Peur, à la fin du mois de juillet 1789, la Vendée fut à l'origine du mouvement. La région des Mauges fut la première touchée[3]. Mais précisément, cette émotion paysanne ne traduisait-elle pas une mentalité envahie par des peurs ancestrales, des croyances d'un autre âge ? Terre protestante, la Vendée avait été tardivement rendue au culte catholique, par saint Louis Grignon de Montfort, à la fin du XVIIe siècle. Son attachement à la religion officielle était d'autant plus fort un siècle plus tard, que sa conversion était encore fraîche et susceptible de perversion. Le ralliement idéologique et moral de la Vendée à la France explique en grande partie l'intransigeance dont elle fit preuve durant la Révolution. Le paysan vendéen possédait en 1793 toutes les caractéristiques de cette catégorie sociale que les sociologues ont baptisée du terme de « petit blanc »[4].

Les conditions qui conduisirent les autres régions de France à passer à la contre-révolution ouverte, Lyon, le Midi, la Normandie, s'expliquent par des motifs d'un ordre tout différent. Certes, comme la Vendée, ces provinces étaient attachées à leur particularisme, mais pays riches, elles évoluèrent d'une façon radicalement opposée. Plus que la Vendée peut-être, ces régions se heurtèrent au jacobinisme et au centralisme moins par amour de la monarchie et par haine de la République que par désir de libéralisme socio-économique. Elles perpétraient

1. Cité par E. Gabory, *les Grandes Heures de Vendée*, Paris, 1963, p. 141.

2. M. Vovelle, *la Chute de la monarchie 1787-1792*, Paris, 1972, p. 13, et pp. 76-77.

3. Partie de Nantes, l'un des centres originels de l'émotion, la Grande Peur gagna les Mauges puis le Bocage poitevin. Née le 20 juillet, elle est à Cholet, puis à Mortagne le 21. Tout le Maine, région de la future chouannerie, fut également touché (*cf.* G. Lefebvre, *la Grande Peur*, Paris, 1932, rééd. 1953).

4. Le concept du « petit blanc » est né de l'étude du comportement des blancs pauvres du sud des États-Unis, dont la seule différence par rapport aux noirs libérés après la guerre de Sécession, était précisément la couleur de la peau. Se sentant proche des gouvernants blancs, ils revendiquaient d'autant plus leur appartenance à l'État qu'ils étaient pauvres. Ce sont eux qui créèrent le Ku Klux Klan, se rejetant d'eux-mêmes dans la réaction.

l'ancienne France de l'exclusion sociale. Le représentant Dartigoeyte, envoyé dans le Sud-Ouest, ne s'y était pas trompé lorsqu'il déclarait, parlant des cadres brissotins qui occupaient les fonctions municipales : « Il ne faut pas que les ennemis de l'Égalité continuent à accaparer les places. » En effet, le détonateur fut en ce cas la proscription des Girondins. La cause royaliste fut là plus qu'ailleurs, plus qu'en Vendée, une greffe étrangère. Dans cette période troublée, toute résistance passant pour suspecte, il fallait choisir entre le roi et la République. Dès lors que les villes refusaient la dictature parisienne, il était évident qu'elles seraient prises en main par des royalistes. Ce fut le cas à Lyon, ce fut le cas à Toulon. Seule la Normandie sut faire valoir ses droits à un républicanisme différent de celui de Paris. Mais il est vrai aussi que la rébellion y fut très vite étouffée. Excepté en Vendée, jamais la contre-révolution ne put s'appuyer sur une population entièrement acquise à sa cause. La base de son recrutement ne fut à aucun moment populaire. Le clivage tant de fois dénoncé entre la ville et la campagne trouve ici sa plus explicite vérification [5].

Pourtant, si l'on se place sur le terrain de la seule religion, qui fut l'une des causes directes du soulèvement vendéen, l'approche cartographique révèle certains points communs entre la frontière nord, la Lorraine, l'Alsace et la Vendée : la prestation du serment à la Constitution civile du clergé y varie entre 10 et 25 %, parfois moins [6]. Comment expliquer alors que ces régions ne passèrent pas à la contre-révolution ? La menace étrangère fut en ce cas évidemment plus forte que l'intérêt politique particulier. Il convient d'y ajouter d'autre part la crainte d'une possible répression que la présence des armées françaises enthousiastes entretenait auprès des populations.

La révolte de la Corse mérite d'être traitée à part. Récemment achetée aux Génois par la France (1768), mal assimilée de ce fait, pays pauvre au particularisme très affirmé, l'île se livra tout naturellement aux Anglais au cours du mois de mai 1793. Ce n'était pas tant la haine de la République qui incitait les Corses à entrer en rébellion contre Paris que la conscience de leur indépendance perdue. L'agitateur Pascal Paoli, qui avait conspiré contre les Génois en 1755, puis contre les Français en 1769, avait réussi à occuper des postes importants depuis les débuts de la Révolution. Décrété d'arrestation le 2 avril 1793, il livra l'île aux Anglais, en proclamant l'union de la Corse à l'Angleterre, dont il espérait obtenir la vice-royauté. Isolé dans un pays hostile, le représentant Lacombe-Saint-Michel connut les pires difficultés pour réduire la rébellion [7].

Quelle qu'ait été la forme prise par ces rébellions, toutes manifestaient cependant leur désir aigu d'indépendance et de liberté. C'est sur ce point, et ce point seulement, qu'elles se sont retrouvées. Leur lutte contre la Convention montagnarde ne peut se justifier que si l'on considère que la dictature jacobine allait à l'encontre du libéralisme affiché à partir de 1789. Mais pour imposer les principes généreux de la Révolution, pour vaincre la coalition, en 1793, Paris avait-il le choix ? L'union des Français, l'égalité et la dictature étaient les seuls moyens de sauver la Révolution.

Les premières révoltes

Une guerre civile latente entre royalistes et révolutionnaires était perceptible dès 1789. La Grande Peur de juillet provoqua de nombreux sacs et incendies de châteaux, à travers une grande partie du pays. Mais paysans et ouvriers des villes se situaient tous alors dans le camp des réformes [8]. Les quelques rébellions apparues avant 1793 ne réussirent pas à entraîner les foules comme ce sera la cas à cette date. Les royalistes demeuraient isolés. Les jacqueries, qui se développèrent dans l'Aisne, le bocage normand, la Franche-Comté, l'Anjou, etc., si elles se situaient là où plus tard la contre-révolution devait l'emporter, étaient toutes dirigées à ce moment contre l'aristocratie et contre l'application de réformes inachevées [9].

Dès 1790, les raisons religieuses furent cependant les détonateurs des révoltes les plus intransigeantes. Dans le Sud, pour s'opposer aux protestants parvenus au pouvoir, les nobles et les gardes nationaux catholiques du Vivarais et de l'Ardèche se réunirent au camp de Jalès autour de Bastide, seigneur de Malbos. Des affrontement sanglants eurent lieu à Nîmes en juin 1790, puis à Uzès au début de 1791. D'autres « camps de Jalès » surgirent jusqu'en 1793. En juillet 1792, un prêtre de Chambonas, Allier, parvint à rassembler 2 000 hommes, et prétendit faire intervenir les Espagnols pour chasser les protestants et les révolutionnaires partisans de la Constitution civile du clergé. Des chefs royalistes, le baron de Saint-Christol, le comte de Lamothe et le marquis de Surville se succédèrent à la tête des mouvements jusqu'en 1796. Mais à aucun, moment, les « camps de Jalès » ne présentèrent un danger réel pour la Révolution. En 1793, ces rébellions furent absorbées dans le vaste mouvement fédéraliste, dont elles ne furent qu'un aspect.

5. L'étude des réactions aux réformes suggère un contraste entre Paris et la province, un contraste ville-campagne, sans omettre les différences entre les régions. Deux types de populations cohabitent : une population qui bouge et s'active, une population qui subit. Généralement, la France de l'ignorance (*cf.* la carte de l'alphabétisation) forme un butoir à la Révolution. La carte du refus au serment constitutionnel des prêtres recouvre en grande partie la précédente. Passive dans son ensemble, la campagne ne suivit pas la révolte fédéraliste dont l'idéologie, celle des possédants, la dépassait.

6. *Cf.* M. Vovelle, *op. cit.*, p. 230.

7. Débarqué en Corse le 6 avril 1793, il parvint à vaincre Paoli à Farinole le 15 novembre, mais fut blessé dans la bataille. La Convention le nomma général de brigade deux jours plus tard.

8. Les Vendéens eux-mêmes, souhaitant l'abolition des droits féodaux, ne se distinguaient pas alors du reste de la paysannerie.

9. L'abolition du régime féodal se soldait pour le paysan par un rachat onéreux de l'affranchissement, dont le taux fut fixé par le décret du 3 mai 1790. Réticents à toute idée de rachat, les paysans manifestèrent souvent violemment leur mécontentement. L'Anjou connut des jacqueries, car le décret favorisait les plus riches. Cette réforme n'est pas à négliger pour comprendre l'évolution de la mentalité vendéenne. Souvent pauvre, le paysan de l'Anjou regarda d'un très mauvais œil ce décret qui s'adressait essentiellement à la bourgeoisie.

Les mouvements fédéralistes

Soixante-seize députés avaient courageusement protesté contre les 31 mai-2 juin 1793, qui avaient épuré la Convention en chassant les Girondins [10]. Effrayés par leur audace, les Montagnards se montrèrent inquiets, d'autant plus qu'une contre-offensive n'était pas à exclure : de nombreuses municipalités étaient au pouvoir des Brissotins. Connue entre le 5 et le 15 juin en province, la nouvelle de la chute des Girondins fit sursauter les administrations locales. Les départements les plus agités depuis les débuts de la Révolution passèrent à la contre-attaque. Le Jura réclama la réunion à Bourges des députés suppléants, la Meurthe tenta de réunir une assemblée des représentants alsaciens et lorrains. La province tournait à la sécession. Mais en nul endroit les mouvements ne parvinrent à rallier les campagnes. Le Gers se tue sur leur civisme. Et ce d'autant plus que le 17 juillet, la Convention donnait pleinement satisfaction aux paysans en abolissant purement et simplement la féodalité. Le conflit se situait sur un plan idéologique et économique. Il n'était qu'une lutte ouverte entre fractions de la bourgeoisie des villes, entre Jacobins et Girondins.

Pourtant, les sans-culottes conclurent à un complot contre la République, car nombre de sociétés populaires, même si elles se ravisèrent ensuite, s'étaient laissées circonvenir par les alliés des Girondins. Ce fut le cas à Rouen, Auch, Agen, Pau. Le mouvement ne fut redoutable cependant que dans le Sud-Est et en Normandie. Les épurations furent massives, à Aix, à Marseille, à Toulon, à Lyon également. Très vite cependant les révoltes furent envahies ou débordées par les royalistes, et l'on fit appel à l'étranger, sauf en Normandie.

À Caen, où s'étaient réfugiés Pétion, Buzot et Barbaroux, les Girondins parvinrent, avec le concours du général Wimpffen, à lever une armée. Mais elle fut facilement dispersée en juillet à Vernon. Apogée du fédéralisme normand, l'assassinat de Marat par Charlotte Corday le 13 juillet 1793 frappait la République en son sein.

Bien plus douloureuses furent les rébellions lyonnaises et du Midi.

À Marseille, indisposés par les Jacobins et les représentants Bayle et Boisset, les habitants firent appel aux Anglais de l'escadre de l'amiral Hood. Mais ce qui fut possible à Toulon ne put aboutir ailleurs. Dès le 21 août, le général Carteaux reprit Aix, puis ce fut au tour de Marseille le 25. Toulon, investi, ne tomba que le 29 frimaire (19 décembre), grâce à Bonaparte. Une terrible répression s'abattit alors sur la ville, devenue Port-la-Montagne, tandis que Marseille était rebaptisée Ville-sans-Nom.

Paris demeurait persuadé que tout le Midi serait envahi par l'étranger. De Bordeaux aux Pyrénées, il fallut envoyer des armées pour lutter à la fois contre les fédéralistes et les Espagnols. Des conspirations furent découvertes dans l'Ariège, à Perpignan et en Lozère. Dans ce département, un ancien constituant, notaire de Nasbinals, Charrier, organisa une « Petite Vendée », et réussit à s'emparer de Mende et de Marvejols. Le camp de Jalès réapparaissait, mais il fut vite réprimé, et Charrier fut guillotiné le 16 juillet.

À Lyon, comme dans les autres villes, les modérés, rapidement noyautés par les royalistes, réussirent à chasser la commune jacobine. Après son coup de force du 6 février 1793, Chalier s'étant aliéné la population, en appela à la Convention qui lui délégua Legendre, Basire et Rovère. Un maire montagnard, Bertrand, fut installé par la force à la tête de la municipalité. Le 29 mai, la bourgeoisie lyonnaise se rebella et le 16 juillet Chalier était guillotiné. Les meneurs girondins, Biroteau et Chasset, furent bientôt relayés par les royalistes, et Précy s'étant assuré le contrôle de la ville, fit appel aux Piémontais. Contre lui, la Convention envoya Kellermann qui instaura le blocus, mais Lyon ne tomba qu'après l'arrivée des contingents auvergnats amenés par Couthon, le 18 vendémiaire (9 octobre). Une affreuse répression dirigée par Fouché et Collot d'Herbois, qui doublèrent la guillotine par des pelotons d'exécution, plus expéditifs, envahit la ville qui, comme Marseille, comme Toulon, changea de nom, devenant Commune-Affranchie.

Mouvement essentiellement urbain, sauf en Lozère — mais n'a-t-on pas affaire ici à un mouvement proche de la Vendée ? —, le fédéralisme ne s'appuya à aucun moment sur les populations rurales, comme ce fut le cas en Vendée. Par là, il était nécessairement voué à l'échec.

La Vendée militaire

Plus que dans les autres régions qui passèrent à la contre-révolution en 1793, ce fut le schisme religieux qui révéla le butoir vendéen. Dès les premières mesures d'application de la Constitution civile du clergé, votée le 12 juillet 1790, des aires de rébellion se découvrirent dans l'Ouest, Bretagne et Vendée. Le refus du serment des prêtres y fut exceptionnellement massif. Malgré Robespierre qui déclarait : « Il ne faut pas heurter de front les préjugés religieux que le peuple adore. Il faut que le temps mûrisse le peuple », les gouvernants penchaient déjà pour la rigueur. On envoya des enquêteurs, des propagandistes pour enrayer les réseaux de conspirations qui se mettaient en place, particulièrement en Bretagne, où le marquis Armand de la Rouërie travaillait à soulever les populations, à la fois pour lutter contre la Constitution civile du clergé et pour sauver le roi (1791).

Pourtant, l'évolution de la Bretagne ne suivit pas celle de la Vendée. Précédant le soulèvement de l'Anjou, la chouannerie était apparue dès 1791. Elle s'inscrivit dans un rectangle délimité par Saint-Brieuc et Lorient à l'Ouest, Alençon, Le Mans et La Flèche à l'Est. Elle fut d'abord le fait de faux saulniers, contrebandiers du sel réduits à la misère par la liberté du commerce, et qui trouvaient leur subsistance dans les struc-

10. On compta cinquante-deux protestations le 6 juin, dix-neuf le 19 juin et cinq ensuite. D'autres arrivèrent plus tard.

tures de l'Ancien Régime. Les chefs des petites bandes chouannes étaient des paysans, comme les quatre frères Cottereau, dont l'aîné surnommé Jean Chouan, donna son nom à l'insurrection. C'était aussi Jean-Louis Tréton, dit Jambe-d'Argent, l'un des rares chefs à avoir pénétré dans Granville, lors du siège livré en commun avec les Vendéens, Coquerel, Tristan-Lhermitte, etc.

Sans unité, la chouannerie était contrôlée par des nobles en Bretagne (le chevalier de Boishardy), et en Normandie (le comte de Frotté en 1795). Difficilement cernable, elle fut presque impossible à réduire, et réapparut constamment jusqu'en 1799. Sa technique était la guérilla, que les armées républicaines apprirent à utiliser contre elle, et contre la Vendée.

A l'inverse des révoltes fédéralistes, l'insurrection vendéenne fut dès l'origine un mouvement populaire massif. Ni la proclamation de la République ni la mort du roi ne réussirent à faire bouger les populations de l'Anjou [11]. Il fallut le décret du 24 février 1793, qui prévoyait le levée de 300 000 hommes, pour que les habitants de la Vendée, sentant le poids très lourd de Paris, commencent à s'agiter réellement. Après l'imposition du serment constitutionnel des prêtres, il semblait que le libéralisme révolutionnaire s'acheminait vers la dictature. Les premiers incidents eurent lieu lors des tirages au sort de soldats. Le 3 mars, le tocsin sonna au clocher de 700 à 800 paroisses. L'explosion fut alors générale. Des chefs surgirent, Cathelineau, Tonnelet, des roturiers qui indiquent bien que la rébellion ne revêtait alors aucun caractère royaliste. Opposés à la bourgeoisie des villes, assimilés à la classe dirigeante et bénéficiaire de la Révolution, les Vendéens prétendaient démontrer, tout comme les sans-culottes des villes, leurs droits à l'existence [12].

Au 12 mars, la plupart des petites villes avaient été prises d'assaut, leurs fonctionnaires évincés. Montjean tombait le 14, Stofflet investissait Chalonnes le 22. A la fin du mois de mars, toute la Vendée était sur pied. Une armée républicaine était mise en déroute au Pont-Charrault le 19. Dans cette série de succès, un seul point noir : le 24, les paysans échouaient devant Les Sables-d'Olonne [13].

Dans la seconde partie du mois, on commença à organiser de véritables armées. Aux petits chefs locaux, parfois nobles comme Sapinaud de La Rairie, se substituèrent bientôt les grandes figures qui devaient illustrer les guerres de Vendée. Le 14, on était allé chercher, dans son château des Fonteclose, Charette, qui accepta de se placer à la tête des paysans du Marais. Dans les Mauges apparaissaient Bonchamps et d'Elbée, dans le Haut-Poitou Lescure et La Rochejaquelein, dans le Centre, Sapinaud de La Verrie et Royrand. La Vendée basculait dans la contre-révolution royaliste. Mais les premiers meneurs les plus habiles subsistaient en Cathelineau et Stofflet.

Dès le 19 mars, devant le raz de marée qui avait submergé l'Ouest, la Convention décrétait la peine de mort pour tous les insurgés. Deux armées, celle de Biron (Côtes-de-La Rochelle) et celle de Canclaux (Côtes-de-Brest) furent envoyées en Vendée, mais elles ne furent organisées qu'en mai. Jusqu'en juin, la poussée vendéenne fut irrésistible. Mais le 29 de ce mois, l'armée catholique et royale [14], menée par Cathelineau, qui trouvait la mort dans la bataille, échouait devant Nantes. L'expansion vendéenne était arrêtée. Le 1er juillet, les troupes de la Convention reprenaient Bressuire, puis le 3, le général Westermann entrait dans Châtillon. Mais la Vendée était loin d'être vaincue. Jusqu'en octobre, elle put se maintenir sur le pays, reprenant les villes aux républicains, et « s'égaillant » à la moindre alerte. Car l'armée catholique et royale, essentiellement particulariste, ne forma jamais une armée permanente, dont le dessein était d'attaquer Paris, et de substituer la monarchie à la République.

Les généraux que la Convention opposa aux Vendéens étaient incompétents. C'étaient Rossignol, Léchelle, Santerre. Seul Westermann devait perdurer après l'arrivée de l'armée de Mayence [15]. Celle-ci, dirigée par Kléber et Marceau, arriva

11. Tout comme en Bretagne, des conspirations nobiliaires avaient été mises sur pied. En 1791, le baron de La Lézardière tenta de rallier les populations autour de Châtillon. L'affaire, ébruitée, n'eut pas de suite. Un an plus tard, en août 1792, Gabriel de Baudry d'Asson parvint à soulever une partie des Gâtines. Châtillon puis Bressuire furent prises d'assaut, mais les révolutionnaires s'étant ressaisis, beaucoup d'insurgés nobles furent fusillés. Seul Baudry d'Asson prit part au grand mouvement de 1793. Ces insurrections n'étaient pas spontanées : elles ne comprirent jamais qu'une infime partie de la population vendéenne. Tout autre devait être le soulèvement de mars 1793.

12. Le paysan vendéen possédait, poussée à outrance, la mentalité de l'ensemble des ruraux. Attaché à sa terre, à ses coutumes, à ses croyances, il ne souhaitait qu'une chose : vivre dans son pays, en toute propriété. A l'origine, l'insurrection vendéenne n'était que celle d'une partie de la population, qui affirmait son droit à la différence. On a parfois pensé cette première partie de la guerre de Vendée comme une révolution nouvelle, parallèle à l'irruption des sans-culottes dans le débat politique, opposée à la Révolution bourgeoise, et tendant vers le prolétariat. Mais à l'inverse de la sans-culotterie des villes, elle était essentiellement rétrograde.

13. Charette eut beaucoup de mal à s'imposer. Joly, commandant de la région de La Mothe-Achard, voulant prendre la direction des opérations dans le Marais, s'acharna sur Les Sables-d'Olonne, qui lui aurait donné la première place. Mais le député Gaudin avait organisé la défense de la ville, qui résista victorieusement à ses assauts.

14. Le 4 avril 1793, les principaux chefs vendéens formaient un grand conseil d'une armée catholique et royale, auquel Charette ne participa pas. Nommé le 12 juin, après la prise de Saumur, Cathelineau en fut le premier généralissime, les autres généraux lui servant de divisionnaires. Le prince de Talmont commandait la cavalerie, l'artillerie étant tenue par Marigny. En réalité, cette armée, que suivaient les femmes et les enfants des combattants, ne présentait aucun caractère militaire, excepté le corps de Bonchamps, sans doute le seul véritable stratège vendéen, mais qui fut tenu à l'écart. Armés de faux emmanchées à l'envers, de fourches, d'épieux et de fusils de chasse, les paysans s'emparèrent ensuite des armes prises aux républicains, et obtinrent ainsi leur première pièce d'artillerie, « le Missionnaire », enlevée à Chalonnes, véritable fétiche. Leur tactique consistait à prendre une cité d'assaut, à la piller et à l'abandonner aussitôt, pour retourner aux champs. Ce qui explique ce va-et-vient de prises de villes que l'on observe sur toute la durée de la guerre. Vite découragés, ils n'insistaient jamais dès que les « Bleus » leur résistaient. Ainsi en fut-il à Granville.

15. Le 23 juillet 1793, la garnison de Mayence, ayant capitulé, fut envoyée en Vendée par décret du 1er août. Cette « armée de faïence », selon les termes de l'abbé Bernier, aumônier des Vendéens, très aguerrie, devait porter les plus rudes coups à l'insurrection, en la déstabilisant par la stratégie de la bataille rangée.

en septembre en Vendée. D'abord vaincue à Torfou, le 19 septembre, elle obtint une revanche éclatante à Cholet le 26 vendémiaire (17 octobre), où le généralissime de l'armée catholique et royale, d'Elbée, fut blessé et dut céder son commandement à La Rochejaquelein.

Cette victoire décisive sonnait le glas de la Vendée. La décision de passer la Loire, en suspens depuis le début de l'insurrection, fut alors mise à exécution. Les Vendéens traversèrent le fleuve à Saint-Florent-le-Vieil le 19 octobre. Une série de victoires ponctua leur marche sur Granville, où alliés aux chouans de Cottereau après la prise de Laval le 23 octobre, ils espéraient entrer en contact avec la flotte anglaise. Mais après deux jours de siège, ils repartirent vers la Loire, désorientés, sans espoir, conscients de la folie que cette « virée de Galerne » [16] représentait. Le passage du fleuve se révéla malheureusement impossible : Angers résista victorieusement aux assauts le 4 décembre. Le peuple vendéen en haillons repartit pour le nord, prit Le Mans le 10 décembre, mais fut à son tour vaincu par Marceau deux jours plus tard. Éperdus, décimés, les restes de la grande armée catholique et royale furent exterminés à Savenay le 23 décembre. Westermann écrivait à la Convention : « Il n'y a plus de Vendée. Je viens de l'enterrer dans les marais de Savenay. J'ai écrasé les enfants sous les pieds des chevaux et massacré les femmes. Je n'ai pas un prisonnier à me reprocher. J'ai tout exterminé. »

A cette date, la Terreur était à l'ordre du jour. Il n'était plus question de faiblesse. Carrier était arrivé à Nantes le 22 octobre. Les sinistres noyades nocturnes allaient commencer, tandis que pour mettre à exécution le décret du 1er août, ordonnant la destruction de la Vendée, la Convention avait dépêché le général Turreau. Celui-ci mit sur pied en janvier 1794 les colonnes infernales, qui sillonnèrent le pays jusqu'en prairial (mai). Confiées à des généraux incapables, Grignon, Huché, Cordellier, elles semèrent la mort sur leur passage. Partout on mit le feu, on extermina les populations. Seuls quelques officiers surent faire une place à la pitié, Haxo en particulier [17].

Face à ces excès, à ce génocide, la Vendée se releva. Mais les bandes de Stofflet et de Charette ne formaient plus une armée. Il fallut attendre l'arrivée de Hoche, après la chute de Robespierre, pour que l'Ouest fut pacifié.

Les accords de La Jaunaye, signés le 29 pluviôse an III (17 février 1795), semblaient devoir ramener la paix [18]. Mais le débarquement à Quiberon des émigrés auxquels s'étaient ralliés les chouans, le 27 juin 1795, remit en cause les acquis de l'amnistie accordée aux rebelles. Il devenait patent que seul le prestige de Charette et de Stofflet entretenait l'agitation. Traqués, les deux derniers chefs vendéens finirent par tomber aux mains des « Bleus » au début de 1796.

Un dernier sursaut eut lieu à l'extrême fin du Directoire, s'inscrivant dans l'ensemble des insurrections royalistes favorisées par les revers militaires de l'été 1799 (révolte de Bordeaux). Le 15 septembre, d'Autichamps, Bourmont, Cadoudal réunissaient les chefs chouans et vendéens pour préparer un soulèvement, tandis que Frotté débarquait en Normandie le 23. En octobre, Le Mans, Nantes, Saint-Brieuc tombaient aux mains des chouans. Mais l'échec des Vendéens devant Cholet le 29 marquait la fin de l'insurrection [19]. À cette époque, l'impulsion de la base, la spontanéité, qui avaient permis les victoires de 1793, avaient disparu. L'extermination des populations en 1793, la peur et la lassitude des survivants de l'armée catholique et royale avaient eu raison de cette nouvelle rébellion.

L'Ouest ne fut pourtant définitivement pacifié qu'en 1801, lorsque Bonaparte signa le Concordat, qui rendait la liberté des cultes.

Agitation royaliste sous le Directoire

En dehors des territoires de l'Ouest, Normandie, Bretagne et Vendée, naturellement portés à combattre la République, la politique étroite du Directoire, cherchant à se frayer un chemin entre les extrémistes, suscita des vagues d'opposition, qui furent cassées au niveau même du gouvernement. Les élus royalistes de l'an III furent rejetés à la journée du 13 vendémiaire (5 octobre 1795), ceux de l'an V au 18 fructidor (4 septembre 1797).

Ces élections étaient portées par des mouvements de fond, qui, depuis la fin de la Terreur, pouvaient s'exprimer sans trop de difficultés. Après la chute de Robespierre, les royalistes avaient relevé la tête en province. La chasse aux terroristes s'organisa à Lyon, de janvier à juin 1795, menée par la compagnie de Jéhu ou de Jésus, et en Provence, où les compagnies du Soleil persistèrent jusqu'en 1796. Cette « terreur blanche », revanche des exclus du régime jacobin, perpétra plusieurs centaines de meurtres. Dans certaines régions, il fallut envoyer l'armée pour circonscrire les rébellions. Ainsi à Dreux et à Châteauneuf-en-Thymerais en septembre 1795.

Toutefois, aucune véritable guerre civile ne se fit jour durant le Directoire. Tout se déroula au niveau de la conspiration. L'époque des grandes insurrections était terminée.

Jérémie Benoit

16. Dans le patois vendéen, galerne signifie le Nord. Cette « virée de Galerne » correspond donc au passage de la Loire, à la marche sur Granville.

17. On cite trois cents vieillards et enfants massacrés par Carpentier aux environs de la forêt de Rocheservière. Huché se vante d'avoir, en deux jours, exterminé deux cents « brigands », du côté de Chantonnay. Rapidement, des protestations s'élevèrent contre ces mesures trop radicales, pourtant encouragées par le Comité de Salut public, le 8 février 1794 (lettre à Turreau). Après la chute de Robespierre, on choisit la voie du compromis.

18. Conclue entre Charette et Hoche le 28 pluviôse an III (17 février 1795), la convention de La Jaunaye accordait l'amnistie aux Vendéens qui baissaient les armes. Elle les autorisait à pratiquer leur culte, reconnaissant ainsi implicitement les prêtres réfractaires.

19. Des soulèvements eurent encore lieu en 1815, dirigés par Louis de La Rochejaquelein, le frère du généralissime tué au combat de Nouaillé le 29 janvier 1794, et en 1832, lorsque la duchesse de Berry tenta de rallier les légitimistes contre Louis-Philippe.

719
Affiche concernant les démolitions de Bellecour (octobre 1793)

« à Ville Affranchie, de l'imprimerie d'Amable Leroy »

Imprimé. H. 0,535 ; L. 0,440.
Inscription : en haut à droite : « Bon à imprimer. G. Couthon. »
Historique : legs de Mme Couthon en 1937.
Bibliographie : Ray, 1957, p. 16.

Lyon, Musée historique (musée Gadagne) (inv. 37-63).

Cette épreuve avant la lettre de l'affiche engageant les révolutionnaires à détruire les maisons des aristocrates et des riches lyonnais de la place Bellecour, porte le bon à tirer et la signature de Couthon, représentant de la Convention à Lyon, devenue Commune-Affranchie depuis le décret du 21 vendémiaire (12 octobre).
L'article XXI de cet arrêté, en date du 4 brumaire an II (25 octobre 1793), donne les noms des citoyens chargés de diriger les démolitions, Frétille et Maymat. A l'emplacement des immeubles détruits devait être érigée une colonne de la Liberté (art. XXII).
C'est pour avoir hésité à raser la ville, que Couthon fut rappelé à Paris et remplacé par Collot d'Herbois et Fouché, qui commirent les pires atrocités dans la répression qui suivit la reddition de Lyon. J.Be.

LES REPRÉSENTANS DU PEUPLE,

DÉPUTÉS par la CONVENTION NATIONALE, près l'Armée des Alpes, et dans divers Départemens de la République, étant actuellement à Ville-Affranchie ;

VU l'Arrêté du 11 octobre, portant qu'il sera créé dans le jour une Commission militaire dans cette ville, chargée de juger tous les contre-révolutionnaires pris les armes à la main ;

L'Arrêté du 12 octobre, qui nomme une Commission de justice populaire, divisée en deux sections, l'une établie dans cette ville, l'autre dans celle de Feurs, pour juger tous ceux qui auroient participé à la rebellion qui s'étoit manifesté dans le Département de Rhône et Loire, mais qui n'auroient pas été pris les armes à la main ;

L'Arrêté du 12 octobre, qui ordonne la démolition de tous les murs et remparts qui existent autour de cette ville, et du château ou maison appellée de Pierre-Scise ; qui applique le produit de la vente des matériaux aux patriotes indigens qui ont été incarcérés ou obligés de fuir, et charge la Municipalité de commencer cette démolition le lendemain même de cet Arrêté ;

L'Arrêté du 11 de ce mois, qui ordonne à tous les habitans de cette ville de déposer les armes de toute espece qu'ils pourroient avoir, dans le lieu des séances de leur Section ;

L'Arrêté du 12, qui enjoint à la Municipalité de nommer sur le champ une Commission dans chaque Section, à l'effet de recevoir toutes les armes déja requises, et de rassembler celles qui ont été déposées dans les Sections, ou les corps-de-garde, pour être portées à la Maison-commune, et l'état en être envoyé de suite aux Représentans ;

Le Décret de la Convention, du 12 de ce mois, qui, outre les mesures déja prises, ordonne la démolition de tout ce qui fut habité par le riche, et ne conserve que la maison du pauvre, les habitations des patriotes égorgés ou proscrits, les édifices spécialement employés à l'industrie, et les monumens consacrés à l'humanité et à l'instruction publique ; qui ordonne également que les Représentans du Peuple nommeront des Commissaires pour faire le tableau de toutes les propriétés qui ont appartenues aux riches, et aux contre-révolutionnaires de Lyon ;

L'Arrêté du 16 de ce mois, qui met cette ville en état de siege, qui en confie la police au Général en chef, qui charge ce Général de faire procéder dans le jour à des visites domiciliaires pour s'assurer si toutes les armes ont été déposées ; déclare rebelles, et ordonne l'arrestation de tous ceux chez qui l'on trouveroit encore des armes ;

L'Arrêté du 16, qui porte que la Municipalité et le Comité de surveillance de cette ville, présenteront sans délai la liste de tous les bâtimens qui ont servi d'habitation aux gens riches et aux contre-révolutionnaires de cette ville, et le tableau de leur propriété ;

L'Arrêté du 19, qui ordonne que tous les riches négocians de cette ville compris dans le décret de la Convention, seront mis sur le champ en état d'arrestation ; enjoint aux locataires des maisons appartenantes à ces habitans, d'évacuer dans le plus court délai, les appartemens qu'ils y occupent, et nomment des Commissaires pour veiller à l'exécution de ces mesures ;

La Délibération prise par la Municipalité le 18 de ce mois, portant qu'il sera à l'instant dressé une premiere liste des citoyens de cette ville désignés par le Décret ; que cette premiere liste sera envoyée à chaque Comité révolutionnaire, à l'effet de déposer au greffe de la Municipalité le tableau et la désignation exacte des maisons et propriétés des habitans compris dans cette liste ;

L'Arrêté du 22, portant que toutes les redoutes construites dans les Broteaux et dans les terreins appartenans à l'Hôtel-Dieu de cette ville, seront détruites sur le champ, et ces terreins rendus à l'agriculture ; que les bâtimens de l'Hôtel-Dieu seront réparés sans délai, et met à la disposition de l'Administration trois cents mille livres pour fournir à ces dépenses et au besoin des indigens ;

Les Lettres écrites le 17 octobre, au Comité de Salut public et à la Société des Amis de la Constitution séans aux Jacobins de Paris, dans lesquelles les Représentans leur témoignent combien l'esprit public a besoin d'être vivifié dans cette ville, et l'impossibilité où ils se trouvent d'organiser les Administrations et les Tribunaux, et d'assurer l'exécution de toutes les mesures que demandent les grands intérêts qui leur sont confiés, faute d'un assez grand nombre d'hommes énergiques sur lesquels ils puissent se reposer :

Considérant que de toutes les mesures que la Convention Nationale a cru indispensables de prendre pour venger les bons citoyens des maux qu'ils ont soufferts de la part des contre-révolutionnaires, qui les ont opprimés dans cette ville, et transmettre à la postérité un témoignage à jamais mémorable de l'indignation profonde dont les François, devenus Républicains, ont été pénétrés, en voyant cette ville combattre pour la royauté, une seule avoit été abandonnée à la Convention comme pouvant excéder les pouvoirs qu'elle confioit à ses Commissaires, mais que toutes les autres avoient été prises dès les premiers momens qui ont suivies leur entrée dans cette ville ;

Considérant que le désarmement des habitans ayant été confié à la Municipalité et au général, les uns et les autres avoient été chargés de leur transmettre le tableau des armes que cette opération avoit donné, et qu'ils sont encore en retard de le faire ;

Considérant que la Municipalité chargée de faire procéder, dès le 12 de ce mois, à la démolition des murs et remparts de cette ville, ainsi que de la maison de Pierre-Scise, ne leur a point encore fait connoître si ces travaux avançoient ; qu'elle ne leur a pas non plus transmis la liste des maisons qui, au terme des Décrets, devoient être démolies, liste qu'elle avoit demandé elle-même aux comités des Sections ;

Considérant que l'immensité des travaux qui sont confiés à la Municipalité, le petit nombre d'hommes dont elle est encore composée, l'impossibilité de la completter, et de former les Corps administratifs supérieurs, tant que l'on aura pas envoyés dans cette Ville le renfort de patriotes demandés, doivent retarder l'exécution des mesures les plus urgentes, et servir d'excuses à ceux qui n'auroient pas la volonté de s'y conformer ;

Voulant réparer les omissions volontaires ou involontaires qui pourroient avoir été faites dans l'exécution des mesures dont on s'est occupé, et assurer sur le champ l'exécution de toutes celles qui auroient été négligées, ou donner plus d'activité et d'ensemble à celles qui auroient commencé à être suivies.

Arrêtent :

ARTICLE PREMIER.

La Municipalité et le Commandant de la place se transporteront dans la journée de demain auprès des Représentans du peuple pour leur rendre compte, chacun à leur égard, de l'exécution des différens arrêtés ci-dessus énoncés.

II.

Il sera fait dans la journée de demain, par la force militaire, et avec la plus sévère exactitude, de nouvelles visites domiciliaires pour la recherche des armes. Le Commandant de la place prendra les précautions les plus sûres, pour que dans le même temps, ces visites aient lieu dans tous les quartiers de la Ville.

III.

Tout Citoyen comme faisant partie de la Garde Nationale, sera tenu d'exhiber du récipissé qui lui a été fourni lors du dépôt de ses armes dans sa section, ou à la municipalité, ou d'indiquer par qui, et comment elles lui ont été enlevées. Celui qui ne justifieroit pas en avoir été dépouillé par une force majeure, avant l'arrivée des troupes de la République dans cette Ville, sera regardé comme suspect, et comme tel mis en état d'arrestation.

IV.

Celui qui sera reconnu avoir caché ses armes, sera regardé comme un conspirateur qui chercheroit à se ménager des moyens de tramer et d'exécuter de nouveaux complots contre la république ; il sera livré à la commission de justice populaire, pour être puni de mort ; le dénonciateur aura bien mérité de la Patrie, et recevra d'elle une récompense proportionnée au service qu'il lui aura rendu.

V.

Tout Citoyen qui aura recelé chez lui des armes, et qui n'en aura pas donné avis à la Municipalité, sera puni de la même peine.

VI.

Le Commandant de la place rendra compte aux Représentants, dès le lendemain, du succès de ces nouvelles visites domiciliaires.

VII.

La fonderie de canons, et la fabrique de poudre existante dans cette Ville, seront transférées dans les lieux qui seront incessamment indiqués.

VIII.

Défenses les plus expresses sont faites à tous Citoyens, ainsi qu'à tous Etrangers, de fabriquer dans cette Ville aucune arme de quelque nature qu'elle soit, et d'y travailler de la poudre ; ceux qui y contreviendront seront traduits devant la Commission de justice populaire, et punis de mort.

IX.

Les maisons qui forment la place dite de Belle-Cour, seront de suite démolies, comme celles qui annoncent le plus de faste, et qui offrent le plus la sévérité des mœurs Républicaines.

X.

La Municipalité donnera les ordres les plus précis pour que, dans la journée de demain, toutes les maisons qui forment un des côtés de cette place, soit évacuées par ceux qui les habitent.

XI.

Elle fera trouver à huit heures du matin, sur cette place, au moins six cents ouvriers avec des pioches, marteaux, haches, leviers et autres instrumens propres à la démolition. Dans le cas où elle ne pourroit se procurer volontairement le nombre d'ouvriers, elle les mettra en réquisition.

XII.

Les Représentans du Peuple, qui la Convention a confié la tâche importante de venger la Nation outragée dans cette ville, se rendront, à onze heures du matin, dans la place de Belle-Cour, et porteront, au nom de la République, les premiers coups à ces demeures orgueilleuses.

XIII.

Un pareil nombre au moins d'ouvriers, seront également, et en même temps, employés à la démolition des murs et remparts qui sont autour de cette ville, ainsi que de la maison de Pierre-Scise.

XIV.

Si cette ville ne pouvoit fournir le nombre d'ouvriers nécessaires à cette démolition, il en sera appellés des Départemens voisins.

XV.

Pour fournir aux frais de cette démolition, ainsi qu'à l'entretien des indigens qui ne peuvent se procurer leur subsistance par le travail, il sera fait, provisoirement, un emprunt de six millions sur les Citoyens, autres que ceux dont les biens sont dans le cas de la confiscation.

XVI.

La Municipalité est chargée, dans deux jours, à compter de celui-ci, de faire la répartition de cette somme, en observant les proportions prescrites par les décrets, et instructions envoyées par la Convention pour l'exécution de l'arrêté pris par le Département de l'Hérault, le mois de mai dernier.

XVII.

Elle est autorisée, pour donner plus de perfection à cette répartition, d'appeller auprès d'elle deux membres de chaque Comité révolutionnaire, établis dans les sections de cette ville.

XVIII.

Elle est chargée de présenter les rôles de répartitions qu'elle aura faite, le lendemain même de l'échéance du délai, pour qu'ils soient revêtus de l'approbation des Représentans, et que la somme en soit payée dans la huitaine.

XIX.

Ceux qui seroient en retard de payer cette somme, après l'expiration de ce délai, seront imposés à une double somme, et leurs biens séquestrés jusques à ce paiement.

XX.

Cette somme sera versée à mesure de la perception qui en sera faite dans la caisse du Trésorier de la ville, qui rendra compte de l'emploi, en rapportant les pièces justificatives et les quittances des parties prenantes.

XXI.

Les citoyens Fretille et Maymat, sont nommés pour surveiller et diriger toutes les démolitions qui auront lieu dans cette ville.

XXII.

Sur l'emplacement des maisons qui forment actuellement la place dite de Belle-Cour, sera élevé la colonne désignée par l'article V, du décret du 12 de ce mois.

XXIII.

Le présent arrêté sera imprimé, lu, publié et affiché par-tout où besoin sera.

A Ville-Affranchie, le 4.e jour de la 1.ere décade du 2.e mois de l'an II de la République, une et indivisible.

LES REPRÉSENTANS DU PEUPLE ;

MAIGNET, COUTHON, CHATEAUNEUF-RANDON ; SÉB. LAPORTE.

A VILLE-AFFRANCHIE, de l'imprimerie d'AMABLE LEROY, place St. Jean.

Affiche concernant la démolition des maisons de la place Bellecour à Lyon (cat. 719).

720
Démolition des hôtels de la place Bellecour à Lyon

par Jean-Pierre Xavier BIDAULD

Plume et encre noire, lavis gris. H. 0,340 ; L. 0,510.
Historique : achat du musée en 1923.
Bibliographie : Ray, 1988, p. 15.

Lyon, Musée historique (musée Gadagne) (inv. 60a).

Né à Carpentras en 1743, comme son frère Jean-Joseph Xavier dont il fut le maître, Jean-Pierre Xavier Bidauld se fixa à Lyon dans les années 1760, et s'y adonna à la peinture de genre et de paysage, représentant particulièrement des vues de la ville. Ce dessin date vraisemblablement du mois d'octobre 1793, au moment où les représentants de la Convention commencèrent à appliquer le décret du 21 vendémiaire (12 octobre), visant à raser la ville de Lyon.
Objective dans sa représentation, cette œuvre minutieuse montre les ouvriers s'activant à la destruction des hôtels lyonnais, sous la surveillance de l'armée. Dans le fond se détache la colline de Fourvière. J.Be.

Démolition des maisons de la place Bellecour à Lyon (cat. 720).

La Rébellion lyonnaise terrassée par le génie de la Liberté (cat. 721).

Joseph Agricol Viala (cat. 722).

Fusillades de Nantes (cat. 723).

721
La Rébellion lyonnaise terrassée par le génie de la Liberté

par Philippe-Auguste HENNEQUIN

Pierre noire, lavis gris et rehauts de blanc, mise au carreau. H. 0,270 ; L. 0,428.
Historique : collection Ch. Saunier (marque en bas au centre, Lugt 567b) ; donation S. et H. Baderou au musée en 1975.
Bibliographie : Revue du Lyonnais, 1843, pp. 324-326. Saunier, 1917, note 2, p. 10 ; Pérez-Ternois, 1980, n° 1, pp. 141-142, fig. 10, et p. 146, notes 32 et 33.

Rouen, musée des Beaux-Arts (inv. 975.4.1323).

Le 14 pluviôse an II (2 février 1794), Hennequin, se trouvant à Lyon, écrivait à la Commission temporaire de la ville pour demander l'autorisation de peindre un tableau sur le thème de la rébellion lyonnaise. L'œuvre, approuvée, fut commencée par l'artiste et était destinée à décorer la Maison commune. Elle devait, écrit Hennequin dans ses *Mémoires* (p. 160) « servir à la postérité de monument de la lâche ignominie et du triomphe des républicains ». Devant l'intérêt que suscitait son offre, il inscrivit son sujet au concours de l'an II. Le 9 thermidor remit en cause les efforts d'Hennequin ; lorsqu'il gagna Paris pour échapper à la répression royaliste, il insista auprès des autorités lyonnaises pour, sinon achever son tableau, du moins récupérer la toile. L'affaire traîna jusqu'en 1799, Hennequin ayant écrit au ministre de l'Intérieur, François de Neufchâteau, pour lui demander l'autorisation de terminer son tableau. L'œuvre n'est plus aujourd'hui connue que par le dessin de la collection Baderou, qui fut soumis à la commission temporaire de Commune-Affranchie pour approbation en février 1794. Toutefois, une esquisse peinte sur panneau qui se trouvait dans le commerce il y a quelques années, permettait de se faire une idée de la composition définitive, assez différente du dessin. Saunier le décrit ainsi : « Sur une langue de terre, au confluent de deux rivières. A l'extrême pointe, au pied d'un jeune arbre dépouillé, se voient les figures allégoriques du Rhône et de la Saône éplorées. Au milieu, le génie de la Liberté irradie des rayons qui éclairent le corps décapité d'une victime de la contre-Révolution (Chalier ?) dont une femme agenouillée drapée en des voiles de deuil, tient dans ses mains la tête exsangue. Le génie de la Liberté chasse vers la gauche le Fanatisme sous le costume d'un évêque et le Royalisme chargé d'un sceptre et des attributs de l'esclavage. Un lion héraldique fuit avec les deux personnages. Au fond une batterie d'artillerie foudroie la ville que signalent un pont et des monuments. »
Par comparaison avec ce dessin, l'esquisse peinte était beaucoup plus allégorique encore, et touchait à l'hermétisme, comme la plupart des œuvres révolutionnaires d'Hennequin. Non reprise à la plume, cette feuille ne présente pas le caractère habituellement bouclé du graphisme de l'artiste. J.Be.

722
Joseph-Agricol Viala (1780-1793)

par Nicolas BRACHARD *père* (?), Jean-Charles-Nicolas BRACHARD *aîné* (?), ou Jean-Nicolas BRACHARD *jeune* (?)

Buste, terre-cuite. H. 0,260 ; L. 0,200 ; P. 0,130.
Bibliographie : Lechevallier-Chavignard, 1932, n° 98 et pl. 51.

Sèvres, musée national de la Céramique (inv. MNC 23458).

Joseph-Agricol Viala s'est rendu célèbre pour avoir, en juillet 1793, à l'âge de treize ans, sectionné les câbles rattachant des pontons qui auraient permis aux royalistes marseillais de traverser la Durance près d'Avignon. Atteint mortellement pendant cette opération périlleuse il aurait eu le temps de s'écrier avant de tomber : « Ils ne m'ont pas manqué ; c'est égal, je meurs pour la liberté. »
L'exploit rapporté quelques mois plus tard à Robespierre par le propre oncle de Viala, détenu à la prison du Luxembourg, propulsa l'enfant « martyr » au rang de héros national dont le sort posthume fut lié à celui de François-Joseph Barra.
A la différence de Barra (cat. 728) il n'est pas vêtu d'un uniforme réglementaire mais d'une tenue plus conforme à son appartenance à une troupe de patriotes avignonnais levée en hâte à l'appel de la Convention. P.En.

723
Fusillades de Nantes

par Étienne Béricourt

Aquarelle sur traits de plume, encre noire. H. 0,180 ; L. 0,332.
Historique : legs Hennin à la Bibliothèque nationale en 1883.
Bibliographie : Duplessis, t. IV, p. 115, n° 11699 ; Vovelle, 1986, t. IV, pp. 72-73.

Paris, Bibliothèque nationale, cabinet des Estampes (coll. Hennin, n° 11699).

Béricourt dont on ignore tout — s'est-il noyé « d'ennuist de vivre à l'âge de 23 ans », comme le laisse croire une inscription portée au dos d'une *Vue de la Foire Saint-Laurent* de l'ancienne collection Hartmann ? — est sans doute avec Prieur et Le Sueur, celui qui nous a légué les meilleurs témoignages sur la Révolution.
Si sa vision demeure très naïve, très fraîche, avec des couleurs claires, il n'en reste pas moins qu'il ne renonça jamais à montrer la violence. Son *Enlèvement de cadavres* (musée Carnavalet), son *Arrestation d'un suspect* (id.), sont plus que de simples représentations de la vie quotidienne. Il semble que Bérincourt ait été de ces esprits populaires marqués, voire enthousiasmés, par la vindicte révolutionnaire. Ces scènes aquarellées sont des visions froides de celui qui y participa. Béricourt s'est-il rendu à Nantes ? Tous ses dessins sont résolument campagnards. Etait-il de la région nantaise ? Nous l'ignorons. Mais ses *Fusillades de Nantes* le laissent entendre.
C'est sans doute le dessin le plus pathétique qui soit sorti de la main de Béricourt. La marche inexorable des prisonniers vendéens a quelque chose de repoussant dans son systématisme qui n'aboutit qu'à la mort. Et l'on meurt par grappes. Des officiers républicains commandent la manœuvre. Les fumées des pelotons d'exécution, les incendies des châteaux se mêlent au ciel grandiose. Aux portes de Nantes, il existait de profondes carrières, les carrières de Gigant. C'est là que l'on conduisait les condamnés. Ce lieu est devenu aujourd'hui la rue des Martyrs.
Pourtant, si les exécutions massives de prisonniers — il y avait 20 000 détenus à Nantes en prairial an II (mai 1794), entre 8 000 et 9 000 dans la seule prison de l'Entrepôt — furent créées pour remplacer la guillotine défaillante, elles ne furent pas les plus spectaculaires. Les navires ancrés dans le port, *la Gloire*, *la Louise*, étaient transformés en prison en attendant les noyades nocturnes, imaginées par Carrier, qui s'écriait : « Quel torrent révolutionnaire que la Loire ! » J.Be.

LA GUERRE DE VENDÉE

724
Le Port de Granville assiégé par les Vendéens

par Jean-François HUE

Huile sur toile. H. 1,620 ; L. 2,580.
Historique : acquis par l'État en 1800 (INV 5395) ; déposé à l'hospice de Granville en 1896 ; déposé à l'écomusée de la Vendée, château du Puy du Fou, en 1987.
Exposition : 1800, Paris, Salon, n° 191.
Bibliographie : Ribemont, 1987, pp. 57-63.

Les Epesses, écomusée de la Vendée, Château du Puy du Fou (inv. D.987-1-1).

Le Salon de 1800 présentait de nombreuses œuvres dont les sujets renouaient avec la tradition de l'an II. C'était le cas des *Remords d'Oreste* d'Hennequin, de *L'Enrôlement des volontaires* de Lethière, et de ce tableau de Hue. Au moment où l'agitation royaliste renaissait dans l'Ouest, Hue exposait donc une peinture qui incitait à la défense de la Patrie, en puisant dans les événements de la dramatique année 1793.
Après leur défaite à Cholet le 26 vendémiaire an II (17 octobre) devant les troupes de Kléber et Marceau, les Vendéens, conduits par La Rochejaquelein avaient franchi la Loire à Saint-Florent-le-Vieil, et rallié les chouans de Jean Cottereau. Arrivés devant Granville le 23 brumaire (13 novembre) où ils espéraient entrer en contact avec la flotte anglaise, ils

commencèrent le siège de la ville, mais ne purent y pénétrer. Le commissaire de la Convention, Jullien, avait organisé la défense. Le général Varin, commandant de la place, avait proclamé l'état de siège, et mis le feu aux faubourgs pour empêcher l'approche vendéenne. Dès le 24 brumaire (14 novembre), l'armée catholique et royale abandonnait le siège de Granville.
Élève de Joseph Vernet, peintre de marines, Hue s'est plu à représenter cet épisode tragique des guerres de Vendée, qu'il a choisi de situer la nuit, de façon à dramatiser la scène en montrant l'incendie des faubourgs de Granville. Cette vaste vue panoramique, déjà romantique dans son esprit, multiplie les détails et insiste bien sur l'assaut plutôt que le siège de la ville. L'œuvre fait partie de cet ensemble de vues des ports de France, commencé en 1754 par Vernet, et achevé par Hue après la mort de son maître en 1789. J.Be.

725
La Bataille du Mans

par Jean DUPLESSI-BERTAUX

Plume, encre et lavis. H. 0,106; L. 0,157.
Historique : legs du Dr Paul Oulmont à la ville d'Épinal en 1913; dépôt au musée départemental des Vosges en 1920.
Bibliographie : Philippe, 1929, p. 138, nº 23.

Épinal, musée départemental des Vosges
(inv. D. 1920-23).

Ayant abandonné le siège de Granville le 14 novembre 1793, l'armée catholique et royale, très éprouvée, tenta de regagner la Loire. Loin d'être vaincue, elle bouscula encore les Républicains à Dol, Pontorson, Antrain... L'Ouest tremblait devant cette armée de paysans en haillons. Ne sachant où aller, les Vendéens errèrent longtemps avant de se diriger sur Le Mans. Le 20 frimaire (10 décembre), l'armée royaliste pénétrait dans la ville, et chercha à se reformer. C'était laisser le temps aux Bleus pour réagir. L'armée des Côtes-de-Cherbourg, réunie à celle des Côtes-de-Brest se prépara à donner l'assaut. Westermann entraîna Marceau, avant même l'arrivée de Kléber. Surpris, les Vendéens réussirent pourtant à desserrer l'étau, et s'enfuirent par la route de Laval. Mais la victoire républicaine était complète. Les Vendéens laissaient 12 000 hommes sur le champ de bataille (22 frimaire-12 décembre). J.Be.

726
Antoine-Joseph Santerre (1752-1809)

par François BONNEVILLE

Gravure au burin. H. 0,260; L. 0,170.
Inscription : « Santerre/Comdant de la Garde Natle Parisienne en 1792/Chef de Brigde de la 1 armée Répaine/Contre celle de la Vendée .F. Bonneville del. et sculp. »
Bibliographie : Roux, t. III, p. 220, nº 194; Vovelle, 1986, t. III, p. 143.

Paris, Bibliothèque nationale, cabinet des Estampes
(inv. N2).

Devenu commandant général de la garde nationale au 10 août, Santerre, sans-culotte vaniteux, chercha à jouer un véritable rôle militaire. On l'envoya en Vendée. Il se révéla incapable de diriger une armée, et rappelé à Paris, il fut incarcéré jusqu'au 9 thermidor. Sa carrière était terminée. Santerre était de ces aventuriers comme en sécréta tant la Révolution et qui disparurent avec elle. On songe au boucher Legendre, à Jean-Baptiste Drouet, à Stanislas Maillard, à Leclerc, à Varlet, etc. J.Be.

727
Le général Turreau (1756-1816)

par un auteur anonyme

Huile sur toile. H. 0,900; L. 0,720.
Inscription : à gauche : « Affaire de Gravières, Général Thureau, 8 Prairial an VIII. »
Historique : acquis de Alfred Jubinal en 1884; dépôt du musée Carnavalet en 1986.
Bibliographie : Notices sommaires..., 1890, p. 10.

Cholet, musée d'Histoire et des Guerres de Vendée
(inv. VB 8605).

Général de brigade le 30 juillet 1793, Turreau de Garambouville, cousin du Conventionnel Turreau de Linières (1761-1797), avait été envoyé en Vendée, le 14 brumaire an II (4 novembre 1793), où il se signala par son organisation des colonnes infernales, tristement célèbres par les atrocités qu'elles commirent en l'an II. Suspendu de ses fonctions en prairial, il fut réintégré dans l'armée en 1795. Il servit en Italie en 1800, et c'est sans doute durant cette campagne, soldée par la victoire de Marengo (14 juin 1800), que se déroula l'affaire de Gravières (28 mai 1800). Il est aussi possible que l'inscription ait été ajoutée après coup dans la mesure où les actions de Turreau durant la campagne d'Italie prêtaient moins le flanc à la critique que la stratégie appliquée en Vendée. On peut se demander si certains détails du fond de la composition ne font pas en effet allusion à la pratique des « colonnes infernales ». Turreau porte l'uniforme réglementaire des généraux de la République, bicorne emplumé et ceinture drapée.
Ce tableau est une seconde version d'une peinture conservée également à Carnavalet (huile sur toile. H. 0,880; L. 0,715, inv. P. 747) et présentant quelques variantes, en particulier le cheval de Turreau qui n'est plus blanc mais brun. Sur cette œuvre, on relève les initiales de l'auteur : *L.h.* Peut-être a-t-on affaire à une peinture de jeunesse de Louis Hersent, né en 1777, élève de Regnault. Rien ne vient étayer cette hypothèse pour le moment, mais titulaire du second prix de Rome en 1797 derrière Guérin, avec *La Mort de Caton d'Utique*, Hersent aurait fort bien pu recevoir la commande du portrait de Turreau, à cette époque de sa carrière. J.Be.

728
François-Joseph Barra (1779-1793)

par Nicolas BRACHARD *père* (?), Jean-Charles-Nicolas BRACHARD *aîné* (?), ou Jean-Nicolas BRACHARD *jeune* (?)

Buste, terre cuite. H. 0,300; L. 0,200; P. 0,10.
Bibliographie : Lechevallier-Chevignard, 1932, nº 98 et pl. 51.

Sèvres, musée national de la Céramique
(inv. MNC. 23456).

Les exploits de François-Joseph Barra sont essentiellement connus par une lettre du général Desmarres au ministre de la Guerre, lettre qui fut lue par Barère à la séance de la Convention du 25 frimaire an II (15 décembre 1793) : « Trop jeune, disait-il, pour entrer dans les troupes de la République, mais brûlant de la servir, cet enfant m'a accompagné depuis l'année dernière, monté et équipé en hussard ; toute l'armée a vu avec étonnement un enfant de treize ans affronter tous les dangers. »
Le culte des deux enfants « martyrs » François-Joseph Barra et Joseph-Agricol Viala (cat. 722) est très lié à la politique de Robespierre qui, à propos de Barra, s'écria à la Convention dans la séance du 8 nivôse (28 décembre) : « Les Français seuls ont des héros de treize ans. » Dans les deux cas Robespierre fit leur éloge à la tribune, et la Convention, au cours de sa séance du 18 floréal an III (7 mai 1794) vota leur translation au Panthéon. L'organisation de la cérémonie fut confiée au peintre David. D'abord fixée au 30 messidor an II (18 juillet 1794), celle-ci fut reportée au 10 thermidor (28 juillet), pour être en fin de compte annulée à cause des événements, les hommes de Thermidor ne partageant pas avec les partisans de Robespierre leur admiration pour Barra et Viala. Il existe encore à la manufacture de Sèvres un groupe en plâtre commémorant cette cérémonie qui n'eut jamais lieu. Ce groupe, appelé *les Martyrs de la Liberté*, représente un autel antique sur lequel sont posées deux urnes présentées par une femme et un enfant, sur lesquelles sont inscrits les noms des deux héros.
Bien qu'il semble que ces deux bustes (1794 ?) soient des modèles de biscuits de porcelaine, on n'en connaît pas de réplique ancienne dans cette matière. La réaction thermidorienne mit sans doute un terme à leur exécution. On ne connaît même pas le nom de l'artiste qui les a réalisés. Une tradition, qui nous a été transmise par Mme Tamara Préaud, veut qu'ils aient été modelés par un des membres de la dynastie des Brachard, sculpteurs, modeleurs et répareurs à Sèvres. S'agit-il de Nicolas Brachard (actif entre 1784-1809) ? L'un de ses deux fils, Jean-Charles-Nicolas *aîné* (actif entre 1782-1824) ou Jean-Nicolas-Alexandre (actif entre 1784-1827) ? Chacun des trois membres de cette

famille distinguée pourrait prétendre à la réalisation d'œuvres d'une telle qualité sculpturale.
L'érection d'une statue de Barra à Palaiseau (Essonne), sa ville natale, le 11 septembre 1881, donna un léger regain d'intérêt à ce personnage, car dès l'année suivante des reproductions en biscuit de ces deux bustes en terre cuite furent mis en fabrication à la manufacture de Sèvres. P.En.

729
Masque mortuaire de Charette
(1763-1796)

Plâtre, surmoulage moderne, d'après l'empreinte prise par Jean Cazanne. H. 0,277.
Historique : don du Dr Thoby en 1936.
Exposition : 1935, Nantes, n° 8.
Bibliographie : Fillon, 1854, n° 11, pp. 229-234 ; Costa, 1967, n° 194, repr.

Nantes, musées départementaux de Loire-Atlantique (inv. 936.6.1).

Traqué de buisson en buisson, de fossé en fossé par le général Travot, Charette fut arrêté au bois de la Chabotterie, commune de Saint-Sulpice, le 23 mars 1796. Conduit à Nantes, promené comme une bête curieuse à travers toute la ville, accablé d'injures, il comparut enfin devant un conseil de guerre qui le condamna à mort. Il fut fusillé le 29 mars, place des Agriculteurs, aujourd'hui place Viarme, ayant commandé lui-même le peloton d'exécution.
Son corps fut jeté à la fosse commune. Auparavant, Duthil, commandant de la place de Nantes, avait autorisé Jean Cazanne, « plâtrier-figuriste », à prendre un moulage du visage de Charette. Le masque original se trouve conservé au château de la Contrie, propriété de la famille Charette.
Le bruit courut bientôt que Cazanne avait enlevé le corps du général. On perquisitionna chez lui, on saisit les épreuves en plâtre et, le 12 germinal (2 avril), il dut retourner à la carrière du gué Moreau, où avait été inhumé Charette, accompagné de trois commissaires, pour reprendre l'empreinte du visage du supplicié. J.Be.

730
Un vétéran des guerres de Vendée

---

par Pierre-Jean DAVID d'ANGERS

Dessin au crayon extrait de *l'Album des Vendéens*. H. 0,20 ; L. 0,26.
Inscription : « Etienne Mathurin/Pennau/dit La Ruine/âgé de 64 ans natif de Cholet/armée vendéenne/tambour major. »
Historique : coll. David d'Angers, don entre 1850 et 1856 (mort de l'artiste).
Exposition : 1878, Paris, Exposition Universelle, n° 483.
Bibliographie : Jouin, 1885, p. 20 ; *Cent portraits dessinés*, Paris, 1910, pl. XVIII ; Chesneau, 1934, n° 1047.

Angers, galerie David d'Angers.

L'inauguration du monument à la mémoire du général vendéen Bonchamps à Saint-Florent-le-Vieil, le 11 juillet 1825, fut l'occasion pour les vétérans de l'armée « catholique et royale » de se retrouver. A la demande du gouvernement de Louis XVIII le programme iconographique du cénotaphe devait mettre surtout en valeur le geste de Bonchamps expirant ordonnant d'épargner les prisonniers républicains et c'est effectivement dans cette attitude qu'il fut représenté par David d'Angers. Le lendemain de la cérémonie un certain nombre de ces vétérans posèrent, de face et de profil, devant le sculpteur qui annota lui-même ses croquis.
Ici Étienne Mathurin Pennau, surnommé « la Ruine », était donc âgé d'une trentaine d'années au moment où éclatèrent les premiers troubles. Sexagénaire il a conservé la coiffure du temps de la « Vendée militaire », coiffure que l'on retrouve d'ailleurs sur les portraits de certains chefs républicains comme Marceau.
***L'Album des Vendéens*, malgré sa date tardive est le document iconographique le plus véridique relatif aux insurrections de l'ouest de la France dont il met en valeur le caractère plébéien, et profondément lié au terroir, malgré la présence parmi ses chefs de quelques nobles aux ambitions sans doute plus vastes. Et ce n'est pas le moindre des paradoxes que cette exceptionnelle galerie de combattants de la base nous ait été transmise par un artiste qui ne cachait pas son admiration pour les hommes de la Liberté, jusques et y compris Marat.**

731
Uniforme chouan

Chapeau de feutre ; veste de drap ; pantalon de coutil ; chapelet.

Paris, collection particulière.

Les souvenirs historiques concernant la chouannerie et la Vendée militaire sont excessivement rares. D'une part en raison de leur destruction par les armées républicaines, et d'autre part du fait que ces objets ne portaient aucun signe distinctif de leur utilisation. Vêtements de paysans, ils ne différaient des autres costumes que par adjonction d'insignes royalistes : Sacré-Cœur, chapelets, etc.
Fort peu de ces costumes sont connus. En dehors de celui-ci, on ne peut guère mentionner que les vestes et chapeaux vendéens, ou passant pour tels, conservés au musée de Thouars. J.Be.

732
Faux de guerre

Fer forgé et bois. L. 2,610 ; L. de la lame : 0,730 ; l. de la lame : 0,150.

Paris, musée de l'Armée (inv. K. 171).

Lors du soulèvement général de la Vendée, en mars 1793, les paysans s'armèrent spontanément, en utilisant toutes les armes qu'ils purent trouver : fusils de chasse et pistolets, ou à défaut, fourches, piques et faux.
Il suffisait pour transformer ces dernières en armes redoutables, d'emmancher la lame à l'envers. Jusqu'à l'écrasement de la révolte, les Vendéens utilisèrent ces instruments, mais beaucoup les abandonnèrent pour les fusils arrachés aux Bleus. J.Be.

733
Serpette vendéenne

Métal et bois. L. 0,410 (sans le manche).
Inscription : sur l'avers : « Dieu et le Roy la Reyne », et sur le revers : « Herbe-en Pail 2 mars 1795. Yves Keradec, la 3è Cie de Lescure », ainsi que sur la base : « Géménée. fougères.machette. »
Historique : acquis en 1986.

Cholet, musée d'Histoire et des Guerres de Vendée (inv. VT 86-01).

Equipés des armes les plus disparates, souvent des outils agricoles, les paysans qui composaient les armées vendéennes n'en étaient pas moins de redoutables soldats.
Cette serpette pose cependant problème du fait de ses inscriptions. Ayant appartenu à Yves Keradec, elle dut lui servir au moins en deux occasions. En 1793, alors qu'il faisait partie de l'armée du Haut-Poitou aux ordres de Lescure, et en 1795, lors de la reprise des troubles au moment de l'affaire de Quiberon.
Les noms des villes de Fougères et de Guéménée pourraient indiquer que le propriétaire de cette serpette aurait participé au passage de la Loire à l'automne 1793. Fougères avait été prise par les Vendéens et les chouans le 4 novembre 1793. C'est dans cette ville que mourut le marquis de Lescure (24 novembre), qui avait été blessé au combat de La Tremblaye. J.Be.

734
Sabre d'Antoine Chapelle, marquis de Jumilhac (1764-1826)

Bronze, acier, cuir et laiton. L. totale : 1,060 ; L. du fourreau : 0,900.

Paris, musée de l'Armée (inv. 01568).

Ce sabre d'officier de dragons, modèle 1784, orné sur la lame de trophées et de motifs floraux dorés, appartenait au marquis de Jumilhac, lieutenant-colonel de la garde constitutionnelle du roi, qui émigra après le 10 août, et rallia l'armée des Princes. Il servit comme capitaine aide-major au régiment Royal-Louis, et fut blessé à Quiberon en l'an III. Plus tard, il fut intégré dans l'armée impériale, et devint général de brigade en 1813, mais s'empressa de rendre hommage à Louis XVIII.

Antoine-Joseph Santerre, chef de brigade républicaine en Vendée (cat. 726).

Le Général Turreau, organisateur des «colonnes infernales» républicaines en Vendée (cat. 727).

François-Joseph Barra (cat. 728).

Un vétéran des guerres de Vendée (cat. 730).

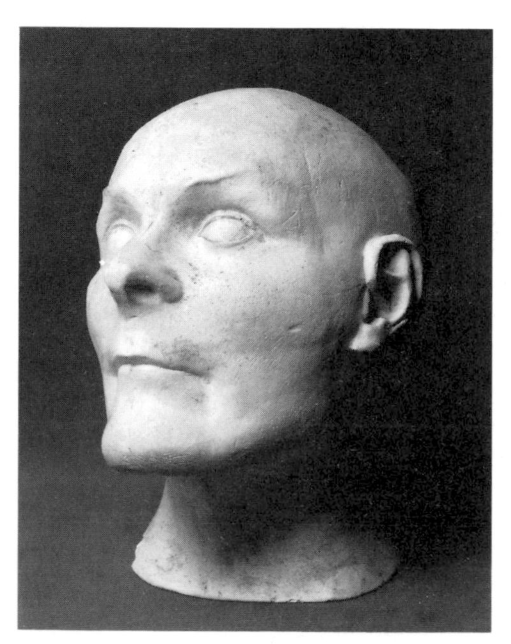

Masque mortuaire du général vendéen Charette (cat. 729).

Port de Granville assiégé par les Vendéens (cat. 724).

La Bataille du Mans, défaite vendéenne (cat. 725).

Uniforme chouan (cat. 731).

Faux de guerre vendéenne (cat. 732).

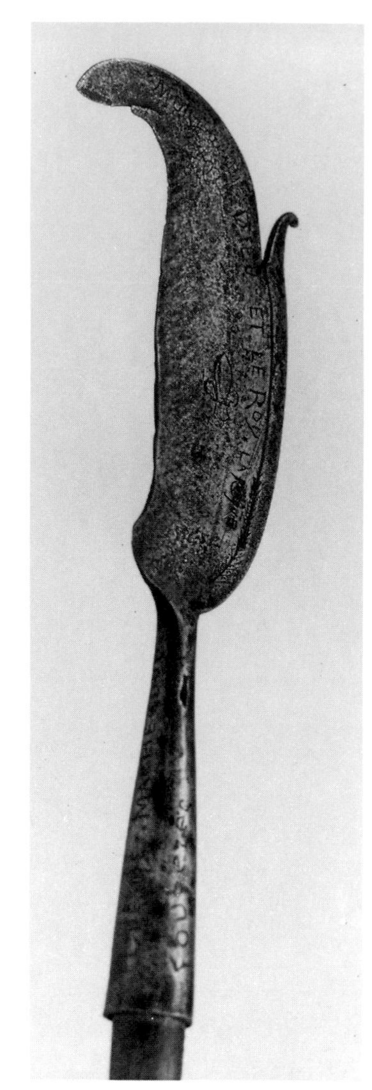

Serpette vendéenne (cat. 733).

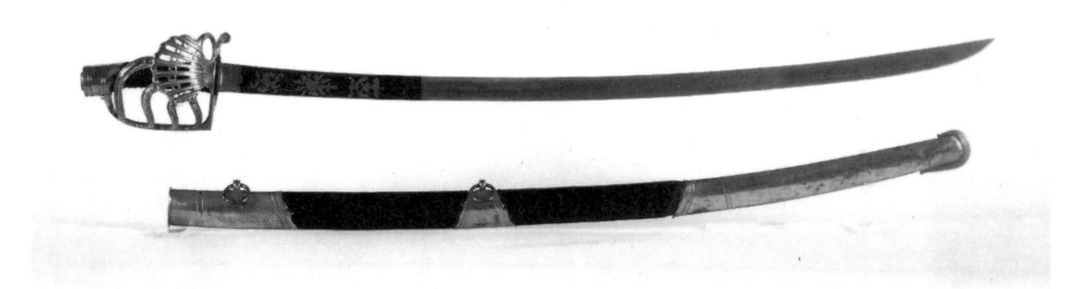

Sabre du marquis de Jumilhac, officier de l'armée des Princes (cat. 734).

Fusil du marquis de Fumé, officier de l'armée vendéenne (cat. 735).

Sa carrière fut assez similaire à celle de Bourmont, ce grand chef chouan que Napoléon tenta de s'attacher, et qui trahit à Waterloo.
J.Be.

Carabine donnée par Bernadotte à un officier de l'armée républicaine de l'ouest (cat. 736).

735
Fusil d'officier du marquis de Fumé

Fer et bois, crosse «pied de vache». L. totale : 1,173 ; L. du canon : 0,788.
Inscription : poinçons «S.E.» couronné sur fleur de lys (Saint-Étienne) et «B» (Bonnard, fourbisseur).

Paris, musée de l'Armée (inv. 8665).

Ce fusil, du modèle 1754-1759 pour officier, fut transformé par raccourcissement du canon et du fût, dans un souci d'allègement. Il fut utilisé pendant la guerre de Vendée par le marquis de Fumé, ancien officier du régiment de Rouergue, devenu le 58e d'infanterie à partir du 1er janvier 1791.

Sabre d'officier du général Marceau (cat. 737).

736
Carabine donnée par Bernadotte à l'adjudant-commandant Conroux

Fer et bois, garnitures en laiton. L. 0,786 ; Diamètre : 0,144.

Platine modèle 1793 portant l'inscription : «Manufre à Versailles». Poinçon «NB» (Nicolas Boutet). Plaque avec inscription : «Donné par le Conseiller d'Etat, Général en Chef Bernadotte, à l'Adjudant Commandant Convoux, en récompense de ses services à l'Armée de l'Ouest.»

Paris, musée de l'Armée (inv. 10916).

Cette arme, dite «carabine de Versailles», est du modèle 1793 de cavalerie. Les pièces de ce type sont rares aujourd'hui, puisque leur fabrication cessa en l'an VIII. Fabriquée par Nicolas Boutet, le plus célèbre fourbisseur du Directoire et de l'Empire, cette carabine fut offerte à titre de récompense par Bernadotte, en 1801, à Nicolas-François Conroux pour ses services à l'armée de l'Ouest, où il était attaché à l'état-major en 1799-1800.
Conroux (1770-1813) s'engagea en 1786 au régiment d'artillerie d'Auxonne. Adjudant-commandant le 3 août 1801 (la carabine lui fut donnée à cette occasion), il devint général de brigade après Austerlitz, et mourut blessé à Ascain dans les Pyrénées, le 10 novembre 1813.
J.Be.

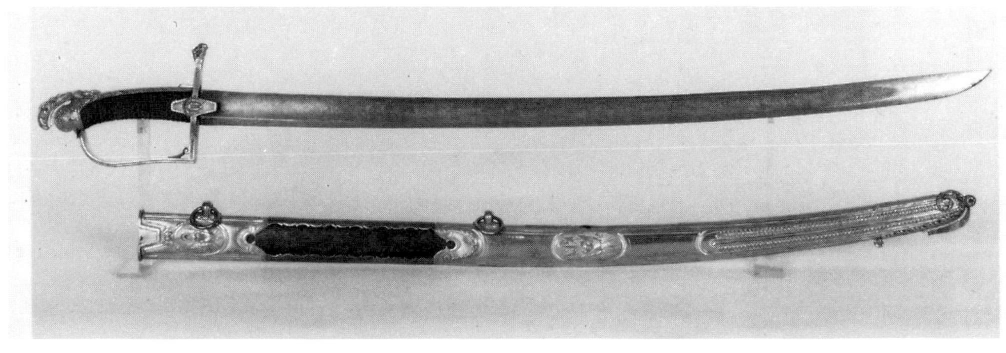

Sabre d'honneur du général Hoche (cat. 738).

737
Sabre d'officier du général Marceau (1769-1796)

Acier, laiton et bronze doré, drap, ceinturon en cuir. L. totale : 0,960 ; L. de la lame : 0,820.

Paris, musée de l'Armée (inv. Cc 31-910).

Ce sabre de la fin du XVIIIe siècle, dont la lame a probablement été refaite postérieurement, s'inspire dans sa forme des sabres de hussard, très en vogue à l'époque. Il appartint à François-Séverin Marceau-Desgraviers, devenu général en 1793, alors qu'il servait en Vendée sous les ordres de Kléber. Celui-ci, ancien architecte (*cf.* cat. exp. : *J.B. Kléber architecte. 1784-1792*, Colmar, musée d'Unterlinden, 1986), lui éleva un monument funéraire en forme de pyramide, avec l'architecte Pierre-Joseph Krahe.

738
Sabre d'honneur du général Hoche (1768-1797)

Acier, cuivre et bronze doré, cuir. L. totale : 1,050 ; L. du sabre : 1,010 ; L. du fourreau : 0,880.

Historique : offert par le Directoire au général Hoche en 1796 ; collection Rousselin de Saint-Albin, exécuteur testamentaire de Hoche ; don de son descendant en 1880.

Paris, musée de l'Armée (inv. J. 391 et CC32).

A la suite des succès obtenus par Hoche dans la délicate pacification de la Vendée, le Directoire le récompensa par un sabre d'honneur, marque distinctive nouvelle, après l'abolition de tous les privilèges durant la Convention.
Ce sabre est d'un modèle fixé par le gouvernement, qui s'adressa à Nicolas Boutet, directeur de la manufacture de Versailles, pour le fourbissage. Plusieurs sabres d'honneur du même type sont connus, toujours distribués à des généraux. S'adressant également à Boutet, Bonaparte récompensa aussi nombre de militaires, mais étendit la distribution à la troupe. Les sabres n'étaient pas les seules armes offertes par le Directoire. Il y eut des carabines et des pistolets, ainsi que des «armures», c'est-à-dire, réunies dans un écrin, plusieurs armes.

GAZETTE Extraordinary

XIX
PROPAGANDE
ET
CONTRE-PROPAGANDE

Les puissances européennes avaient au XVIIIe *siècle une longue pratique du maniement de l'opinion. Au moins depuis la fin du Moyen Âge tout conflit était précédé par la publication et la diffusion d'écrits destinés à démontrer le bon droit des parties en présence : littérature essentiellement juridique, pour une audience assez limitée, essentiellement les détenteurs du pouvoir politique, qui pouvaient y puiser les arguments indispensables à toute prise de position diplomatique ou à toute alliance. Pour un public plus large, « canards » et gazettes commentaient les faits et en particulier les opérations militaires.*

L'événement révolutionnaire modifie sensiblement ces données traditionnelles. Les réactions très vives et, au début, souvent favorables de l'opinion publique dans les divers pays d'Europe ne pouvaient qu'inquiéter les gouvernements et les classes dirigeantes. Les réactions furent diverses : Gustave III de Suède interdit tout commentaire même critique sur ce qui se passait en France et la situation était à peu près identique en Espagne ; dans l'Empire une presse officieuse contribua à inspirer au public l'horreur des violences désormais indissociables des idées nouvelles. Mais c'est en Angleterre que, compte tenu d'une liberté d'expression presque totale, le débat fut le plus intéressant : la plus redoutable machine de guerre idéologique contre la Révolution, les Réflexions sur la Révolution de France *est l'œuvre de Burke, écrivain indépendant qui avait pris parti en faveur des « Insurgents » d'Amérique. Mais par ailleurs les « radicaux » anglais ne cachaient pas leurs sympathies pour la Révolution, même après que la guerre eut sensiblement changé les données du problème.*
Il est certain que les gouvernements révolutionnaires français ont eux aussi tenté de développer, sans plan bien défini d'ailleurs, une propagande en direction de l'étranger, notamment par l'intermédiaire d'agences particulièrement actives, à défaut d'être efficaces dans les pays francophones. Mais cet effort a certainement été moindre que celui destiné à l'opinion intérieure française, en particulier aux populations rurales, peu touchées par l'action directe des clubs.

Toutefois par leur ardeur et l'engagement spontané de nombreux intellectuels, par les implications des arguments échangés, mais aussi par certains retournements inattendus, les luttes idéologiques de l'époque révolutionnaires s'apparentent bien plus à celles des guerres religieuses du XVIe *siècle qu'aux polémiques formelles liées aux conflits entre États des* XVIIe *et* XVIIIe *siècles.*

Et c'est pourquoi le double terme de propagande/contre-propagande, même s'il évoque surtout un usage médiatique techniquement impossible à la fin du XVIIIe *siècle paraît utilisable.*

La lecture du journal à Londres : Réunion d'urgence des marchands de titres boursiers (cat. 747).

PROPAGANDE IMPÉRIALE ANTIRÉVOLUTIONNAIRE

Les débuts de la Révolution française et ses implications suscitèrent l'enthousiasme en Allemagne et une grande sympathie en Autriche : avec la précipitation des événements et cette extraordinaire dynamique, il semblait que les objectifs de l'absolutisme éclairé avaient été non seulement atteints mais même largement dépassés sur le plan démocratique à Paris.

La réaction impériale se déroula en deux phases qui indiquent le passage de l'absolutisme éclairé – incarné par les empereurs Joseph II et Léopold II – au régime conservateur de François II, lequel reposait sur la censure et la police. La contre-propagande impériale visait à éviter que les États héréditaires de la maison d'Autriche ne soient incités à suivre l'exemple français.

Les premiers événements en France n'avaient pas lieu d'inquiéter l'Autriche dans sa politique intérieure. L'empereur Joseph II et le chancelier d'État, le prince Wenzel Kaunitz, étaient favorables aux idées de l'*Aufklärung* et aux réformes de l'État que celles-ci avaient entraînées dans les pays à monarchie héréditaire. Ces idées étaient enseignées dans les universités et mises en pratique dans les nombreuses loges franc-maçonnes ou dans les salons des nobles et des bourgeois.

En revanche, la poussée révolutionnaire du peuple parisien amena Joseph II à s'inquiéter du sort de sa sœur Marie-Antoinette. Le danger pour la royauté était prévisible. La presse autrichienne avait déjà reproduit des essais parus dans des journaux étrangers – entre autres, des pamphlets contre Marie-Antoinette. Joseph II veilla alors à faire contrôler plus sévèrement l'opinion publique par la police, afin d'éviter que l'Autriche ne soit inondée de brochures subversives.

Pour Kaunitz, la prudence était de mise dans sa politique étrangère ; il espérait que la Révolution resterait un problème de politique intérieure française. Il ne fallait pas que l'œuvre de sa vie, à savoir l'alliance de 1756 entre la France et l'Autriche, soit remise en question. Kaunitz, qui sous-estimait la dynamique propre de la Révolution, plaida trop longtemps l'attentisme au lieu de s'activer pour sauver la famille royale.

Après la mort de Joseph II (20 février 1790), son frère, l'empereur Léopold II, monta sur le trône ; ce dernier avait salué la Révolution française, y voyant la percée de ses idées personnelles. Il prévoyait une révolution constitutionnelle organisée d'en haut dans les États héréditaires, afin d'éviter que ne se produisent les débordements de plus en plus progressistes du mouvement en France. Il appliqua des méthodes inhabituelles ; en particulier la composition de son équipe de collaborateurs, recrutés parmi les classes moyennes (universitaires, fonctionnaires, commerçants et journalistes), resta secrète. L'empereur se servait d'eux comme d'utiles instruments et les jouait les uns contre les autres.

Léopold II réussit dans un premier temps à venir à bout de l'opposition des nobles de Hongrie en 1790 : pour mieux informer la police de la cour à Vienne, Gotthardi, capitaine de la garde urbaine de Pest, installa un réseau d'agents en Hongrie. Parallèlement, une campagne de tracts, menée par l'empereur, comparait la situation de la Hongrie avec celle de la France, revendiquait la suppression des privilèges et un droit à la parole pour les roturiers – y compris pour les paysans.

Les porte-parole de Léopold II en matière de presse étaient, d'une part en Hongrie, Josef Ignaçs Martinovics, qui deviendra plus tard le principal conjuré jacobin, d'autre part à Vienne, Leopold Alois Hoffmann, autrement dit l'homme-lige de la *Wiener Zeitschrift*. Cette revue publiait par exemple, à titre anonyme, des *Objections à la Constitution française*, qui étaient rédigées par Martinovics et répétaient l'opinion de l'empereur.

A ses débuts la Révolution française trouva des partisans jusque dans la noblesse de haut rang, comme le prouve le journal du comte Karl von Zinzendorf. Le mémorandum anonyme, *Considérations à propos de la Révolution et du système soi-disant démocratique en France* de 1791, avait été écrit par le ministre de la Police, le comte Johann Baptist Anton Pergen ou par son fils unique. Il existe aussi de nombreux écrits – parfois personnels – sur la Révolution dont l'auteur est Kaunitz lui-même. Sous le règne de Léopold II, on pouvait s'abonner au *Moniteur* de Paris ; le *Wiener Zeitung* fournissait des reportages très détaillés (cat. 752).

En politique étrangère, Léopold II se déclara favorable à une monarchie libre de forme constitutionnelle (déclaration de Pillnitz du 27 août 1791). Il considéra à tort que la crise en France était terminée à partir du moment où Louis XVI avait accepté la Constitution (14 septembre 1791). Il sous-estima la dynamique meurtrière de la Révolution envers sa sœur, malgré les lettres de plus en plus pressantes de l'ambassadeur d'Autriche, le comte Florimund Mercy d'Argenteau. L'empereur mourut subitement le 1er mars 1792. C'est peu après, le 20 avril 1792, que la guerre fut déclarée. La rupture politique était consommée.

Face à cette nouvelle donne, le fils de Léopold, François II, mit en œuvre sur-le-champ une politique conservatrice, de peur que la Révolution ne devienne un modèle à imiter. Cette politique eut des conséquences désastreuses pour l'ancien entourage de son père, dans la mesure où l'existence de ses collaborateurs était restée secrète. Les tracts diffusés par Léopold II furent tout de suite interdits. A partir de ce moment-là apparurent des écrits de contre-propagande autorisés par les services de la censure qui dépendaient eux-mêmes de la police de la cour dirigée par le comte Pergen. La *Wiener Zeitschrift* changea aussitôt de camp pour devenir conservatrice. Il se trouva de nouveaux porte-parole en les personnes de Felix Franz Hofstaeters avec son *Magazin für Kunst und Literatur* et de Lorenz Leopold Haschka, éditeur du *Österreichische Merkur* et jusqu'alors révolutionnaire de salon. Le journal *Der heimliche Botschafter* (« l'ambassadeur secret »), qui était écrit à la main et qui parut de 1791 à 1794, rapportait des révélations sensationnelles concernant certaines tendances jacobines chez le personnel de la noblesse de rang.

Avec la guerre, l'exécution de Louis XVI et le gouvernement de la Terreur en France, la Révolution avait perdu de nombreux partisans en Allemagne et en Autriche, même si au sein de l'Empire les confrontations ont été beaucoup plus compliquées et différenciées. A partir de 1793, les grands rassemblements publics et les discussions politiques furent interdits par voie de police, les émigrés français furent surveillés, la franc-maçonnerie disparut de la scène pour longtemps.

Dans des tracts, le jeune comte Klemens Metternich demandait en 1793 et 1794 aux armées des coalisés de réagir à la levée en masse en armant l'ensemble du peuple et en le postant aux frontières.

La contre-propagande de l'empereur François II ne faisait que conter les meurtres et les malheurs en France, la détresse des émigrés, les réflexions suscitées par la mort du roi et la liberté mal comprise ; elle en appelait à un retour sur soi-même, sur sa propre langue et sa propre culture. A partir de 1793, le journal populaire de Josef Richter rapporta en permanence les excès français et leurs effets sur les Viennois dans ses *Briefe eines Eipeldauers an seinen Herrn Vetter in Kagran*. Le graveur Johann Hieronymus Loeschenkohl renforça par ses caricatures le dégoût provoqué par la Terreur, qui fit aussi l'objet de créations très impressionnantes au cabinet des figures de cire.

L'*Österreichische Monatszeitschrift* de Joh. Bapt. Alxinge (1793) et de Josef Schreyvogel (1794) voulait forger chez ses lecteurs un jugement fondé sur la raison ; il publiait les discours de la Convention dans leur version mot à mot et prouvait leur absurdité dans l'intention de susciter le loyalisme.

Le cercle des anciens collaborateurs de Léopold II avait opéré entre-temps une radicalisation sur le plan politique. En juillet 1794 – presque au moment de la chute de Robespierre – la police découvrit une série de complots fort bien préparés contre l'empereur François II à Vienne et à Budapest, sous l'égide de Franz von Hebenstreit et de Ignacs von Martinovics. La peine de mort, qui avait été pratiquement abolie sous Joseph II, fut réintroduite pour haute trahison. Des idéalistes qui n'avaient pas été inquiétés jusqu'alors et qui faisaient partie du groupe des conjurés furent condamnés à de longues peines de forteresse. Le nouveau décret général sur la censure n'autorisait plus que des écrits visant strictement à une contre-propagande. Le plus redoutable était d'être dénoncé comme Jacobin (l'expression proverbiale de mépris, « Schakel » (« Jacquot ») utilisée à Vienne vient de cela). Vienne ne sut cependant pas résister à la mode révolutionnaire pour les vêtements et les coiffures. Elle amena même, en 1798, l'ambassadeur de France, Bernadotte, à arborer la cocarde tricolore afin de donner le signal d'une révolution viennoise. Ce geste provoqua néanmoins de telles protestations que Bernadotte fut contraint de partir.

Depuis les procès contre les Jacobins, les débats de la société autrichienne sur la Révolution française, qui avaient été influencés par les idées du règne de Joseph II, ne se firent plus qu'en petits cercles privés et par le biais de nombreuses publications, journaux, lettres et mémoires.

Une nouvelle croyance en la force de la nation, la conscience et la valeur du citoyen ainsi qu'un intérêt durable pour la démocratie, vinrent prendre le pas sur la douceur de vie de l'époque baroque et l'esprit de cosmopolitisme.

Marieluise Mader-Schubert

BIBLIOGRAPHIE

Maria Malitz Novotny, *Die Französische Revolution und ihre Rückwirkung auf Österreich*, thèse de doctorat d'État non publiée, 1951,
Helmut Reinalter, *Aufgeklärter Absolutismus und Revolution ; zur Geschichte des Jakobinertums und der frühdemokratischen Bestrebung in der Habsburger Monarchie*, thèse de doctorat d'État non publiée, Innsbruck, 1977.
Helmut Reinalter, « Die Jakobiner in der Habsburger Monarchie », dans *Revolutionäre Bewegung in Österreich, Schriften des Instituts für Österreichkunde*, 38, Vienne, 1981, pp. 93 sq.
Marieluise Schubert, *Die politische und gesellschaftliche Auseinandersetzung Wiens mit der Französischen Revolution*, thèse de doctorat non publiée, Vienne, 1968.
Marieluise Schubert, « Wie reagierte Wien auf die Französische Revolution », dans *Österreich in Geschichte und Literatur*, 14e année, Vienne, 1970.
Denis Silagi « Jakobiner in der Habsburger Monarchie », dans *Wiener Historische Studien*, 6, Vienne-Munich, 1962.
Ernst Wangermann, *Von Josef II. zu den Jakobinerprozessen*, Vienne, 1966.

Lord Rockingham et son secrétaire particulier, Edmund Burke (cat. 742).

Antoine Rivarol (cat. 740).

Satire antipatriote (cat. 741).

740
Antoine Rivarol (1753-1801)

par MERLOT

Huile sur toile. H. 0,60; L. 0,495.
Inscription : signé et daté en bas à droite : « Merlot, 1791. »
Historique : collection et legs, A. Foulon de Vaulx, 1952.
Bibliographie : Lossky, 1957, p. 109; Lossky, 1962, n° 77.

Tours, musée des Beaux-Arts (inv. 52-1-20).

Né à Bagnols-sur-Cèze (Gard), en 1753, dans une famille modeste d'origine génoise, Antoine Rivarol est le type même de ces esprits brillants qui savaient trouver dans les structures sociales de l'Ancien Régime plus d'occasions de parvenir que d'obstacles à leurs ambitions. Fréquentant les salons, d'abord sous le nom de chevalier de Parcieux, puis de comte de Rivarol, il se fit connaître par ses talents pour la polémique et devint célèbre en 1784 avec son *Discours sur l'universalité de la langue française* couronné par l'Académie de Berlin (en même temps que celui de Schwab, professeur à Stuttgart).
L'idéal de Rivarol aurait été, pour la France, un souverain éclairé qui aurait accompli les réformes nécessaires sans demander l'avis de ses sujets, car « les nations que les rois consultent commencent par des vœux et finissent par des volontés ». Il fit partie de ceux qui en 1790-1791 tentèrent en vain de donner au roi et à la reine de salutaires avis. Le sens de la formule cinglante et la lucidité dont il fit preuve en plusieurs circonstances (notamment à propos de l'armée des émigrés) ne suffisent pas à faire de Rivarol un très grand théoricien. Même si certains de ses écrits ont influencé Burke, il ne mérite pas sans doute la célébrité dont il continue à jouir en tant que partisan d'une « monarchie populaire » et d'adversaire déterminé des Droits de l'homme dans la tradition réactionnaire française.

741
Satire antipatriote

par un auteur anonyme

Eau-forte et burin. H. 0,078; L. 0,125.
Inscription : « ETRENNES A NOS LEGISLATEURS pour l'Année 1792 »; en légende : « n° 1 le Roi de Suède. / 2 Despréménil. / 3 Conte Dartois. / 4 le Cardinal de Rohan. / 5 l'abbé Maury aumonier de l'armée. / 6 Ga.. de Co.. grand pro...teur/de la Nation. / 7 Is...d, 8 d'Av...t, / 9 l'abbé Ch...t, / 10 l'Evêque Fa...t, / 11 Ba...e 12 Br...t, / 13 le Président de l'Assemblée. / 14 Vicomte de Mirabeau. / 15 Mis de Bouillé. / 16 Prince de Condé. / 17 M^al de Broglie. / 18 Maréchal de Maillebois. 19 Marquis de la Queuille. 20 Mis de Castries. + le Bourreau lieutenant de la Garde. »
Bibliographie : Bruel, t. II, n° 2733.

Paris, Bibliothèque nationale, cabinet des Estampes (inv. Qb1, 1792, 1er janvier, M. 101.101).

La violence des menaces contenues dans cette petite estampe, traduit les espoirs que les partisans de l'Ancien Régime plaçaient dans l'intervention victorieuse de l'armée des émigrés. Devant la prudence de l'empereur, et les réticences de Catherine II et du roi de Prusse déjà engagés dans la nouvelle crise polonaise, Gustave III paraissait le mieux placé pour prendre la tête des opérations.
On notera que si les chefs de l'émigration sont explicitement désignés, les noms des futures victimes de la contre-révolution sont en partie dissimulés. A part Brissot, beaucoup nous paraissent aujourd'hui n'avoir joué qu'un rôle relativement secondaire mais tous avaient pu s'attirer la haine des royalistes : ainsi Garran de Coulon, qui avait livré Flesselles aux émeutiers le 14 juillet et dénoncé Favras; Isnard, qui avait réclamé de violentes mesures contre les émigrés; Chabot, capucin défroqué et auteur d'attaques virulentes contre le roi; Fauchet, évêque constitutionnel, créateur du Cercle social; Basire (et non Barnave), qui avait demandé la dissolution de la garde constitutionnelle du roi.
On a attribué cette estampe à l'éditeur royaliste Michel Webert. Mais la méconnaissance de l'aspect exact de la salle du Manège où siégeait alors l'Assemblée législative plaiderait plutôt en faveur d'une origine étrangère.

742
Lord Rockingham (1730-1782) *et son secrétaire particulier, Edmund Burke* (1729-1797)

par Joshua REYNOLDS

Huile sur toile. H. 1,454; L. 1,59.
Historique : don Charles Fairfax Murray, 1908,

Cambridge, Fitzwilliam Museum (inv. 635).

Charles Wentworth, deuxième marquis de Rockingham, leader de l'opposition whig à Bute, forma en 1765 un gouvernement de coalition, qui sera de courte durée. Il fut principalement secondé par son secrétaire particulier, l'Irlandais Edmund Burke.
Dans cette peinture inachevée, non datée, le portrait de Rockingham, principal modèle, et mécène de Reynolds, est plus achevé que celui de son secrétaire. Par la suite, Burke allait devenir un homme d'État très éminent. Rockingham défendit les droits à l'indépendance des colonies d'Amérique, alors que Burke, plus modéré, consacra tout son talent d'orateur à soutenir l'émancipation, thèse opposée à l'indépendance, de ces colonies.
En 1790, Burke publiait ses *Reflections on the Revolution in France*. C'était sa réponse aux accusations, formulées à son égard, d'inconséquence entre son attitude favorable aux droits des colonies d'Amérique et hostile à la Révolution française. Sa conclusion générale était qu'il aurait fallu réformer en France l'Ancien Régime, et non le détruire. Son ouvrage devait lui valoir l'inimitié de Fox et de Sheridan et ouvrir une brèche en 1791 dans l'unité du parti whig.
L'agenda de Reynolds fait mention à la fois de Rockingham et de Burke; mais s'il est impossible d'établir un lien quelconque entre l'un ou l'autre des deux hommes et le tableau, on est tenté de voir dans le double portrait une commémoration du très bref gouvernement de Rockingham, entre 1765 et 1766. C.B.-O.

743
Jacques Mallet du Pan (1749-1800)

d'après J.-F. RIGAUD

Gravure en manière noire. H. 0,310; L. 0,240.
Inscription : « J. MALLET DU PAN/Born at Genava 1749//Painted by J.F. Rigaud, R.A. »
Historique : collection de la famille du modèle.

Wittersham (Kent), collection Philip Mallet.

Né à Celigny près de Genève en 1749, Mallet du Pan mourut à Richmond en Angleterre en 1800. Sa vie se partagea entre la réflexion théorique, essentiellement consacrée à combattre la Révolution française et la diplomatie secrète. La comparaison entre Burke et Mallet du Pan est inévitable : tous deux sont protestants, hostiles à la France à la fois comme pays catholique et à cause du relâchement des mœurs qui y règnent, sceptiques devant les idéologies. Mais l'opposition de Mallet à la Révolution française n'est ni systématique ni irréductible. Ce qu'il rejette c'est fondamentalement le principe des « journées » révolutionnaires où la foule dicte sa volonté au pouvoir établi. Chargé par Louis XVI d'une mission auprès de ses frères émigrés, Mallet ne put les inciter à la modération.

Jacques Mallet du Pan (cat. 743).

D'abord dispersées dans de nombreux articles (dans *Le Mercure de France* notamment), les idées de Mallet du Pan furent condensées dans un pamphlet assez violent, *Considérations sur la nature de la Révolution de France...*, publié à Bruxelles en 1793, qui exprime toute la déception des monarchiens et la crainte lucide que la Révolution ne puisse évoluer que vers la dictature militaire. Si les *Considérations* furent peu connues en France, elles furent très lues en Allemagne grâce, en particulier, à la traduction de Frederick von Gentz, et attirèrent sur Mallet l'attention de la cour de Vienne.

Mallet du Pan fut-il à la tête d'un réseau de renseignements? La correspondance qu'il entretint avec les diverses cours d'Europe, infiniment mieux informée, semble-t-il, que les bulletins du comte d'Antraigues, ainsi que la pension qui lui fut payée en 1798-1799 par le cabinet britannique semblent le prouver. Mais son action s'exerça toujours dans le sens d'une conciliation afin, notamment, de limiter l'expansionnisme français.

A court terme l'influence de Mallet du Pan fut peu considérable : elle joua plus tard son rôle, lors de la Restauration, dans l'établissement en France d'une monarchie constitutionnelle et il « reste dans l'histoire un personnage qui se signale par la lucidité de son intelligence, par l'extrême clarté, par la valeur prophétique des jugements qu'il a prononcés sur la Révolution » (Godechot, 1984, p. 92).

744
Lettre de Gustave III
ordonnant la promulgation du décret interdisant aux imprimeurs suédois toute allusion aux événements français

Manuscrit. H. 0,32; L. 0,22.

Stockholm, Archives nationales de Suède
(inv. EIa : 66).

Dans sa constitution de 1772, Gustave III avait conservé une certaine répartition des pouvoirs, analogue à celle prônée par Montesquieu et d'autres penseurs du siècle. En 1789, de telles velléités « libérales » lui étaient devenues étrangères. Comme pour tant de ses contemporains l'institution monarchique avait revêtu à ses yeux un caractère sacré et inviolable. Dès le début, il réagit très fortement contre les événements révolutionnaires en France et chaque nouvelle atteinte portée à l'autorité de Louis XVI. On peut suivre le fil de ses réactions et de ses actions dans les lettres qu'il adressa à ses envoyés à Paris, Saint-Pétersbourg et auprès des Bourbons émigrés à Aix-la-Chapelle, ainsi qu'à Axel von Fersen à Paris. La nouvelle Constitution française du 4 août 1789 lui parut « monstrueuse » et il en voulut à Louis XVI, « la vive image du roi Pétaud », de l'avoir sanctionnée. Dès décembre de cette même année, il se proposait d'envoyer « quinze vaisseaux et douze mille hommes au secours du roi », en exigeant toutefois « que tous les frais soient payés ». En 1791, il réitéra sa proposition — adressée cette fois à Breteuil — et fera tout son possible pour attirer le roi d'Angleterre, l'impératrice de Russie et les autres souverains d'Europe dans une coalition contre le régime révolutionnaire. C'est en véritable croisé, ou en héros grec, qu'il se fait « un devoir sacré » de combattre ces forces du mal : « Il faudrait faire une ligue comme celle des Grecs contre Troie pour ramener l'ordre et venger l'honneur des têtes couronnées. Je voudrais bien être l'Agamemnon de cette armée. »

Gustave III prit soin de montrer clairement que, bien que compatissant vivement aux malheurs du couple royal français, l'enjeu principal fut toujours à ses yeux le destin même de la monarchie en Europe, menacée par ces nouveaux « principes destructeurs à toute autorité et à tout ordre ». Parfois il voulut croire que « l'excès et l'extravagance des décrets de l'Assemblée nationale », « l'absurdité et la folie de ses démarches » constitueraient un remède salutaire « pour guérir le mal que leurs opinions et leur exemple auraient pu produire ». Mais force lui était de constater que même dans son propre pays l'hostilité de l'aristocratie à son égard ne démordait pas ; celle-ci refusait de se laisser éclairer par l'exemple de la noblesse française « accablée des maux de l'anarchie ».

C'est dans ce contexte qu'il faut situer le décret draconien de Gustave III du 25 février 1790, interdisant aux imprimeurs suédois de faire la moindre allusion aux événements de France. Il voulait éviter à ses compatriotes toute possibilité de contagion. P.Gr.

745
Der konglige Martyrens i Frankrike Konung Ludvic XVI s.
La mort héroïque et chrétienne en France du martyr royal, le roi Louis XVI, qui est survenue à Paris le 21 janvier 1793 par décapitation publique, ce qui a également été le sort de son épouse la reine Marie-Antoinette le 16 octobre 1793 et du premier prince de sang royal français, Louis-Philippe-Joseph, duc d'Orléans, qui fut décapité le 6 novembre 1793 — ou récit de l'exécution de ces hautes personnalités accompagné de cinq gravures. Stockholm.

Imprimé chez Anders Zetterberg, 1794.

Description de la vie de Louis XVI, roi de France dans laquelle sont relatées la juste origine et la vraie nature de la révolution survenue en France en 1789 et les circonstances s'y rapportant qui ont provoqué l'abolition de la royauté en 1792 et l'exécution du roi sus-nommé en 1793.

Adaptation suédoise d'un ouvrage de Rudolf Zacharias Becker, publiée par Carl Christoffer Gjörwell à Stockholm, 1793 ; gravures de Fredrik et Carl Fredrik Akrel.

Bibliographie : Johannesson, 1989.

Stockholm, Kungl. biblioteket
(inv. Hist. Fr. 1700-1829 Ex. A)

Le très francophile Gustave III fut fortement secoué par la Révolution française et imposa rapidement l'interdiction de publier en Suède quoi que ce soit concernant « les choses françaises ». Les Suédois instruits se tinrent néanmoins informés par abonnements à des revues et livres étrangers. Pour ceux qui cependant tenaient en haute estime les idéaux du siècle des Lumières, il apparaissait évidemment comme une abomination que le peuple n'en sache rien. Pendant la brève période de l'été et de l'automne 1792 où la censure fut atténuée en Suède après l'assassinat de Gustave III, une traduction suédoise fut faite de l'ouvrage de Rudolf Zacharias Becker *Description de la vie de Louis XVI...* Celle-ci fut complétée l'année suivante par des gravures réalisées en Suède, quatre portraits de Louis XVI, de Marie-Antoinette et du duc d'Orléans, ainsi que la grande gravure *Décapitation de la malheureuse reine de France Marie-Antoinette, advenue à Paris le 16 octobre 1793.* Les gravures étaient vendues séparément chez les libraires et étaient très recherchées. L'homme qui avait ainsi réussi à tourner la loi était, paradoxalement, le royaliste C.C. Gjörwell. Tandis que les portraits étaient réalisés par le graveur, Fredrik Akrel, c'est son fils, Carl Fredrik, âgé de quatorze ans, qui grava la scène de décapitation. Peut-être était-ce là une manière ingénieuse de passer outre aux interdictions. L.Jo.

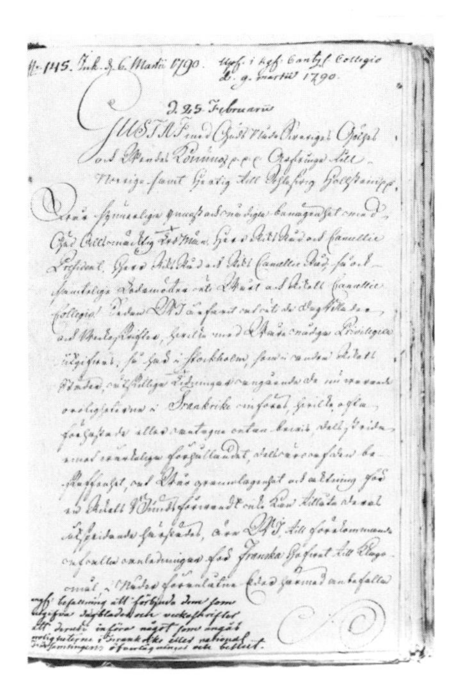

Lettre de Gustave III ordonnant la promulgation du décret interdisant aux imprimeurs suédois toute allusion aux événements français (cat. 744).

Diogo Inacio de Pina Manique (cat. 746).

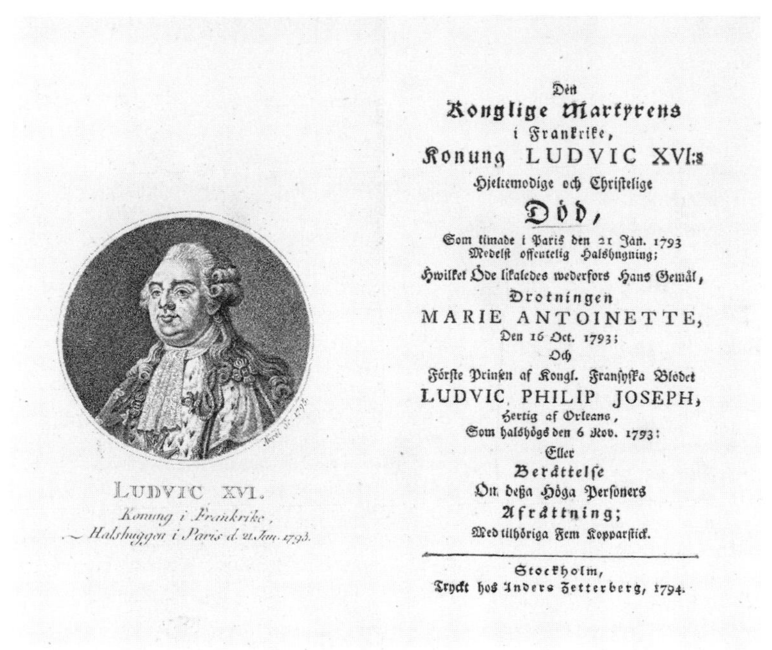

Den
Konglige Martyrens
i Frankrike,
Konung LUDVIC XVI:s
Hjeltemodige och Christelige
Död,
Som timade i Paris den 21 Jan. 1793
Medelst offentelig Halshugning;
Hwilket Öde likaledes wederfors Hans Gemål,
Drotningen
MARIE ANTOINETTE,
Den 16 Oct. 1793;
Och
Förste Prinsen af Kongl. Fransyska Blodet
LUDVIC PHILIP JOSEPH,
Hertig af Orleans,
Som halshögs den 6 Nov. 1793:
Eller
Berättelse
Om deßa Höga Personers
Afrättning;
Med tilhöriga Fem Kopparstick.

Stockholm,
Tryckt hos Anders Zetterberg, 1794.

«*La mort héroïque et chrétienne de Louis XVI*», *traduction suédoise d'un livre allemand* (cat. 745).

746
Diogo Inacio de Pina Manique
(1733-1805)

par QUEIROZ d'après Domingos Antonio de Sequeira

Gravure. H. 0,140 ; L. 0,110.
Inscription : « Diogo Ignacio de Pina Manique / Intendente Geral da Polic./ D.a de Siqueira pint. 1797. G.f. de Queiroz del. et sculpi. / em Londres Pencionado de S.A. Real o Sennor D. João Principe do Brasil. / Prim. couza grav. sendo escolar de F. Bartolozzi Ac.R. »
Exposition : 1982, Lisbonne, nº 105.

Lisbonne, collection Dr Artur Gouveia de Carvalho.

Cette gravure qui réunit Sequeira et Queiroz, est probablement leur première œuvre alors qu'ils étaient élèves de Bartolozzi à Londres. De Sequeira, auteur d'une allégorie à Junot (1808) qui lui valut la perte de sa charge de peintre du roi et une peine d'emprisonnement, Gregorio Franchi a pu écrire qu'il s'était engagé dans tous les partis : « royaliste, jacobin, libéral, radical, ultra, dévôt, philosophe, etc. » Pina Manique a commencé sa carrière comme juge à Lisbonne, où il accéda rapidement à de hautes charges de magistrature. Superintendant général du service de la répression des fraudes et de la contrebande à l'époque de D. José Ier, collaborateur de Pombal, il exerça la charge importante d'intendant général de la police pendant le règne de D. Maria Ire, de 1777 à 1803. S'il fut connu pour sa lutte active contre l'introduction au Portugal des idéaux démocratiques des Lumières et de la Révolution française, et pour divers actes de sévère répression, il n'en fut pas moins un homme ouvert aux idées nouvelles, préoccupé de faire de Lisbonne une ville moderne et paisible (éclairage public, police) et de venir en aide aux enfants abandonnés ou en danger moral (fondateur d'une institution qui a perduré jusqu'à nos jours, la « Casa Pia »).

M.-H.C.d.S. et A.M.-D.S.

747
Réunion d'urgence des marchands de titres boursiers
(Stock-Jobbers Extraordinary)

par Robert DIGHTON

Aquarelle, plume et encre. H. 0,312 ; L. 0,247.
Historique : acquis de M. Yakovleff, 1943.
Bibliographie : Fox, 1987, p. 105.

Londres, Guildhall Art Gallery (inv. 1255).

Il se produisit, au cours du XVIIIe siècle, un changement d'orientation dans le monde de la banque et de la finance de la Cité de Londres. Ayant réalisé que la spéculation rapportait davantage que les échanges de produits, les marchands s'intéressaient de plus en plus aux placements boursiers. Il fallait dès lors trouver un nouveau lieu. En 1773, les agents de change quittèrent le café *Jonathan*, dans l'Exchange Alley, pour occuper un bâtiment de Threadneedle Street, également dans la Cité, qu'ils nommèrent le *Stock Exchange* (la Bourse). Mais, pour l'œil exercé des caricaturistes, eux-mêmes n'avaient pas changé : toujours aussi obèses, vêtus à l'ancienne mode, s'arrachant les nouvelles dans le journal, toujours à l'affût de la dernière rumeur. La caricature de Dighton (vers 1795) laisse entendre que les vieilles habitudes de café, du début du XVIIIe siècle, avaient gardé toute leur force.

C.B.-O.

748
Catéchisme du Bon Citoyen
ou *Entretiens d'un Luxembourgeois avec un Parisien, sur l'Autorité souveraine et le Devoir des Peuples*

par Henri-Ignace BROSIUS, prêtre, bénéficier de Saint-Paul à Liège, et notaire apostolique ; Liège 20 mars 1792 approbation ecclésiastique

Imprimé. H. 0,225 ; L. 0,14.

Luxembourg, Bibliothèque nationale.

Compatriote et confrère de l'ex-jésuite luxembourgeois, Fr.-X. Feller, le journaliste-pamphlétiste, Brosius, s'était montré farouche adversaire des innovations tentées par l'empereur « éclairé » Joseph II notamment dans le domaine religieux (*cf.* le journal historique et politique des principaux événements des différentes cours d'Europe, à partir de 1788). Partisan de la révolution brabançonne et contre le gouvernement autrichien, il doit s'exiler, comme Feller, après l'échec. Cela ne l'empêche pas de défendre dans son *Catéchisme du Bon Citoyen* des idées fort réactionnaires en faveur du pouvoir monarchique et à l'encontre des insurrectionnels parisiens.

G.Th.

749
Almanach de campagne
pour l'an de grâce 1795

A l'usage du Duché de Luxembourg. De l'imprimerie des héritiers de François Perle, à L'enseigne de la Grande Bibliothèque, numéro 422.

H. 0,10 ; L. 0,06.

Luxembourg, musée national d'Histoire et d'Art (inv. 1940-17).

**L'almanach indique, entre autres, le « Nouveau Tarif des Monnaies qui ont cours dans le Duché de Luxembourg » ; il est illustré de nombreuses gravures.
Un « avis » attire l'attention du lecteur sur le fait que « les circonstances de la guerre » avaient interrompu « la correspondance avec notre Astrologue ». Celui-ci parvient cependant à introduire ses « prédictions ». À son avis, la pleine lune du 2 juin, dans le signe du sagittaire, « promet de beaux jours et un temps fort agréable ». La capitulation de la forteresse de Luxembourg aura lieu cinq jours plus tard.**

G.Th.

750
Braunschweigisches Journal
(Journal de Brunswick)

Journal de philosophie, de philologie et de pédagogie, publié à Brunswick par Joachim Heinrich Campe, Ernst Christian Trapp et Johann Stuve. Tome I, 1792.

Wolfenbüttel, Herzog August Bibliothek (inv. Za 218).

Grâce à la relative liberté de presse qui régnait dans le duché de Brunswick, le *Braunschweigisches Journal* fut l'un des rares organes de presse en Allemagne qui, dès le début de la Révolution française, firent preuve de solidarité et de sympathie à son égard. L'éditeur, Campe, était parti dès le 17 juillet 1789 pour Paris en compagnie de son ancien élève Wilhelm von Humboldt, dans l'espoir de voir de ses propres yeux les événements révolutionnaires. Il écrivit des lettres enthousiastes, sur un ton enflammé et rhétorique ; il publia ses *Briefe aus Paris* d'abord en 1789-1790 dans son « journal de Brunswick » et les reprit sous une forme presque identique en 1792 dans un livre. Campe voulait que la description euphorique de ses impressions serve « non pas à tracer l'histoire du bouleversement du régime en France mais à relater les sentiments et impressions d'un spectateur isolé qui eut le bonheur d'assister à la plus belle période de ces événements mondiaux extraordinaires ». R.Sc.

751
Minerva

Journal à caractère historique et politique, publié à Berlin, chez Johann Fridirch Unger, par Johann Wilhelm von Archenholtz (1745-1812). Tome I, 1792.

Wolfenbüttel, Herzog August Bibliothek (inv. Za 282).

**La revue *Minerva* est la publication journalistique la plus importante de l'écrivain et historien Archenholtz. Elle parut d'abord à Berlin, puis à Hambourg, ville de réputation libérale. Dès son premier volume, Archenholtz édita ses *Bemerkungen über den Zustand Frankreichs am Ende des Jahres 1791* (Remarques sur l'état de la France à la fin de l'année 1791), un résumé de notes prises lors d'un séjour en 1791 à Paris. L'auteur a une sympathie évidente pour la Révolution mais il y mêle des critiques face à sa radicalisation, à l'inexpérience des représentants du peuple et aux désordres de la rue. Les amis politiques d'Archenholtz se trouvaient parmi les Girondins et les Feuillants.
Par la suite, la revue continua d'informer sur le déroulement de la Révolution. Un autre voyageur révolutionnaire, Konrad Engelbert Oelsner (1764-1828), y publia en 1792-1793 ses *Briefe aus Paris* (lettres de Paris) et ses *Historische Briefe* (lettres historiques). R.Sc.**

752
Die Wiener Zeitung

Numéro du mercredi 6 juillet 1791, T. II, pp. 1764-1765, relatant la fuite du roi à Varennes.

Journal imprimé. H. 0,21 ; L. 0,19.

Vienne, Heeresgeschichtliches Museum.

Les progrès, assez limités d'ailleurs, des idées nouvelles dans les pays autrichiens où un « parti des Lumières » (Aufklärungspartei) tendait à s'opposer au parti aristocratique farouchement conservateur (Adelspartei), amena le gouvernement impérial à favoriser en 1791 la création d'un nouveau périodique ; la *Wiener Zeitung* (Gazette de Vienne), dont le directeur était Hoffmann, combattait à la fois l'esprit des Lumières et l'esprit « jacobin », c'est-à-dire toute tendance favorable à la Révolution française. Généralement bien informée comme beaucoup de journaux officieux, elle rencontra une audience favorable dans une ville où une bonne partie de la population se sentait surtout des affinités avec les pays de l'Europe orientale ou balkanique ; elle favorisa l'émergence d'un courant nettement francophobe.

753
Les Fastes du peuple français
ou *Tableaux raisonnés de toutes les actions héroïques et civiques du soldat et du citoyen français*

« Chez Deroy, Libraire, rue du Cimetière-André-des-Arts, n° 15. Paris, 1796, an IV. »

Imprimé. In-4°. H. 0,252 ; L. 0,190.

Paris, Archives nationales (inv. 4 H V 49).

**Illustré de gravures en manière de lavis, d'après des dessins de Labrousse, par Jacques Grasset de Saint-Sauveur (1757-1810), ce livre constitue un exceptionnel témoignage des actions militaires de la Révolution jusqu'à l'an IV. Si beaucoup de traits semblent avoir été montés de toute pièce, comme ce fut le cas pour Barra, d'autres permettent de mieux connaître certaines figures de l'époque. Parmi les événements les plus célèbres, on trouve les morts des généraux Mirabel, Dampierre, Causse ou Marceau, ainsi que le suicide du commandant Beaurepaire à Verdun en 1792. Cet ouvrage fut utilisé par Jacques Charavay pour ses *Généraux morts pour la Patrie* (Paris, 1893, première série, 1792-1804).
Exposé à la page concernant Marceau, le texte retrace la mort de ce général de l'armée de Sambre-et-Meuse, commandée par Jourdan. Lors de la retraite d'Allemagne, il arrêta les Autrichiens à Altenkirchen (19 septembre 1796), mais fut blessé d'un coup de carabine tiré par un chasseur tyrolien. Porté chez le commandant prussien de la place, Marceau succomba le 21 septembre. J.Be.**

*« Les Fastes du peuple français »,
livre témoignant des actions militaires de la Révolution* (cat. 753).

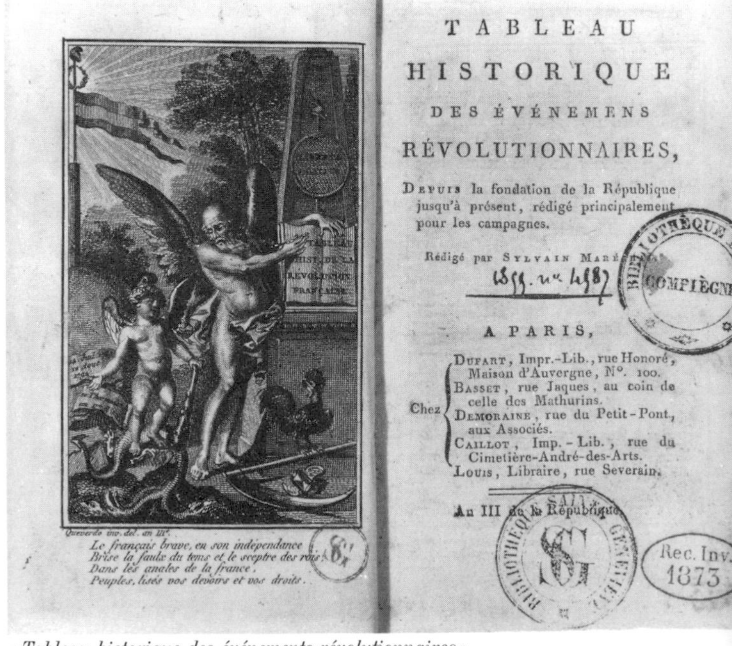

TABLEAU
HISTORIQUE
DES ÉVÉNEMENS
RÉVOLUTIONNAIRES,
DEPUIS la fondation de la République jusqu'à présent, rédigé principalement pour les campagnes.
Rédigé par SYLVAIN MARÉ[illegible]
A PARIS,
Chez DUFART, Impr.-Lib., rue Honoré, Maison d'Auvergne, N°. 100.
BASSET, rue Jaques, au coin de celle des Mathurins.
DEMORAINE, rue du Petit-Pont, aux Associés.
CAILLOT, Imp. - Lib., rue du Cimetière-André-des-Arts.
LOUIS, Libraire, rue Severain.
An III de la République

*« Tableau historique des événements révolutionnaires »,
manifeste ultra-républicain* (cat. 754).

754
Tableau historique des événements révolutionnaires, depuis la fondation de la République

par Pierre-Sylvain MARÉCHAL, frontispice par François-Marie-Isidore QUÉVERDO

Imprimé, gravure du frontispice au burin. H. 0,135; L. 0,850. Paris (Dufort), an III-1795.
Historique : bibliothèque de Compiègne.

Paris, bibliothèque Sainte-Geneviève (inv. 52.143 FA).

Sylvain Maréchal était le type même de ces personnages ratés qui hantaient Paris à la veille de la Révolution et se lancèrent à corps perdu dans la tourmente, sans parvenir à y jouer un rôle véritable. Ayant tâté de la littérature, Maréchal s'était lié avec Chaumette et Prudhomme, grâce auquel il collabora aux *Révolutions de Paris*, après la mort de Loustallot. Ce milieu politique particulier, fort mal étudié encore par les historiens, développa les premières idées socialistes, en se rapprochant de la sans-culotterie et en parvenant à la direction de la Commune de Paris. Maréchal fit paraître durant la Terreur un manifeste socialiste intitulé *Dame Nature à l'Assemblée nationale*. Dans ces conditions, il était tout naturel qu'il se rapprochât de Babeuf et c'est à lui que l'on doit le *Manifeste des Égaux*.
Son *Tableau historique*, publié en 1795 un an avant la conspiration babouviste, esquisse un bilan de la Révolution proche de l'esprit des almanachs, qui dut apparaître essentiel aux yeux des comploteurs de ce premier socialisme.
Le frontispice de l'ouvrage, œuvre de Quéverdo, présente deux fois la pique révolutionnaire coiffée du bonnet de la Liberté, alliée à deux supports différents : d'une part le faisceau, d'autre part la pyramide d'éternité. Il est possible que soit présentée ici une symbolique détournée des deux colonnes traditionnelles dans la franc-maçonnerie. Ces images de pérennité ont détourné le Temps de sa moisson. Le coq, image de lumière, a foudroyé la faux, tandis que l'Amour, jeune Hercule coiffé du bonnet phrygien, qui foule aux pieds l'hydre royale, dicte au Temps les dates de la Révolution. Ainsi recommence l'Histoire.
Deux niveaux allégoriques sont à considérer ici : un moment didactique et narratif avec les figures, un moment d'éternité avec les emblèmes. J.Be.

755
Almanach historique de la Révolution française, pour l'année 1792

par Jean-Paul RABAUT SAINT-ÉTIENNE

Imprimé, gravure du frontispice à l'eau-forte, d'après Moreau le Jeune. H. 0,130; L. 0,085.
Inscription : « A Paris, Chez Onfroy, Libraire, rue St-Victor, n° 11, A Strasbourg, Chez J.C. Treuttel, Libraire/ De l'Imprimerie de Didot l'Aîné. »

Paris, bibliothèque Sainte-Geneviève (Z 8° 1737 inv. 4091 FA).

De formes très variées, de styles et de tons fort divers, les almanachs connurent un succès considérable durant la Révolution. Parmi les plus connus, il convient de citer l'*Almanach du Père Gérard*, dû à Collot d'Herbois, l'*Almanach du Père Duchesne*, par Hébert, etc. Toutes les tendances politiques eurent leur almanach : Rabaut Saint-Étienne, pasteur élu aux États généraux, devenu célèbre par son action en faveur de la liberté religieuse, était un peu en perte de vitesse lors de son élection à la Convention en 1792, année où il publia son almanach, qui fait suite à un *Précis de l'histoire de la Révolution*, paru en 1791.
La gravure de Moreau le Jeune qui sert de frontispice à l'ouvrage présente un génie de la Liberté brandissant une pique, qui n'est pas sans rappeler la figure de la France, dans *La Liberté ou la Mort* de Regnault (cat. 828) J.Be.

756
Les Ruines,
ou *Méditation sur les révolutions des empires*

par Constantin François de CHASSEBŒUF, comte de Volney

Imprimé, gravure du frontispice au burin. H. 0,190; L. 0,125.
Paris, Desenne, Volland et Plassan, août 1791.
Historique : bibliothèque impériale du Panthéon.

Paris, bibliothèque Sainte-Geneviève (inv. G 8° 786.3785 Rés).

Elu député aux États généraux, Volney, favorable aux idées nouvelles, profita de la séparation de la Constituante pour publier cet ouvrage. S'inspirant des grandes œuvres de Montesquieu (*Considérations sur les causes de la grandeur des Romains et de leur décadence*, 1734), Volney donna avec ce livre une préfiguration de ce que fut la littérature romantique. Ses *Ruines* font en effet penser aux méditations de Chateaubriand, de même qu'elles évoquent celles de Rousseau.
Manifestant un goût prononcé pour l'Antiquité – Volney avait parcouru l'Orient, l'Égypte et la Syrie –, ce livre rappelle également certains écrits de l'époque : *le Voyage du jeune Anacharsis* de l'abbé Barthélemy, et l'*Hypérion* de Hölderlin.
Nous sommes avec Volney aux limites de la réalité – celle de la Révolution – et de la fiction antique avec une pointe de mélancolie romantique. La gravure du frontispice ajoute une note exotique, propre encore au XVIIIe siècle, mais qui annonce l'orientalisme du XIXe siècle romantique.
Comme tous les auteurs précédemment cités, Volney s'inscrit dans cette série d'écrivains-penseurs qui fleurirent à la fin du XVIIIe siècle. J.Be.

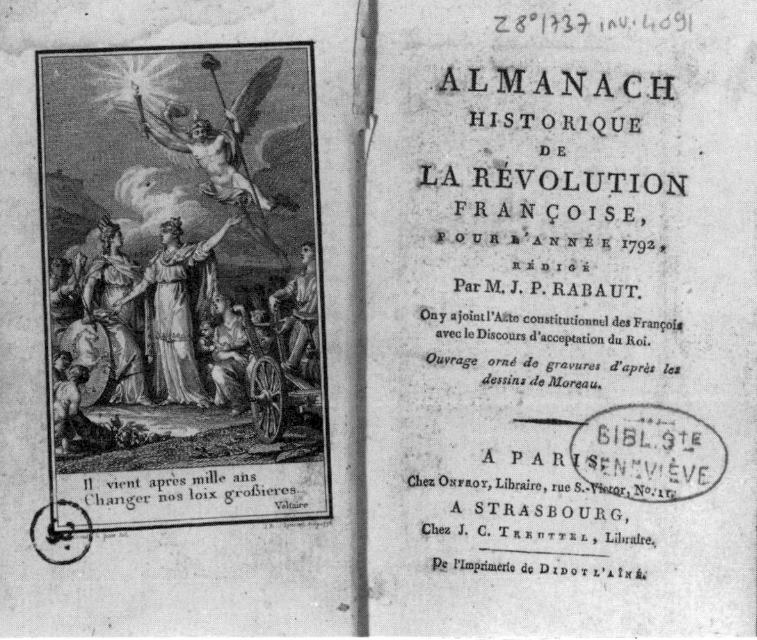

lmanach historique de la Révolution française, pour l'année 1792»,
r Rabaut Saint-Étienne (cat. 755).

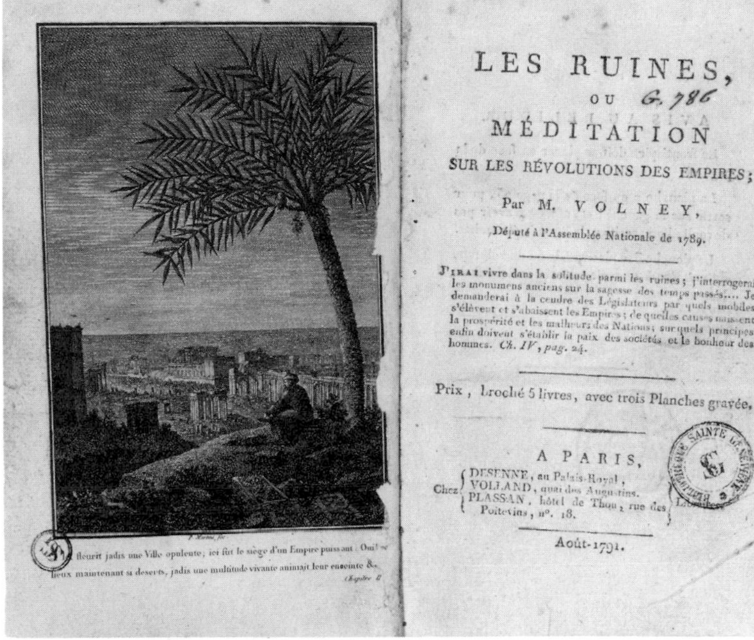

«Les Ruines, ou Méditation sur les révolutions des empires»,
par le comte de Volney (cat. 756).

XX
LA GUERRE PAR L'IMAGE

Les images (et plus spécialement les estampes) ont eu une telle importance durant la période révolutionnaire qu'elles ne peuvent être considérées comme une simple visualisation du discours idéologique. Elles ont suivi leur propre logique. Dans l'action contre-révolutionnaire, Gillray a eu autant d'influence que Burke ; il n'est pas l'illustration des théories de Burke ; il a agi par d'autres moyens et sur un autre public.

La masse des images narratives ou descriptives qui relatent un événement bien précis est en elle-même considérable. Même les plus exactes – par exemple sur le plan de la topographie – ne sont pas « innocentes » : elles suggèrent une interprétation ou parfois jouent sur l'ambiguïté entre l'image et son commentaire. Mais ce sont surtout les autres images (allégories, charges, caricatures...) qui sont les plus significatives. Et il a paru souhaitable d'en regrouper quelques-unes dans un chapitre spécial de cette exposition, non pas en fonction du parti dont elles émanent mais en privilégiant quelques thèmes, utilisés par les partisans de la Révolution comme par leurs adversaires : le personnage à deux visages, la « descente aux Enfers », la tête coupée, le gros et le maigre... D'autres auraient pu être retenus comme celui de la « bestialisation », qui consiste à transformer l'adversaire en un animal, hybride ou non, et qui fut largement employé contre la famille royale (Marie-Antoinette en harpie, Louis XVI en « porc » royaliste). Mais deux sources d'inspiration sont par ailleurs à souligner : le recours à la scatologie (longtemps occulté par les commentateurs de ces estampes, et depuis peu remis au contraire en vedette) et les emprunts aux formes de l'art néo-classique.

Peut-être le seul point commun de toutes ces images est-il néanmoins que, derrière la cruauté ou le rire, il y a la peur. Évidente du côté contre-révolutionnaire (la nouvelle du débarquement de mille deux cents soldats français au pays de Galles, en février 1797 suffit à provoquer une panique à Londres), elle est tout aussi réelle du côté des « patriotes » qui, dans leurs images, font volontiers appel aux forces surnaturelles pour déjouer les complots et vaincre les forces coalisées des souverains d'Europe. Plus encore qu'une arme dans la lutte contre l'adversaire déclaré, l'image remplit alors son rôle prophylactique contre la part hostile qui est en chacun des antagonistes et qui, lorsque le cours de l'histoire s'accélère, devient indéchiffrable, peut à tout moment devenir prépondérante et l'emporter. Malgré les apparences, la guerre des images est une guerre civile.

Allégorie sur la justice révolutionnaire (cat. 783, détail).

« LIBERTÉ FRANÇAISE, ESCLAVAGE ANGLAIS »

En septembre 1793, le Comité de Salut public demandait à Jacques-Louis David de « multiplier les gravures et les caricatures qui peuvent réveiller l'esprit public et faire sentir combien sont atroces et ridicules les ennemis de la liberté et de la République[1] ». Cette commande est extrêmement révélatrice à plus d'un titre. Elle témoigne notamment du succès des caricatures anglaises à l'époque de la Révolution française et en particulier de celles de Gillray. Les deux caricatures réalisées par David à cette occasion sont pleinement convaincantes à cet égard. Ce sont presque des répliques outrées des procédés anglais. Rappelons que la guerre qui sévissait entre les deux pays, depuis février 1793, n'empêchait pas la circulation en France de caricatures anglaises même antirévolutionnaires. Le John Bull (personnification satirique du peuple anglais) obèse de Gillray dans la planche *French Liberty and British Slavery* de 1792, notamment, réapparaît en tant que symbole de la Grande-Bretagne, parmi d'autres pays européens, dans la gravure thermidorienne, *Le Neuf Thermidor ou la Surprise angloise*, publiée en août 1795[2].

Cette commande, adressée à David, ne s'explique pourtant pas par la crainte que les caricatures anglaises n'envahissent la France. Elle témoigne bien plutôt de l'intérêt du Comité de Salut public pour une forme d'expression susceptible de rallier l'opinion à la cause républicaine. En ce mois de septembre 1793, la préoccupation majeure est de « réveiller l'esprit public ». Il convient de comprendre ce recours à la caricature, dans le contexte de l'époque, comme un moyen parmi d'autres d'unifier et de mobiliser le peuple, au même titre que la fête révolutionnaire ou la vénération des martyrs de la Révolution tels que Marat, Le Peletier ou Barra. La tâche confiée à David était bien sûr de mettre à jour toute la perfidie et la stupidité des ennemis de la République mais l'idée sous-jacente reste celle de motiver les Français, de les conforter dans leur lutte contre leurs ennemis, tant extérieurs qu'intérieurs. En d'autres termes, ce n'est pas à l'intérieur des frontières que se menait la « guerre par l'image » mais dans l'esprit des Français, afin qu'un même mépris pour leurs ennemis les unisse.

Parler de guerre de propagande entre les pays d'Europe à l'époque de la Révolution est un anachronisme. Ce terme ne se justifie qu'à l'ère de la communication de masse. La satire avait alors pour cible, tant en France qu'en Angleterre, l'ennemi intérieur : les « Démocrates » en Angleterre, les « Royalistes » en France. Elle s'adressait respectivement aux « Patriotes », côté anglais, aux « Républicains » côté français, chacun des deux camps étant inévitablement menacé de découragement par une longue guerre d'usure et les succès ennemis. L'enjeu n'était cependant pas de couvrir les ennemis d'injures mais surtout de faire ressortir le lien qui les unissait au pays qu'ils soutenaient ou vers lequel allaient leurs sympathies. Si des caricatures comme celles de Gillray ont, à la fin de 1792, donné des sans-culottes parisiens une image aussi effrayante, ce n'était pas uniquement pour présenter la Révolution française sous un jour terrifiant aux éventuels sympathisants anglais, mais aussi pour rendre ceux-ci complices des atrocités commises en France (avec la menace implicite qu'un tel danger menacerait l'Angleterre si les citoyens n'étaient pas assez vigilants dans leur lutte contre la Révolution).

Pourtant, si la « guerre par l'image » se jouait à l'intérieur des frontières nationales, il est incontestable que les caricaturistes anglais surent admirablement présenter le concept même de Révolution comme une notion profondément étrangère à la société britannique. Si l'on considère l'ensemble des images satiriques produites à l'époque par les deux pays, on s'aperçoit que les caricatures de la France par les Anglais sont infiniment plus nombreuses et qu'elles s'appuient sur un langage et une symbolique beaucoup plus simples et directs. Il n'était pas nécessaire d'être cultivé pour saisir le sens d'une vignette. Il est vrai que beaucoup de caricatures d'Anglais par les Français sont très spirituelles et bien réalisées mais jamais elles n'atteignent cette immédiateté de lecture, ce laconisme incisif qui font du duc d'York, de George III ou de William Pitt, des victimes absolues. Dans sa caricature, *Explication n° 1. Gouvernement anglais*[3], David emprunte un peu de l'esprit scatologique de Gillray en présentant George III comme le « cul » du diable, mais il ne donne aucune information spécifique sur le monarque, pas plus que le gentilhomme vaincu, privé de son cheval, ne met en lumière la perfidie des ennemis de la République.

En revanche, à l'époque de la Révolution et avant l'arrivée de Bonaparte, la caricature anglaise s'attaque rarement à des personnalités françaises. Robespierre apparaît très peu et Danton, à ma connaissance, jamais. Gillray et ses collègues pratiquaient la stratégie du nivellement, ignorant délibérément les subtiles divergences entre les différents groupes en lutte pour

1. *L'Art de l'estampe et la Révolution française*, musée Carnavalet, 1977, p. 11.
2. Hennin n° 12094.
3. Carnavalet, 1977, n° 29.

le pouvoir au sein de la nouvelle République. Tous sont pareillement assimilés à la figure dépenaillée du sans-culotte cupide, cruel, assoiffé de sang et fanatique. Le personnage n'est pourtant pas nouveau. Il reprend le stéréotype du Français, en usage depuis le début du XVIIIe, alliant le type du roturier décharné et insolent à celui du faux gentilhomme ruiné de l'Ancien Régime dont la minceur passe pour de l'élégance et les manières courtoises pour dissimuler des intentions en réalité hostiles. Dans la *Reform advised* de Rowlandson, datant du 8 janvier 1793, on voit un sans-culotte aborder John Bull avec obséquiosité pour mieux le frapper impitoyablement.

Si cette figure caricaturale du sans-culotte fut si efficace, ce n'est donc pas uniquement parce qu'elle était adoptée par tous les grands satiristes, mais parce qu'elle reposait sur un type de personnage déjà familier. La planche de Gillray : *French Liberty/British Slavery* n'est que la parodie d'un thème, en réalité extrêmement connu, consistant à opposer l'Anglais plein de santé, qui se nourrit de rosbif, au Français famélique condamné au régime des cuisses de grenouilles à l'ail. Dans la mythologie populaire, réaffirmée sans cesse au cours du XVIIIe siècle, c'était le désir qu'avaient les Français de goûter au rosbif de la « Vieille Angleterre » qui les faisait regarder d'un œil favorable l'invasion de la Grande-Bretagne. Ce symbolisme culinaire servait encore de référence à l'époque napoléonienne. Les seuls Français représentés avec de l'embonpoint sont Louis XVI, dont la réputation de gourmet avait franchi la Manche, et les membres du clergé, censés se nourrir des superstitions populaires. La prétendue minceur du Français typique ne servait qu'à souligner l'exploitation du peuple de France par une aristocratie obsédée par son rang, tout en ne se privant pas de frayer avec ses domestiques.

Est-il nécessaire de préciser que ces traits caricaturaux ne correspondaient pas à la réalité ? Les voyageurs anglais venus en France faisaient fréquemment allusions aux différences qu'ils avaient notées entre leurs idées préconçues et leurs observations. Or, l'une des raisons pour lesquelles les Anglais se sont obstinés à travestir la vie française est qu'il ne s'agissait pas tant des Français eux-mêmes que d'une certaine catégorie d'admirateurs et d'imitateurs de l'élégance française que l'on rencontrait alors surtout dans les milieux aristocratiques. Depuis Hogarth, les goûts de l'aristocratie étaient très souvent perçus comme un signe de soumission à la France. Les caricatures soulignaient l'affectation des manières et de l'art des Français. Mais, elles visaient en réalité le snobisme des nobles francophiles, fréquemment accusés, comme le fut le comte de Chesterfield, d'avoir l'arrogance de mépriser les manières simples et directes du parfait gentleman anglais. La prétendue fatuité de l'aristocrate français n'était donc qu'une fiction destinée principalement à ridiculiser les Anglais. De même, la figure du sans-culotte renvoie essentiellement, à part quelques détails vestimentaires (ou en l'occurrence leur absence, et quelques symboles comme la guillotine), au modèle bien connu de l'Anglais « homme de la rue »[4]. La violence urbaine marqua longtemps la vie londonienne. Au cours d'émeutes comme les *Gordon Riots* de 1780, la foule s'assura quasiment, pendant plusieurs jours, le contrôle de quartiers entiers, détruisant des édifices, mettant le feu aux prisons et libérant les détenus. L'image type de l'homme de la rue, qui apparaît dans les comptes rendus et les caricatures de l'époque, n'est pas celle d'un révolutionnaire sanguinaire mais d'un roturier qui a échappé à la surveillance de ses supérieurs et cherche une compensation personnelle dans la violence, le vol et l'alcool. Ce n'est pas la haine de l'élite sociale qui le motive, mais surtout l'envie, et lorsque l'emprise de la loi se relâche, il est enclin à des excès effrénés. Le profil caricatural du sans-culotte intègre tous ces éléments. Mais, à la suite du poignant réquisitoire d'Edmund Burke contre la Révolution française, publié à la fin de 1790[5], les débordements de la foule parisienne vont être présentés sous un jour plus meurtrier que leurs équivalents londoniens. La jalousie envers la classe supérieure est vite suspectée de dégénérer en soif de sang, entraînant la débauche de meurtres et l'effroyable carnage dont la guillotine est le symbole.

A quelques exceptions près, la prise de la Bastille, l'exécution de Louis XVI et de Marie-Antoinette, les faits marquants de la Révolution sont rarement abordés dans la caricature anglaise sauf lorsque l'événement a des conséquences directes en Grande-Bretagne. Parallèlement, en France, il existe très peu de caricatures antibritanniques avant le déclenchement de la guerre, en février 1793. Le principal mythe développé par la caricature française dans les années 1793-1794 est celui d'un peuple anglais entraîné dans le conflit avec la République par la faiblesse de ses dirigeants et en particulier de William Pitt. Alors que l'idée que les Britanniques entretiennent de la France est celle d'un peuple barbare de nature, qui trouve sa pleine expression dans la Terreur. Même après Thermidor et la chute de Robespierre, les caricaturistes anglais continuent à dépeindre une France vivant à l'ombre de la guillotine, sous le joug de Jacobins sanguinaires, dont Bonaparte se révélerait de plus en plus un membre éminent. Là encore, cette imagerie correspond à la crainte d'une insurrection intérieure. La montée du radicalisme en Angleterre au cours des années 1795-1796, due à une situation économique déplorable, alimente la peur d'un soulèvement à laquelle vient s'ajouter celle d'une éventuelle invasion française. Il en résulte une prolifération de caricatures progouvernementales, dirigées contre l'opposition whig et, en particulier, contre son chef, Charles James Fox. Dans les nombreuses planches de Gillray portant sur les conséquences d'une invasion française et réalisées dans les années 1795-1798, l'armée française prend rarement elle-même le pou-

4. *Cf.* D. Bindman, « Sans-Culottes and Swinish Multitude; the British image of the Revolutionary crowd » (les sans-culottes et la multitude bestiale : la conception britannique de la foule révolutionnaire), C. Beutler, P-K. Schuster et M. Warnke, éditeurs, dans *Kunst um 1800 und die Folgen*, 1988, pp. 87-95.

5. E. Burke, *Reflections on the Revolution in France*, 1790.

voir mais se repose sur ses partisans anglais, accusés de l'avoir accueillie à bras ouverts[6]. Fox et les membres de l'opposition sont souvent décrits comme des sans-culottes supervisant l'organisation d'une Terreur anglaise et, parfois, en train de guillotiner eux-mêmes leurs ennemis politiques. Dans une remarquable série de 1798, Gillray montre, pour symboliser les valeurs françaises défendues par tous les opposants au gouvernement, les membres de l'opposition whig, habillés à la mode sophistiquée du Directoire, avec Fox en « ministre d'État en Grand Costume ».

Incontestablement, cette forme de propagande gouvernementale consistant à marginaliser les adversaires de Pitt fut extrêmement efficace car ceux-ci n'avaient aucun moyen de dissiper le doute quant à leur patriotisme. Pourtant, si le pays s'est rallié au gouvernement de Pitt dans les années 1793-1800, le mérite n'en revient pas uniquement aux caricaturistes. Leur rôle fut bien sûr de saper la crédibilité de l'opposition auprès du public, mais l'unité nationale ne s'est cimentée que par l'émergence d'un regain de fermeté face à la Révolution et d'une vision plus positive de la société anglaise. A la suite de la mort de Louis XVI, des peintres, plus que des caricaturistes, ont su mettre en lumière l'héroïsme et la droiture d'esprit des victimes de la Révolution. A partir de 1793, apparaissent en effet un certain nombre de peintures, destinées à la gravure, qui dépeignent les derniers jours de Louis XVI et de sa famille, baignés d'innocence et d'humanité. L'un des principaux pourvoyeur de ce type d'iconographie est un peintre français, installé à Londres, Charles Benazech. Grâce à ses contacts dans le milieu des émigrés, ses dessins se sont répandus dans toute l'Europe. Après Thermidor, en France, Pierre Bouillon produit des gravures de ce type. L'éditeur londonien, Dominic Colnaghi, tire, dès 1795, une édition spéciale des séries de Benazech et les dessins d'un artiste italien, Domenico Pellegrini, gravés et publiés à Londres par Mariano Bovi, connaissent également une importante diffusion. En Angleterre, ce genre d'images est souvent popularisé à travers les copies réalisées sur de la vaisselle ou des médaillons.

Progressivement, à partir de 1793, la campagne de sensibilisation contre le radicalisme en Angleterre s'accompagne de la création d'une imagerie populaire qui vante les bienfaits de la constitution britannique en montrant que le peuple était heureux. George III, souvent caricaturé cruellement par Gillray et ses confrères, se voit portraiturer sous un meilleur jour après 1795, comme le Père de son peuple et la pierre angulaire d'une constitution qui garantit la stabilité et la prospérité. On observe également, après 1793, un nombre croissant de gravures et d'objets de toutes sortes présentant des travailleurs ruraux qui jouissent de la prospérité, assurée par un ordre social favorable, dans la mesure où ils abandonnent la politique à l'élite. En fait, après les émeutes provoquées par la famine de 1795, le gouvernement regardait la population rurale avec quelque suspicion et des sociétés s'étaient créées, qui abreuvaient les campagnes de tracts et d'imprimés rassurants. Par ailleurs, la ferveur patriotique était stimulée par une production diverse d'images populaires célébrant les victoires navales de lord Howe en 1794 et Nelson en 1798.

Durant les dernières années du XVIIIe siècle, la propagande anglaise fut suffisamment forte pour faire prévaloir une vision totalement négative de la Révolution française, en s'appuyant sur le « bon sens » populaire britannique, et elle eut probablement une influence en France après Thermidor. On relève d'ailleurs certains traits communs dans l'attitude adoptée, dans les deux pays, quant à l'emploi de l'imagerie politique et des traces d'influence réciproque. J'évoquais, en début de texte, l'attention portée par le Comité de Salut public à la caricature anglaise. On remarque, en Angleterre, un intérêt similaire pour ce qui se passait en France. À l'exaltation du martyre de la famille royale française et à son idéalisation par l'image correspond en France la glorification presque religieuse des révolutionnaires martyrs de la République. Il est vrai que l'on ne rencontre pas en Angleterre, l'équivalent de la Fête révolutionnaire. Linda Colley[7] a cependant noté le développement des cérémonies populaires autour de la monarchie britannique et attribue en partie ce phénomène à l'influence des célébrations de la République en France.

Il est évident que de telles glorifications du roi et le rejet de la Révolution qu'elles impliquaient dépassent le simple processus de manipulation de l'opinion publique par le gouvernement britannique. Nous avons vu que le stéréotype anti-français était déjà bien établi avant la Révolution et qu'il a suffi de peu de chose pour le raviver. Michel Jouve[8] remarque que les caricaturistes anglais se sont de préférence employés à représenter les vues de la classe moyenne marchande, spontanément encline à percevoir dans la Révolution française le triomphe du mérite sur le rang ainsi qu'une ouverture de marché pour les produits britanniques, dont faisaient partie les caricatures. Quand il apparut, en 1791-1792, que les classes moyennes françaises avaient perdu le contrôle de la Révolution, devenue populaire, et que la situation était trop instable pour un commerce fructueux, il se produisit un mouvement de repli sur une position plus « constitutionnelle ». Si les caricaturistes anglais étaient spontanément hostiles à la société aristocratique, ils avaient encore moins de sympathie pour le pouvoir du peuple, en Angleterre comme en France.

David Bindman

6. *Cf.* Draper Hill, *Mr. Gillray the Caricaturist*, 1965, pp. 73-80 et pl. 12.

7. Linda Colley, « The apotheosis of George III : loyalty, royalty and the British nation 1760-1820 » dans *Past and Present*, fév. 1984, p. 109.

8. Michel Jouve, *l'Âge d'or de la caricature anglaise*, 1983, p. 88.

Convoy de très haut et très puissant seigneur des Abus, mort sous le Règne de Louis XVI ce quatre may 1789 (cat. 758).

758
Convoy de très haut et très puissant seigneur des Abus,
mort sous le Règne de Louis XVI ce quatre may 1789

par J.-M. MIXELLE, d'après Sergent (dit plus tard Sergent-Marceau)

Aquatinte. H. 0,241; L. 0,408.
Inscription : « Le tiers état soutient un cercueil immense, renfermant les abus dénoncés dans les assemblées des trois ordres/dessus l'on distingue une couronne de fer qui caractérise la tirannie des abus, un bonnet quarré, une épée et une bourse/le poêle très riche est tenu par la folie, une furie l'orgueil et l'avarice, devant marchent Calas, la fille Salmon etc/pauvres victimes des abus, la plupart réintégrées trop tard.deriers vient Mr Necker qui après avoir// approfondire et demasque les abus sous les yeux d'un roi Juste et bienfesant les conduit/au tontbeau, la Force, la Prudence, la Justice et l'Egalité d'un commun accord le/soutiennent sur un bouclier. le cortège est terminé par le deuil composé de tous ceux qui ont/lieu de regrettés les abus.des petits génies accompagnent le convoy en chantant les ouvrages les plus estimés sur les états généraux. » Sur le parchemin de la vigne : « Faste/d'un roi/ cytoien.// Chez Mixele rue Christin vis à vis la VIerge. »
Bibliographie : Boyer-Brun, t. I, p. 35; Renouvier, t. II, p. 481; Champfleury, p. 70; Bruel, t. II, n°s 2763 et 2764; Blum, p. 13 et p. 61, n° 1.

Paris, Bibliothèque nationale, cabinet des Estampes (inv. Q b[1] 1789, M.98 323).

Cette estampe ouvre chronologiquement la série des caricatures révolutionnaires françaises; le prototype, daté par Sergent du 27 avril 1789, précède de peu la grande procession d'ouverture des États généraux dont elle donne une version à la fois parodique et optimiste; elle fit immédiatement l'objet de contrefaçons; celle due à l'éditeur Mixelle, ici présentée, actualisée au 4 mai fut, semble-t-il, plus largement diffusée que l'original. Dès le 16 mai, le directeur de la Librairie Maisseny demandait au lieutenant général de police, Thiroux de Crosne, d'interdire le colportage de ces contrefaçons, puisqu'il avait ordonné déjà à Sergent de cesser le « débit » de son œuvre. Pourtant cette image paraît bien peu subversive, et n'avait pas d'ailleurs été censurée : non seulement elle fait l'éloge du roi mais loue implicitement le programme de Necker. Les seuls abus explicitement dénoncés sont la vieille affaire Calas et celle de la « fille Salmon ».
Sur la gravure originale de Sergent les victimes de l'institution judiciaire sont plus nombreuses à être désignées par leur nom (Grandier, Jean-Jacques Rousseau, Latude, Sirven, Jeanne d'Arc, Monbailly).
Modérée par son contenu, cette estampe l'est encore plus dans sa forme : seuls un examen détaillé et la lecture du commentaire permettent de la distinguer d'une scène de genre ou même d'une allégorie galante. La formule du « convoi funèbre » fut cependant reprise plusieurs fois sous la Révolution (convoi du clergé, Grand Convoi funèbre de Leurs Majestés les Jacobins).

759
Monument à la gloire de Louis XVI

par Vincenzo VANGELISTI, d'après Nicolas-André Monsiau

Eau-forte et burin. H. 0,385; L. 0,540.
Inscription : « Dédié et Présenté au Roi et à la Nation françoise Assemblée par Vangelisty/la statue du Roi accompagnée de Minerve et de la Justice/l'Arc en ciel présage le règne fortuné de Louis XVI/ la France couronnée des mains de la Nature reçoit les doléances, le Peuple entend ces/paroles *Sic vos Natura Sic Patria/* la Vérité qui est ici la saine raison montre l'accord de la Religion avec la Tolérance// Le Temps honteux d'avoir si longtems épargné les restes du règne féodal en détruit l'édifice/les Ennemis du bien public sous la figure du Fanatisme/le Commerce reconnaissant offre un sacrifice à la Liberté/ l'arc de Triomphe montre que l'ouvrage des

Monument à la gloire de Louis XVI (cat. 759).

L'Espoir du bonheur dédié à la Nation (cat. 760).

Etats généraux sera immortel et en détermine l'époque// A Paris, chez l'Auteur, rue Saint Honoré, au Caffé Militaire — et chez Crouset doreur et M[d] d'Estampes, rue Saint-Jacques, vis à vis celle du Plâtre, n° 244//Dessiné par Monsiau, Peintre du Roi-Juventé et Gravé par Vangelisty. » Dans l'estampe : sur le socle du groupe : « Louis XVI/Père de la Patrie/ Roi d'un peuple libre », à gauche : « Fin/du règne féodal »/ ; sous l'arc de triomphe : « A la/memoire/ des Etats généraux/de/MDCCLXXXIX » ; sur un phylactère dans le fléau de la balance : « *Suum civique.* »
Bibliographie : Bruel, t. I, n° 193.

Paris, Bibliothèque nationale, cabinet des Estampes (inv. Qb[1], 1789, M. 98.353).

Présentée au roi dès le 20 juin 1789 (alors que le roi tente un coup de force contre le tiers), cette estampe traduit assez précisément les espoirs ou les illusions du parti « monarchien » ; à cette date l'œuvre des États généraux (et non de l'Assemblée nationale) est considérée achevée et grâce au roi s'ouvre une ère de concorde et de prospérité. A l'aide d'allégories empruntées à l'iconologie la plus traditionnelle, Vangelisti célèbre une monarchie d'un type nouveau : juste, tolérante (allusion aux mesures prises par Louis XVI en faveur des protestants ?), débarrassée de toute trace de féodalité et favorable à la liberté du commerce. De telles estampes célébrant, malgré l'évidence contraire, les bonnes dispositions de Louis XVI à l'égard de l'œuvre de l'Assemblée furent nombreuses. Même si on ne peut parler à leur propos de « propagande officielle », on note une tendance commune à recourir aux poncifs de l'art officiel. Ce qui explique qu'avec les modifications nécessaires la même composition ait servi à célébrer « la liberté triomphante » puis « Bonaparte pacificateur ».

760
L'Espoir du bonheur dédié à la Nation

par PEZANT

Eau-forte. H. 0,405 ; L. 0,435.
Inscription : titre et explication au-dessous : « inventé et dessiné par un amateur à Lyon/Gravé par Pezant. »
Bibliographie : Herding, 1988, pp. 542-545.

Zurich, Musée national suisse (inv. LM. 44695).

Cette gravure allégorique, mêlant figures emblématiques et réelles, s'inscrit dans le courant d'espérance suscité par les premières mesures révolutionnaires. Toute la confiance du dessinateur s'est placée dans le roi, qui, naviguant sur la barque de la France, indique à Necker le tableau de l'Avenir, bien qu'un mauvais génie lui souffle de choisir celui du Passé, que recouvre le Temps. Cette allégorie narrative, lisible de droite à gauche, montre qu'en cette année 1789, plus rapidement que les peintres, les graveurs s'étaient emparés des événements contemporains et étaient immédiatement parvenus à des solutions synthétiques, en abandonnant les compositions à deux registres et en intégrant la réalité à leurs allégories.
C'est en méditant devant de telles allégories, que David parvint en 1791 à la conception de son *Serment du Jeu de paume*, et, au-delà, à celle de sa trilogie des martyrs républicains. J.Be.

LA DESCENTE AUX ENFERS

761
Mirabeau arrive aux Champs-Élysées

par Louis-Joseph MASQUELIER, d'après Jean-Michel Moreau le Jeune.

Gravure à l'eau-forte et au burin.
Inscription : « J.M. Moreau le J[ne], inv./ L. J. Masquelier scul. 1792 Se vend à Paris chez Basan. »
Historique : legs Hennin à la Bibliothèque nationale en 1883.
Bibliographie : Bocher, p. 108, n° 271 ; Bruel, t. II, n° 1930 ; Duplessis, t. IV, p. 19, n° 10942 ; Vovelle, 1986, t. I, pp. 118-119.

Paris, Bibliothèque nationale, cabinet des Estampes (coll. Hennin, 10942).

Le 2 avril 1791, Mirabeau s'éteignait après une maladie de quelques semaines. Dès le 4, sa dépouille mortelle était transférée au Panthéon, rendu au culte des grands hommes pour la circonstance.
C'est à cette cérémonie et à sa signification que fait référence la composition de Moreau le Jeune, nouvelle dans sa vision allégorique en ce qu'elle synthétise en une seule image les deux niveaux traditionnels de la peinture d'histoire. En effet, Mirabeau apparaît ici comme l'élément de liaison entre un au-delà laïque et la réalité révolutionnaire. Une telle œuvre laisse entendre le développement futur de la nouvelle religion laïque, qui sera mise en place par la Terreur.
Débarqué par Charon que l'on voit à gauche, Mirabeau est accueilli dans les Champs-Élysées par Franklin, qui le couronne, ainsi que par Montesquieu, Voltaire, Mably et Fénelon. Il présente à Jean-Jacques Rousseau un *Essai sur le despotisme* qui le situe dans la logique de la réflexion des Lumières. Le corps du tribun sera expulsé du Panthéon en novembre 1793. Le déroulement de la Révolution ne pouvait plus, à cette époque, honorer l'homme qui chercha en 1790 et 1791 à renforcer le pouvoir royal.
Ce type de composition si novateur mais déjà utilisé pour Voltaire (Bruel, t. II, n° 4188) fut repris dans d'autres gravures en 1793 après la mort de Louis XVI : *Réception de Louis Capet aux Enfers* (cat. 767), et dans un dessin attribué à Villeneuve, *Réception de Louis XVI et de Marie-Antoinette aux Enfers* (Rome, Museo napoleonico). J.Be.

762
L'Arrivée de Mirabeau aux Enfers

par Johann ANTON de PETERS

Eau-forte. H. 0,248 ; L. 0,316.
Inscription : « A.P., 1791/A Paris Club des Jacobins séance du 20 juin//L'auteur des Meaux de la France Au bord du Stix/Dédiée à la Noblesse/il n'existe plus cët orateur séditieux, son ombre ose se présenter au bord du Stix suivi des complices de ses forfaits l'un portant la/couronne qu'ils ont brisée, l'autre ses décrets, et le 3è les têtes des victimes de la révolution occasionnée par son organe, la trahison le présente à Caron qui le/repousse ; au bruit de son arrivée tous les hêros des champs Elises animés d'une juste indignation se portent au bord du fleuve, Louis XIV fait signe/déloigner ce monstre, le grand Condé le mênace, le chevalier Baÿard les seconde suivi des braves gardes du corps immolés au pied du trône à la malheureuse/journée du 5 octobre 1789 Le juste Favras contemplant le portrait de son roi.// à gauche est le Grand Henri IV accompagné du fidel Sully, assis sur les débris des batailles d'ivry et autres dues à la valeure de la noblesse, on y voit le vertueux Beaumont/Implorant le ciel qu'il n'entre pas parmi eux dans le lointain on aperçoit le meilleur des Rois, la Reine et le Dauphin à travers la fenêtre d'un palais grillé duquel/il s'étoit sauvé et plus loin la populace de paris occupée aux atteliers de charité, soldés par l'assemblée dite nationale » (dans le champ de l'estampe, sur des bannières attachées à une pique surmontée d'un chapeau) « qu'elle/liberté//correspond/secrètes/du/Cabinet/de Berlin//le/Christianisme dévoilé/par M. de Riquetti/Cte de Mirabeau// De la liberté de l'Escaut. » (Sur le dos du personnage identifié comme Camus) « Discours/au Roi/sur les troupes campés/près Paris/origine des/ Massacre/ Cruautés/Pillage. » (Sous le bras du personnage identifié comme Barnave) « le/Roi/aura-il/le Veto/ absolu/Non. » (Dans les mains du personnage identifié comme Thouret) « Decret/sur/serment civique/ des prêtres/Discours/de/Mirabeau. » (Dans les mains de Mirabeau) « Assignat/de 5/la Nation. la loi. » (Sur la rame de Caron) « (retire-toi/avec ta fausse monnaie. » (Sur le bouclier suspendu à gauche) « Trophée/ érigé au/prix du sang/de la/noblesse/françoise/pour la défe/nse de la/Patrie et/de son/Roi. » (Sur le bouclier aux pieds d'Henri IV) « Je dois à ma Noblesse/mes conquêtes et ma couronne. » (Au pied de Beaumont) « Le/vertueux/Beaumont im-/plore le Ciel/contre l'impie/Mirabeau. » (Sur le bloc sur lequel est assis Favras) « Je n'ai/jamais trahis/Mon Roi que/ je porte dans/Mon Cœur/Dernières parolles de Mr Favras. »
Bibliographie : Bruel, t. II, n° 1932.

Paris, Bibliothèque nationale, cabinet des Estampes (inv. Qb[1], 1791).

Cette estampe est la contrepartie royaliste de l'image précédente : Mirabeau est repoussé des Champs-Élysées, peuplés, il est vrai, de tout autres personnages puisque l'on y trouve en particulier Christophe de Beaumont, archevêque de Paris, adversaire déclaré des philosophes qui condamna, en particulier, les œuvres de Rousseau. Le monogramme A.P. paraît pouvoir être interprété comme celui de Johan Anton de Peter (*cf.* Bernd Vogelsang dans *Wallraf-Richartz-Jahrbuch*, t. XXXXIII,

Mirabeau arrive aux Champs-Élysées (cat. 761).

L'Arrivée de Mirabeau aux Enfers (cat. 762).

bbé Maury chassé des Enfers (cat. 763).

Le Pape Pie VI aux Enfers (cat. 764).

Le Haut-Clergé aux Enfers (cat. 765).

1982, p. 195). L'œuvre est d'inspiration ultra-royaliste et met sur le même plan d'Holbach (allusion au chistianisme dévoilé), Barnave, Thouret, Camus et Mirabeau et associe curieusement la mort de Mirabeau et l'échec de la fuite de Varennes.

763
L'Abbé Maury chassé des Enfers

par un auteur anonyme

Eau-forte coloriée. H. 0,200; L. 0,164.
Inscription : « L'Abbé M.... Chassé des Enfers/Impie Errant, Tourment des humains proscrit de Dieu et chassé des Enfers/Fuit Combustible Hérétique ne vient plus ici mettre la Discorde entre tes Confrères. »
Exposition : 1988, Los Angeles, nº 57.
Bibliographie : Bruel, t. II, nº 2003.

Paris, Bibliothèque nationale, cabinet des Estampes (inv. Qb[1], 1790, 22 janvier M.99.683).

L'abbé Maury (1746-1817), brillant prédicateur, élu à l'Académie française en 1785, se fit élire par le clergé du baillage de Péronne aux États généraux. Il devint rapidement la bête noire des patriotes en défendant avec talent les prérogatives royale et en attaquant sans ménagement ses adversaires. Aussi ce personnage qui ne joua dans la Révolution qu'un rôle assez épisodique a-t-il été l'objet de caricatures relativement nombreuses, qui font allusion à ses origines modestes (son père était cordonnier), paradoxales pour un partisan des « aristocrates », et qui versent parfois dans la scatologie. Ici le personnage, quoique vivant, est chassé des Enfers où sont déjà d'autres ecclésiastiques. On notera la nudité du personnage auquel son rabat sert de cache-sexe.

764
Le Pape Pie VI aux Enfers

par un auteur anonyme

Eau-forte coloriée. H. 0,152; L. 0,210.
Inscription : « Arrivée du Pape aux Enfers/Venez, Venez St Père vous allé voir bon nombre de vos confrères, beaucoup de vos disciples et surtout/de ceux qui portoit la Crosse et la Mitre doré, ce nétait pas là ce que St Pierre vous avait recommandé./ et pour avoir foulé aux pieds tous les devoirs les plus sacrés vous allé être bien grillé. »
Exposition : 1988, Los Angeles, nº 63.
Bibliographie : Bruel, t. II, nº 3464; Blum, p. 112, nº 265.

Paris, Bibliothèque nationale, cabinet des Estampes (inv. Qb[1] 1791, 4 mai, M.100.623).

La promulgation par Pie VI des brefs du 10 mars et du 13 avril 1791, qui condamnaient la Constitution civile du clergé, déclencha en France une vague d'hostilité à l'égard du Saint-Siège, nourrie peut-être d'un antipapisme latent lié à la longue querelle du jansénisme.
Ici, le pape est envoyé aux Enfers. L'image est sommaire et le commentaire oppose, selon une vieille tradition, saint Pierre à son indigne successeur. Une autre estampe (Bruel, t. II, nº 3465) montre d'ailleurs Pie VI, « renié par saint Pierre, reçu par Lucifer », portant au cou son bref comme un condamné.

765
Le Haut-Clergé aux Enfers

par un auteur anonyme

Eau-forte coloriée. H. 0,214; L. 0,379.
Inscription : « Plusieurs Membres du Haut-Clergé savoir Mr M... arrivent dans l'Empire du Demon et sont reçus par Belzebuth leur roi son trone est un Fourneau sa Couronne un Réchaud/son Sceptre un Tison ardent, à ses pieds un Dragon Vomissant le feu Proserpine assit à ses côtés, il est environné de sa garde infernale et de plusieurs personnages fameux/par leurs découvertes pour la destruction des hommes savoir le Moine Berthold Schwarz qui inventa la Poudre a Canon, le Cardinal Lugo qui aporta le Quinquina en France en/1650. La Bombe inventée par un Benedictin en 1588 et le fameux Pape Alexandre VII qui perit en voulant empoisonner à sa table le Sacré Collège dans du Vin/Voilà donc votre dernière ressource »; dans le champs de la gravure : « Suppression des archevêques/biens du clergé à vendre. »
Bibliographie : Bruel, t. II, nº 3104.

Paris, Bibliothèque nationale, cabinet des Estampes (inv. Qb[1], 1789, 2 novembre, M. 99.557).

Cette estampe anonyme place l'abbé Maury au centre d'un complot ecclésiastique qui va chercher auprès du Démon les moyens (bombe, poison) d'exterminer les patriotes. Le commentaire constitue non seulement une explication mais un petit bréviaire anticlérical.
Malgré le caractère sommaire de son exécution, cette eau-forte tire une certaine force expressive de la juxtaposition des visages grotesques.

766
Les Réfractaires allant à la terre promise

par un auteur anonyme

Eau-forte coloriée; H. 0,443; L. 0,567.
Inscription : « 1. le Pape déguisé en Moyse benissant les nouveaux venus / 2. Mr Condé / 3. Mr Bagatelle / 4. Monsieur / 5. Les Hacquenées du Pape / 6. Les Pages / 7. l'Evêque de Spire / 8. l'Electeur de Cologne / 9. le Prince de l'Ambesc / 10. l'Evêque de Munster / 11. M. Bourbon / 12. M. Damas / 13. le fameux riquetti Tonneau en uniforme de Major général / 14. Melle Condé / 15. Mme Polignac / 16. Mr Juigné allant chercher emplois à la terre promise / 17. le Prieur des Capucins / 18. l'Agent des Capucins en Sapeur / 19. M[r] d'Enghin / 20. M[r] le Baron de Breteuil observateur de l'armée / 21. Pelée Frise-l'Air tambour Maître / 22. Mr Bouillée / 23. M[r] d'Autichamp / 24. le Cardinal des Bosquets de Trianon / 25. Munitions des voyageurs / 26. Accapareurs d'Argent / 27. Curé réfractaire porte étendarts / 28. Charlatans allant offrir ses services aux Contre-révolutionnaire / 29. Antoine Séguier brule bon sens / 30. Femme d'importance espérant faire fortune a la terre promise / 31. M[r] et Mme Neker Baron de la ressource et autres lieux entrepreneur des vives / 32. l'Abbé d'Eymore / 33. M[r] De Calonne / 34. Mme De Crac / 35. Parlements Financiers Abbés Moines et gens de tous états/36. le Château de Worsm / 37. Bellone tenant d'une main le Flambeau de la Guerre Civile de l'autre une épée ensanglantée conduisant cette Cohorte infernale / 38. Oiseau de mauvaise augure suivant par tout les Chefs de la revolution »; dans le champ de la gravure, sur la bannière : « Feu/ et Sang »; sur l'étendard planté sur le tonneau : « Vive la Noblesse et le Clergé. »

Paris, musée national des Arts et Traditions populaires (inv. 51.79.5.D).

Bien que son titre fasse allusion au passage de la mer Rouge, cette estampe se présente comme une variante du thème de l'arrivée aux Enfers : le Rhin joue le rôle du Styx où il ne manque pas même la barque de Charon. Quant à la terre promise c'est une contrée où s'élèvent non seulement la forteresse de Worms mais une autre forteresse, qui ressemble fort à la Bastille.
Par ailleurs, les personnages réunis sur chaque rive résument à peu près tous les types caricaturaux de l'émigration depuis le comte d'Artois (Mr Bagatelle) et les tantes du roi (les Hacquenées du Pape) jusqu'à Mirabeau-Tonneau, au cardinal de Rohan (le Cardinal des Bosquets de Trianon) et au ménage Necker (Baron de la Ressource) sans compter les femmes galantes, les financiers véreux et le clergé réfractaire. Le petit Bacchus ivre au pagne garni de grelots qui, à califourchon sur son tonneau, domine la foule, place tous les émigrants sous le signe de la folie.

767
Réception de Louis Capet aux enfers,
par un grand nombres de brigands ci-devant couronnés

par VILLENEUVE

Aquatinte et pointillé. H. 0,268; L. 0,367.
Inscription : « Composé et gravé — par Villeneuve ». « Aux Républicains — Français »//« le parjure CAPET sa tête sous le bras sort de la Barque a Caron, il est reçu par Charles Neuf, comme — lui assassin des Français qui le presente à Charles premier dont les Anglais libres alors firent Exemple à/londres le 29 janvier 1649, à Joseph deux et Léopold deux, les dignes frères de sa chaste Epouse; le dernier tyran — de la Suède effrayé d'une telle apparition tombe en Sincope./le fanatique Louis Neuf dont les Prêtres menteur ne rougirent pas de faire un Saint, Henri Quatre, et Louis Quatorze tenant — chacun à la main la pièce qui motive la justice de leur demeure en ce lieu se regarde et ne peuvent étonnés d'un/pareil spectacle aller au devant de leur petit fils... »
Exposition : 1988, Los Angeles, nº 92.

Les Réfractaires allant à la terre promise (cat. 766).

Réception de Louis Capet aux enfers, par un grand nombre de brigands ci-devant couronnés (cat. 767).

Bibliographie : Bruel, t. II, n° 5228; Paulson, 1988, pp. 59-60.

Paris, Bibliothèque nationale, cabinet des Estampes (inv. Qb[1], 1793, 21 janvier, M. 101.909).

Dans la série des *Descentes aux Enfers*, celle représentant Louis XVI accueilli par les autres souverains est une des plus complètes qui soient. Villeneuve, qui apparaît ici à la fois comme dessinateur, graveur et éditeur, a inséré en vignette une reprise de sa célèbre estampe représentant la tête coupée de Louis XVI tenue par la main du bourreau. Le motif des têtes coupées est d'ailleurs essentiel à la compréhension de la composition : Louis XVI, porte sa propre tête ; Favras (qui fut pendu) ; Laporte (guillotiné le 23 août 1793 comme distributeur des fonds secrets) ; Lessart (massacré à Versailles avec les prisonniers d'Orléans le 9 septembre 1792) ; Brissac (qui eut le même sort) ; Montmorin (ministre des Affaires étrangères de 1787 à 1791, massacré à Paris le 2 septembre 1792) ; la princesse de Lamballe (victime elle aussi des « massacres de Septembre »), présentent leur tête à Louis XVI soit de leur main soit au bout d'une pique, ce qui accentue le caractère fantastique de la scène.

Exécutée par l'un des graveurs-éditeurs les plus « engagés », cette estampe se situe assez tard (16 octobre 1793). Elle est postérieure à la mort de Marie-Antoinette, qui est représentée quittant le Temple en portant sa tête pour rejoindre Catherine de Médicis, Brunehaut et Frédégonde en empruntant la barque de Charon auprès de laquelle Pâris, assassin de Le Peletier de Saint-Fargeau se brûle la cervelle (31 janvier 1793) ; elle est sans doute contemporaine des débuts du culte de l'Être suprême (7 mai 1794) que célèbrent dans le fond à droite les victimes de Louis XVI, réunies aux Champs-Élysées autour de l'arbre de la liberté. Parmi les anciens rois de France, on notera non seulement la présence de Louis XIV (à cause de la révocation de l'édit de Nantes) et de Louis XV, environné de prostituées du parc aux Serfs (sic), mais aussi celle de Saint Louis à cause de ses croisades et d'Henri IV, pour son Code des chasses. Peut-être est-ce cependant cette « Réception de Capet » qui fut dénoncée comme injurieuse en germinal an II par Pierre Simon Joseph Jault, artiste et membre de la Commune de Paris (guillotiné le 11 thermidor an II).

L'HOMME À DEUX FACES

768
L'Homme à deux faces

par un auteur anonyme

Gravure à l'eau-forte coloriée. H. 0,265 ; L. 0,195.
Inscription : « L'homme à Deux faces ».//« Se vend a paris chez les Marchands de nouveautés. »
Bibliographie : Vovelle, 1986, t. II, p. 39.

Paris, Bibliothèque nationale, cabinet des Estampes (inv. Qb1 1789 — 7 octobre).

Cette caricature biface, sorte de Janus révolutionnaire, publiée en octobre 1789, fait référence au pouvoir mis en place après la prise de la Bastille. D'un côté, Bailly, le maire de Paris, homme modérateur, de l'autre, son ombre, La Fayette, général de la garde nationale. Pouvoirs civil et militaire imbriqués, tel apparaît le nouveau gouvernement né de la

L'Homme à deux faces (cat. 768).

Barnave en homme à double visage (cat. 769).

Révolution. Sans doute, a-t-on affaire ici à une caricature née d'un esprit démocrate, conscient déjà du danger de la répression bourgeoise, et du désir de stabilisation.
Ce type de caricature fera fortune. Barnave sera, en 1791, représenté de la même manière, dédoublé en homme de la cour et en homme du peuple. Ces images posent en raccourci les difficiles problèmes que devaient résoudre les dirigeants, pris entre le roi et la Révolution.
J.Be.

769
Barnave en homme à double visage

par un auteur anonyme

Aquatinte coloriée. H. 0,205; L. 0,125.
Inscription: «Barnave// l'homme/de la Cour/1791/ / l'homme/ Du peuple/1789. Tantot Froid Tantôt Chaud, Tantot Blanc, tantot noir,/A droite maintenant, mais autrefois à Gauche,/Je vous disois bon jour, et je vous dis bon soir.»; sur les banderolles de la bourse: «Liste civile//Opinions sur les hommes de couleurs»; sous le pied droit, sur une feuille: «Patrio/tisme/Liberté/Vertu»; près du pied gauche sur une feuille: «Droits de/l'homme/Serment du/ Jeu de Paume/Est-il donc si/pur ce sang/qu'on ne puisse/ le laissé couler»; sous la terrasse, à gauche: «Janus»; *id.* à droite: «Brutus».
Bibliographie: Challamel, t. I, p. 185, Bruel, t. II, nº 4035; Blum, p. 144, nº 395.

Paris, musée Carnavalet (inv. Ha 017D 005).

Certaines estampes révolutionnaires qui représentent une double figure associent deux personnages, antinomiques ou complémentaires, mais différents. Ainsi, «l'Homme à deux faces» (cat. 768) implique à la fois Bailly et La Fayette; on peut citer aussi Louis XVI et la Nation dans la composition intitulée «Ça ira-ça n'ira pas» dont il existe plusieurs versions. Avec le portrait de Barnave, ce sont les volte-face d'un même personnage qui sont stigmatisées et cette estampe pourrait dériver de celle ironisant sur l'évolution de Léopold II «ci-devant philosophe» ou celle ridiculisant le duc d'Aiguillon (de Vinck, nº 2975). Cette attaque contre un patriote soupçonné à juste titre d'être secrètement lié à la monarchie émane sans doute des milieux jacobins. Elle épingle cependant la phrase trop célèbre de Barnave justifiant le meurtre de Bertier de Sauvigny le 22 juillet 1789 («le sang était-il donc si pur...»), qui lui fut surtout reprochée par les royalistes. La formule employée pour Barnave dérive peut-être du portrait «des Impartiaux, des Modérés, des Modérateurs autrefois dits, les Aristocrates» publié dans le numéro 9 des *Révolutions de France et de Brabant*. Elle fut en 1791 appliquée à Louis XVI lui-même, figuré en «Roi Janus» déclarant à la fois: «Je maintiendrai la Constitution» et «Je détruirai la Constitution (*cf.* coll. de Vinck, nº 4308) et au «vrai patriote Chabot» (*cf.* Blum, p. 154, nº 562). Elle trouvera tardivement son prolongement dans une caricature de l'abbé Maury dont le double visage regarde d'un côté le buste de Louis XVI et de l'autre un veau d'or.

L'IMAGE ROYALE

770
Le Nouveau Calvaire

attribué à Michel WEBERT

Eau-forte. H. 0,263; L. 0,195.
Inscription: «Le nouveau Calvaire//1 le roi mis en croix par les revoltés 2 et 3 Monsieur Et le Comte d'artois liés par les décrets des factieux/4 Robespierre a cheval sur la constitution suivi de la gent jacoquine présente l'éponge imbibée du fiel/de ses motions Régicides /5 la Reine accablée de douleur sollicite une prompte vengeance 6 la duchesse de polignac/ 7 Mr le Prince de Condé s'apprete à venger son roi.» Dans le champ de la gravure, au pied du roi: «Table de/proscription/les trois Rohan/ Condé.Mirabeau/bouillé Lanbescq/Broglie, Etc.»
Bibliographie: Bruel, t. I, nº 533 (décrit la version à l'aquatinte); Blum, p. 183, nº 557; Langlois, 1988, pp. 50-51.

Paris, Bibliothèque nationale, cabinet des Estampes (inv. Qb¹, 1791, M. 101.946).

L'allusion assez précise au discours de Robespierre prononcé au club des Jacobins au moment de l'arrestation de Varennes et la présence de Bouillé sur la table de proscription permettent de dater cette estampe après juin 1791. Le graveur et éditeur royaliste, Michel Webert dit l'Allemand, qui vendait une aquatinte identique est-il l'auteur de cette composition? Le caractère presque blasphématoire de certains détails ferait croire à une sorte de provocation. Mais une telle image est tout à fait conforme au thème du «roi martyr» que la propagande royaliste développait bien avant le procès et la mort du roi. Dès 1792, l'abbé de Lubersac publiait un *Rapprochement et parallèle des souffrances de Jésus-Christ... avec celles de Louis XVI* et on a signalé un ouvrage anonyme, *la Passion de 1790 ou Louis XVI sacrifié par et pour son peuple*, qui refléterait la même inspiration.
Un doute pourrait naître cependant en lisant sur la table de proscription les noms des émigrés les plus impopulaires: les Rohan, Mirabeau-Tonneau, le prince de Lambesc, sabreur des Tuileries... Mais on peut aussi soutenir que le marteau et la pince placés au premier plan forment le monogramme de Michel Webert, que ses convictions royalistes conduisirent sur l'échafaud le 20 mai 1794.
L'aquatinte originale, conservée dans la collection de Vinck, n'a pu être exposée pour des raisons de conservation. L'épreuve ici présentée est une copie exécutée pour l'ouvrage de Jaime, le *Musée de la caricature* publié en 1838 et chronologiquement le premier à s'être intéressé aux caricatures révolutionnaires.

771
Un sans-culotte, instrument de crimes, outrageant l'humanité, pleurant auprès d'un cénotaphe

par un auteur anonyme

Estampe. H. 0,312; L. 0,195.
Historique: collection Soulavie (marque en bas à droite, L. 1533); achat du musée.
Exposition: 1985, Vizille, p. 48, nº 69, repr.
Bibliographie: Blum, p. 189, nº 588; Aubert et Roux, t. III, nº 5223; Vovelle, 1986, t. III, p. 111.

Vizille, musée de la Révolution française (inv. 84.871).

Cette gravure de propagande royaliste, qui mêle habilement le grand art et la caricature pour opposer la belle figure de l'humanité à la populace parisienne, est à dater de 1794-1796, de la fin de la Convention ou des débuts du Directoire, moment où la république bourgeoise repousse également les deux clans monarchiste et terroriste. Insidieusement, la revanche des royalistes s'affirme dans le profil du roi guillotiné, qui vient saisir le sans-culotte à la gorge.
D'autres gravures ont utilisé le procédé de la silhouette dissimulée, comme l'estampe allemande de 1793: *Zehn geheim verborgene Silhouetten Dumoriner la Fayet Mardt Kellerman Custine Pétion Barnave Thouret Danton Robespierre*.
Le dessin préparatoire de cette gravure se trouve au musée des Beaux-Arts de Caen (plume, encre noire et lavis brun. H. 0,210; L. 0,170. Inv. 81.4.1). Il est possible peut-être de l'attribuer à l'énigmatique I.S. Lemonnier, auteur de plusieurs gravures mêlant caricature et art noble. Toutefois Lemonnier était républicain.
J.Be.

772
Le Saule pleureur

par J. MARCHAND, d'après J.-B. Coste

Eau-forte. H. 0,405; L. 0,51.
Inscription: «A Paris, chez J. Marchand, Dessinateur et Graveur, Propriétaire Editeur du cours d'Etudes de Paysages, rue Saint-Jacques, nº 30.»
Historique: collection Laterrade.
Exposition: 1988, Los Angeles, nº 93.

Paris, Bibliothèque nationale, cabinet des Estampes (inv. Qb¹, 1793, 21 janvier).

Les estampes contre-révolutionnaires paraissent avoir circulé à Paris avec une étrange facilité, sauf peut-être à partir de la loi du 29 mars 1793, qui réprima leur diffusion. Mais au début de ce même mois on vendait sous les galeries du Palais-Royal le testament de Louis XVI et les portraits en médaillon de la famille royale.
La nécessité d'observer une certaine discrétion entraîna néanmoins la création de toute une imagerie crypto-royaliste, fondée essentiellement sur la dissimulation des profils à l'intérieur d'une composition d'apparence sinon

Le Nouveau Calvaire (cat. 770).

Un sans-culotte, instrument de crimes, outrageant l'humanité, pleurant auprès d'un cénotaphe (cat. 771).

Le Saule pleureur (cat. 772).

Urne à sujet séditieux (cat. 773).

anodine du moins peu explicite. Ce procédé, qui s'apparentait au jeu des devinettes, fut parfois étendu à d'autres sujets (par exemple les portraits des souverains coalisés); il était encore en usage sous la Restauration.
Ici, c'est de part et d'autre du tronc de l'arbre qu'il faut chercher à droite le profil du roi, à gauche celui de la reine. Celui de Louis XVII se dissimule dans le feuillage à droite; celui de Madame Royale surmonte la touffe de fleurs, sans doute en signe d'espoir.
Au fond une pleureuse près d'un sarcophage anonyme vient préciser le caractère funéraire de la composition.

773
Urne à sujet séditieux

Porcelaine de Chine. H. 0,460; L. 0,250.
Historique : legs Lataillade.
Bibliographie : Beurdeley, 1974, pp. 110-111, fig. 76, pl. XIV. du Pasquier, 1985, p. 32; Hervouet et Bruneau, 1986, p. 227.

Bordeaux, musée des Arts décoratifs (inv. 69.3.198).

Cette urne fut exécutée sur commande royaliste dans une manufacture chinoise travaillant pour l'exportation et produisant ce que l'on désigne usuellement sous le nom de porcelaine de la Compagnie des Indes. Comme cela était presque de règle, un modèle a été envoyé de France, et dans ce cas précis c'est sans aucun doute une des versions de l'estampe connue sous le nom de l'*Urne mystérieuse* (variante du saule pleureur, cat. 772), où le contour du vase funéraire dessine les profils de Louis XVI et de Marie-Antoinette, qui a servi pour le dessin d'un des deux médaillons ovales.
La Compagnie des Indes fut supprimée en août 1793, mais le scandale qui éclata lors de sa liquidation révéla l'imbrication de certains milieux royalistes avec ceux du commerce international. Il est possible cependant que cette urne à sujet séditieux ait été exécutée sensiblement après 1793.

LA SCATOLOGIE

774
Ma finte pour ce coup cy y n'en reviendrons jamais

attribué à Johan Anton de PETER

Eau-forte coloriée.
Inscription : sur le mur à gauche : « RUE DE/LA/ LIBERTÉ » ; plus loin : « Cul de sac des Aristocrates » ; sur le portail : « Hotel/de Broglie// Maison a vendre » ; au-dessus de la porte de la maison : « A LA/LENTERNE/Beinfaisante/LOUIS RESTAURATEUR » ; sur l'affiche à droite : « Biens/ecclesiastique a/ Vendre/Maison Marché/St-Germain et/ St Martin Chateau/situé a auteuil,/sadresser a/la baye Ste/ Genevieve » ; sur l'affiche à gauche : « BERTHIER - Foulon/Favras- Delaunai » ; en bas : « A..P.../1790. »
Exposition : 1988, Los Angeles, nº 46.
Bibliographie : Vogelsang, 1982, pp. 196-197.

Paris, Bibliothèque nationale, cabinet des Estampes (coll. Hennin, 10.725).

La scatologie est d'un usage fréquent dans la caricature révolutionnaire, souvent associée, comme c'est le cas ici, à une tranquille férocité. Datée de 1790, cette estampe est nécessairement postérieure au 19 février (date de la pendaison de Favras) et même au 13 mai, date du premier décret sur la vente des biens ecclésiastiques ; il semble que ce soit durant cette période que la verve ordurière des caricaturistes se soit le plus librement exprimée en particulier pour marquer le peu de cas qu'on fait de la noblesse des ecclésiastiques contre-révolutionnaires, et plus particulièrement du bref du pape condamnant la Constitution civile du clergé. Plus tard le procédé fut détourné par l'opposition royaliste à propos des assignats (*Cas des assignats chez l'Etrangers, cf.* Bruel, t. II, nº 3122 ; *Caisse merdeuse*, id., nº 3123). Cette estampe a été identifiée (à partir d'une épreuve tirée en sens inverse, mais avec un monogramme dépourvu de la forme de A caractéristique de cet artiste) par Vogelsang, comme une œuvre de Johan Anton de Peter, en l'interprétant dans un sens hostile à la Révolution. Il semble pourtant que le paysan, au pied duquel s'étale le gibier que la liberté de la chasse lui a permis d'apporter en ville, applaudit bien fort au spectacle que lui offre le garde français. La figure de ce dernier est comparable à celle d'une estampe intitulée *Je chie sur les aristocrates* (Bruel, t. II, nº 3624 ; Blum, nº 153), mais ici les victimes, le noble et le prêtre, quoique en fâcheuse position, sont encore vivantes. Au fond, au-dessus de l'inquiétant barbier (?) qui aiguise son rasoir avant « d'accommoder » l'aristocrate, des têtes coupées, désignées par des initiales, permettent de reconnaître quelques-unes des premières victimes de la Révolution (dont Foulon, la bouche emplie de foin).

775
La France à l'apogée de sa gloire ; le sommet de la Liberté (the Zenith of French Glory ; The Pinacle of Liberty)

par James GILLRAY

Eau-forte coloriée. H. 0,347 ; L. 0,243.
Bibliographie : cat. British Museum, nº 8300.

Londres, British Museum (inv. J3-44).

Aussitôt parvenue l'annonce de l'exécution de Louis XVI à Londres, le 24 janvier 1793, Gillray entreprit l'exécution de sa satire, à l'ironie féroce, du régicide. La scène est une reconstitution imaginaire de la place de la Révolution. Le caractère irreligieux de l'ordre nouveau est symbolisé par la coupole d'une église en flammes, l'évêque et deux moines pendus à la lanterne, et l'inscription au-dessus du crucifix dans la niche : « Bon Soir Monsieur. » Un sans-culotte déguenillé se tient à califourchon sur la lanterne, son pied planté sur la tête du cadavre de l'évêque. Au-dessus d'un océan de bonnets rouges en délire est pendu le cadavre d'un représentant de la justice, entre les deux emblèmes de sa profession. Sur l'échafaud à sa droite, quelqu'un manie la roue qui abaissera le couperet sur la tête de Louis XVI. Cette description précise et fidèle de la guillotine par Gillray constitue l'une des premières tentatives qui se multiplieront pour satisfaire la curiosité des Britanniques sur ce point.
Sous le titre est inscrit : « Religion, Justice, Loyauté & tous les épouvantails des Esprits éclairés, adieu ! » C.B.-O.

776
Les Espoirs du Parti, avant le 14 juillet - « De l'inique Crown & Anchor-Dreams, que le Bon Dieu nous délivre. » (The Hopes of the Party, Prior to July 14th - « From such Wicked Crown & Anchor-Dreams, Good Lord Deliver us. »)

par James GILLRAY

Gravure. H. 0,332 ; L. 0,493.
Bibliographie : cat. British Museum, nº 7892.

Londres, British Museum (inv. 1868-8-8-6068).

Cette gravure est une satire du dîner à la taverne Crown and Anchor, le 14 juillet 1791, et des radicaux qui exaltaient la Révolution française. Fox lève une hache pour frapper la nuque du roi George III, dont la tête est maintenue sur la plaque par Sheridan. A droite, on voit la grille de la Crown and Anchor, et les cadavres de la reine Charlotte et de Pitt se balançant à deux appliques de lanternes en saillie. Les jambes du roi sont immobilisées par John Horne Tooke, un radical vieillot, tandis que le leader dissident, Joseph Priestley, se penche vers le roi derrière Sheridan. En France, naturellement, Louis XVI n'a pas encore été guillotiné.
Fox, chef de file officieux de l'aile radicale du parti whig, s'attira le surnom de « L'Homme du peuple ». Ses sentiments anti-français le portèrent à s'enthousiasmer pour la Révolution et à lui apporter au début un soutien public. Mais, dès 1791, l'opinion britannique changea lorsque parvinrent les récits des excès en France. La planche de Gillray reflète cette évolution de l'opinion ; la gravure fut éditée le 19 juillet 1791 par S.W. Fores. C.B.-O.

777
Liberta

par un auteur anonyme

Aquatinte. H. 0,260 ; L. 0,195.
Inscription : épigraphe sur le mur : « SIC TRANSIT /GLORIA NOBILIUM » ; sur les parchemins à terre : NOBILITAS /Illustrissimo et/ Nobilissimo Dulcium Fica/rum magno/Barometro//Excell^mo/Domino/ Marchioni. »
Bibliographie : Arrigoni-Bertarelli, 1932, nº 1687.

Milan, Castello Sforzesco, Raccolta Achille Bertarelli (inv. A.S. 10.63).

Dans cette estampe italienne voulant illustrer l'idée de liberté, la scatologie utilise des formules empruntées à la tradition classique. Le « putto pissatore » et ses deux compagnons semblent issus du thème de la Bacchanale enfantine tandis que les personnages réunis, au fond, autour d'un feu (de titres féodaux ?) évoquent les représentations de l'hiver. Le mur écroulé, l'inscription fendue mais encore lisible, le blason brisé appartiennent au répertoire du paysage de ruines si répandu au XVIIIᵉ siècle.

Liberta (cat. 777).

finte pour ce coup cy y n'en reviendrons jamais (cat. 774).

La France à l'apogée de sa gloire; le sommet de la Liberté (the Zenith of French Glory; The Pinacle of Liberty) (cat. 775).

Les Espoirs du Parti, avant le 14 juillet; The Hopes of the Party, Prior to July 14th (cat. 776).

Equaglianza (cat. 778).

Le Cauchemar de l'Aristocratie (cat. 779).

La Conquête de l'Egalité ou *Les Trames déjouées* (cat. 780).

CARICATURES ET NÉO-CLASSICISME

778
Equaglianza

par un auteur anonyme

Aquatinte. H. 0,260; L. 0,195.
Inscription : sur la pierre à droite : « Or ride chi piangeva » ; sur le parchemin à gauche : « Noi concediamo/l'alta facolta a D[n]/Narciso delle Frottole/ dierigere dei Castelli/in Ispagna nei/spazi immagi/ nari. »
Bibliographie : Arrigoni-Bertarelli, 1932, n° 1688.

Milan, Castello Sforzesco, Raccolta Achille Bertarelli (inv. A.S.10.64).

Pendant de l'estampe décrite précédemment (cat. 777), cette illustration de l'Egalité est moins scatologique que la précédente (malgré l'usage que le chien fait du blason) mais elle est plus inquiétante : le paysan qui a renversé les insignes de la féodalité a une attitude ironique et menaçante à l'égard de l'aristocrate. Inconsolable d'avoir perdu ses titres, don Narcisse des Balivernes pleure ses châteaux en Espagne dans l'attitude conventionnelle d'une allégorie néo-classique de la douleur.

779
Le Cauchemar de l'Aristocratie

par COPIA, d'après Piat-Joseph Sauvage

Stipple en couleurs. H. 0,090; L. 0,107.
Inscription : « Copia Sc. - Sauvage pinxit. »
Bibliographie : Vovelle, 1986, t. IV, p. 268.

Paris, Bibliothèque nationale, cabinet des Estampes (coll. Hennin, n° 12.479).

Piat-Joseph Sauvage, qui était surtout connu pour ses grisailles, semble ici s'être inspiré des peintures d'Herculanum et de Pompéi telles que les estampes avaient commençé à les faire connaître : fond noir, drapés très linéaires, lit à l'antique. Mais l'attitude de la jeune femme est manifestement dérivée du célèbre *Cauchemar* de Füssli. Ce n'est pas une créature diabolique que le niveau égalitaire coiffé du bonnet de la liberté vient oppresser dans son sommeil mais une courtisane, comme le suggèrent divers détails. Cette composition connut un certain succès ainsi qu'en témoigne une contrefaçon (?) par Sébastien Desmarets (Bruel, t. II, n° 3620) dont le pendant (*Le Jéhovah des Français, id.*, n° 3622) est daté de 1792. On retrouve ces deux compositions comme motifs d'un papier peint fabriqué par Malitourne, à L'Aigle (Orne).

780
La Conquête de l'Égalité ou *Les Trames déjouées*

par un auteur anonyme

Aquatinte. H. 0,192; L. 0,271.
Inscription : après le titre : « Allégorie de la Journée du 10 août 1792. Dédié aux Républicains Français » ; en légende : « Ha ! Ha ! il faut donc sélérats que nous nous lèvions encore une fois ; Nôtre tollerance/vous à fait ourdir de Nouvelles trames ; Hé bien ! qu'a cette fois il vous souviennent/que nous voulons être libres. Et que le souvenir seul de Cette Journé, vous donne pour/toujours le Cochemard, et malgré touts vos projets nous Jurons que Ça ira Ça ira... »
Bibliographie : Aubert et Roux, t. III, n° 4905 ; Vovelle, 1986, t. III, p. 148.

Paris, Bibliothèque nationale, cabinet des Estampes (inv. Qb[1] 101.362).

Le complot contre-révolutionnaire est, dès 1789, l'obsession des foules parisiennes et beaucoup de responsables politiques savaient qu'il ne s'agissait pas d'un pur fantasme. Ici le complot est à la fois dénoncé et ridiculisé. Dans une chambre obscure au sol semé d'ossements et où volent les chauves-souris, quatre aristocrates, un prélat et un magistrat forment, « ourdissent des trames » (livraison des forteresses à l'ennemi ? *cf.* la carte sur la table), qui se révèlent aussi fragiles qu'un château de cartes lorsque les vainqueurs du 10 Août pénètrent dans la pièce avec leurs baïonnettes et leurs piques, écartant le rideau de la fenêtre, par laquelle on voit dans le lointain le peuple en liesse planter un arbre de la Liberté. Au mur une copie du *Cauchemar* de Füssli (cat. 779) fournit la clef du commentaire.

HORREURS ET TÊTES COUPÉES

781
Le Calculateur patriote

attribué à BANCE

Aquatinte. H. 0,27; L. 0,195.
Inscription : sur la tablette : « Qui/de 21/paye 6/ reste 15 » ; sur le livre à terre : « proccription » ; sur l'estampe à droite : « prise la Bastille. »
Exposition : 1988, Los Angeles, n° 24.
Bibliographie : Boyer de Nîmes, t. I, p. 279 ; Champfleury, pp. 79-80 ; Bruel, t. II, n° 1614 ; Blum, p. 185, n° 566.

Paris, Bibliothèque nationale, cabinet des Estampes (inv. Qb[1], 1789, 14 juillet).

Le *Calculateur patriote* est une des estampes à la fois les plus célèbres et les plus énigmatiques de la production de l'époque révolutionnaire. On y reconnaît le plus souvent Marat réfugié dans la cave lui servant de cachette après le décret pris contre lui le 7 octobre 1789 et se livrant à une horrible comptabilité. Mais le personnage coiffé avec soin et vêtu d'une élégante robe de chambre ne présente aucune ressemblance avec le tribun. Le chiffre des têtes à couper est d'ailleurs faible par rapport aux propos de Marat, qui réclamait, dès août 1789, huit cents têtes. S'agit-il d'une estampe révolutionnaire de tendance extrémiste ? ou au contraire d'une estampe stigmatisant les massacres du début de la Révolution (on reconnaît parmi les têtes coupées celle de Foulon, la bouche remplie de foin) ? L'existence de plusieurs versions de cette image avec des additions différentes et un nombre de têtes variant de cinq à huit n'en facilite pas l'interprétation. Cette estampe a été aussi associée à celle intitulée *Sans vous je perissois*, monogrammée A.P. (Johan Anton de Peter) ou accompagnée d'une légende appelant à la modération « Une, deux... ah c'est trop on en doit plus couper/Au mépris désormais il vous faut les livrer. »

782
Le Crible de la Révolution

par un auteur anonyme

Aquatinte. H. 0,200 ; L. 0,157.
Bibliographie : Herding, 1988.

Vienne, Albertina, Historische Blätter (vol. XI, « Louis XVI »).

Cette œuvre fait partie d'une série satirique qui traite des conséquences de la Révolution. Le dieu du Temps, Chronos, agite un tamis fixé entre trois pieux. Les têtes coupées des nobles et des prêtres passent à travers et tombent sur le sol. Les bustes de Louis XVI, de Marie-Antoinette et du dauphin se trouvent, entre autres, encore sur le plateau du tamis. L.Po.

783
Allégorie sur la justice révolutionnaire

par J.-B. LOUVION

Eau-forte. H. 0,16 ; L. 0,10.
Inscription : (manuscrite) « autre monument de la fureur et de la ferocité des factions. »
Historique : collection Soulavie. (L. 1533).
Bibliographie : Vovelle, 1986, t. IV, p. 104.

Paris, musée Carnavalet (inv. Hist. P.C. 22 C).

Du ciel, où brille un soleil rayonnant portant un œil ouvert en son centre (l'Être suprême ou la Vigilance), sort un bras tenant une épée flamboyante et une balance dont le « niveau égalitaire » coiffé du bonnet de la liberté égalise les plateaux. A terre gisent les corps décapités d'un évêque, un prêtre, deux nobles, le roi, la reine (?) et un autre noble. Des paniers remplis de têtes coupées sont posés sur le sol ; au fond le tronc d'un chêne est coupé.

Le Calculateur patriote (cat. 781).

Le Crible de la Révolution (cat. 782).

Les Massacres de Septembre (Abermalige Grausamkeiten in Paris) (cat. 784).

autre monument de la fureur & de la ferocité des factions

Allégorie sur la justice révolutionnaire (cat. 783).

Pillage de la cave de Louis XVI après la prise des Tuileries (cat. 785).

Un petit souper à la parisienne ou *Une famille de sans-culottes se rafraîchissant après les fatigues de la journée (A family of sans-culotte refreshing after the fatigues of the day)* (cat. 786).

Les Horreurs attendues de l'invasion française ou *Les Raisons qui s'imposent de négocier une paix régicide (Promised Horrors of the French Invasion* - Or *Forcible Reasons for negociating a regicide Peace)* (cat. 787).

Bien que le commentaire manuscrit soit plutôt antirévolutionnaire, l'estampe elle-même ne l'est pas. Elle justifie la Terreur au nom de la Liberté et de l'Égalité.

784
Les Massacres de Septembre
(Abermalige Grausamkeiten in Paris)

par un auteur anonyme

Inscription : en français et en allemand : « D'autres cruautés à Paris, le 2 septembre 1792// Paris ! meurtrière qu'es tu devenu ! Ne cesses tu pas de pillés, d'assassines/Coment maltraites tu (1) Afry, le Capitaine des Suisses, ce vieillard vénérable ?/ Avec quels tourmens n'egorgois tu pas (2) Lamballe, l'amie intime de la Reine ?/ Tu lui fendois le corps, la trainois par la ville, montrois sa tête et son cœur/ au Roi et à la Reine, enfermés au Temple. Tu massacrois (4) les Prêtres/Arretés au temple. des Charmes, quoiqu'ils implorent la misericorde/(5) l'Abbesse qui fit du bien longtemps à une pauvre feme qui par ses soins/Fut guérie de sa maladie, en fut égorgée pour récompense de cette diablesse/O France ! Tant de sang innocent répandu crie vengeance ! »

Vienne, Historisches Museum (inv. 62.378).

Comme les autres estampes de la même série, ici exposées (cat. 538 et 539), cette image, qui s'étend, non sans complaisance, sur certains aspects particulièrement hideux des massacres de Septembre, est à la fois totalement irréaliste par sa méconnaissance de la topographie parisienne (*cf.* la figuration du Temple) et si précise qu'elle suppose la connaissance de récits circonstanciés des événements : ainsi les détails de la mort de la princesse de Lamballe et le massacre à l'arme blanche des prêtres et religieux de divers ordres sur le seuil d'une porte (surmontée d'une statue de saint Joseph, titulaire de la chapelle des Carmes). Mais on notera une fois de plus l'importance donnée aux têtes coupées : celle de la princesse de Lamballe au bout d'une pique occupe le centre dans la composition tandis que deux enfants (dont l'un est nu !) jouent au ballon avec une autre tête.

785
Le Pillage de la cave de Louis XVI
après la prise des Tuileries

par Johan ZOFFANY

Huile sur toile. H. 0,99 ; L. 1,27.
Historique : vente Zoffany, Robins 9 mai 1811, n° 94 ; Christie's 30 novembre 1867, n° 88 ; Colnaghi and Co, Londres.
Expositions : 1795, Londres, Royal Academy, n° 18 ; 1952-1953 ; Londres, Royal Academy, n° 63 ; 1977, Londres, n° 108.

Hartford, Wadsworth Atheneum (The Ella Gallup Sumner and Mary Catlin Sumner Collection) (inv. 1984.49).

Malgré l'énorme différence de qualité artistique avec l'estampe précédente, le processus d'élaboration de l'image paraît identique : dans cette peinture nourrie de « citations » savantes, comme dans la gravure populaire, les récits écrits ou oraux ont été la source unique de la composition. Même si le bâtiment figuré à droite rappelle vaguement la silhouette des Tuileries, l'aspect de la cave est totalement imaginaire et l'orgie sanglante qui s'y déroule est un mélange de « kermesse flamande » et de « massacre des Innocents ». Mais le pillage de la cave des Tuileries est un événement rapporté par tous les témoins, de même que le martelage des armoiries royales et surtout les têtes promenées au bout des piques. La présence de la *Statue d'Hercule terrassant l'hydre*, qui fut utilisée par les deux partis durant la Révolution, est d'interprétation ambiguë et le choix de l'épisode ne l'est pas moins : le peuple français est cruel et débauché mais son roi était un ivrogne. Sur les tableaux de Zoffany à sujets révolutionnaires (cat. 607).

786
Un petit souper à la parisienne
ou *Une famille de sans-culottes*
se rafraîchissant après les fatigues
de la journée (A family of sans-culotte refreshing after the fatigues of the day)

par James GILLRAY

Gravure à l'eau-forte. H. 0,242 ; L. 0,348.
Bibliographie : cat. British Museum, n° 8122 ; Paulson, 1988, pp. 60 et 62.

Londres, British Museum (inv. 1851-9-1-620).

C'est une des satires antifrançaises les plus féroces de Gillray. Elle témoigne de la prompte réaction anglaise à l'annonce des massacres de Septembre à Paris et, en outre, d'une première prise en compte de l'existence des sans-culottes, présentés comme une populace dénuée de tout sentiment humain. Pour le public anglais de l'époque, vient s'y ajouter un trait humoristique du fait de l'allusion au personnage de John Bull se nourrissant de rosbif : les Français affamés mangent ce qui leur tombe sous la main ! Cette gravure est publiée le 20 septembre 1792 par H. Humphry peu avant la campagne qui va susciter une production intensive d'images antifrançaises, à la fin de 1792. Elle traduit non seulement une inquiétude croissante devant les progrès de la Révolution française mais également la crainte que les radicaux anglais ne soient tentés d'en suivre l'exemple. C.B.-O.

787
Les Horreurs attendues
de l'invasion française
ou Les Raisons qui s'imposent
de négocier une paix régicide
(Promised Horrors of the French Invasion - Or Forcible Reasons for negociating a regicide Peace)

par James GILLRAY

Eau-forte. H. 0,303 ; L. 0,418.
Bibliographie : cat. British Museum, n° 8826.

Londres, British Museum (inv. 1851-9-1-823).

Cette planche, extrêmement complexe, publiée le 20 octobre 1796 par Humphrey, offre une vision de Londres après une éventuelle invasion française et la scène se situe dans l'un des clubs aristocratiques de Saint James. Un arbre de la Liberté a été planté et la guillotine fonctionne activement. C'est une démonstration de ce que ferait l'opposition whig si elle était au pouvoir avec l'aide des Français, c'est-à-dire assouvissant son désir de vengeance envers le gouvernement et ses partisans, tels des sans-culottes assoiffés de sang. Fox, au centre, s'en prend avec férocité à William Pitt, tandis que le loyaliste Edmund Burke est malmené par un taureau représentant le duc de Bedford, un radical. Le sujet se réfère plus précisément aux négociations de paix prévues entre Pitt et le Directoire, et vigoureusement dénoncées par Burke, dans ses pamphlets comme *Thoughts on regicide Peace* (Pensées sur une paix régicide). C.B.-O.

LE GROS ET LE MAIGRE

788
Dumouriez à un dîner de gala
à Saint James, le 15 mai 1793
(Dumouriez Dining in State at St. Jame's, on the 15th of May, 1793)

par James GILLRAY

Gravure coloriée. H. 0,306 ; L. 0,360.
Bibliographie : cat. British Museum, n° 8318.

Londres, British Museum (inv. 1851-9-1-648).

On parlait beaucoup de Dumouriez au début de 1793 en Angleterre. Ici Gillray l'asseoit à la table royale, sur une chaise évoquant la chaise du Couronnement en Angleterre. Trois cuisiniers s'avancent vers lui. On reconnaît Fox, portant la tête toute chaude de Pitt avec, à sa gauche, Sheridan, présentant sur un plat une couronne royale brisée. A l'extrême gauche, entre Joseph Priestley (1733-1804), le polémique théologien, qui tient un plat conte-

nant une mitre. Dumouriez lui-même est grossièrement caricaturé. Son assiette est ornée des armes royales ; une autre assiette d'or affecte la forme de couronnes renversées et d'un calice avec les lettres « SIH » (inversées). Deux cuillers sont décorées de la main rouge d'un baronnet. Tous ces objets veulent montrer que Dumouriez avait fini par renverser la monarchie, l'Église et le titre héréditaire.
Charles-François Du Périer, dit Dumouriez, fut nommé en 1792 ministre des Affaires étrangères. C'est également lui le général commandant en chef de l'armée française qui remporta les victoires de Valmy et de Jemmapes. Il fut néanmoins battu le 18 mars 1793 à Neerwinden et la France dut évacuer la Hollande. La gravure de Gillray, publiée le 30 mars 1793 par H. Humphrey, a été vraisemblablement exécutée avant que la nouvelle de cette défaite ne parvînt à Londres. C.B.-O.

789
Nous dévorerons le monde et les rois se tairont

par un auteur anonyme

Eau-forte, taille-douce ; H. 0,158 ; L. 0,10.
Bibliographie : Schoch-Joswig, 1988, n° 53.

Nuremberg, Germanisches Nationalmuseum (inv. 21 707).

Au premier plan, on voit un sans-culotte en haillons : les manches sont effrangées, le pantalon est plein de trous et seuls des chiffons enroulés autour des pieds servent de chaussures.
Il ouvre une bouche effarante, prêt à engloutir le globe impérial et foule en même temps au pied les insignes du vieil Empire. A côté de lui, une tête décapitée symbolise la terreur révolutionnaire.
Derrière le sans-culotte, on reconnaît deux bâtiments : à droite, la salle de réunion de la Convention devant laquelle flotte un drapeau déjà déchiré, à gauche un monument de la République coiffé d'une pyramide sommée d'un faisceau de licteur et d'un bonnet phrygien, qui sert en même temps d'ossuaire.
L'inscription nous invite à reconnaître les responsables de cet amoncellement de têtes de mort : ce sont les fondateurs de la République, auxquels le « peuple reconnaissant » a érigé ce monument qui est aussi un mémorial. Une liste présente les membres les plus éminents de la Convention, le régime de Robespierre est évoqué et le 2 Septembre est cité pour marquer le début de la Terreur.
Cette date est un tournant important dans l'histoire de l'accueil qui fut réservé à la Révolution en Allemagne : approbation et sympathie se transformèrent en effroi devant le prix du sang à payer pour cette liberté toute nouvellement acquise.
Le sans-culotte « dévoreur du monde » est un motif récurrent dans la propagande illustrée des contre-révolutionnaires allemands. Avec lui, la prétention de cosmopolitisme dans les idéaux de liberté révolutionnaires se retrouve assimilée à du terrorisme, et est diffamée. Dans cette gravure s'exprime aussi l'étonnement des contemporains qui ne comprennent pas le clivage existant entre l'allure de ce sans-culotte guerrier et les extraordinaires succès des armées françaises de la Révolution. La taille du globe et le drapeau effrangé permettent néanmoins de penser que ces succès ne seront que de courte durée. K.Ku.

790
Ça ira - On verra - Ça ne va pas

par un auteur anonyme

Gravure sur bois coloriée. H. 0,21 ; L. 0,345.
Bibliographie : Schoch-Joswig, 1988, n° 205.

Francfort, Historisches Museum (inv. C 7343).

Cette histoire en images et en trois tableaux décrit avec des éléments simples le combat entre les armées de la coalition et l'armée française des sans-culottes dans son déroulement chronologique.
Le sans-culotte « dévoreur du monde » est à la source des événements, mais il n'aura pas le dernier mot. Un hussard autrichien se prépare au combat en faisant un geste parfaitement obscène pour marquer son mépris ; il prend le monde sous le bras et revêt son uniforme richement décoré. Sa tentative est couronnée de succès : le sans-culotte laisse le monde derrière lui et repart, chargé d'un riche butin de guerre mais la mine plutôt défaite, vers sa patrie. Cela lui suffit d'avoir pillé le monde, il n'a plus besoin de le conquérir.
Cette gravure fait allusion aux victoires de l'archiduc Charles d'Autriche en août-septembre 1796 à Amberg et à Altenkirchen, qui refoulèrent les Français au-delà du Rhin. L'archiduc fut alors considéré comme le libérateur de la rive droite du Rhin, comme le sauveur du monde germanique et fut fêté à ce titre.
Les éléments d'images, qui permettent ici de conter une histoire, furent souvent utilisés séparément dans la propagande illustrée de l'époque et combinés avec des commentaires différents. K.Ku.

791
Sans-culottes nourrissant l'Europe avec le Pain de la Liberté
(Sans-culottes feeding Europe with the Bread of Liberty)

par James GILLRAY

Nous dévorerons le monde et les rois se tairont (cat. 789).

Ça ira - On verra - Ça ne va pas (cat. 790).

Dumouriez à un dîner de gala à Saint-Jame's, le 15 mai 1793 (Dumouriez Dining in State at Saint-Jame's, on the 15th of May, 1793) (cat. 788).

Sans-culottes nourrissant l'Europe avec le Pain de la Liberté (Sans-culottes feeding Europe with the Bread of Liberty) (cat. 791).

Liberté Française, Esclavage Anglais (French Liberty, English Slavery) (cat. 792).

A Nuremberg, les Français contribuent à la liberté de l'Allemagne (cat. 793).

Hollandia Regenerata (cat. 794).

Gravure coloriée. H. 0,313; L. 0,364.
Bibliographie : cat. British Museum, n° 8290.

Londres, British Museum (inv. 1851-9-1-641).

Voici une autre satire mordante de James Gillray, exécutée en 1793, ironisant sur les opinions de l'aile gauche radicale du parti whig. Au centre, John Bull (représentant la Grande-Bretagne) est gavé de miches de pain marquées *Liberté* par deux sans-culottes déguenillés — Sheridan et Fox. Les quatre autres groupes figurent des révolutionnaires français fourrant de force le pain de la Liberté, en plus grandes quantités encore, dans les gorges de la Hollande, la Savoie, l'Allemagne, la Prusse et l'Italie. La gravure de Gillray a été exécutée avant la déclaration de guerre à la Hollande, mais le projet des Français d'étendre la Révolution à l'Angleterre était déjà connu. Le 29 septembre 1793, les armées françaises occupaient sans rencontrer de résistance Nice et la Savoie, tandis que le 27 novembre était décrétée leur annexion à la France. La Convention caressait également l'espoir de provoquer une révolution à Rome, et le 27 novembre 1792 une lettre menaçante était adressée au pape.

Les faits auxquels fait allusion l'estampe s'étaient, pour la plupart, déjà produits à la fin de 1792. En réalité, la grande tragédie ne devait se dérouler que quelques jours plus tard : le 21 janvier 1793 Louis XVI était guillotiné et, le 1er février, la Convention déclarait la guerre à l'Angleterre et à la Hollande. C.B.-O.

792
Liberté Française, Esclavage Anglais
(French Liberty, English Slavery)

par James GILLRAY

Eau-forte. H. 0,350; L. 0,340.
Bibliographie : cat. British Museum, n° 8145.

Londres, British Museum (inv. 1851-9-1-430).

C'est sans doute la caricature antirévolutionnaire la plus célèbre de Gillray. Extrêmement populaire, le motif en a été reproduit sur différents supports, notamment de la vaisselle et des médailles. Elle fut également connue en France et l'on retrouve le personnage de John Bull en tant que symbole de l'Angleterre dans une gravure de 1795 : *Le Neuf Thermidor ou la Surprise angloise*.

Cette gravure, publiée le 21 décembre 1792 par H. Humphrey, fait partie d'un ensemble de caricatures patronné par une société loyaliste, fondée en novembre 1792 sous le nom d'Association pour la défense de la liberté et de la propriété contre les Républicains et les Égalitaires, mais dont Gillray lui-même est probablement l'instigateur. On y perçoit le malaise ressenti en Angleterre par la classe politique lors de la déclaration de la République en France et des massacres de Septembre. Elle est destinée à rappeler au public anglais les avantages d'une prospérité qu'une révolution risquerait d'ébranler. Par ailleurs, le thème de la différence entre la France et l'Angleterre stigmatisée au niveau de l'alimentation est tout à fait traditionnel. C'est un exemple de comique qui date au moins des années 1730. John Bull est totalement ridiculisé parce qu'il se plaint des charges fiscales, alors que contrairement aux Français affamés, il bénéficie de la prospérité. C.B.-O.

793
A Nuremberg, les Français contribuent à la liberté de l'Allemagne

par Joseph KELLNER,
d'après Gustav Philipp Zwinger

Eau-forte et taille-douce. H. 0,455; L. 0,455.
Inscription : en bas à gauche : « G.P. Zwinger delin. » ; en bas à droite : « J. Kellner sc. » ; en bas au milieu : « G.P. Pech exc. Norib. »
Bibliographie : Ernstberger, 1958, pp. 409-471.

Nuremberg, Germanisches Nationalmuseum (inv. HB 1031).

L'armée française du général Jean-Baptiste Jourdan pénétra, le 9 août 1796, à Nuremberg et imposa à la ville des contributions excessives. Tant que ces conditions ne furent pas remplies, dix-huit citoyens éminents de la ville de Nuremberg restèrent incarcérés à Charlemont et à Givet, jusque vers le milieu de l'année 1797. Après la victoire de l'archiduc Charles près d'Amberg, les Français durent quitter la ville le 24 août 1796.

Sur l'image, on voit reproduits, avec une précision maniaque de comptable, les coûts et les dégâts — d'un montant de 1 529 651 florins — occasionnés par quinze jours d'occupation française dans la ville de l'Empire et ses environs. Au centre, le responsable de tous ces troubles, un sans-culotte tel que le représentait habituellement sous forme de caricature la presse contre-révolutionnaire allemande de l'époque, quand elle voulait montrer un soldat français de la Révolution. Les horreurs subies par la population : meurtres, viols et pillages sont représentées très crûment aux angles.

Avant 1796, la sympathie était grande à Nuremberg pour la Révolution française. Des marchands de Nuremberg diffusaient des écrits révolutionnaires et étaient en contacts étroits avec des révolutionnaires qui avaient mis à l'abri les biens de négociants de Nuremberg en France pour éviter qu'ils ne soient confisqués par la Convention. Des artisans et des compagnons rebelles chantaient des chants révolutionnaires et distribuaient des pasquinades pour donner plus de poids à leurs revendications traditionnelles face aux patriciens.

Ce dessin exprime la déception de nombreux Nurembergeois lorsque les Français arrivèrent en 1796, en envahisseurs et non pas, comme de nombreux citoyens l'avaient souhaité, pour les libérer du joug du patriciat. E.Lu.

794
Hollandia Regenerata

par David HESS

Livre contenant des estampes, des gravures imprimées en rouge. H. 0,25; L. 0,20.
Bibliographie : Muller Atlas, 1897, t. III, n° 5431b.

Amsterdam, Bibliotheek Rijksmuseum (inv. sign. 302 - B-16).

***Le Comité des réquisitions françaises* est une des nombreuses caricatures qui se moquent des différents comités officiels qui furent instaurés après la révolution batave. Chaque estampe est accompagnée d'un court texte explicatif et d'une sentence biblique. Ce livre est daté de 1796.**

Le Suisse Hess s'engagea dans l'armée en 1787 et il échoua dans un régiment de gardes hollandais, donc du côté des Orangistes. En 1795, ses caricatures du nouveau pouvoir lui valurent de devoir fuir en Angleterre pour échapper à la prison. B.K. et M.J.

795
Fraternité française, dite Égalité

par un auteur anonyme

Gravure comportant un texte dialogué de quatre lignes. H. 0,230; L. 0,130.
Bibliographie : Muller Atlas, 1879, t. III, n° 5428a.

Amsterdam, Rijksprentenkabinet, Rijksmuseum (inv. FM 5428a).

Cette caricature porte sur l'alliance conclue

Fraternité française, dite Egalité (cat. 795).

entre la France et les Pays-Bas en 1795. Un Français et un Hollandais s'embrassent, mais le Français en profite pour prendre, de la main gauche, la bourse qui se trouvait dans la poche du Hollandais. Ce geste fait allusion au but lucratif visé par la France lorsqu'elle avait apporté son aide aux Néerlandais et aux lourdes réquisitions. B.K. et M.J.

FOUDRE RÉPUBLICAINE, SOLEIL ROYAL

796 A
Congrès des rois coalisés
ou *Les Tyrans (découronnés)*

par Charles-Jacques MAILLY
Eau-forte. H. 0,303; L. 0,458.

Inscription : légende en bas sur deux colonnes : « 1. Le bonnet de la liberté rayonnant de gloire posé sur la Carte géographique de la République française son/éclat éblouit et surprend tous les tyrans rassemblés./ 2. Le Coq emblême de la Vigilance et de la République française pénètre dans l'enceinte avec le signe de l'éga-/lité d'où part une foudre qui le décoiffe./ 3. Le tyran autrichien (dit Empereur) coeffé à la coblentz soulève la carte pour déranger le bonnet de la/liberté mais son aigle superbe frappé de la foudre entraîne dans sa chutte sous laqu'elle sont/ les serpents de l'envie appanage de la maison d'Autriche./ 4. Le tyran Prussien dit à la Cateau du nord qu'il soutiendra le tyran d'Autriche quoi qu'il ne l'aime pas./ 5. La grosse et vieille Cateau (ditte madame l'enjambée) voulant tenter de faire encore une sotise, mais la foudre/de l'égalité attaque la pompe ridicule qui fait tout son bonheur... Ses beaux projets sont au pied de son trône/désignés par un feu de paille et un vaisseau dématé./. Le buttor ou tyran de la Pologne relégué derrière le rideau de la vieille Cateau, montrant du doigt sa couronne/déjà déchirée par elle./7. Le tyran Amendé ou roi des marmottes, ayant un pied de nez de voir les espérances de ses deux gendres au néant./8. Sire d'espagne, tyran des deux mondes voulant se garantir avec sa main du bonnet glorieux./9. Georges Dandin tyran d'Angleterre dans les bras de l'infernal Pitt qui lui fait verser de l'argent pour corrompre./10. Pitt agissant pour le benêt George veut accrocher Toulon, ses pieds et ses mains ergotées désignent son carac-/tère diabolique/11. le singe napolitain après être resté longtemps sous le tapis déclare sa coalition pour imiter ses confrères, le double or-/nement de sa tête est auprès de lui ainsi que son joujou, la haquenée qu'il a l'honneur de présenter au pape./ 12. Le tyran de la chrétienté connu sous le nom de St Père, tenant dans sa main une bulle qui termine par le mot nulle/l'esprit qui lui dictait étant à plat sur le dos à ses pieds, un nuage efface l'éclat de sa tiare » (dans le champ de l'estampe, sur la carte) « République française une et indivisible -Toulon. »
Historique : commande du Comité du Salut public, payée 1 000 livres pour 900 exemplaires dont 300 coloriés, le 15 octobre 1792.
Exposition : 1988, Los Angeles, nº 112.
Bibliographie : Blum, 1917, p. 25; Aubert et Roux, 1921, t. III, nº 4358; Hould, 1988, p. 30.

Paris, bibliothèque de l'Arsenal.
(inv. Est. 221, pièce 16).

Première caricature à avoir été livrée au

Les caricatures commandées par le Comité de Salut public

Le 12 septembre 1793, le Comité de Salut public, présidé par Carnot et qui comprenait alors Barère, Billaud-Varenne, Hérault de Séchelles et Prieur de la Côte-d'Or, mais aussi Prieur de la Marne, Jean-Bon Saint-André, Lindet, Collot d'Herbois, Couthon, Saint-Just et Robespierre, arrêta « que le député David serait invité d'employer les talents et les moyens qui sont en son pouvoir, à multiplier les gravures et les caricatures qui peuvent réveiller l'esprit public et faire sentir combien sont atroces et ridicules les ennemis de la liberté et de la République ».

Cet arrêté, contemporain des débuts de la Terreur, s'inscrit incontestablement dans une entreprise plus vaste de propagande que le Comité entendait financer grâce au crédit de cinquante millions de livres qui lui avait été accordé au début du mois d'août 1793. L'essentiel de cette somme fut employé à subventionner des journaux, à créer un réseau d'agents de renseignement sur l'esprit public en France et probablement aussi à soutenir l'agitation révolutionnaire dans certains pays étrangers (même si le discours, qui aurait été prononcé à ce sujet par Saint-Just le 11 mars 1794, et qui fait état des sommes considérables dépensées à cette fin, est probablement un faux fabriqué par une officine contre-révolutionnaire). Les crédits affectés à la propagande par l'image n'exédèrent pas 40 000 livres et furent partagés entre un certain nombre d'estampes d'un caractère « sérieux » (derniers moments de Chalier, mort de Barra, actions héroïques de Fabre, portrait de Lucius Junius Brutus), des gravures que l'on pourrait qualifier d'utilitaires (modèles de costumes, dessinés par David, gravés par Denon) et des caricatures dans l'esprit de celles demandées à David.

Malgré les recherches d'André Blum (1917) et celles de Claudette Hould (1988), qui semble avoir ignoré la publication de son prédécesseur, le processus suivi par la commande et l'exécution de ces caricatures demeure mal connu, ce qui est peut-être inévitable pour toute opération financée sur des « fonds secrets ». Les estampes elles-mêmes demeurèrent longtemps non identifiées alors même que les épreuves de certaines d'entre elles étaient conservées dans les archives du Comité du Salut public. Seules les gravures exécutées d'après les dessins de David ont retenu l'attention de certains spécialistes de cet artiste (Lortel, 1914 ; Dowd, 1951 ; Wildenstein, 1961 ; Boime, 1988), un peu surpris d'ailleurs de voir ce peintre sévère s'abandonner à la scatologie.

Il semble que quinze estampes furent effectivement livrées entre octobre 1793 et octobre 1794. Onze étaient dues à Mailly (*Le Congrès des rois coalisés*), Chaudet (*Le Léopard apprivoisé*), David (*L'Armée des Cruches* et *Le Gouvernement anglais*), Dubois (*La Grande Aiguiserie royale des poignards anglais* et *La Correction républicaine*), Godefroy, (*Le Jongleur Pitt*), Dupuis (*La Lanterne magique* et *La Chute en masse*), de Roo (*La Coalition des rois*), et Naigeon (*La Fuite du roi des Marmottes*). Par ailleurs, quatre gravures, qui furent certainement livrées, puisque payées, ne se retrouvent pas : l'une (*La Vénalité des orateurs anglais*) due à Massard, les trois autres (dont le titre est inconnu mais dont on sait qu'elles étaient anti-anglaises) à Courcelle.

Aucune inscription ne permet, il est vrai, de reconnaître ces estampes comme des productions ordonnées par le Comité de Salut public. Les auteurs du catalogue de la collection de Vinck (Aubert et Roux, 1921), qui ont décrit neuf de ces pièces, n'ont indiqué cette origine que pour les seules estampes exécutées d'après les dessins de David. Cet anonymat pouvait faciliter la diffusion qu'il est malheureusement très difficile d'évaluer. Claudette Hould a fait très justement remarquer que le nombre des épreuves acquises par le Comité (en général un millier) était tout juste suffisant pour en faire le service aux députés et aux organismes officiels sans même atteindre le niveau des clubs. Leur relative rareté peut s'expliquer autant par le manque de succès que par le désir de certains artistes (comme Denon) de faire oublier leur participation à l'œuvre du Comité de Salut public.

Il est évident que ces caricatures avaient l'ambition de rivaliser avec les estampes anglaises et de contrebalancer leur influence. Comparées à l'œuvre de Gillray, les créations suscitées par le Comité paraissent un peu froides et laborieuses. Mais elles sont sensiblement plus inventives que la plupart des caricatures contre-révolutionnaires qui circulaient alors en Europe.

Par un hasard significatif, l'initiative de cette propagande par la caricature est contemporaine de l'arrestation et de l'exécution du Girondin Gorsas (7 octobre 1793), qui semble avoir joué un rôle dans le développement des caricatures anti-royalistes pendant la période 1791-1792.

Comité de Salut public, le *Congrès des rois coalisés* de Mailly est de facture soignée mais assez froide. On y reconnaît, de gauche à droite, Stanislas Poniatowski, Catherine II, Frédéric Guillaume II, Victor Amédée III (avec une allusion à ses gendres le comte de Provence et le comte d'Artois), François II, Charles IV, George III, Pitt et Pie VI. La composition n'est pas sans évoquer celle d'un *Repas à Emmaüs* ou d'une *Cène* (où Ferdinand IV de Naples occuperait, en singe, la place traditionnellement dévolue à Judas).

796 B
Le Charlatan politique ou *Le Léopard apprivoisé*

par Antoine-Denis CHAUDET

Eau-forte. H. 0,461; L. 0,603.
Inscription : dans le champ de l'estampe : « George, Charlotte femme de George, Yorck, femme d'Yorck de Galle, les Enfants de George (bis) -sans culotte français - Pitt - Vaisseau de la République française. »
Historique : commande du Comité de Salut public, payée 1440 livres pour 1200 exemplaires le 27 mars 1794.
Bibliographie : Blum, 1917, p. 25; Aubert et Roux, 1921, t. III, n° 4388; Hould, 1988, p. 31.

Commandée sous le titre *L'Échafaudage ridicule et prêt à crouler de la puissance britannique*, l'estampe de Chaudet n'atteint que partiellement le but recherché, peut-être parce qu'elle associe deux idées différentes : d'une part ridiculiser la famille royale britannique, montée sur son léopard héraldique que Pitt mène à sa guise, d'autre part évoquer la prochaine ruine du commerce anglais (qui en fait était plus prospère que jamais). La rupture du traité de commerce de 1786, mesure très bien accueillie dans les milieux d'affaires français traditionnellement protectionnistes, est donc intégrée ici à la lutte globale de la France contre l'Angleterre de Pitt.

796 C
L'Armée des Cruches

d'après Jacques-Louis DAVID

Eau-forte coloriée. H. 0,300; L. 0,500.
Inscription : « EXPLICATION/N°1 George Roi d'Angleterre commande en personne l'élite de son armée Royal-Cruche. N°2 Il est conduit par son Ministre Pitt ou Milor Dindon. N° 3 qui le tient par le Nez pour mieux lui/prouver son attachement. L'avant-Garde de la Royal Armée n°4 reçoit un échec à la porte de la Ville. N°5 qui est occasionné par la colique de quelques Sans-Culottes placés au haut de/la Porte. N°6. L'avant Garde dans sa défaite brise les cruches dont il ne sort que toutes sortes de Bêtes venimeuses N°7 qui est l'esprit qui les anime. Fox ou milord Oie n°8 ferme/la marche montée sur sa Trompette Anglaise et qui, témoin de l'échec sonne un rappel en arrière par prudence. Artillerie Angloise nouvelle n°9 qui a la vertu d'éteindre les incendies et de/délaier les fortifications. »
Historique : commande du Comité de Salut public, payée 3 000 livres pour 1 000 exemplaires (dont 500 coloriés) le 18 mai 1794.
Exposition : 1988, Los Angeles, n° 114.
Bibliographie : Lortel, 1914, pp. 273-275; Blum, 1917, pp. 195-196; Wildenstein, 1961, pp. 595-597, Vovelle, 1986, t. II, pp. 336-337; Hould, 1988, p. 31; Boime, 1988, pp. 68-71.

Dans une étude très minutieuse des deux caricatures dont David a donné les dessins à la demande du Comité du Salut public (*L'Armée des Cruches* et le *Gouvernement anglais*, non exposé), Albert Boime a longuement analysé l'aspect scatologique de ces œuvres. Comparé aux auteurs d'autres œuvres contemporaines, tant en France qu'en Angleterre, David apparaît cependant comme singulièrement discret, malgré l'équivoque sur le terme de « sans-culotte » et les canons-clystères. Il semble vouloir encanailler sa composition comme Hébert émaillait de jurons et d'obscénités les articles, par ailleurs grammaticalement corrects, du *Père Duchesne*. L'alignement, poussé à l'absurde, des jambes du « Royal Cruche » est-il une allusion de David à celui qui lui fut reproché dans le *Serment des Horaces* ? et pourquoi la porte de ville est-elle manifestement reprise d'une vue de l'arc de Titus tel qu'il apparaissait avant sa restauration ?

796 D
La Grande Aiguiserie royale de Poignards anglais

par DUBOIS

Eau-forte coloriée. H. 0,321; L. 0,510.
Inscription : « Le fameux Ministre Pitt aiguisant les Poignards avec lesquels il veut faire assassiner les défenseurs/de la liberté des Peuples, le gros Georges Dandin tournant la roue et haletant de fatigue » ; dans le champ de la gravure : « Georges Dandin -Cordai Assassin Paris - Admiral - Armée Cecile Regnault - Pitt. »
Historique : commande du Comité de Salut public, payée 1 500 livres pour 1 000 épreuves le 30 mai 1794.
Exposition : 1988, Los Angeles, n° 113.
Bibliographie : Blum, 1917, p. 25; Aubert et Roux, 1921, n° 4386; Hould, 1988, p. 33; Boime, 1988, pp. 76-77.

Paris, Archives nationales (inv. AF II, 66-489).

De la « journée des chevaliers du poignard » (28 février 1791) jusqu'au 18 Brumaire, le thème du poignard comme instrument privilégié de crime contre la Nation, la République, ou la Constitution est un thème rémanent du discours révolutionnaire. Les noms inscrits dans le champ de la gravure, et qui évoquent les assassinats de Le Peletier (Pâris) et de Marat et les tentatives faites sur Collot d'Herbois (l'Admiral) et Robespierre (Armée Cécile Regnault), prouvent que ce n'était pas un pur fantasme. Ces actes sont ici explicitement attribués aux agents chargés par le gouvernement anglais de répandre l'or pour susciter des vocations d'assassins. Par la simplicité de sa composition, la concision de sa légende, le caractère comique de la métamorphose du corpulent George III en écureuil, cette estampe est sans doute la meilleure de celles commandées par le Comité de Salut public.

796 E
La Correction républicaine

par DUBOIS

Eau-forte. H. 0,379; L. 0,478.
Inscription : « Jourdan-Cobourg - Pichegru - Duc d'Yorck Manifeste/de Cobourg. Ostende-Ypres-Henin-Courtray-Mons-Fleurus-Charleroi. »
Historique : commande du Comité de Salut public, payée 1 250 livres pour 1 000 exemplaires le 1er août 1794.
Exposition : 1988, Los Angeles, n° 158.
Bibliographie : Blum, 1917, p. 125; Aubert et Roux, t. III, n° 4697; Hould, 1988, p. 34.

Très simple dans sa composition la *Correction républicaine* mérite de retenir l'attention par plusieurs détails : le punch interrompu sur la table, les armoiries imprimées sur la fesse des deux victimes, la présence d'un ballon d'observation et la schématisation des victoires françaises, empruntée au vocabulaire des cartes de campagne. Cette estampe confirme les qualités de caricaturiste de Dubois (cat. 796 D).

796 F
Le jongleur Pitt, soutenant avec une loterie l'équilibre de l'Angleterre et les subsides de la coalition

par GODEFROY

Eau-forte. H. 0,365; L. 0,455.
Inscription : dans le champ de l'estampe « Angleterre - Georges Dandin - Pitt ».
Historique : commande du Comité de Salut public, payée 1 500 livres pour 1 000 exemplaires le 18 juin 1794 (somme finalement réduite à 1 250 livres le 1er août).
Bibliographie : Blum, 1917, p. 25; Aubert et Roux, 1921, n° 4387; Hould. 1988, p. 33; Boime, 1988, p. 70.

Paris, bibliothèque de l'Arsenal.
(inv. Est. 221, pièce 21).

Il est assez piquant, mais très explicable, que le Comité de Salut public, parfaitement au fait de l'état déplorable des finances de la France, ait voulu ridiculiser le déséquilibre du budget anglais. Le gouvernement britannique, à partir de la rupture avec la France (1er février 1793), avait été amené à verser d'abondants subsides aux membres de la coalition : 200 000 livres au roi de Sardaigne, des sommes équivalentes au roi de Naples, au Portugal, à divers princes allemands, une aide à l'Autriche et à la Hollande, puis par le traité du 19 avril 1794, 50 000

Congrès des rois coalisés ou *Les Tyrans (découronnés)* (cat. 796 A).

Le Charlatan politique ou *Le Léopard apprivoisé* (cat. 796 B).

L'Armée des Cruches (cat. 796 C).

La Grande Aiguiserie royale de Poignards anglais (cat. 796 D).

La Correction républicaine (cat. 796 E).

Le jongleur Pitt, soutenant avec une loterie l'équilibre de l'Angleterre' et les subsides de la coalition (cat. 796 F).

La Coalition des rois (cat. 796 H).

Chute en masse (cat. 796 G).

La Grande Emigration du roi des Marmottes (cat. 796 I).

livres par mois au roi de Prusse, sans compter son propre effort de guerre (effectifs de l'armée de terre portés à 10 000 hommes, ceux de la marine à 45 000). Alors que le fonds d'amortissement, créé par Pitt en mars 1786, n'avait que très partiellement épongé les dettes contractées lors de la guerre d'Indépendance américaine, de nouveaux emprunts furent émis (4 500 000 livres en 1793, 11 000 000 en 1794) et couverts avec une certaine difficulté. La banqueroute anglaise était un des espoirs du gouvernement révolutionnaire. On notera la transformation du trône royal en une chaise percée et la présence à droite d'un navire qui pourrait être une allusion aux projets, souvent évoqués, de débarquement français en Angleterre.

796 G
La Chute en masse

par DUPUIS

Eau-forte coloriée. H. 0,214; L. 0,370.
Inscription : « Electricité Républicaine donnant aux despotes/une Commotion qui renverse leurs trônes - L'espiègle Joseph-le Petit Papa - le Despote/Espagnol - Le Couronné de Sardaigne - La grosse Cateau - Le Stathouder - Gros George - le tyran de Prusse »; sur l'appareil électrique : « Déclaration des droits de l'homme »; sur le fil conducteur : « Liberté-Egalité-Fraternité-Unité- Indivisibilité - de la République. »
Historique : commande du Comité de Salut public, payée 1 250 livres pour 1 000 exemplaires le 20 septembre 1794.
Bibliographie : Blum, 1917, p. 25; Bruel, 1914, t. II, nº 4209; Vovelle, 1986, t.II, p. 242, Hould, 1988, p. 34.

Dupuis, pour évoquer le choc éprouvé par les souverains européens au contact de la Révolution, a détourné une expérience de physique largement vulgarisée à la fin du XVIIIᵉ siècle : à partir d'une machine à friction (ou d'une bouteille de Leyde), on faisait passer un flux électrique à l'aide d'un conducteur, généralement fait de baguettes de fer, à travers un groupe de personnes, plus ou moins nombreuses, qui sursautaient et perdaient l'équilibre sous l'effet de la décharge. L'abbé Nollet (1700-1770) avait tenté l'expérience avec cent quatre-vingts gardes-françaises. Ici le générateur est un disque de verre tourné à la manivelle portant l'inscription « Déclaration des droits de l'homme ». Les coussinets de friction (en cuir recouvert d'amalgame d'étain) sont coiffés d'un bonnet phrygien et la devise républicaine sert de fil conducteur.
La présence de Joseph II (le 20 février 1790) peut étonner sur une caricature qui ne fut livrée qu'à la fin de 1794. Peut-être Dupuis a-t-il repris une idée antérieure. Ou bien a-t-il voulu signifier que Joseph II était mort victime de cette « commotion » ?
Le même Dupuis avait reçu commande du Comité de Salut public d'une estampe intitulée *La Lanterne magique* (payée le 24 juin 1794), qui témoigne du même goût pour les emprunts au répertoire de la gravure de mœurs de la fin de l'Ancien Régime.

796 H
La Coalition des rois

par de ROO

Eau-forte. H. 0,330; L. 0,498.
Inscription : « La Coalition des rois/ou des brigands couronnés/contre la République française/Pot pourri dramatique... (Pitt-Renard, Georges-Dindon, François-Autruche, Catherine-loye, allaitant les deux frères du tyran Capet, Orange-Crapaud Stathouder, Guillaume-Hibou, la Stathouderienne-chouette, Brunswick-cochon, Charles-Bélier roi d'Espagne, Ferdinant-chien roi de Naples, Marie-Guenon reine de Portugal, Victor-marmotte-suaire roi de Sardaigne, Pie-âne le pape »; en bas couplets, chantés par les divers personnages.
Historique : commande du Comité de Salut public, payée 1 250 livres pour 1 000 exemplaires le 5 octobre 1794.
Bibliographie : Blum, 1917, p. 25; Aubert et Roux, 1921, t. III, nº 4359; Hould, 1988, p. 34.

Paris, Archives nationales (inv. AF, II 66.489).

L'un des exemples les plus complets, sinon les plus originaux, de caricature par « bestialisation ». Les sans-culottes sont encore placés en haut d'une montagne, symbolisme transparent qui va bientôt tomber en désuétude puisque l'estampe appartient déjà à la période thermidorienne. La représentation de Catherine II fait sans doute allusion au fait que, seule parmi les souverains d'Europe, elle avait reconnu au comte de Provence le titre de « régent de France » et qu'elle avait, en février 1793, accueilli le comte d'Artois à sa cour.

796 I
La Grande Émigration du roi des Marmottes

par Jean-Claude NAIGEON

Eau-forte coloriée. H. 0,345; L. 0,473.
Historique : commande du Comité de Salut public, payée 1 250 livres pour 1 000 exemplaires, le 5 octobre 1794.
Bibliographie : Blum, 1917, p. 25; Aubert et Roux, 1921, t. III, nº 4513; Hould, 1988, p. 34.

Paris, Archives nationales (inv. AF.II 66-489).

La Savoie, qui faisait partie du royaume de Sardaigne, fut envahie par les troupes françaises dès le 22 septembre 1792 et annexée, comme département du Mont-Blanc dès le 27 novembre. Mais, durant l'été 1793, les troupes sardes reprirent l'offensive dans le comté de Nice et surtout en Savoie, occupant la Tarentaise, la Maurienne et le Faucigny au moment même où l'armée républicaine mettait le siège devant Lyon révolté. Faute du soutien autrichien attendu, et n'ayant pu secourir Lyon, malgré les appels du chef royaliste Précy, elles refluèrent au cours des premiers mois de 1794 et Robespierre, avant sa chute, paraissait favorable au plan de Bonaparte, général de brigade qui proposait une invasion du Piémont. C'est à cette seconde conquête de la Savoie que paraît faire allusion l'estampe de Naigeon où Victor-Amédée III de Savoie fuit au-delà des montagnes.

797
Les Intrigants foudroyés

par un auteur anonyme
Aquatinte.
Inscription : « Les Intrigants Foudroyés. Dédiés aux Jacobins »; dans le champ de la gravure, sur le feuillet tenu par la main : « affiliation suprem. »

Paris, musée Carnavalet.

D'inspiration thermidorienne cette estampe semble faire directement allusion à la fermeture du club des Jacobins, le 12 novembre 1794. Une main, non pas issue du ciel mais sortie du mur (cat. 545) tient un feuillet d'où sortent les éclairs qui foudroient le président et la table de la tribune. L'inscription « affiliation suprême » est sans doute à rapprocher de l'interdiction faite au club, dès octobre 1794, de poursuivre le système d'affiliation et de correspondance qui avait fait sa force. Elle peut contenir aussi une référence ironique au culte de l'Être suprême, blâmé par de nombreux Thermidoriens, soit comme athées convaincus, soit en raison de leur volonté d'apaisement et d'une politique de tolérance à l'égard du catholicisme tant constitutionnel que réfractaire.
Sous son apparente simplicité la composition de cette aquatinte est assez savante et renvoie à certaines compositions « nocturnes » de la peinture néo-classique.

798
La Liberté triomphante ou *Les Sans-Cœur terrassés*

par un auteur anonyme
Aquatinte. H. 0,177; L. 0,268.
Inscription : « Le 5 avril l'an 4 de la liberté/1) Léopold mort le 2 mars/le grand Despote dis/sout tous les projets - 2) le grand Condé ne/sachant où donner/de la tête - 3) Monsieur fait comme/Monsieur Veto, il/examine. - 4) le comte d'Artois/est confondu dans/la mêlée - 5) Mirabeau-Tonneau/perd ses forces/il débonde - 6) le Cardinal cri au secours/les siens sont empêches/par leur pied de Nez - 7) Toute l'Armée est dans un trouble/affreux appercevant les Volontaires/patriotes. » (Ces inscriptions sont reprises dans le champ de la gravure.)
Bibliographie : Aubert et Roux, 1921, t. III, nº 4460.

Paris, Bibliothèque nationale, cabinet des Estampes (inv. Qb1, 1792, 5 avril).

Bien que la date du 5 avril 1792 ne corresponde pas à un événement précis (le vote de la déclaration de guerre « au roi de Bohême et de Hongrie » ne date que du 20 avril), cette estampe s'inscrit dans la campagne d'opinion menée par les Girondins en faveur d'un affrontement avec l'armée des émigrés et les puissances européennes qui la soutenaient. Les « volontaires

Les Intrigants foudroyés (cat. 797).

a Liberté triomphante ou *Les Sans-Cœur terrassés* (cat. 798).

patriotes» représentés à droite sont ceux de la première levée, décrétée par l'Assemblée nationale, le 11 juin 1791, après Varennes, sous la forme d'une «conscription libre de gardes nationales de bonne volonté dans une proportion d'un sur vingt».
La figure allégorique de la Liberté plus encore menaçante que triomphante, tenant la pique dominée d'un bonnet phrygien et brandissant la foudre, inaugure une longue suite de représentations où la Nation-Liberté pacifique des débuts de la Révolution se transforme en une figure combattante et dynamique dont la *Marseillaise* de Rude sera la plus parfaite incarnation plastique. Il en résulte un certain déséquilibre dans l'ensemble de l'image car cette image héroïque s'insère dans un contexte caricatural dans la ligne des estampes ridiculisant «l'armée de Condé» et «les émigrés de Coblentz», qui, ici de terreur, abandonnent leurs émigrettes (cat. 620).

799
Le Dégel de la Nation

par un auteur anonyme

Aquatinte. H. 0,214; L. 0,299.
Inscription: «Le milieu du Tableau est occupé par un monceau d'immondices pétrifiés par l'air, sur lequel les sans-culotte ont élevé la Statue de la Nation et de la Liberté. L'instant que/nous avons saisi est celui ou l'air se radoucissant, on voit la Statue fondre insensiblement. Déjà le Bonnet dit de la liberté s'enfonce dans le crane amolli de la Statue... ses bras sont/tombés, elle n'est même plus d'aplomb. Envain les sans-culotte souffrent-tils pour maintenir leur ridicule ouvrage. Le Soleil Royal, par son influence rend leurs efforts inuti/les: ils sont dans l'eau et dans la fange jusqu'à mi-jambe. Déjà aussi les tombereaux font leurs offices, les conducteurs y jettent indistinctement avec leurs Pelles et les bras/de la Nation qui sont à terre, Feuillans, Jacobins et autres Clubistes pour aller attendre avec le reste des ordures, attendre leurs Confrères où... à la V.../Sur un terrain élevé, nombre d'honnêtes Gens réunis applaudissent à la justice Céleste qui en fait une si éclatante de toute la turpitude populaire»; dans le champ de l'image: «Carra, Audoin, Brissot, Fauchet, Mannel, Gorsas, Barnave, Prudhomme»; au fond près du cavalier: «Je vais rendre mes comptes à Metz-Mon maître n'était pas assez grave»; sur le tas d'ordures: «Sire/Je n'aime pas/les Rois.»
Bibliographie: Challamel, 1859, t. I, p. 306; Blum, 1917, p. 189, n° 582; Aubert et Roux, t. III, 1921, n° 4364.

Paris, musée Carnavalet (inv. Hist Pc 22 D).

Grâce au cavalier qui fuit à l'horizon et surtout à la phrase mise dans la bouche de sa monture («Mon maître n'était pas assez grave») on peut dater cette estampe de la période qui suivit le renvoi du comte de Narbonne, ministre de la Guerre (9 mars 1792), et son remplacement par le comte de Graves.
Bien que la légende ne le précise pas, les «honnêtes gens» qui applaudissent à l'écroulement de la statue de la Nation et de la Liberté (réunies dans une même ignominie) sont le roi, la reine, avec le dauphin et leurs courtisans. De telles estampes (*cf.* aussi *La Cause des rois*), quoique destinées à soutenir le pouvoir monarchique, contribuaient à accroître le doute, d'ailleurs légitime, sur les sentiments du roi et ont pu, autant que la propagande révolutionnaire elle-même, contribuer au mouvement qui aboutit à la journée du 20 juin 1792.

800
La Statua della Democrazia...

pas un auteur anonyme

Aquatinte coloriée. H. 0,305; L. 0,386.
Inscription: «Statua della Democrazia composta di immondezze congelate...»; traduction en italien de la légende du n° précédent...; «in Milano 1799.»
Bibliographie: Arrigoni-Bertarelli, 1932, n° 1942.

Milan, Castello Sforzesco, collection Achille Bertarelli (cart.m. 2.64.A.S.).

Il s'agit d'une copie de l'œuvre précédente, exécutée sept ans plus tard, au plus fort moment de la production d'estampes contre-révolutionnaires italiennes (*cf.* Doyen, 1988, pp. 194-195). Des variantes ont été introduites afin d'adapter l'image aux nouvelles circonstances politiques. La modification la plus importante concerne les spectateurs placés sur le balcon: ce n'est plus la famille royale française, alors fort amoindrie, mais les souverains de l'Europe qui contemplent l'anéantissement de la démocratie, et parmi eux le sultan auquel l'estampe politique italienne accorde volontiers une place de choix. La lanterne a disparu, remplacée par un mortier et un pilon de pharmacien. Les noms des personnages ont naturellement eux aussi été modifiés et on relève «Colalto ex Giudeo e la destruzion dei Monasteri... Dandolo ex Giudeo...», témoignage d'un antisémitisme largement répandu dans les milieux contre-révolutionnaires italiens et qui eut pour conséquence un certain nombre de progroms (pillage du ghetto de Rome en janvier et février 1793, massacre de Sienne par les «Viva Maria» en juin 1799...).

«LA LIBERTÉ, JE NE SAIS PAS CE QUE C'EST»
(Burke)

801
La Philosophie devenue folle
ou *Un prodigieux monument de la Sagesse humaine (Philosophy Run Mad* or *a Stupendous Monument of Human Wisdow)*

par T. ROWLANDSON, d'après G.L.S.

Eau-forte. H. 0,237; L. 0,353.
Historique: vente de Mr. Hawkins.
Bibliographie: cat. British Museum, n° 8150.

Londres, British Museum (inv. 1868-8-8-6259).

Cette eau-forte, gravée par Rowlandson d'après le dessin d'un amateur, date probablement de la fin de l'année 1792. Elle serait contemporaine des différentes campagnes de sensibilisation lancées dans le pays, afin de neutraliser l'impact de la Révolution française, à la suite de la proclamation de la République en septembre 1792 et de la politique belliciste des Girondins. C'est une image plus complexe que la plupart de celles produites à la même période et qui s'adresse sans doute plus directement aux intellectuels radicaux. En effet, la Révolution n'y est pas présentée comme le déchaînement des instincts sauvages du bas peuple, mais comme un défaut de logique philosophique. C'est l'incompréhension quant à la véritable nature de la Liberté et de l'Égalité qui conduit inexorablement à leurs contraires. Les personnages principaux représentant la Liberté et l'Égalité française sont des stéréotypes traditionnels de l'aristocrate déchu et du roturier abêti. D.Bi.

802
Liberté, Fraternité, Égalité
(Frihed, Lighed og Broderskab)

par Johan Frederik CLEMENS

Gravure. H. 0,228; L. 0,340.
Inscription: au bas: «Frihed, Lighed og Broderskab.»
Historique: la gravure a été mise en vente le 14 février 1798.
Bibliographie: Swane, 1929, p. 230, n° 284; Kai Sass, 1986, pp. 138-139, ill.

Copenhague, den Kongelige Kobberstiksameing, Statens Museums for Kunst (inv. 719.11).

Dans l'ensemble, les premiers messages de la Révolution française furent accueillis avec sympathie au Danemark, notamment par le peuple de Copenhague, mais aussi par une partie de la noblesse «éclairée». Néanmoins,

Le Dégel de la Nation (cat. 799).

La Statua della Democrazia (cat. 800).

La Philosophie devenue folle ou *Un prodigieux monument de la Sagesse humaine (Philosophy Run Mad* or *a Stupendous Monument of Human Wisdow)* (cat. 801).

La Filosofante liberta (cat. 803).

comme il était naturel, la classe supérieure dans sa majorité manifesta crainte et scepticisme à l'égard de l'événement. Même l'exécution de Louis XVI n'allait pas ébranler les dispositions favorables de larges couches de la population. Toutefois, des critiques de plus en plus directes ne tardèrent pas à être formulées au sein de l'avant-garde bourgeoise, tandis que se multipliaient les manifestations d'un profond désenchantement inspiré par les événements de France.
Peut-être est-ce cette désillusion qu'exprime J.F. Clemens dans sa gravure datée de 1798. Mais il est possible aussi que la satire se réfère à un fait survenu à Copenhague et aujourd'hui tombé dans l'oubli, dont Clemens se serait inspiré pour établir une comparaison entre cet événement et la Révolution française.
La Liberté est représentée sous l'aspect d'un vieillard en haillons, enchaîné ; l'Égalité par deux ânes se léchant, et la Fraternité sous les traits de Caïn et d'Abel. La représentation n'est en rien traditionnelle. Ici Caïn ne tue pas Abel avec un os, mais avec un fusil. La fumée qui monte de l'autel de gauche ne provient pas de l'agneau d'Abel, mais d'une pipe ; tandis que, sur l'autel de droite, la gerbe de blé de Caïn est remplacée par une bouteille et un verre, d'où ne s'élève aucune fumée, puisque l'offrande n'a pas été agréée. Près d'Abel, on aperçoit, sur le sol, des cartes à jouer.
On connaît une autre version de la gravure, qui présente quelques variantes. Elle représente les personnages traditionnels de Caïn et d'Abel, et des autels s'élèvent des feux sacrificatoires. Caïn tient un os, comme le veut la tradition ; les cartes à jouer sont absentes.
Les deux versions de la gravure montrent la méfiance des gens quand il s'agit de remplir les grands idéaux politiques et moraux, et il importe peu que la scène se passe en France ou au Danemark. K.Kr.

803
La Filosofante liberta

par un auteur anonyme

Bibliographie : Arrigoni-Bertarelli, 1932, n° 1478.

Milan, Castello Sforzesco, collection Achille Bertarelli, (cart. m. 9-42).

La production italienne de caricatures contre-révolutionnaires, relativement méconnue, semble atteindre son plus haut niveau de production en 1799 ; mais elle avait connu déjà une période très active en 1797 (Dhoyen, 1988). C'est peut-être de cette première phase que date cette image, manifestement dérivée des prototypes anglais, en particulier par les procédés d'insertion du texte dans l'image.
Le personnage principal est un jacobin moustachu chargé du produit de ses rapines ; il est juché sur un âne qui porte au cou « la dernière de nos cloches ». La furie (dont la présence est fréquente dans la caricature italienne qui fait souvent appel aux créatures infernales) fouette la bête en criant « Allons enfants de la Patrie ». A droite, l'officier municipal, ventripotent et emplumé, déclare « voler allègrement ». Mais une voix venue du ciel proclame que « la fête des voleurs ne dure pas longtemps » et près de la corde est inscrit « prix dû aux modernes philosophes ». Il est certain que les exactions (légalisées par des traités ou sous forme de pillages) dues à l'armée révolutionnaire ont été importantes. Le Directoire attendait de la poursuite victorieuse des guerres extérieures un soulagement financier immédiat. Bonaparte n'avait-il pas lui-même, dans un discours à ses troupes avant la campagne d'Italie, décrit ce pays comme une terre d'opulence propre à offrir des compensations ? L'amalgame philosophe-jacobin-voleur, s'il manquait de subtilité, n'en était donc que plus efficace pour discréditer la notion même de liberté.

Liberté, Fraternité, Egalité (Frihed, Lighed og Broderskab) (cat. 802).

LA
EST

XXI
L'ENGAGEMENT DES ARTISTES

Il est toujours délicat d'associer la notion d'engagement politique avec celle d'activité artistique, surtout si l'on introduit en tiers dans cette association l'adjectif révolutionnaire. Dans le cas précis de la Révolution française le problème est encore compliqué par la personnalité écrasante de Jacques-Louis David, patriote, membre de la Convention et robespierriste, mais aussi l'un des principaux protagonistes dans le domaine pictural de la « révolution néo-classique », et donc doublement engagé. Mais, en partie parce que son activité politique le détournait de son atelier, en partie parce qu'il y a incompatibilité entre le rythme de la création artistique et celui de la vie politicienne, David n'a laissé qu'un nombre restreint de tableaux qui puissent témoigner de son engagement et, sur ce petit nombre, seul le Barra *est ici présenté. Le* Serment du Jeu de paume, *inachevé, est indéplaçable ; le* Marat, *rendu indisponible par la grande exposition* David *prévue pour l'automne 1989, est évoqué par une réplique, d'excellente provenance, il est vrai, tandis que la copie dessinée par Desvoges du* Le Peletier de Saint-Fargeau *permet d'imaginer ce tableau disparu.*

Peut-être cette sous-représentation de David aura-t-elle paradoxalement l'avantage de montrer plus clairement aux visiteurs que David ne fut pas le seul artiste « engagé » de la Révolution, ni le seul à savoir glorifier ses martyrs comme en témoigne le Marat *relativement méconnu du Toulousain Roques. Hennequin, Guillon-Lethière, Topino-Lebrun (récemment redécouvert en raison de sa mort tragique), Lesueur, Regnault ont, à leur manière, réalisé ce que David n'a pu faire : de grandes compositions où le style se veut en harmonie avec le sujet, célébrant l'union du néo-classicisme et de la Révolution. Harmonie illusoire peut-être car Gauffier, Guérin ou Saint-Ours usent du même langage plastique pour célébrer l'unanimité brisée par la Révolution ou pour dénoncer les malheurs qu'elle a déclenchés.*

Les absents sont nombreux dans ce panorama des artistes engagés ; mais où fallait-il placer Boze, compromis lors du procès du roi pour avoir servi d'intermédiaire entre le roi et les Girondins, mais qui nous a laissé le plus ressemblant des portraits de Marat, Carteaux, chef de l'armée jacobine dépêchée d'urgence à Marseille et qui peignit sans doute l'ultime portrait de Louis XVI, très traditionnel et d'ailleurs médiocre, Chéry « vainqueur de la Bastille » dont l'œuvre nous échappe en grande partie, ou Naigeon, révolutionnaire extrémiste et athée militant, qui, en Thermidor an II, obtint l'autorisation d'exporter en Suisse deux tableaux de sa main à sujets religieux ? Quelques noms, absents ici, se retrouveront plus loin (chapitre XXX) parmi les « prix d'encouragement » mais dans l'état actuel des recherches (ce qui est paradoxal compte tenu du foisonnement récent des études sur cette période) et dans l'attente en particulier de la publication des travaux de M. Philippe Bordes, en raison aussi du nombre d'œuvres « engagées » détruites ou disparues, une telle collection ne pouvait être que lacunaire.

La Patrie en danger ou *L'Enrôlement des volontaires* (cat. 817, détail).

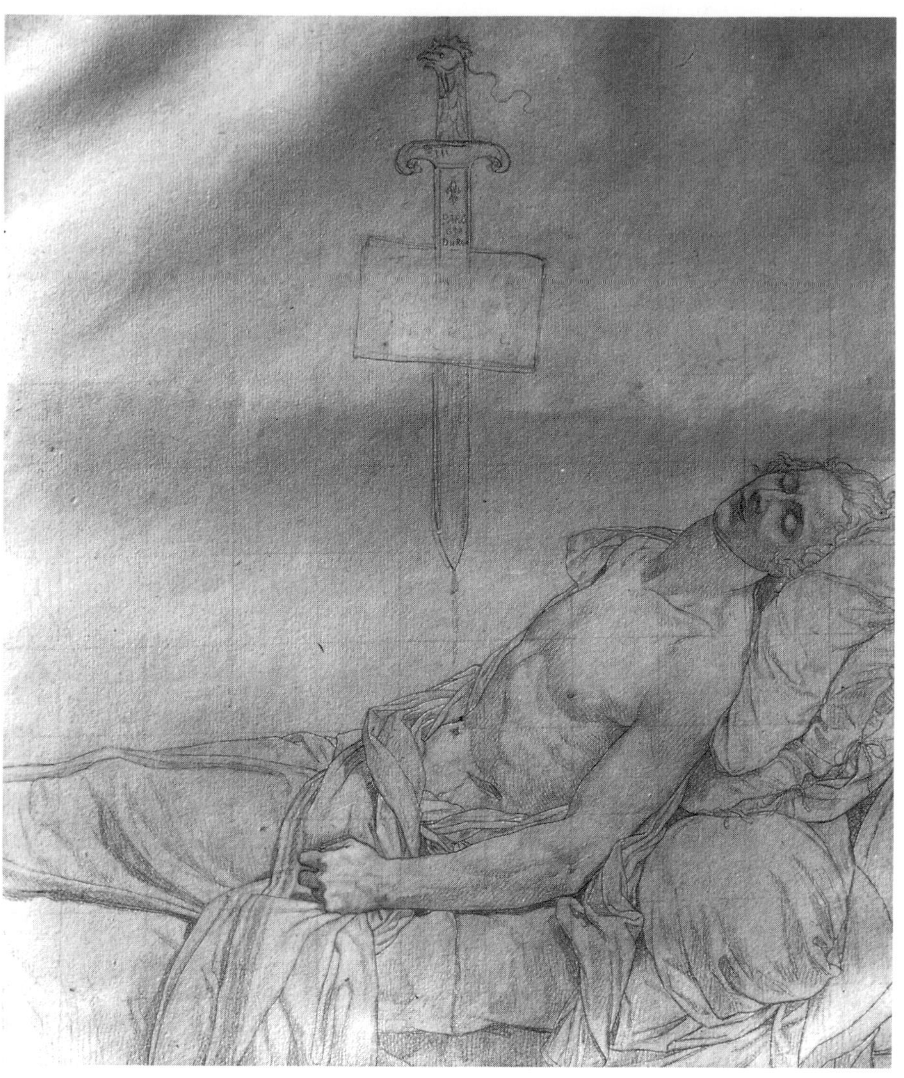

Le Peletier de Saint-Fargeau sur son lit de mort (cat. 805).

Allégorie sur la mort de Le Peletier de Saint-Fargeau (cat. 806).

LES MARTYRS

805
Le Peletier de Saint-Fargeau sur son lit de mort

par Anatole DEVOSGE

Pierre noire, mise au carreau. H. 0,467; L. 0,400.
Historique : collection de l'auteur; legs au musée en 1850.
Expositions : 1793, Paris, Salon, n° 334; 1948, Paris, n° 125; 1955, Toulouse-Montauban, n° 54; 1957, Charleroi, n° 45; 1974-1975 (2), Paris, pp. 45-46, n° 32, repr.; 1976, Paris, n° 34.
Bibliographie : Collection Deloynes, t. XVIII, p. 164, n° 458; Renouvier, 1863, p. 78; David, 1880, pp. 148, 334, 610; Tourneux, 1889, pp. 52-59; Vallery-Radot, 1926, p. 58, note 1; *id,* 1928, p. 112, note 2; Réau, 1930, pp. 17-18, repr.; Baschet, 1942, p. 5, repr.; Dowd, 1948, p. 102, repr. XIII; Hautecœur, 1954, p. 127; Vallery-Radot, 1959, p. 355; Verbraechen, 1973, p. 25, note 86, repr. 80; Schnapper, 1980, pp. 148-153, fig. 88; Vovelle, 1986, t. IV, p. 223.

Dijon, musée des Beaux-Arts (inv. sup. 5. D. Dev.).

La veille de l'exécution de Louis XVI, Louis-Michel Le Peletier de Saint-Fargeau, ci-devant noble député à la Convention, fut assassiné par le garde du corps Pâris, alors qu'il dînait chez Février, au Palais-Royal (20 janvier 1793). Après avoir organisé les funérailles nationales du député régicide, David soumit le 29 mars à la Convention un tableau commémoratif, qui fut ensuite exposé avec le *Marat* du musée de Bruxelles, dans la cour du Louvre.
Aujourd'hui, le tableau n'est plus connu que par le dessin de Devosge et la gravure fragmentaire de Tardieu, conservée à la Bibliothèque nationale. En effet, la peinture de David a connu plusieurs vicissitudes avant de disparaître. En 1826, Mme de Mortefontaine, fille de Le Peletier, racheta le tableau aux héritiers du peintre avant la vente de l'atelier de David, et s'efforça de détruire tous les exemplaires de la gravure de Tardieu. Depuis cette époque, l'œuvre est demeurée introuvable. Il est possible que Mme de Mortefontaine, royaliste, l'ait détruite. Mais rien ne vient étayer cette hypothèse.
Dès 1793, David avait commandé à Devosge une copie dessinée, la destinant à la gravure. Le dessin, fidèle au tableau, selon Delécluze, fut exposé au Salon de 1793, remportant un franc succès. C'était la première fois qu'on représentait les nouveaux héros, ceux de la République. Le Peletier est en effet représenté surmonté d'un glaive, attribut de son martyre. La grande découverte de David consistait dans la transfiguration de la réalité, pour lui conférer les caractéristiques de la béatitude et de la religion. La démarche traditionnelle de l'allégorie était conservée, mais ne participait plus d'une idée élitiste de l'art. La réalité était sauvegardée, David abandonnait la rupture intellectuelle qui détermine l'allégorie. J.Be.

806
Allégorie sur la mort de Le Peletier de Saint-Fargeau

par François-André VINCENT

Plume, encre, H. 0,267; L. 0,190.

Inscription : signé en bas à droite, deux fois : « Vincent, Vincent, inv. ».

Paris, Bibliothèque nationale, cabinet des Estampes (inv. Qb 1, 1793, 30 janvier - M. 401).

Sans s'être réellement engagé dans la Révolution, Vincent donna plusieurs preuves de civisme. Son *Guillaume Tell renversant la barque sur laquelle le gouverneur Gessler traversait le lac de Lucerne* (cat. 1072), exposé au Salon de 1795, peinture d'encouragement ordonnée en 1791 (Toulouse, musée des Augustins), constitue la page la plus éclatante du ralliment de l'artiste à la Révolution.
Dès 1793, il réalisait avec ce dessin l'une des premières tentatives de glorification laïque des martyrs de la République. S'inspirant comme David des modèles américains ou anglais (cf. *La Mort du général Wolfe* de Benjamin West, 1771, Ottawa, National Gallery, et cat. 442), Vincent prétendait donner avec cette composition une image du héros transfiguré dans la mort. Renversé sur son lit, le corps de Le Peletier est dévoilé par la Liberté ou la Justice terrassant le Crime, tandis que la République lui tend la couronne du martyr. Deux inscriptions explicitent la scène. En haut : « 21 janvier 1793. Les honneurs du Pathéon (sic) sont désernés à Michel Le Peltier 2e de la République. » En bas, les dernières paroles du mourant : « Je suis satisfait de Verser mon sang pour La Patrie : j'espère qu'il servira à consolider la Liberté et à faire reconnaître ses Ennemis. »
Très marquée encore par la conception du XVIIIe siècle, tant dans le style, brillant et enlevé, que dans l'esprit, la composition de ce dessin, qui rappelle la sculpture des tombeaux (avec la pyramide d'Éternité), est loin de posséder le modernisme de David. Certes, Le Peletier apparaît bien comme un mort glorifié, mais il n'est pas lui-même transfiguré comme le Marat peint par David, ou celui dessiné par Lesueur. Encore attaché à l'esprit des Lumières, Vincent ne peut qu'avoir recours aux figures allégoriques. J.Be.

807
Marat assassiné

d'après Jacques-Louis DAVID

Huile sur toile : H. 1,625 ; L. 1,300.
Historique : legs du baron Jeanin, descendant de David, en 1945.
Bibliographie : cat. Louvre 1972, p. 119 ; Compin-Roquebert, 1986, t. III, p. 188.

Paris, musée du Louvre, département des Peintures (inv. R.F. 1945-2).

« Le lendemain de la mort de Marat (13 juillet 1793), écrit Delécluze, dans ses *Souvenirs*, une députation vint exprimer à la Convention les prétendus regrets du peuple. Un certain Guirault porta la parole et dit : "Ô crime ! une main parricide nous a ravi le plus intrépide défenseur du peuple. Il s'était sacrifié pour la liberté (...) Où es-tu, David ? Tu as transmis à la postérité l'image de Lepeletier mourant pour la Patrie, il te reste encore un tableau à faire ... — Oui, je le ferai", s'écria David d'une voix émue. »
Cette œuvre célèbre, aujourd'hui conservée à Bruxelles, et dont on connaît une réplique à Versailles et plusieurs copies d'époque, dont celle présentée ici, correspond à une nouvelle étape de l'art révolutionnaire. David lui-même, aux dires de Delécluze, n'en reconnut le mérite que bien plus tard, lorsque les passions se furent apaisées.
L'artiste réalisa cette « Pietà » (Rosenblum) dans un contexte de fêtes civiques, quasi religieuses, qui se déroulèrent dans les jours suivant l'assassinat. En célébrant le martyr de la Liberté, les patriotes transposèrent le cérémonial chrétien, faisant ainsi de Marat une sorte de saint du panthéon républicain. Conscient de la difficulté d'équilibrer le sacré et le séculier, David est cependant parvenu à donner une image idéalisée et transfigurée du héros.
L'ayant vu la veille de l'assassinat, David, chargé d'organiser les pompes funèbres de l'Ami du peuple dans l'église des Cordeliers (*cf.* le tableau anonyme de Carnavalet), fut frappé de l'attitude de Marat. Sa première idée fut de le peindre écrivant à sa table. « Il avait auprès de lui, dit David, un billot de bois sur lequel étaient placés de l'encre et du papier, et sa main, sortie de la baignoire, écrivait ses dernières pensées pour le salut du peuple. » Mais l'idée se fit jour bientôt de lui conserver ses attributs et de le peindre « à son dernier soupir » (David). Délimitant sa toile en deux rectangles réguliers, rejetant le corps sur la gauche, fixant l'attention du spectateur sur les écrits humanitaires de Marat, qui tient la lettre de Charlotte Corday, David a ménagé en haut un « vide sacré », qui a fait dire à Michael Marrinan (« Images and Ideas of Charlotte Corday : Texts and contexts of an Assassination », *Arts Magazine*, 54, avril 1980, p. 162) que l'œuvre se présentait « comme un va-et-vient perpétuel — entre matière concrète et esprit invisible ».
Image d'éternité, le *Marat assassiné* apparaît finalement comme la seule véritable allégorie réelle de la Révolution, solution sans cesse recherchée par les artistes de l'époque.
Depuis le *Serment du Jeu de paume*, David, à l'imitation des Américains, Copley, West, tentait de traduire en termes contemporains les héros de son temps. Si le *Serment*, commandité par les Jacobins, ne fut finalement pas réalisé, le *Marat* en revanche, fut offert à la Convention en novembre 1793, comme pendant au *Le Peletier*, après avoir été exposé quelque temps avec celui-ci dans la cour du Louvre. J.Be.

808
La Mort de Marat

par Joseph ROQUES

Huile sur toile. H. 1,250 ; L. 1,610.
Inscription : en bas à droite : « Roques pinx. 1793. »
Historique : commandé par la municipalité de Toulouse, exposé au club des Jacobins de Toulouse le 16 prairial an II (4 juin 1794) ; collection Castellon ; legs de Mme Castellon en 1888.
Expositions : 1955, Toulouse-Montauban, n° 14, repr. ; 1967, Montauban, n° 290.
Bibliographie : Roschach, 1920, n° 244 ; Guinard, 1968, p. 235, fig. 14.

Toulouse, musée des Augustins (inv. RO. 244).

Après que David eut peint son *Marat assassiné* (Bruxelles, musées royaux des Beaux-Arts), des copies, dont celle de Versailles, en furent réalisées aux Gobelins à partir de mai 1794, destinées d'une part à relancer la manufacture qui avait beaucoup souffert de l'effondrement du mécénat royal, depuis les débuts de la Révolution, et d'autre part à diffuser l'image du martyr de la Liberté sur tout le territoire de la République. Un véritable culte se mit en place pour célébrer Marat, non seulement à Paris, mais aussi en province, ainsi qu'en témoigne cette œuvre.
C'est sans doute au vu du tableau lui-même, que David exposa au Louvre en octobre 1793, que Joseph Roques peignit cette toile, interprétation libre de l'œuvre de David, destinée à orner le club des Jacobins de Toulouse.
Roques a introduit un certain décorum dans la mise en scène de l'œuvre, en rappelant par un chapeau et une écharpe, les fonctions qu'occupait Marat au sein de la Convention. Plus anecdotique que le tableau de David, moins synthétique aussi, cette toile montre que l'artiste n'avait pas saisi tout l'enjeu que constituait le fait même de peindre un tel tableau. J.Be.

809
L'Assassinat de Marat par Charlotte Corday

par Jean-Jacques HAUER

Huile sur toile. H. 0,600 ; L. 0,490.
Inscription : signé et daté sur la baignoire : « Hauer. 1794 P(inxi)t. »
Historique : legs Charles Vatel à la bibliothèque municipale de Versailles en 1883 ; transféré au musée en 1932.
Bibliographie : Wilhelm, 1961, p. 2.

Versailles, musée Lambinet (inv. 903).

Parmi les nombreuses représentations de l'assassinat de Marat, le petit tableau de Hauer est sans doute le plus naïf, le plus populaire, et de ce fait le plus objectif dans sa représentation de cet événement majeur de la Révolution. Tous les éléments du décor sont présents, ce qui n'est pas toujours le cas, particulièrement la baignoire (*cf.* la peinture anonyme du musée de Tours, cat. 810, ou l'estampe coloriée anglaise due à Isaac Cruikshank). La figure de Marat, figée dans la mort, exprime une certaine naïveté, tandis que la froide détermination de Charlotte Corday va à l'encontre de la réalité de l'événement. En effet, l'Ami du peuple ne mourut pas immédiatement. Il eut le temps d'appeler au secours son amie Simone Evrard, ce qui permit d'arrêter Charlotte Corday sur-le-champ.
Toutefois, Hauer ne semble pas avoir pris parti entre Marat et la jeune fille. Seule l'action intéresse le peintre, sans que ne se dégage aucun

L'Assassinat de Marat par Charlotte Corday (cat. 809).

Marat assassiné (cat. 807).

La Mort de Marat (cat. 810).

La Mort de Marat (cat. 808).

Les Funérailles de Marat (cat. 811).

parti pris politique. Pourtant, officier dans la garde nationale, membre de la section du Théâtre-Français (devenue de Marseille-et-Marat en août 1793), l'artiste était très engagé politiquement. Ce tableau fut d'ailleurs exposé au Salon de 1793 (hors catalogue ?) ; Jacques Wilhelm, qui le savait autrefois en possession de Charles Vatel, ignorait qu'il se trouvait au musée Lambinet. Vatel l'avait décrit dans sa *Notice sur l'authenticité du portrait de Charlotte Corday par Hauer*, donnant les dimensions qui correspondent à notre tableau. J.Be.

810
La Mort de Marat

par un auteur anonyme

Huile sur panneau. H. 0,180 ; L. 0,315.
Historique : legs Trobianden 1900 ; récupéré en 1924 dans un bâtiment municipal.
Bibliographie : Lossky, 1962, n° 42.

Tours, musée des Beaux-Arts (inv. 924-1-38).

Ce petit panneau peint en grisaille est l'une des œuvres les plus tragiques qui aient été réalisées après la mort de Marat.
Soutenu par Simone Evrard, sa gouvernante et amie, qui, dans un geste très néo-classique, appelle au secours, Marat, vêtu à l'antique, apparaît comme un héros mourant pour la Patrie, à l'instar de Caton ou de Marius. Le dynamisme de l'œuvre, dans laquelle la technique se mêle habilement à la gestuelle grandiloquente, conduit le regard vers Charlotte Corday, qui fuit vers la droite, encore armée de son poignard. À gauche sont suspendus les vêtements de conventionnel de Marat.
Sans doute peint sous le choc de l'événement, ce petit tableau a été situé dans l'orbite de Fragonard. L'attitude et le costume de Charlotte Corday, en effet, font référence aux dernières œuvres de l'artiste, comme *Le Verrou* du Louvre (1785), de même que le traitement enlevé et large rappelle la technique du XVIIIe siècle. Ceci d'autant plus qu'une étude peinte au verso du panneau, enlevée avec brio, évoque les scènes de genre hollandaises de Jacob Toorenvliet ou d'Arie de Vois. J.Be.

811
Les Funérailles de Marat

par Pierre-Étienne LESUEUR

Plume, encre noire et lavis gris. H. 0,195 ; L. 0,315.
Inscription : signé en bas à droite : « E. LESUEUR » ; daté dans la marge en bas à droite : « PRIMIDI FRIMAIRE L'AN 2 de La République. »
Historique : legs Charles Vatel à la bibliothèque municipale de Versailles en 1883 ; transféré au musée en 1932.

Versailles, musée Lambinet (inv. 771).

Semblable par le style à un dessin représentant l'*Exécution de Louis XVI* (Paris, Bibliothèque nationale, Est., coll. Hennin), cette feuille s'en rapproche également par son esprit. La volonté de transformer l'événement en tableau d'histoire est nettement affirmée par le traitement à l'antique des costumes et par le type de la composition, où les personnages, présentés en frise, sont dominés par la statue de la Liberté. S'inspirant de la cérémonie funèbre de Marat, qui se déroula dans l'église des Cordeliers le 16 juillet 1793, Lesueur adopte le parti de présenter le corps du héros, nu, selon la mode de représentation antique, comme une sorte de divinité (un peu à la manière de David), établissant un relais entre le niveau profane et le niveau idéal, symbolisé par la figure allégorique de la Liberté. Les couronnes, comme les attitudes de serment civique évoquant la nécessité de vengeance après l'assassinat du révolutionnaire, permettent à Lesueur de peindre Marat comme un martyr de la Liberté.
Exécuté en 1793, en pleine période de déchristianisation, ce dessin apparaît finalement comme une œuvre religieuse, s'inscrivant dans la logique du culte de la Raison, dont Marat était l'un des principaux « saints » du Panthéon. Outre cette recherche tendant à héroïser le personnage, le propos de Lesueur est aussi de transgresser la traditionnelle peinture allégorique ou mythologique. Tout comme David lorsqu'il peignait son *Serment du Jeu de paume*, Lesueur désire, à travers les événements contemporains, traduire une thématique allégorique (le serment, la loi, la vertu), inspirée de la peinture d'histoire antique. J.Be.

812
The Heroic Charlotte La Cordé

par James GILLRAY

Gravure coloriée. H. 0,392 ; L. 0,359.
Bibliographie : cat. British Museum, n° 8336.

Londres, British Museum (inv. 1851.9-1-658).

Devant le Tribunal révolutionnaire, Charlotte Corday, à la barre, s'adresse à ses juges ; entre eux a été placé le corps de Marat. Contrairement aux autres figures de l'estampe, celle de Charlotte n'est pas déformée par la caricature, et la séduction de son physique contraste avec la laideur des juges : un barbier, un boucher et un tailleur.
Pour venger les Girondins et mettre fin aux massacres perpétrés par les Montagnards, Charlotte Corday d'Armont (1768-1793), dite Charlotte Corday, conçut le projet de tuer Jean-Paul Marat, qu'elle jugeait le principal instigateur de ces excès. Citée devant le Tribunal révolutionnaire, elle sera guillotinée le 17 juillet 1793. Le carton de Gillray sortit douze jours plus tard, le 29 juillet 1793, édité par H. Humphrey. Le court intervalle entre la date à laquelle cet événement se produisit en France et le moment où Gillray en exécuta une gravure témoigne de la rapidité de travail des caricaturistes. La caricature représentait une sorte de reportage d'actualité.
Les mots de Charlotte *(Misérables... Judith à Béthulie)* sont ceux cités dans les journaux anglais, par exemple le *London Chronicle* du 26 juillet 1793. Le dessin de Gillray englobe également certains détails de l'enterrement de Marat (organisé par David), lorsque son corps est transporté sur un lit de bois, avec sa chemise tachée de sang accrochée à une pique.
C.B.-O.

« *The Heroic Charlotte La Cordé* » (cat. 812).

Mort de Joseph Barra (cat. 813).

La Mort de Viala (?) (cat. 814).

813
Mort de Joseph Barra (1780-1793)

par Jacques-Louis DAVID

Huile sur toile. H. 1,180 ; L. 1,550.
Historique : peint en 1794 ; vente David, 11 avril 1826 ; coll. Pourtalès ; coll. H. Vernet ; don au musée en 1846.
Expositions : 1947, Bruxelles ; 1948, Paris ; 1948, Londres ; 1972, Bruxelles, n° 67 ; 1981-1982, Rome, n° 42 ; 1988, Lyon, p. 216, n° 26, repr. p. 215.
Bibliographie : Delécluze, 1855, p. 20 ; Deloynes, 1879, p. 36, n° 97 ; David, 1880, p. 210 ; Girard, 1909, p. 33, n° 130 ; Girard, 1924, p. 177, n° 146 ; Friedländer, 1952, repr. 13 ; Vergnet-Ruiz-Laclotte, 1962, p. 107, repr. 126 ; Sloane, 1969, pp. 143-152 ; Wildenstein, 1973, n°s 763, 2043, 2062 ; Schnapper, 1980, pp. 160-164 ; repr. 95 ; Clay, 1980, pp. 122-123 ; Vovelle, 1986, t. IV, p. 239.

Avignon, musée Calvet (inv. 146).

Dans sa séance du 8 nivôse an II (28 décembre 1793), la Convention décida de décerner les honneurs du Panthéon au jeune Barra, tué en Vendée en 1793. David fut chargé de « prêter ses talents à l'embellissement de cette fête ». On adjoignit bientôt Viala au jeune hussard, et le peintre lut un discours devant la Convention le 23 messidor an II (11 juillet 1794) : « Ici, à treize ans, le jeune Barra, enfant héroïque, dont la main filiale nourrissait sa mère, de toutes parts, enveloppé des assassins de l'humanité, accablé par le nombre, tombait vivant dans leurs féroces mains ! C'est dans le danger que la vertu brille d'une manière plus éclatante. Sommé par les brigands de crier : Vive le roi ! saisi d'indignation, il frémit ; il ne leur répond que par le cri de : Vive la République ! A l'instant, percé de coups, il tombe en pressant sur son cœur la cocarde tricolore, il meurt pour revivre dans les forces de l'histoire. » Le mythe de Barra n'a cessé en effet de nourrir l'inconscient des Français. Toute une imagerie célébra l'enfant-martyr. Gustave Bord a pourtant démonté le mécanisme de cette légende, montrant que Barra n'était sans doute pas engagé comme hussard, et qu'il fut tué sans gloire, en menant à l'abreuvoir des chevaux dont les Vendéens voulaient s'emparer.
L'anecdote une fois grossie, David commença une peinture qu'il laissa inachevée après la chute de Robespierre. Delécluze qui la vit dans l'atelier de l'artiste en 1796, la décrit ainsi : « Cette charmante ébauche représente le jeune Barra, laissé nu sur la terre et serrant contre son cœur la cocarde tricolore. » « Ce sont de telles actions que j'aime à retracer », écrivait David dans *le Moniteur universel* du 10 nivôse an II (30 décembre 1793). En effet, le tableau se ressent d'un sentiment héroïque particulièrement tragique. L'enfant est nu selon le mode de représentation du héros antique, et nous savons que c'est Bayard, un élève du maître, qui posa pour la figure de Barra. Avec cette peinture, David inaugure la série des enfants couchés, qui seront très fréquents dans l'art du XIXe siècle particulièrement en sculpture (*cf.* Falguière, *Tarcisius, martyr chrétien*, marbre, musée du Louvre). Pourtant, ainsi que le remarque Jean Clay, la figure évoque le côté érotique de l'art néo-classique, aspect ambigu qui ira s'accentuant sous la Restauration, en particulier avec les œuvres de Guérin. J.Be.

814
La Mort de Viala (?) (1780-1793)

attribué à Pierre-Paul PRUD'HON

Huile sur toile. H. 0,660 ; L. 0,810.
Historique : don des héritiers d'Émile Labeyrie en 1966.
Bibliographie : Vincent, 1967, pp. 1-10, fig. 2.

Lyon, musée des Beaux-Arts (inv. 1966-13).

L'histoire de ce tableau inachevé est une reconstitution hypothétique, entièrement fondée sur des suppositions dues à Émile Labeyrie, ancien membre du conseil supérieur des musées nationaux. Albert Soboul, contacté par Labeyrie, jugeait ces idées plausibles, mais non convaincantes. Il est vrai que Joseph Agricol Viala, mort à treize ans, semble nettement plus âgé dans la peinture.
Les hypothèses de Labeyrie reposent sur les moments les plus obscurs de la carrière de Prud'hon, dans les années de la Terreur. Engagé politiquement aux côtés des Jacobins, Prud'hon se serait vu confié la commande du tableau, tandis que David obtenait le *Barra* (musée d'Avignon).
Agricol Viala, jeune volontaire, avait été tué en coupant les câbles retenant les ponts de la Durance, pour empêcher les fédéralistes de marcher sur Avignon (juillet 1793). La mort de Barra, le 17 frimaire an II (7 décembre 1793), fournit un prétexte pour organiser une fête pour ces deux martyrs, qui, prévue pour le 30 messidor (18 juillet), fut repoussée puis annulée en raison des événements du 9 thermidor. Ce serait en s'inspirant du discours de David, lu le 23 messidor (11 juillet) devant la convention, et relatant les circonstances de la mort de Viala, que Prud'hon commença sa peinture, qu'il laissa inachevée après la chute de Robespierre. Son départ précipité à Gray en 1794, dans des circonstances mystérieuses, aurait occasionné le fait qu'il ait confié l'œuvre à ses amis Fauconnier, dont les collections furent dispersées au cours du XIXe siècle.
Tout ceci reste hypothétique, puisque cet historique ne repose que sur une attribution stylistique à Prud'hon. Le sentiment doucement tragique qui se dégage de la figure n'est pas en effet sans évoquer la manière de l'artiste. La lumière en particulier est bien dans l'esprit de Prud'hon. Mais si l'on compare cette œuvre, très néo-classique, et de ce fait assez inhabituelle dans la production du peintre, avec *L'Union de l'Amour et de l'Amitié* (Minneapolis Institute) exposée au Salon de 1793 (n° 679), on remarque que la grâce et le sfumato propres à Prud'hon sont totalement absents du *Viala*. Non dénuées de toute vraisemblance, les idées avancées par Labeyrie n'en demeurent pas moins problématiques. J.Be.

L'ÉVÉNEMENT

815
Les Forgerons à la Convention
lors de la fête du salpêtre, le 30 ventôse an II
(20 février 1794)

par Fulcran-Jean HARRIET

Plume, encre noire et lavis brun. H. 0,628 ; L. 0,781.
Inscription : au verso : « Les Sabines séparant les armées ennemis », plume encre noire et mine de plomb.
Historique : collection Destailleur ; vente des 19-29 mai 1896, achat du musée.
Expositions : 1982, Paris, pp. 57-59, n° 48, repr. p. 58 ; 1984, Vizille, p. 68, n° 295, repr. p. 69.
Bibliographie : La Vaissière, 1983, pp. 142-144, fig. 1-4, p. 142 ; Vovelle, 1986, t. IV, pp. 148-149.

Paris, musée Carnavalet (inv. D. 3669).

Le 30 ventôse an II, la Convention organisa une fête en l'honneur des « élèves arrivés de tous les districts pour suivre l'instruction pour la fabrication du salpêtre et des armes ». Cette fête s'inscrivait dans la logique du gouvernement de la Terreur, qui avait étatisé toute la production militaire, transformant la République en un véritable arsenal en vue de vaincre la coalition. Les unes après les autres, les délégations des métiers se présentèrent à la Convention. Ce sont les métallurgistes, derniers venus, que le dessinateur a privilégiés. Ceci lui permet de représenter une importante nature morte au centre de sa composition. Image enthousiaste de la dictature jacobine, l'œuvre de Harriet, proche de certains dessins de Gérard, ainsi que le souligne Pascal de La Vaissière, qui a réattribué la feuille, est prétexte à montrer une foule ardente, composite, dominée par les emblèmes d'une République à la romaine.
Situé à la limite de l'allégorie vraie et du témoignage réaliste, ce dessin est l'un des très rares à avoir transmis une représentation de la salle de la Convention, ancien théâtre des Tuileries réaménagé par l'architecte Gisors. J.Be.

816
Trait d'héroïsme des marins
du vaisseau « le Vengeur »

par un auteur anonyme

Huile sur toile. H. 0,80 ; L. 1,00.
Historique : ancienne coll. Camatti ; acquis en 1901.
Bibliographie : Constans, p. 158, n° 5970 ; Vovelle, 1986, t. IV, p. 130.

Versailles, musée national du Château
(inv. MV 5518 - RF 1209).

L'émigration avait très durement touché la

Les Forgerons à la Convention lors de la fête du salpêtre, le 30 ventôse an II (cat. 815).

Trait d'héroïsme des marins du vaisseau «le Vengeur» (cat. 816).

La Patrie en danger ou *L'Enrôlement des volontaires* (cat. 817).

Groupe de révolutionnaires bivouaquant (cat. 818).

La Rentière (cat. 819).

Marine, dont la plupart des officiers étaient nobles. Malgré les efforts de Jean-Bon Saint-André au Comité de Salut public, doublé par l'ingénieur Forfait, la France ne put à aucun moment rivaliser avec l'Angleterre. Elle se contenta le plus souvent d'armer des corsaires, refusant systématiquement la bataille.
Le 13 prairial an II (1er juin 1794), pourtant, l'escadre de Brest aux ordres de l'amiral Villaret de Joyeuse parvint à assurer le passage d'un convoi de blé en provenance d'Amérique, mais ayant dû livrer le combat, elle perdit sept vaisseaux dont *le Vengeur*.
Commandé par le capitaine Renaudin, celui-ci sombra glorieusement aux cris de « Vive la Nation ! Vive la République ! » Sur les 723 hommes qui composaient l'équipage, 260 furent recueillis par les Anglais.
À la suite de cette affaire malheureuse, reprenant un processus de mythification déjà bien rodé avec les figures de Barra, Marat, etc., la Convention décréta qu'une maquette du navire serait suspendue à la voûte du Panthéon, et que les noms de l'équipage seraient gravés sur les colonnes du monument. Le 9 Thermidor empêcha la réalisation de cet ambitieux programme de propagande.
De nombreux artistes s'emparèrent de l'événement. Au Salon de l'an III (1795), Taurel et Vallaert exposèrent chacun un *Épisode du Vengeur* (respectivement nos 481 et 503). Ozanne a également laissé un dessin de cette scène navale devenue célèbre entre toutes (musée de la Marine).
Notre tableau, à l'inverse de beaucoup d'œuvres montrant le combat naval, représente les marins sur le pont du *Vengeur* brandissant des drapeaux tricolores et des bonnets au bout de leurs piques, au moment où le vaisseau, entièrement détruit, s'apprête à couler. À la fois par son point de vue et sa composition nouvelle, l'œuvre participe de cet ensemble de peintures de propagande dont le *Marat* de David demeure le plus beau fleuron. J.Be.

817
La Patrie en danger
ou L'Enrôlement des volontaires

par Guillaume GUILLON-LETHIÈRE

Huile sur toile. H. 0,590 ; L. 0,995. Probablement coupé en haut.
Historique : général Foy ; ses héritiers ; achat du musée en 1985.
Expositions : 1800, Paris, Salon (hors livret) ; 1985, Vizille, p. 70, no 116, repr. p. 8 et p. 7.
Bibliographie : Chaussard, 1799, p. 21 ; Bordes, 1986, pp. 301-306 ; Vovelle, 1986, t. IV, pp. 110-111.

Vizille, musée de la Révolution française (inv. 85.14).

Autrefois attribué à Meynier, puis à Gérard, le tableau a été rendu à Lethière par Susan Siegfried, en référence aux critiques de Chaussard parues dans le *Journal des arts, de littératures et de commerce* du 20 vendémiaire an VIII (12 octobre 1799), p. 2. Le sujet est évidemment très clair, mais plutôt que de dater la peinture vers 1798-1799, moment de la plus célèbre proclamation, il faudrait la repousser vers 1799-1800, époque où les revers militaires s'accumulant, le général Jourdan proposait de déclarer à nouveau la Patrie en danger, bientôt suivi de Berthier, ministre de la Guerre. Les costumes des personnages officiels appuient en ce sens : ce sont ceux du Directoire, d'après les dessins de David. La compostion très vaste, avec de nombreux personnages, annonce les œuvres futures de Lethière, comme sa *Mort de Virginie* (1828, musée du Louvre), mais on y trouve des références à des œuvres antiques (*Les Filles de Niobé* pour la femme portant des fusils) et à des maîtres contemporains. Le groupe des femmes brandissant leurs enfants évoque les *Sabines* de David (Salon de 1799), tandis que les soldats qui jurent avec leur sabre, dérivant des *Horaces*, annoncent ceux de la *Distribution des aigles*, tableau peint par David sous l'Empire.
Assez direct dans sa présentation, bien qu'idéalisé grâce à la grande culture picturale qu'il sous-entend, ce tableau est sans doute, avec les *Remords d'Oreste* d'Hennequin, l'un des derniers fleurons de l'idéologie révolutionnaire. J.Be.

818
Scène révolutionnaire
Bivouac

par Nicolas-Antoine TAUNAY

Huile sur toile. H. 0,490 ; L. 0,400.
Inscription : en bas à droite : « Taunay. »
Historique : acquis dans le commerce parisien en 1975 ; don des Amis du musée.
Exposition : 1976-1977, Paris, p. 70, no 43, repr. p. 72.
Bibliographie : Ojalvo, 1979, p. 15 ; O'Neill, 1981, p. 135, no 176.

Orléans, musée des Beaux-Arts (inv. 76.21).

Sans avoir de sujet particulier – Taunay est surtout spécialisé dans l'anecdote historique –, ce tableau semble bien représenter un groupe de sans-culottes, un groupe d'émeutiers bivouaquant sur la place publique dans un moment de tension politique. On aperçoit au fond les piques, symbole de l'insurrection permanente et de la vigilance du peuple. Prétexte à peindre des effets luministes, que Taunay affectionnait tout particulièrement, la scène permet aussi à l'artiste de bousculer la traditionnelle composition frontale, en présentant des personnages vus de dos, procédé plus tard repris par Courbet ou d'autres peintres d'avant-garde du XIXe siècle. J.Be.

819
La Rentière

par le chevalier Féréol de BONNEMAISON

Huile sur toile. H. 0,150 ; l. 0,118.
Exposition : 1800, Paris, Salon, no 40.

Grande-Bretagne, collection particulière.

Émigré en Angleterre pendant la première partie de la Révolution, Bonnemaison participa au Salon à partir de 1796. Le succès lui vint avec ce tableau, « le plus touchant du Salon de l'an 9, présenté aux âmes sensibles », ainsi qu'il est inscrit sur la gravure anonyme qui en fut tirée, immédiatement après l'exposition (le Salon fut celui de l'an VIII et non celui de l'an IX). Témoignage social d'une certaine réalité révolutionnaire, l'œuvre montre en un raccourci saisissant l'image figée d'une veuve, ruinée par l'inflation galopante de la décennie, dont le jeune garçon assure la subsistance en mendiant. Tout dans ce tableau tend à émouvoir, en particulier le regard de l'enfant prenant le spectateur à témoin. Et les affiches appliquées sur le mur, évoquant le luxe qui régnait à la même époque, sous le Directoire et le Consulat, accentuent encore le pathétique de la scène, en annonçant bals et concerts. Mais au centre apparaît le placard d'une maison de prêt sur nantissement, touche sinistre dans la peinture, qui annonce la chute finale de la veuve.
Au-delà de ces considérations sociales, qui rapprochent Bonnemaison d'artistes comme Boilly, l'œuvre joue sur un registre nouveau à l'époque, celui du sentimentalisme, qui annonce le romantisme, et situe le peintre dans la mouvance de Girodet ou de Prud'hon. J.Be.

La rentière, réduite à la mendicité par la Révolution et sa politique financière, est une des images les plus critiques à l'égard du grand bouleversement social consécutif aux événements de 1789. Elle correspond à une réalité dénoncée par les contemporains et dont les historiens ont pu mesurer l'importance. Le paiement des rentes (qui, au milieu du XVIIIe siècle, avaient été consenties à des taux élevés allant jusqu'à 12 %) représentait 50 % des dépenses de l'État. Le service de cette dette publique fut une des causes de la transformation des biens du clergé en biens nationaux et de leur mise en vente. Malgré la création du « Grand Livre », qui unifiait les rentes de l'Ancien Régime et celles postérieures à 1789, la dévaluation de l'assignat réduisait constamment les revenus des rentiers ; la loi du 9 vendémiaire an VI (30 septembre 1797) dite du « tiers » acheva de les ruiner. Il est possible que le tableau de Bonnemaison nous montre un type bien particulier de rentière ; il était en effet fréquent au XVIIIe siècle que des jeunes filles se constituent une rente viagère au moyen de leur dot. En cas de mariage, cette rente était inscrite au contrat mais rien ne revenait ensuite aux héritiers éventuels. Dans le cas de rente à intérêts élevés, ce qui avait été le cas d'abord au moment de la guerre de Sept Ans puis, plus tard, au moment de la guerre d'Indépendance américaine, il était possible au bénéficiaire de la rente de reconstituer son capital en une quinzaine d'années en ne dépensant que la moitié du revenu de la somme placée.
Bien entendu, *La Rentière* peinte par Bonnemaison n'a pu agir ainsi et l'enfant qui l'accompagne (petit-fils ?) mendie pour elle.
Le peintre a détaillé avec soin les éléments qui témoignent que cette vieille femme a été riche ; son voile de veuve peut suggérer un deuil lié

aux événements politiques récents. Derrière elle, les affiches font au contraire clairement allusion à la vie mondaine et aux spéculations qui ont caractérisé la période du Directoire.
Le système qui consiste à compléter le sens d'une image, à l'aide de placards ou d'affiches incorporés à la composition est assez fréquent dans l'estampe (avec peut-être pour source les représentations du « Pasquin » entouré d'épigrammes fixées au mur) et plus rare en peinture. Dans le cas précis du tableau de Bonnemaison un rapprochement est possible avec un dessin du musée Carnavalet (Vovelle, 1986, t. III, p. 61), qui représente des ouvriers au chômage devant un atelier fermé dont les murs sont couverts d'affiches pour des fêtes ou des spectacles.

ARTISTES EN PRISON

820
La Distribution du lait à la prison Saint-Lazare

par Hubert ROBERT

Huile sur toile. H. 0,405; L. 0,325.
Inscription : signé en bas à gauche : « Hubert Robert ».
Historique : commandé par le chancelier Pasquier en 1794; collection du duc d'Audiffret-Pasquier; acquis en 1934.
Expositions : 1931, Paris, n° 70; 1933, Paris, n° 159; 1978, Tokyo; 1988, Tokyo, n° 25.
Bibliographie : Réau, 1927, p. 219; Montgolfier, 1968, p. 42; Vovelle, 1986, t. IV, p. 88.

Paris, musée Carnavalet (inv. P. 1580).

Le gouvernement de la Terreur ayant reproché à Hubert Robert ses anciennes relations avec la cour et les privilégiés, le peintre fut dénoncé et incarcéré comme suspect le 8 brumaire an II (29 octobre 1793). D'abord enfermé à Sainte-Pélagie, il fut ensuite transféré à Saint-Lazare, le 30 janvier 1794. C'est dans cette dernière prison qu'il recommença à dessiner et à peindre, nouant des relations avec Mme de Coigny et André Chénier. Plus heureux que ce dernier, qui fut guillotiné, Robert fut libéré après le 9 Thermidor, le 17 août 1794.
Reprenant un type de composition exploitant les volées d'escalier (*cf.* son tableau ***L'Escalier tournant du palais Farnèse à Caprorola,*** musée du Louvre), Hubert Robert peint ici une scène de la vie quotidienne des prisons de la Terreur. C'est à Saint-Lazare qu'il rencontra le chancelier Pasquier, qui lui commanda ce tableau, hommage aux porteuses de lait « qui furent la providence des prisons ».
Rien dans l'art d'Hubert Robert ne vient évoquer l'angoisse des prisonniers, cette angoisse dont certains moururent après leur libération, comme par exemple le fabuliste Florian.
Le peintre, indifférent, semble-t-il, aux événements, se contente de poursuivre les recherches sur son art, se servant de ce qu'il voit comme d'un support susceptible de l'inspirer. Ses porteuses de lait en effet ressemblent plus à des lavandières romaines qu'à des tricoteuses patriotes.
Ayant échappé à la guillotine, Étienne-Denis, duc Pasquier (1767-1862), devint président de la Chambre des pairs sous Louis-Philippe.
J.Be.

821
Le Couloir de la prison Saint-Lazare

par Hubert ROBERT

Huile sur toile. H. 0,400; L. 0,320.
Inscription : signé en bas à droite : « Hubert Robert ».
Historique : collection Destailleur; acquis en 1902.
Expositions : 1931, Paris, n° 65; 1933, Paris, n° 161.
Bibliographie : Réau, 1927, pp. 218-219; Montgolfier, 1968, p. 43; Montgolfier, 1977, p. 449, n° 13; Gabillot, p. 197; Vovelle, 1986, t. IV, p. 89.

Paris, musée Carnavalet (inv. P. 177).

Le 11 pluviôse an II (30 janvier 1794), Hubert Robert était transféré de la prison Sainte-Pélagie à celle de Saint-Lazare. C'est dans cette dernière qu'il put se remettre à peindre, jusqu'à sa libération le 17 thermidor (4 août 1794).
Étant donné l'unique présence d'hommes dans le corridor, il est fort possible que l'artiste ait représenté le couloir « Germinal » de la prison Saint-Lazare, le couloir « Prairial » étant réservé aux femmes.
L'enfant au chien, sur la gauche, serait peut-être Émile Roucher, fils du poète avec lequel Hubert Robert était emprisonné. D'une composition très simple, l'œuvre n'en est pas moins spectaculaire par sa perspective et sa lumière, qui jette une pénombre dans le corridor. L'artiste a évidemment tiré parti de ce clair-obscur en plaçant sur la droite un foyer, près duquel s'activent deux personnages.
Une autre peinture, très semblable à celle-ci, fut vendue le 14 décembre 1979 (n° 136) chez Christie's, à Londres.
J.Be.

822
La Délivrance des prisonniers

par Hubert ROBERT

Sanguine. H. 0,345; L. 0,255.
Inscription : signé, daté sur la tombe : « H. Robert in spem libertatis delineavit in St Lata carcerem »; annoté sur le montage : « H. Robert fecit parisiis 1794. »
Historique : collection Atger; don à l'école de médecine de Montpellier en 1829.
Bibliographie : cat. Montpellier, 1830, n° 242; Saunier, 1922, pp. 178-179; Claparède, 1958, pp. 11-12, pl. 15.

Montpellier, musée Atger (inv. A5 V 38).

Ce dessin, exécuté sans doute à la fin de l'année 1794, montre une prison, dont la porte monumentale laisse passer une jeune femme ouvrant des cages d'où s'échappent des oiseaux. Reprenant le thème si cher au XVIIIe siècle, et plus particulièrement à Greuze, de l'oiseau, Robert le transforme en une allégorie de la Liberté, non plus révolutionnaire, mais symbolisant l'espoir retrouvé. Il ne s'agit plus ici d'une image de la vertu et de la chasteté disparues comme aimait à les peindre Greuze.
Selon Pierre de Nolhac, Robert aurait dessiné deux autres œuvres de même sujet qu'il aurait offertes plus tard à Mme de Tourzel, ancienne gouvernante des enfants de France, et héroïne de la fuite à Varennes. Notre dessin est sans doute une étude préparatoire pour la peinture du musée Pouchkine à Moscou (inv. n° 1067), très semblable dans sa conception.
J.Be.

823
André Chénier (1762-1794)

par Joseph-Benoît SUVÉE

Huile sur toile. H. 0,610; L. 0,490.
Inscription : signé et daté à droite : « Peint à St-Lazare ce 29/messidor l'an II par J.B. Suvée. »
Expositions : 1795, Paris, Salon, n° 460; 1931, Paris, n° 80; 1953, Paris, n° 163; 1962, Paris, Bibliothèque nationale, n° 146.

Paris, collection particulière.

Arrêté en ventôse an II (mars 1794), Chénier fut emprisonné à la prison Saint-Lazare. C'est là qu'il rencontra Suvée, que la vindicte de David poursuivait depuis le grand prix de Rome 1771, qu'il avait remporté devant lui. Dénoncé peut-être par le maître du néo-classicisme, Suvée fut lui aussi transféré à Saint-Lazare, et réalisa pendant sa détention ce portrait du poète que les frères Trudaine, ses amis, lui commandèrent, et qui fut achevé le 29 messidor an II (le 17 juillet 1794), soit dix jours avant l'exécution de Chénier le 7 thermidor (25 juillet).
Œuvre exceptionnelle par sa situation historique, ce portrait, peut-être un peu sec, comme c'est l'habitude chez Suvée, montre un Chénier ayant perdu ses illusions, n'attendant rien que l'arrêt qui le frappera quelques jours plus tard. Plus heureux que lui, le peintre survivra à la Terreur, puisqu'il sera relâché après Thermidor. Le portrait de Chénier fut exposé au Salon de l'an IV, avec les portraits des frères Trudaine (nos 461 et 462) qui, comme le poète, furent exécutés.
J.Be.

824
La Patrie

par Jean-Baptiste WICAR

Pierre noire et estompe. Diamètre : 0,160.
Inscription : annotation au verso : cf. *infra*.
Historique : collection J.E. Gatteaux, marque en bas à gauche (Lugt, 852); don au musée en 1865.

Le Couloir de la prison Saint-Lazare (cat. 821).

André Chénier, peint lors de sa détention (cat. 823).

La Distribution du lait à la prison Saint-Lazare (cat. 820).

La Délivrance des prisonniers (cat. 822).

La Patrie, dessin réalisé par Wicar en prison (cat. 824).

Exposition : 1974-1975 (2), Paris, pp. 125-126, nº 131, repr. p. 126.
Bibliographie : Pluchart, 1889, nº 1726 ; Quarré-Rey-Bourbon, 1895, p. 24 ; Beaucamp, 1939, t. I, p. 206.
Lille, musée des Beaux-Arts (inv. 1726).

Artiste jacobin, très engagé aux côtés de David durant la Terreur, Wicar fut emprisonné après la chute de Robespierre. Sa détention à l'ancien collège du Plessis dura jusqu'au 4 brumaire an IV (26 octobre 1795), date de l'amnistie décrétée par les Thermidoriens. C'est pendant son séjour en prison que l'artiste réalisa ce dessin, ainsi que son pendant *La Justice,* également conservé au musée de Lille. Au verso, beaucoup plus tard, Wicar annota et data ces deux œuvres, auxquelles il devait particulièrement tenir étant donné leur coloration politique : « Dessiné par le Chevalier Wicar, à la maison d'arrêt du Plessis, où il était retenu pendant le commencement de la réaction, le 25 Prairial an III de la République » (13 juin 1795).
Ce dessin, tout comme son pendant, tranche sur l'habituelle représentation allégorique des idées révolutionnaires. Ici, point de représentation en pied, symbolique, point de mise en scène grandiose à la manière de Meynier ou de Réattu, mais une scène très calme où domine la narration. En effet, les trois figures dialoguent entre elles au moyen des regards et des mains : la France explique à de jeunes Républicains, dont l'un, au front surmonté du triangle, semble représenter l'Égalité, la signification et le sens de la Patrie. Ce dessin s'inscrit dans l'ensemble du dossier de défense élaboré par Wicar pendant son incarcération. La démonstration de patriotisme qui se dégage de l'œuvre était ainsi destinée à atténuer la violence jacobine dont fit preuve l'artiste durant la Terreur. **J.Be.**

Effervescence et violence
Les artistes français en Italie de 1789 à 1793

De 1789 à 1792, rien en apparence ne trouble l'ordre ni la sérénité de l'Académie de France à Rome. Les promotions se renouvellent régulièrement. Seuls, les architectes en 1790, une année seulement, ont refusé d'entrer en loge[1]. Aussi ponctuellement, les pensionnaires quittent le palais Mancini, sans appréhension visible. Ce mouvement d'horloge parfaitement rodé dure jusqu'à l'automne 1792. Le 24 novembre, le cardinal secrétaire d'État adresse encore au gouverneur de Civitavecchia l'ordre de laisser passer les nouveaux pensionnaires : les peintres Thévenin et Landon, les sculpteurs Gois et Taunay, l'architecte Normand[2]. Seul Gois prendra la route, mais s'arrêtera à Florence. Entre-temps la machine s'est grippée. François-Guillaume Ménageot, le directeur, n'a plus d'argent pour l'entretien des élèves, encore moins pour le viatique de ceux qui doivent s'en retourner et laisser leur place aux suivants. Les pensionnaires, solidaires de leur directeur, font part respectueusement à l'Académie royale de leur inquiétude devant le naufrage imminent. Les quatorze signataires sont les peintres Gounod, Garnier, Girodet, Meynier, Réattu, Lafitte et Fabre ; les sculpteurs Dumont, Gérard, Lemot et Bridan ; les architectes Lefaivre, Tardieu et Lagardette[3].

En revanche, autour de cet îlot de stabilité, le paysage a aussitôt changé. Rome est devenue terre d'asile pour « une quantité prodigieuse d'artistes qui viennent chercher le repos et la paix[4]. Mme Vigée-Lebrun arrive le 11 novembre 1789. D'anciens pensionnaires reviennent. Ainsi, Gauffier, qui avait quitté Rome le 28 avril 1789, est-il de retour le 15 décembre[5], sans autorisation du surintendant, le comte d'Angiviller, qui excusera sa précipitation par des « circonstances bien propres à inspirer la terreur[6] ». A vrai dire, lui-même se cache alors ▶

1. *Procès-verbaux de l'Académie royale d'architecture...* t. IX, Paris, 1926, p. 270.
2. Georges Bourgin, *la France et Rome de 1788 à 1797,* Paris, 1909, p. 50.
3. *Correspondance des directeurs de l'Académie de France à Rome...*, Paris, 1887-1912, t. XVI, pp. 102-103 (cité désormais *C. D.*).
4. *C. D.*, t. XV, p. 372.
5. *Id. ibid.*, pp. 331 et 372.
6. *Id. ibid.*, p. 388.

L'IDÉALISATION

825
Jupiter foudroyant l'Aristocratie

par Joseph CHINARD

Groupe, plâtre. H. 0,155; L. 0,17; Pr. 0,13.
Inscription : au dos : « ... Chinard... ».
Historique : don Ph. Burty au musée Carnavalet; dépôt au musée du Louvre en 1937.
Bibliographie : La Chapelle, 1897, p. 42; Vitry, 1909, sous nº 14; Saunier, 1910, pp. 32-34; Lami, 1910, t. I, p. 201; Hubert, 1964, p. 41; Bresc-Bautier, 1980, p. 54.

Paris, musée du Louvre, département des Sculptures (inv. R.F. 2477).

Cette œuvre (pendant de *Apollon terrassant la Religion* (cat. 704) fut exécutée par Chinard alors qu'il se trouvait à Rome en 1791 ; il s'agissait de réaliser deux bases de candélabres en bronze, commande du négociant lyonnais Van Risemburgh ; seules les terres cuites (au musée Carnavalet; le *Jupiter* est daté 1791) et les plâtres furent exécutés. Comme le groupe d'*Apollon*, celui de *Jupiter* est un collage de divers emprunts à l'Antiquité. Les bras et le torse de Jupiter sont ceux d'un des *Satyres* della Valle de la cour du musée du Capitole (*cf.* Haskell et Penny, *Taste and the Antique*, Yale, 1982, fig. 158), alors que les jambes rappellent celles de l'*Hercule* Farnèse (Haskell et Penny, fig. 118), avec la même pose, jambe gauche en avant. Quant à l'*Aristocratie*, la figure est reprise de Paetus du groupe *Paetus et Arria* (collection Ludovisi au XVIIIe siècle, aujourd'hui musée national des Thermes, Haskell et Penny p. 282, fig. 149); on retrouve le même geste tenant le poignard, les cheveux en arrière et le pathétisme du visage. On peut également étendre les références jusqu'au bronze de l'Algarde, bien qu'il s'agisse plus d'une parenté de sujet — Jupiter en gloire — et de destination — l'œuvre devait être un bronze d'ornement — que d'une réelle influence stylistique.

L'engagement de Chinard aux côtés des valeurs révolutionnaires — il est l'auteur en 1790 de la *Liberté*, colossale statue élevée pour la fête de la Fédération dans la plaine des Brotteaux — se manifesta spectaculairement avec ces deux œuvres qui lui valurent un court emprisonnement au château Saint-Ange (cat. 704). Le Jupiter herculéen est assimilé au peuple français terrassant le démon aristocrate lequel, impuissant, se suicide au milieu des papiers et registres nobiliaires désormais sans valeur.

Chinard après sa libération, en novembre 1792, revint triomphalement à Lyon. Il se rallia à la municipalité républicaine, girondine dans un premier temps, puis dominée par les Ultra-Jacobins autour de Chalier (février-mai 1793); il réalisa notamment un bas-relief, *La Liberté et l'Égalité* (cat. 855) pour l'hôtel de ville; suspecté de modérantisme, jouet des règlements de comptes après le siège et la prise de la ville en insurrection, il fut jeté en prison (6 octobre 1793) avant d'être libéré le 28 février 1794. Dès lors il redevint l'artiste officiel de Lyon concevant en particulier, avec Hennequin, la fête de l'Être suprême. G.Sc.

Jupiter foudroyant l'Aristocratie (cat. 825).

► en Espagne[7]. De Desmarais et de Corneille, on ne sait s'ils ont fait un aller et retour en France, mais il est sûr qu'ils sont à Rome en 1792. A cette vague de la peur, se mêle le courant habituel des artistes en quête des leçons de Rome. Ils risquent d'apporter un air nouveau. Topino-Lebrun est l'un d'eux, envoyé par David en 1790 pour calmer ses ardeurs révolutionnaires en améliorant son art[8]. La misère les attend tous. Ni les émigrés ni les voyageurs étrangers n'ont le goût de jouer les mécènes[9]. Le prince de l'Académie de Saint-Luc, en 1791, répond, non sans perfidie, à un Toulousain, François-Lambert Cammas, que l'argent s'est raréfié et que même « les Romains ont été contraints d'aller chercher ailleurs un pain que Rome, lieu de leur naissance, semble leur refuser[10] ». Dès septembre 1790, beaucoup repartent, incapables de subsister par leur travail ou victimes de la dévaluation continue de la monnaie française. « Cette émigration d'artistes français qui quittent Rome » attriste le comte d'Angiviller comme un désastre[11].

Plus pesante, à mesure que le temps passe, se révèle la suspicion du gouvernement pontifical. La découverte de la loge maçonnique de la « Réunion des amis sincères », en décembre 1789 après l'incarcération de Cagliostro, a malencontreusement attiré l'attention sur les Français, et surtout les artistes, que l'on assimile aisément à des gens sans aveux. Son Vénérable, Augustin-Louis Belle, un externe de l'Académie, sera expulsé un mois plus tard sans avoir dénoncé personne[12], mais l'enquête policière[13] montre sur qui s'orientent les soupçons : Denis d'Anvers et ses amis du café de *la Barcaccia*, Français ou proches, les peintres Gagneraux, Caraffe et Ducros, le sculpteur Choisy. Une liste, envoyée à Paris, fait le point : sur trente-neuf frères, onze étaient des artistes dont neuf Français[14]. Michallon est encore pensionnaire et demeurera ensuite à Rome jusqu'en 1792, sans être inquiété[15]. Les autres, artistes indépendants ou anciens pensionnaires, s'en iront discrètement. Il semble qu'il n'y ait plus désormais à Rome de loge constituée, mais la confusion est immédiate entre patriote et franc-maçon et l'appartenance à la maçonnerie, proscrite par une bulle de Benoît XIV, transforme en délit l'adhésion aux idées nouvelles.

Aussi le directeur de l'Académie ne cesse-t-il de prêcher la prudence et c'est pour éviter des réunions compromettantes qu'il interdit la location d'atelier hors du palais Mancini. Il s'inquiète des contacts ►

7. Jacques Silvestre de Sacy, *le Comte d'Angiviller*, Paris, 1953, p. 194 sq.
8. Alain Jouffroy, Philippe Bordes, *Guillotine et peinture, Topino-Lebrun et ses amis*, Paris, 1877.
9. *C. D.*, t. XVI, p. 3.
10. Olivier Michel, « Lambert-François Cammas et l'Académie romaine de Saint-Luc », dans *Mélanges d'archéologie et d'histoire publiés par l'École française de Rome*, 1970, p. 513 sq.
11. *C. D.*, t. XV, p. 460.
12. *Id. ibid.*, pp. 382 et 385.
13. *Id. ibid.*, p. 396.
14. Paris, Bibliothèque nationale, F.M.² 575.
15. Rome, Archivio del Vicariato, S. Lorenzo in Lucina, *Liber status animarum*, 1792, fol. 30 vº.

826
Le Triomphe du peuple français au 10 Août

par Philippe-Auguste HENNEQUIN

Huile sur toile. H. 4,360; L. 6,940.
Historique : peint en 1798-1799; découpé et dispersé entre les musées de Rouen, Angers, Le Mans et Caen en 1820.
Exposition : 1799, Paris, Salon de l'an VII, n° 156.
Bibliographie : Chaussard, an VII, t. VIII, pp. 543-552 et t. IX, p. 94; Bruun-Neergaard, an IX, p. 158; David, 1880, p. 344; Benoît, 1897, p. 406; Saunier, 1913, p. 146; Hennequin, 1933, pp. 194-198 et pp. 199-204; Bordes, 1979, n° 3, p. 206 et note 35, p. 211.

Libéré au début de 1797, après avoir été emprisonné pour sa participation au complot du camp de Grenelle (20-23 fructidor an IV-6-9 septembre 1796), Hennequin entreprit de porter la lutte politique sur le terrain artistique. Au salon de l'an VII (1799), il exposa une allégorie du 10 Août, qui était un véritable manifeste contre la politique du Directoire. Celui-ci avait en effet imaginé de commémorer les grandes dates de la Révolution. Estimant que seul un Jacobin pouvait peindre le 10 Août, Hennequin commença son tableau tandis que Gérard dessinait le même sujet (musée du Louvre). David, demeuré Jacobin (?), approuva Hennequin, qui, à l'issue du Salon, remporta un premier prix d'un montant de 6 000 francs (coll. Deloynes, t. LVI, n° 1761 et A.N. F^{17} 1058, dos. 6, communication de Brigitte Gallini). Le succès du tableau était le résultat de l'agitation néo-jacobine née des revers militaires qui se succédaient en cette année 1799. Mais bientôt, alors que l'exposition était déjà ouverte, Guérin apporta son *Retour de Marcus Sextus* (musée du Louvre). Aussitôt on transporta sur son nom les lauriers qui ornaient l'œuvre d'Hennequin. La victoire des royalistes était complète, en même temps que le grand prix passait à Guérin. Acquis par l'État, le *10 Août* d'Hennequin fut exposé au musée spécial de l'école française à Versailles. Mais l'artiste lui-même demanda son transfert au temple de Mars (cathédrale). Il en sortit en 1803, au moment où l'édifice fut rendu au culte catholique. Découpée en plusieurs fragments après 1815, l'œuvre fut dispersée entre plusieurs musées, Rouen, Angers, Le Mans et Caen, en 1820. Les trois morceaux de cette dernière ville furent détruits durant la dernière guerre mondiale. *Le Jeune Homme* d'Angers a également brûlé dans l'incendie du palais de Justice où il avait été déposé.
Ainsi ne subsiste-t-il plus de cette immense allégorie que sept fragments qu'il est difficile de restituer dans la composition, connue uniquement par des inscriptions. Très proche dans son esprit de la *Rébellion lyonnaise,* le tableau est ainsi décrit dans le livret du Salon de l'an VII : « Le Peuple armé de sa massue, et tenant la balance de la justice, vient de renverser le colosse de la royauté, dont la chute est exprimée par ses attributs brisés. Avec elle tombent les chaînes de l'esclavage et de l'ignorance qui sapent les chefs-d'œuvre des arts. Sur ces débris de la tyrannie s'élève la Liberté triomphante : d'une main elle pose une couronne sur le marbre qui doit transmettre à la postérité cette époque sublime de la Révolution. Au-dessus, le chêne de la Vertu étend ses branches immortelles. Aux pieds de la Liberté s'agite la Discorde, dont la torche à demi éteinte ne reçoit plus d'aliment : elle pousse des cris, et les serpents se replient sur sa tête tandis que la Calomnie, implacable ennemie du Mérite et de l'Équité, déchire de sa dent venimeuse le laurier de la Gloire, et s'efforce de sa main crochue d'étendre sur l'inscription un voile ensanglanté. Dans le haut du tableau est la Philosophie écartant les nuages qui cachaient la Vérité que le Temps amène. Cette Déesse, son miroir à la main éblouit et terrasse les Crimes. La Rage, armée d'un glaive et s'arrachant les cheveux, le sombre Désespoir, la Fureur jetant un enfant qu'elle vient d'égorger, cherchent à se dérober à l'éclat victorieux qui les poursuit. Plus avant est le Fanatisme, abattu, armant d'un feu homicide, les mains de la Crédulité, qui s'attache encore à un autel renversé. Sur le troisième plan, et à l'écart, paraît la Trahison. Cette dernière échappe seule à la juste punition du Peuple, derrière lequel elle se cache ; elle ne peut soutenir les rayons de la Vérité, et déjà elle s'apprête à se couvrir de son masque et à se servir de son poignard. » Avec ce tableau, Hennequin affirmait son engagement politique, mais révélait également à quel point il était en totale rupture avec la représentation immédiate des événements. Ce n'était pas le cas de Gérard dont le dessin (cat. 1079) montre une scène d'émeute populaire.

J.Be.

826 A
La Philosophie et la Vérité

par Philippe-Auguste HENNEQUIN

Huile sur toile. H. 2,240; L. 1,750.

▶ extérieurs, comme la députation des artistes indépendants auprès des pensionnaires pour les inviter à donner leurs boucles d'argent en forme de don patriotique[16]. Il craint surtout les professions de foi intempestives, les bavardages, les malveillances et bien évidemment, le langage des pensionnaires reflète un changement de mentalité. À propos d'un incident mineur survenu en 1790, Ménageot condamne précisément « cet esprit de Liberté et d'égalité » qui s'instaure dans la maison[17]. Rébellion sans lendemain. L'engagement pour ces artistes protégés par l'institution se dilue en discussions le soir après le dîner « sur les affaires de France » et même le patriotisme modéré de Réattu préférerait les remplacer par un exercice plus académique, « l'étude de la bosse[18] ». Les nouvelles rassurantes envoyées à Paris ne sont pas mensongères : rien ne semble dévoyer l'ambition des pensionnaires. En mai 1792, ils préparent traditionnellement l'exposition prochaine de la Saint-Louis, « un puissant aiguillon pour les exciter au travail[19] ». Ils ont reçu peu auparavant le jugement de l'Académie de Paris sur leurs derniers envois et l'on ne saurait discerner dans les sujets choisis un message caché[20].

L'Académie, repliée frileusement sur elle-même, n'échappera pas cependant aux turbulences de 1792. La police pontificale devient plus active et les dénonciations plus nombreuses. Le sculpteur aixois, Jean-Hippolyte Chastel, sera le premier à en pâtir, accusé d'avoir dessiné le projet d'une statue à Mirabeau, entouré des emblèmes de l'Assemblée nationale. La découverte dans ses bagages de la cocarde tricolore achève de le condamner[21]. Il est incarcéré, puis chassé. En septembre, le sculpteur lyonnais Chinard et son ami, l'architecte Rater, sont arrêtés[22]. Le délit n'est plus politique, mais religieux, Chinard modelant pour un amateur français non seulement *La Liberté foudroyant l'aristocratie*, mais surtout *La Raison foulant aux pieds la Superstition*[23]. Ils resteront jusqu'au 13 novembre dans les prisons du château Saint-Ange où apparemment ils ne furent pas maltraités, malgré les descriptions surréalistes de Topino-Lebrun[24]. Le contexte politique transforme cette affaire en brûlot, alors que l'Académie cesse d'être gouvernée avec la suppression, à la demande de David en novembre 1792, du poste de directeur, aussitôt après la nomination de Suvée en remplacement de Ménageot[25].

Les pensionnaires abandonnés à eux-mêmes découvrent l'ivresse de la liberté. Les voilà qui crient haut et fort leurs sentiments sur la Révolution et se posent en victimes pour avoir « gémi jusqu'à ce moment sous la despotique constitution de leur établissement[26] ». L'Académie devient le point de ralliement de tous les républicains français et comme telle, elle est la cible désignée du courroux populaire que l'on dit attisé en secret par les artistes romains[27] et que le ▶

16. *C. D.*, t. XV, p. 376.
17. *Id. ibid.*, p. 441.
18. Ferdinand Benoît, « les Années romaines du peintre Réattu », dans *Mémoires de l'institut historique de Provence*, t. III, 1926, p. 33.
19. *C. D.*, t. XVI, p. 98.
20. *Id. ibid.*, pp. 82-83.
21. Antonino Bertolotti, *Artisti francesi in Roma*, Mantoue, 1886, p. 215 sq.
22. *C. D.*, t. XVI, p. 106.
23. Gérard Hubert, *la Sculpture dans l'Italie napoléonienne*, Paris, 1964, p. 41.
24. *C. D.*, t. XVI, pp. 122-125.
25. *Procès-verbaux de l'Académie royale de peinture et de sculpture*, t. X, Paris, 1892, pp. 190 et 194.
26. *C. D.*, t. XVI, p. 250.

Historique : envoi de l'État en 1820.
Bibliographie : cat. Rouen, 1824, p. 75, nº 152 ; Popovitch, 1969, p. 71 ; Bordes, 1979, p. 211, note 35, p. 205, fig. 8 ; Moulin, 1983, p. 200, fig. 3.

Rouen, musée des Beaux-Arts (inv. D. 820-2).

Partie supérieure de l'allégorie du *10 Août* du Salon de 1799, ce fragment est ainsi décrit dans le catalogue du musée de 1824 : « Le Génie de l'Histoire, sous la figure d'un vieillard portant sous son bras droit plusieurs grands in-folio, enveloppé d'une draperie blanche, une flamme sort de son cerveau ; il paraît diriger la Vérité, ainsi que son conducteur, parcourt l'immensité sur des nuées. » J.Be.

826 B
Le Crime poursuivi par le Remords

par Philippe-Auguste HENNEQUIN

Huile sur toile. H. 0,420 ; L. 0,660.
Historique : envoi de l'État en 1820.
Bibliographie : Jouin, 1881, p. 24, nº 82 ; Bordes, 1979, p. 211, note 35, p. 205, fig. 9.

Angers, musée des Beaux-Arts (inv. MBA 82 J1881).

Il est possible que ces figures soient celles du *Fanatisme armant la Crédulité*. Mais Philippe Bordes penche pour *La Rage et le Désespoir*. Ces visages révèlent les attaches d'Hennequin avec l'art classique. Le tableau du *10 Août* devait en effet apparaître comme un véritable répertoire de têtes d'expressions. J.Be.

826 C
Le Temps

par Philippe-Auguste HENNEQUIN

Huile sur toile. H. 0,530 ; L. 0,600.
Historique : envoi de l'État en 1820.
Bibliographie : Jouin, 1881, p. 25, nº 83 ; Bordes, 1979, p. 211, note 35, p. 207, fig. 11.

Angers, musée des Beaux-Arts (inv. 83).

On remarque dans le coin supérieur droit quelques feuilles du chêne de la Vertu. J.Be.

826 D
La Frayeur (?)

par Philippe-Auguste HENNEQUIN

Huile sur toile. H. 0,350 ; L. 0,350.
Historique : envoi de l'État en 1820.
Bibliographie : Jouin, 1881, p. 25, nº 84 ; Bordes, 1979, p. 211, note 35, p. 207, fig. 10.

Angers, musée des Beaux-Arts (inv. 84).

826 E
La Frénésie

par Philippe-Auguste HENNEQUIN

Huile sur toile. H. 0,660 ; L. 0,500.
Historique : envoi de l'État en 1820.
Bibliographie : Dugasseau, 1864, p. 49, nº 124 ; Bordes, 1979, p. 211, note 35.

Le Mans, musée de Tessé (inv. 10-487).

Ce fragment est également appelé *La Fureur* (?). J.Be.

826 F
La Calomnie et le Mensonge

par Philippe-Auguste HENNEQUIN

Huile sur toile. H. 0,700 ; L. 0,600.
Historique : envoi de l'État en 1820.
Bibliographie : Dugasseau, 1864, p. 49, nº 125 ; Bordes, 1979, p. 211, note 35, p. 207, fig. 12.

Le Mans, musée de Tessé (inv. 10-488).

La figure portant des oreilles d'âne est peut-être la Discorde « dont la torche à demi éteinte ne reçoit plus d'aliment ». J.Be.

826 G
L'Enragé aux favoris

par Philippe-Auguste HENNEQUIN

Huile sur toile. H. 0,450 ; L. 0,700.
Historique : envoi de l'État en 1820.
Bibliographie : Dugasseau, 1864, p. 49, nº 126 ; Bordes, 1979, p. 211, note 35, p. 207, fig. 13.

Le Mans, musée de Tessé (inv. 10.486).

Le thème de la figure renversée se retrouve constamment chez Hennequin, depuis la *Rébellion lyonnaise*. Elle se rencontre dans les *Remords d'Oreste* en particulier, et dans le plafond de la salle des Antonins au Louvre, représentant l'*Hercule français* (1800). J.Be.

► gouvernement pontifical a de plus en plus de mal à contenir. Hugou de Bassville, envoyé par Makau, représentant de la France à Naples, remercie le pape de l'élargissement de Chinard et Rater, se répand en démonstrations républicaines qui dépassent sa mission : banquet patriotique, chant de *la Marseillaise*[28]. Quand il reçoit l'ordre d'élever les armes de la République, le pape s'y oppose d'autant plus fermement que les rapports de force ont changé, la tempête ayant dispersé la flotte française menaçante qui mouillait dans le golfe de Naples. C'est l'émeute et le drame. Bassville qui bravait la foule en arborant sur le Corso la cocarde tricolore est assassiné le 13 janvier 1793.

Dès le 8 janvier, sentant monter l'orage, il avait engagé les élèves, sous prétexte de travail, à rejoindre leurs camarades qui se trouvaient à Naples[29]. Il ne restait plus ce dimanche 13 au palais Mancini que les artistes qui achevaient de peindre les écussons destinés à remplacer les lys à la porte du consulat et de l'Académie : quatre seulement, les plus engagés, Girodet, Lafitte, Mérimée et Péquignot. Dans le tumulte qui suivit l'attaque du palais, ils réussirent à s'enfuir[30]. Un mois plus tard, à l'ouverture du carnaval, qui autorisait toutes les audaces, un nouveau soulèvement populaire détermina la police, pour éviter d'autres troubles, à proscrire les derniers artistes français ou sympathisants dispersés dans la ville, « par des ordres notifiés à leur domicile[31] ». Résistèrent ceux qui avaient épousé des Italiennes : Denis d'Anvers, Laurent Blanchard, Emmanuel Sallos, mais la plupart obtempérèrent.

C'est Cacault, nommé résident de France à Rome, mais contraint de demeurer en Toscane, qui renseigne Paris sur le sort de tous ces bannis. En avril 1793, ont déjà quitté Florence, sans attendre l'aide financière de la République, les plus prévoyants : Tardieu, Dumont, Michallon, Gounod, Lefaivre, Pierre-René Cacault et les deux frères Sablet. Cinq sont encore à Naples : Girodet et Péquignot, échappés à l'émeute, Réattu, Bridan et Lagardette[32]. Les autres, une vingtaine environ, pensionnaires ou indépendants, vivent de subsides, d'expédients et se déchirent « sans connaître aucune nuance entre rivalité et jalousie[33] ». Wicar s'empresse de rentrer à Paris assouvir ses haines contre ce « criminel » de Desmarais, contre Tierce dont les fils arborent la cocarde blanche et quelques autres à qui il laisse cependant un sursis[34]. Au mois de septembre, certains, comme Gros, ont déjà repris la route et Gênes leur offre un asile plus rémunérateur. En 1795, il ne reste plus en Toscane que les irrécupérables : Gagneraux se suicide le 18 août ; Fabre, reniant ses professions de foi républicaines, introduit dans le cercle de la comtesse d'Albany, entame une brillante carrière ; Gauffier en 1801, Corneille en 1805 y achèveront leur vie. Desmarais adoptera la fille de l'un et épousera la veuve de l'autre. Dans l'exil, en devenant professeur à l'académie de Carrare, il se retrouve en 1807 au service de la France, sous le règne d'Elisa Bonaparte[35].

Olivier Michel

27. Catalogue de l'exposition *Benigne Gagnereaux...*, Galleria Borghese, Rome, 1983, p. 33.
28. *C. D.*, t. XVI, p. 170.
29. *Id. ibid.*, p. 208.
30. *Id. ibid.*, p. 236 sq.
31. *Id. ibid.*, p. 262.
32. *Id. ibid.*, p. 286 sq.
33. *Id. ibid.*, pp. 203-204.
34. Fernand Beaucamp, *le Peintre lillois Jean-Baptiste Wicar*, Lille, 1939, t. I, p. 148.
35. Olivier Michel, « Jean-Baptiste-Frédéric Desmarais », dans *Dizionario biografico degli Italiani* (sous presse).

Fragments du tableau «Le Triomphe du peuple français au 10 Août»

La Philosophie et la Vérité (cat. 826 A).

Crime poursuivi par le Remords (cat. 826 B).

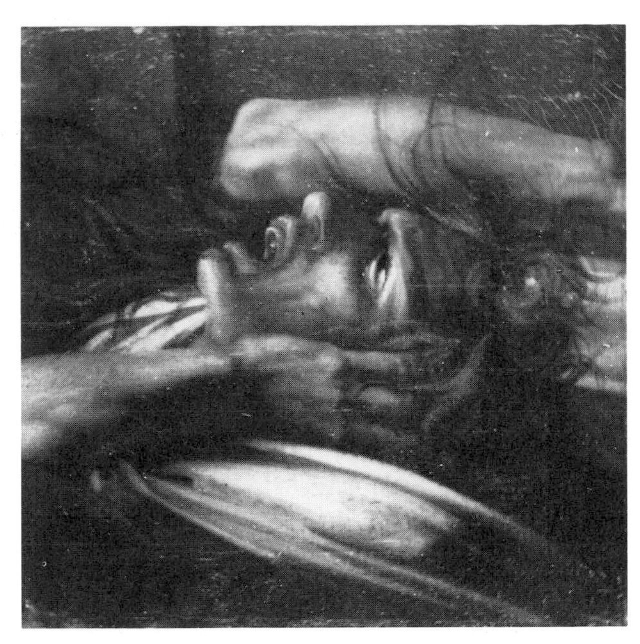

La Frénésie (cat. 826 E).

Temps (cat. 826 C).

La Calomnie et le Mensonge (cat. 826 F).

La Frayeur (?) (cat. 826 D).

L'Enragé aux favoris (cat. 826 G).

827

La Vérité et la Justice montant au ciel, laissant sur la terre le Remords

par Philippe-Auguste HENNEQUIN

Plume et encre brune. H. 0,220 ; L. 0,170.
Inscription : signé en bas à gauche : « Hennequin ».
Historique : don du sculpteur Préault le 28 janvier 1873, à E. Marcille pour le musée (marque en bas à droite, Lugt 1999c).
Expositions : 1974-1975 (2), Paris, p. 83, n° 82, repr. ; 1986, Paris, p. 62, n° 32 A.
Bibliographie : cat. Orléans, 1876, pp. 271-272, n° 805 ; Marcille, 1877, p. 78 ; Bellier-Auvray, 1882, t. I, p. 755 ; Vovelle, 1986, t. IV, p. 250.

Orléans, musée des Beaux-Arts (inv. 776.A).

Caractéristique de la production allégorique d'Hennequin au moment de la Révolution, ce dessin au style nerveux et bouclé, non exempt de fautes anatomiques, est à rapprocher du tableau de Regnault du Salon de 1795, *La Liberté ou la Mort*. Ce ne sont pas là en effet des œuvres destinées à imposer une pensée, à donner forme à des idées, comme l'est en particulier *La Liberté* de Nanine Vallain, mais des œuvres de combat, très marquées par les circonstances exceptionnelles de l'époque.
Exécuté à Lyon en 1794, le dessin d'Hennequin participe d'une logique « terroriste », mais demeure assez incompréhensible, ne faisant référence à aucun événement. Il est possible que le remords soit l'image même d'Hennequin, qui regrette la chute de Robespierre. Ce ne serait pas la première fois que l'artiste se peindrait lui-même dans une de ces œuvres (*cf.* les *Remords d'Oreste*). Nous aurions, dans ce cas, l'un des premiers exemples de ces allégories personnelles dont Hennequin est l'initiateur, et qui feront sa gloire au Salon de 1800.
J.Be.

La Vérité et la Justice montant au ciel, laissant sur la terre le Remords (cat. 827).

828

La Liberté ou la Mort

par Jean-Baptiste REGNAULT

Huile sur toile. H. 0,600 ; L. 0,490.
Inscription : signé et daté en bas à droite : « Regnault l'an III. »
Historique : acquis à Hambourg en 1818 par O.C. Gaedechen ; don au musée en 1846.
Expositions : 1795, Paris, Salon (an IV), n° 424 ; 1974-1975 (1), Paris, Grand Palais, pp. 573-574, n° 150, repr. p. 139, n° 75.
Bibliographie : Courtisans, 1961, p. 373, fig. 3 ; cat. 1966, p. 128, n° 510, repr. ; Heusinger von Waldegg, 1972, pp. 3-4 ; Vovelle, 1986, t. IV, p. 249.

Hambourg, Kunsthalle (inv. 510).

Au Salon de 1791, Regnault expose cinq tableaux ; à l'issue de ce Salon, lui est accordé un deuxième prix de 6 000 livres (séance du 16 avril 1792 ; A.N. F17 1056, dossier 1) ; parmi ces cinq tableaux le *Socrate arrachant Alcibiade des bras de la volupté* est sans doute le tableau qui lui valut son prix (cat. 419). Ce prix lui permit d'exécuter la grande version de *La Liberté ou la Mort* exposée au Salon de 1795 sous le n° 421.
Le 10 nivôse an VII (30 décembre 1798), un arrêté du ministre appelle les artistes à un nouveau concours (coll. Deloynes, t. LVI, n° 1754) demandant aux artistes de faire figurer à ce concours « celui de leurs ouvrages exposés depuis l'an deux qu'ils jugeront le plus digne de concourir ».
Regnault obtiendra alors un prix de deuxième classe pour *La Liberté ou la Mort* précédemment exposé au Salon de 1795 et qui se trouvait donc être déjà un « Travail d'Encouragement » de 1791 (coll. Deloynes, t. LVI, nos 1755 et 1758).
Ces prix furent distribués par le jury des Arts, le 23 ventôse an VII (13 mars 1799). B.Ga.

Deux versions de ce tableau furent exposées au Salon de l'an IV. La petite version est celle présentée ici. L'autre, plus grande (n° 421 du livret) fut offerte à la Nation par Regnault, et vint orner les cimaises de la salle du conseil des Cinq-Cents au palais Bourbon, entre 1799 et 1805. Plus tard en 1872, elle fut envoyée du Louvre dans un musée de province, et n'a pas encore été retrouvée.
L'œuvre, illustrant la devise de la Constitution de l'an I, participe de cet état d'esprit propre au régime de la Terreur : Liberté, Égalité, Indivisibilité de la République, Fraternité ou la Mort. En effet, Regnault commença sa peinture à la fin de l'année 1793, dans le contexte du gouvernement révolutionnaire théorisé par Robespierre et Saint-Just. Le choix de la République jacobine est traduit ici d'une façon très explicite, mais malheureusement pour Regnault, lorsque les deux peintures furent exposées au Salon de 1795, la Convention thermidorienne avait banni la Terreur. C'est pourquoi l'intransigeance affichée par ces œuvres fut extrêmement critiquée. Selon le texte de la collection Deloynes (t. XVIII, p. 406, n° 469), le sujet était « propre à flatter Robespierre et ses agents ».
Le tableau de Regnault est en effet très direct dans la représentation du sujet : de chaque côté du génie de la France — inspiré à la fois du *Mercure* de la Farnésine à Rome et du *Génie de la France* gravé en 1794 par C. Schule d'après Scubert —, génie aux ailes tricolores qui montre où se trouve le choix à effectuer, se tiennent à gauche, la Mort et à droite, la République, accompagnée de ses attributs l'équerre de l'Égalité, le bonnet phrygien, le faisceau et le serpent de l'Éternité.
Extrêmement dépouillée, très néo-classique pourrait-on dire, l'œuvre s'inspire sans aucun doute d'une mise en scène théâtrale, encore baroque dans son esprit. En effet, le regard du génie scrute le spectateur d'une manière directe, le prenant à parti, et l'ensemble de la composition, qui survole le globe terrestre, exprimant ainsi l'universalité des idées de 1793, ne va pas sans évoquer les descentes de per-

La Liberté ou la Mort (cat. 828).

Scène de misère (cat. 830).

Le Tremblement de terre (cat. 829).

sonnages, rendues possibles par les machineries de théâtres. On a relevé à ce propos une influence possible de la scène VI du *Triomphe de la République,* pièce de Marie-Joseph Chénier, représentée en 1793, sur une musique de Gossec. Malgré les critiques formulées en l'an IV, au concours institué le 10 nivôse an VII (30 décembre 1798), Regnault réexposa son tableau obtenant un prix de deuxième classe (coll. Deloynes, t. LVI, n°s 1755 et 1758). Le Directoire estimait sans doute que l'œuvre, dans un climat plus calme, était plus révolutionnaire, au sens large, que factieuse. J.Be.

829
Le Tremblement de terre

par Jean-Pierre SAINT-OURS

Huile sur toile. H. 2,610; L. 1,950.
Historique: acquis de l'artiste par souscription en 1801, pour le musée.
Exposition: 1972, Londres, n° 231.
Bibliographie: De La Bive, 1832, p. 13; Baud-Bovy, 1903, t. I, p. 88; Crosnier, 1910, p. 123; Roethlisberger-Lorty, 1975, pp. 120-121, repr.; Vovelle, 1986, t. III, p. 335.

Genève, musée d'Art et d'Histoire (inv. 1825-1).

**Il existe d'innombrables dessins préparatoires, d'ensemble et de détails, pour ce tableau dont le sujet semble avoir hanté Saint-Ours durant une grande partie de sa vie. Il songeait certainement à ce thème dès 1783. Dans une lettre datée du 19 février de cette année-là, il écrivait à son cousin Bois-de-Chêne: «Une nouvelle affreuse vient de se répandre ici, un tremblement de terre est arrivé il y a six à huit jours en Sicile. Il a occasionné la ruine presque entière de Messine, qui était, comme vous savez, depuis longtemps en péril par la forme voûtée du sol... l'on croit qu'il y ait péri plus de 20 à 30 mille personnes...» Par ailleurs, le 23 juin 1783, Saint-Ours notait, faisant allusion aux troubles révolutionnaires survenus à Genève en 1782-1783: «Votre description de notre malheureuse Patrie m'a fait la plus vive peine, surtout l'émigration de nos parents...»
C'est sans doute le télescopage de ces deux événements, l'un physique, l'autre politique, qui fit prendre conscience à l'artiste de la précarité de l'existence, précarité dont le tableau, cela est certain, est la transcription plastique. Pourtant, l'œuvre ne fait véritablement référence ni à l'un ni à l'autre aspect du tremblement de terre. Ainsi qu'il le disait lui-même, Saint-Ours a peint une famille réduite au désespoir par un déluge. D'une sensibilité déjà romantique, l'artiste s'est plu avant tout à peindre un thème fréquent dans la peinture classique du XVIIe siècle, le Déluge (*cf.* Poussin ou Louis Carrache), thème remis en honneur par le néo-classicisme (Danloux, musée de Saint-Germain-en-Laye; Girodet, musée du Louvre).
Commencé à Rome en 1792, sans doute sous l'action directe des événements français qui agitaient l'Académie de France installée au palais Mancini, le tableau du musée de Genève, achevé en 1799, est l'aboutissement des différentes versions du *Tremblement de terre* que Saint-Ours avait envisagées. Républicain convaincu, l'artiste devait peindre en 1794 une *Allégorie de la République de Genève* (cat. 933), version suisse de la nouvelle conception de la République. J.Be.**

830
Scène de misère

par Henri-Pierre DANLOUX

Huile sur toile. H. 1,390; L. 1,070.
Historique: fragment découpé après 1869 d'un tableau intitulé «La Pitié»; don Paul et Claude Marcus en 1976.
Bibliographie: Portalis, 1910, p. 145; Compin-Roquebert, 1986, t. III, p. 178.

Paris, musée du Louvre, département des Peintures (inv. RF. 1976-3).

**Antonin Danloux, petit-fils du peintre, expliquait ainsi le sujet du tableau de *La Pitié*: «Ce tableau (...) était un drame de la misère à Londres. Sur la paille du grabat, une femme à moitié nue a son enfant au sein. Le père, debout, enveloppé d'un grand manteau, cache sa tête dans ses mains pendant que ses enfants s'arrachent du pain. Sur le seuil, un homme, la canne tendue, va lui crier "voleur" et s'arrête, pris de pitié.» Ce grand tableau découpé, connu par une gravure d'Audinet exécutée d'après une esquisse, ce qui explique les variantes par rapport au fragment, fut inspiré à Danloux par un passage du poème de l'abbé Delille, *la Pitié,* publié en 1803 mais sans doute connu par des lectures publiques antérieures. La préface de la première édition de ce poème précise d'ailleurs que Danloux s'était proposé de réaliser une œuvre d'après ce sujet. Selon Portalis, cette entreprise fut la dernière du peintre, qui ne l'acheva pas (p. 414).
Demeuré dans la famille de l'artiste, le tableau passa en vente le 13 mars 1869 (n° 2). Son nouvel acquéreur le dépeça alors, et seuls deux fragments sont repérés aujourd'hui: celui du Louvre, et le groupe des deux enfants, autrefois dans la collection du baron de Schlichting.
Malgré son caractère fragmentaire, cette peinture, exécutée alors que Danloux se trouvait à Londres, conserve une puissance évocatrice que n'avait peut-être pas l'original, si l'on en juge par la gravure. En effet, le regard n'est plus gêné par l'anecdote, et se focalise essentiellement sur cette image de la misère poussée à son extrémité. Malgré son caractère néo-classique indéniable, l'œuvre participe de l'art anglais, par son aspect émotionnel qui annonce déjà le romantisme. J.Be.**

831
La Résurrection de Lazare

par Jean-Louis GILSON, dit frère Abraham d'Orval

Huile sur toile. H. 0,625; L. 0,50.
Inscription: au revers: «Fait par Frère Abraham d'Orval le 9 mars 1795 — le jour que les assiégés ont battu les français à [Ei]sch et à ... intgen par le ... Bender. Peint par le frère Abraham et présenté à Dom Romain... in à l'abbaye de Munster [9] mars Luxembourg. Tempore [b]elli cum Gallis.»
Exposition: 1971, abbaye d'Orval.
Bibliographie: Koltz, 1986.

Luxembourg, musée national d'Histoire et d'Art (inv. 1941-38/2).

**Jean-Louis Gilson, dit frère Abraham d'Orval, est né en 1741 à Habay-la-Vieille et mort en 1809 à Florenville. Frère convers à l'abbaye cistercienne d'Orval, il aurait été envoyé par ses supérieurs faire des études de peinture à Trèves, à Mannheim, à Düsseldorf et il aurait effectué des voyages à Anvers, à Paris, à Rome. Frère Abraham d'Orval a vécu à Luxembourg, après la dévastation et l'incendie de l'abbaye d'Orval en 1793, jusqu'à la fin de l'Ancien Régime en 1795. Peintre notamment de scènes religieuses et mythologiques, il a décoré des églises et des maisons privées. Parmi ses élèves, on peut citer Pierre-Joseph Redouté et Jean-Antoine Ramboux.
C'est à Luxembourg que cette toile aurait été peinte le 9 mars 1795, jour où les assiégés, sous la conduite du général-baron autrichien de Bender, ont infligé aux Français une défaite: «Tempore belli cum Gallis.» Cette peinture aurait été présentée à l'abbaye de Neu-Münster où se trouvait frère Abraham. La composition de ce tableau est circulaire. Un sfumato lie les formes entre elles et crée une perspective atmosphérique probante. Un clair-obscur dramatise la scène, une unité certaine règne parmi les couleurs qui tendent au camaïeu. Il se peut que ce tableau soit un des meilleurs qu'ait peints frère Abraham. Cette petite victoire du 9 mars 1795 du général-baron de Bender sur les Français, avant sa défaite finale, n'aurait-elle pas pu être à l'origine de cette *Résurrection de Lazare*? Frère Abraham, d'après ce que l'on croit savoir, avait l'habitude de peindre rapidement. Ce Lazare, qui revient à la vie, ne pouvait-il pas symboliser un espoir qui renaissait ce jour-là aux yeux de frère Abraham réfugié à Luxembourg, forteresse d'un monde mourant — celui de l'Ancien Régime? G.Th.**

832
Némésis déplorant le bannissement de Peter Andreas Heiberg

par Nicolai ABILDGAARD

Plume, encre noire et lavis noir et gris, mine de plomb. H. 0,142; L. 0,192.
Inscription: «d.25.Dec.1799.»
Historique: dessin pour commémorer l'exil de l'écrivain Peter Andreas Heiberg en 1799.
Bibliographie: Swane, 1926, p. 25; Rohde, 1960, p. 73; Kragelund, 59, 1982, p. 62; Kai Sass, 1986, p. 140.

Copenhague, musée royal des Beaux-Arts, cabinet des Estampes.

La Résurrection de Lazare (cat. 831).

Le destin de Peter Andreas Heiberg (1758-1841) est étroitement lié à celui du radicalisme danois dans les années 1790. Avant la Révolution, Heiberg s'était déjà fait un nom en tant que critique, traducteur (de Moses Mendelssohn) et auteur de comédies. Gagné par l'optimisme politique des premières années de la décennie 1790, Heiberg se retrouva compromis à plusieurs reprises dans des scandales littéraires. Sa ballade de 1798 proclamant qu'« on distribue des médailles aux idiots » est devenue un proverbe danois qui influencera durablement l'attitude du peuple à l'égard de l'arrogance de l'élite.
Au milieu des années 1790, Heiberg, qui ne désarmait pas, était généralement considéré comme le premier jacobin du pays, et devint, avec le rétablissement progressif de la censure, de jour en jour plus isolé. Lorsqu'au début 1799 il fut poursuivi en justice, l'affaire suscita un intérêt considérable et Heiberg, par bravade, publia tous les débats du procès. Ce qui conduisit le gouvernement à rétablir la censure (septembre 1795), et le 24 décembre il était envoyé en exil.
Le verdict provoqua une indignation considérable. Lorsque la femme de l'exilé vint assister à une représentation au Théâtre-Royal, l'assistance se leva en son honneur — un hommage habituellement réservé à la seule famille royale. Le jour de son départ, une foule nombreuse escorta Heiberg quittant la ville, et dans son « Stamnbuch », ses amis saluèrent le martyr politique partant en exil.
Abildgaard était un ami de longue date de l'écrivain danois. Ils avaient collaboré à divers projets et partageaient les mêmes opinions politiques. Les ennuis de Heiberg étaient aussi ceux d'Abildgaard, et dans son dessin d'adieu profondément pessimiste, Abildgaard a perdu pour ainsi dire son optimisme d'antan. *Némésis défendant les droits de l'homme* (cat. 886) figurait jusqu'ici parmi ses motifs favoris, mais l'artiste la représente ici entourée des emblèmes symbolisant l'amère déception des espoirs politiques des deux amis. Le symbole de l'Égalité, par exemple, a été écarté ; et, même si le dessin fini reproduit les couleurs du Tricolore, tout optimisme en est absent. Le dessin, malgré son petit format, se caractérise par une grande monumentalité. Il ne constitue pas seulement un hommage amer et très personnel à son ami (la branche de pommier, emblème traditionnel de Némésis, se veut également un jeu de mots sur le nom de l'artiste), mais aussi ses adieux aux thèmes politiques qui ont caractérisé son art depuis le milieu des années 1780. Lors d'un débat en 1802, Abildgaard devait lui-même reconnaître que le rétablissement de la censure avait profondément influencé son œuvre. Maintenant, déclarait-il, même écrire des poèmes est devenu interdit. Il ne réalisait plus de projets de médaillons et de monuments : « Il ne voulait pas que les gens de la Chancellerie débattent pour savoir s'il irait en prison ou pas. »
Heiberg s'établit à Paris, où il obtint un poste de fonctionnaire au ministère des Affaires étrangères. Poste qu'il devait perdre avec la chute de son bienfaiteur, Talleyrand, mais jusqu'en 1841, date de sa mort, il refusera toute proposition de rapatriement. P.Kr.

Némésis déplorant le bannissement de Peter Andreas Heiberg (cat. 832).

LA PEINTURE D'HISTOIRE TÉMOIN DE LA RÉVOLUTION

833
La Générosité des dames romaines

par Louis GAUFFIER

Huile sur toile. H. 0,810; L. 1,120.
Inscription : signé et daté en bas à droite : « L. Gauffier fecit, Romae, 1790. »
Historique : vente Jauffret, 1811, n° 17; acquis en 1943 par la Réunion des musées nationaux; déposé à Bordeaux en 1946 puis à Poitiers en 1949.
Expositions : 1791, Paris, Salon, n° 633; 1945, Paris, n° 345; 1947, Bordeaux, n° 116.
Bibliographie : Crozet, 1941-1944, p. 108; Crozet, 1950, n° 1, pp. 15-16, fig. 15; Sandoz, 1958, pp. 195-196; Rosenblum, 1968, pp. 87-88; Samoyault, 1975, p. 336, note 4; Vovelle, 1986, t. I, p. 205.

Poitiers, musée des Beaux-Arts
(inv. R.F. 1943-68; D. 949-2-1).

Le 7 septembre 1789, une députation de femmes et de filles d'artistes, se rendit à l'Assemblée nationale pour offrir leurs bijoux à la Patrie. Ce geste civique faisait référence à un acte de la Rome antique : les dames romaines étaient venues devant le Sénat pour donner leurs bijoux afin d'exaucer le vœu de Camille d'envoyer au sanctuaire d'Apollon à Delphes un vase d'or en remerciement de la prise de Véies. Si Nicolas-Guy Brenet avait déjà peint ce sujet en 1785 (château de Fontainebleau), la toile de Gauffier devait prendre une nouvelle dimension lorsqu'elle fut exposée au Salon de 1791. Elle faisait en effet directement référence à cette action généreuse qui avait eu lieu à Paris deux années auparavant, lui rendant ainsi toute son actualité. Toutefois, l'œuvre ne dut pas emporter l'adhésion générale du public, car ainsi que le dit le critique Charles Villette : « On est un peu surpris de ne voir au Salon qu'un seul tableau des grands de la Révolution [le dessin pour le *Serment du Jeu de paume* de David] » (*Lettres choisies de Charles Villette*, Paris, 1792, « Le Salon », 13 octobre 1791). La référence à la scène du 7 septembre n'était sans doute pas très claire, d'autant qu'il s'agissait d'un événement mineur de la Révolution. L'œuvre de Gauffier devait cependant ouvrir la voie à toute une série de peintures politiques à sujet antique dont les plus beaux fleurons devaient voir le jour sous le Directoire (*cf.* Les tableaux de Topino-Lebrun, Hennequin et Guérin).
Malgré un souci évident de rigueur et de sévérité, bien en rapport avec le patriotisme du sujet, la toile de Gauffier n'échappe pourtant pas à un certain sentimentalisme et à une tendance à la préciosité, particuliers à cet artiste. J.Be.

834
Le Départ de Régulus pour Carthage

par Jean-Baptiste DEBRET

Huile sur toile. H. 1,080; L. 1,430.
Historique : don de M. Lazare fils au musée en 1842.
Bibliographie : cat. Montpellier, 1910, p. 44, n° 139.

Montpellier, musée Fabre (inv. 842-2-1).

Élève de David, Debret postula pour le prix de Rome en 1791, mais n'obtint qu'un deuxième grand prix, derrière Louis Lafitte et Thévenin. Le sujet imposé, *Régulus partant pour Carthage*, permet de comparer les œuvres connues. Tout comme Thévenin, dont le tableau est conservé à l'École nationale supérieure des Beaux-Arts, Debret s'inspirait de la composition de Lépicié, peinte en 1779 (musée de Carcassonne), véritable prototype du thème de Régulus.
L'artiste peignait-il alors un tableau « engagé » ? La question demeure en suspens. Certes, le sujet choisi par l'Académie n'était pas indifférent. C'était la fermeté d'âme, le courage, le patriotisme et le civisme que prônait alors le gouvernement, mais rien ne prouve que Debret, Thévenin ou Lafitte aient ressenti ainsi le concours. Il est plus vraisemblable que ces jeunes artistes aient seulement espéré obtenir le prix, moyen prestigieux pour commencer une carrière.
L'œuvre de Debret, qui vaut par son néo-classicisme solide, fut préparée par un dessin conservé à Besançon (pierre noire; H. 0,275; L. 0,368; signé en bas à gauche : « Debret »; inv. D. 917), nettement moins rigoureux dans sa conception. J.Be.

835
Le Départ de Régulus pour Carthage

par Jacques-Augustin PAJOU

Huile sur toile. H. 1,120; L. 1,515.
Inscription : signé et daté en bas à gauche : « Pajou fils 1793. »
Historique : don de Mmes Solvay et Petit-Collot, en souvenir de leur mère, Mme Thérèse Vaillant, en 1964.
Exposition : 1793, Paris, Salon, n° 388 bis.
Bibliographie : Rosenberg, 1965, pp. 81-84, fig. 1 à 4; cat. Louvre, 1972, p. 288; Rosenberg-Reynaud-Compin, 1974, n° 611 ?; Compin-Roquebert, 1986, t. IV, p. 124.

Paris, musée du Louvre, département des Peintures (inv. R.F. 1964-5).

Après avoir remporté plusieurs succès contre les Carthaginois, Régulus, général romain, fut capturé par eux en 255 avant J.-C. Renvoyé à Rome sur sa parole, pour proposer un échange de prisonniers, il parvint à dissuader le Sénat d'accepter. Résistant aux embrassements de sa femme Marcia, et aux lamentations de ses enfants, il retourna à Carthage où il mourut supplicié.
Tel est le thème traité par Pajou dans ce tableau du Salon de 1793. Le sujet n'était pas nouveau à cette époque. Il avait déjà été représenté par Lépicié en 1779 (musée de Carcassonne) et avait été choisi comme sujet pour le concours de l'Académie en 1791. Mais dans le contexte de l'année 1793, il devait prendre une dimension particulière. Au-delà du patriotisme dont Régulus était le symbole, c'était un véritable appel au civisme national que peignait Pajou. Peut-on pour autant affirmer que l'œuvre était réellement engagée politiquement ? Rien n'est moins sûr, bien que l'artiste fût lui-même très engagé dans la Révolution. Elle participe seulement de ce nouvel esprit de vertu que la période néo-classique avait mis à la mode.
Stylistiquement, la peinture est directement inspirée de la toile de Lépicié et de celle de Thévenin, qui obtint le prix de Rome en 1791 avec Lafitte (tableaux conservés à l'École nationale supérieure des Beaux-Arts). En effet, les compositions de ces trois œuvres sont extrêmement proches, et la toile de Pajou, artiste de la seconde génération néo-classique, se ressent encore, dans son esprit comme dans sa matière, du style du XVIIIe siècle finissant.
Pajou inscrivit son tableau au concours de l'an VII (1798) et obtint ainsi un prix d'encouragement de quatrième classe (coll. Deloynes, t. LVI, n°s 1755 et 1758). J.Be. et B.Ga.

836
Timoléon

par Charles MEYNIER

Esquisse à l'huile sur toile. H. 0,470; L. 0,610.
Inscription : signé et daté en bas à gauche : « Meynier, 1791. »
Historique : don Fabre au musée en 1825.
Bibliographie : cat. Montpellier, 1910, p. 114, n° 403; Michel, 1987, p. 195, fig. 13.

Montpellier, musée Fabre (inv. 825-1-151).

Ainsi que l'écrit Régis Michel, l'œuvre la plus significative du séjour romain de Meynier, grand prix en 1789, est l'esquisse de Montpellier. Le sujet est tiré des *Vies parallèles* de Plutarque. Tentant de persuader son frère Timophane de renoncer à la tyrannie sur Corinthe, et ne pouvant y parvenir, Timoléon ordonna au devin Satyros et à son beau-frère, Eschyle, de le tuer.
Le moment choisi par Meynier pour représenter cet épisode est le commencement d'exécution de l'ordre de Timoléon. En cela, son esquisse est assez différente du dessin de Gros conservé au Louvre (plume et lavis brun, rehauts de blanc, H. 0,445; L. 0,580, inv. 27024) qui montre l'assassinat lui-même.
L'œuvre de Meynier vaut surtout par le style où se mêlent la marque davidienne (composition très stricte) et l'élongation des figures, venue de Fabre, condisciple de l'artiste à Rome.
Peinte dans la suite du *Brutus* de David, l'esquisse se veut un plaidoyer contre la tyrannie. Fait-elle référence à certains événements fran-

La Générosité des dames romaines (cat. 833).

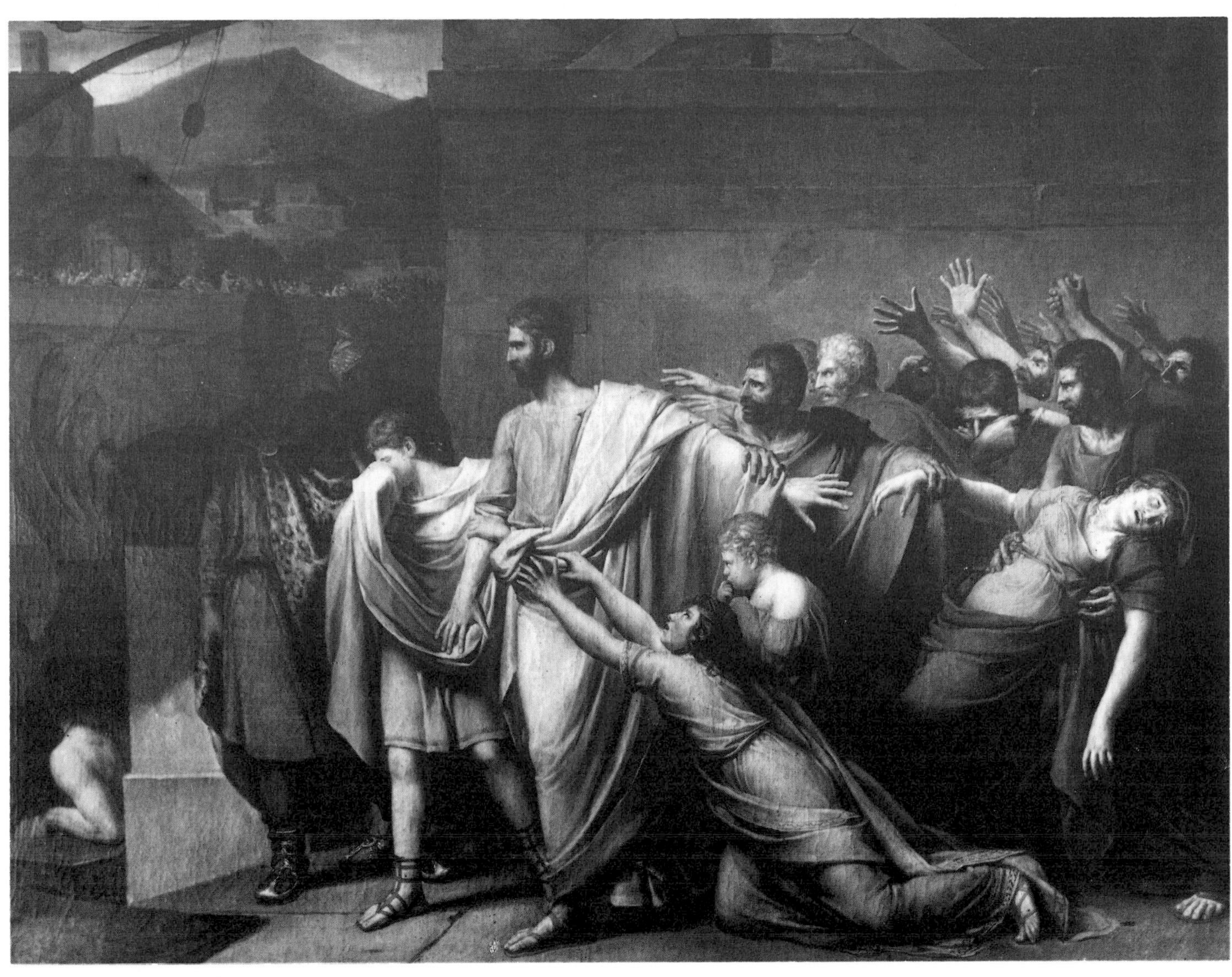

Le Départ de Régulus pour Carthage (cat. 834).

Le Départ de Régulus pour Carthage (cat. 835).

Timoléon (cat. 836).

Timoléon à qui les Syracusains amènent des étrangers (cat. 837).

Épisode de la légende de Bélisaire (cat. 838).

çais des débuts de la Révolution ? Rien n'est moins sûr, car, comme le dit Régis Michel, Meynier manifesterait plutôt « l'apolitisme le plus prudent ».
Il n'en va pas de même de Gros, dont le dessin, exécuté en 1798, prévu pour une peinture non réalisée, faisait sans doute référence au 9 Thermidor, à la chute de Robespierre.

J.Be.

837
Timoléon à qui les Syracusains amènent des étrangers

par Jean-Joseph TAILLASSON

Huile sur toile. H. 0,460 ; L. 0,550.
Inscription : signé en bas à droite : « Taillasson ».
Historique : legs Edouard Gatteaux en 1884.
Exposition : 1967, Montauban, n° 298.
Bibliographie : Cambon, 1885, n° 297 (1) ; Lossky, 1960 (1961), p. 52, note 2 ; Lossky, 1961, n° 1, pp. 35-38, fig. 1 ; Ternois, 1965, n° 239 ; Barousse, 1981, p. 22.

Montauban, musée Ingres (inv. 884.1.7).

Républicain corinthien (IVe siècle avant J.-C.), réfugié à Syracuse où il abolit la tyrannie de Denys le Jeune, Timoléon recevait les étrangers qu'on lui amenait en disant : « Les dieux voulaient délivrer la Sicile ; je les remercie de m'avoir choisi pour instrument de leur volonté. » S'inspirant de Cornélius Népos, rapporteur de cette histoire, Taillasson exposa son tableau au Salon de l'an IV, mais il ne recueillit guère les suffrages de la critique. Celle-ci souligna le thème peu apte à fournir de grands effets, et remarqua la froideur, la grandiloquence des figures, pourtant traitées avec la plus grande correction. L'œuvre semble avoir été également inspirée par la pièce de Marie-Joseph Chénier, *Timoléon* (jouée en l'an II, sur une musique de Méhul). Bien que la critique n'ait pas relevé cette correspondance, il faudrait peut-être replacer la peinture dans le contexte des débuts du Directoire. *Timoléon* rendrait alors hommage aux Thermidoriens, pour avoir évincé Robespierre, assimilé au tyran Denys. Nous entrons, avec cette hypothèse, dans le cercle de ces peintures d'histoire détournées politiquement, dont Topino-Lebrun puis Hennequin devaient fournir les meilleurs exemples.
Cette esquisse est l'œuvre qui permit à Boris Lossky d'identifier la peinture du musée de Tours (H. 1,570 ; L. 1,950, inv. D. 52-1-1). Moins grandiloquente que le tableau définitif, cette petite peinture présente de légères différences, en particulier dans le décor, arbres, colonnes, et la tête de Timoléon, de profil, qui révèle une retenue des sentiments absente du tableau de Tours.

J.Be.

838
Épisode de la légende de Bélisaire

par Pierre-Antoine MARCHAIS

Huile sur toile. H. 0,630 ; L. 0,800.
Inscription : signé et daté en bas à gauche : « P.A. Marchais/L'an 2è de la R. »
Historique : acquis en 1847.
Exposition : 1793, Paris, Salon, n° 568.
Bibliographie : Inv. Richesses d'Art, 1920, p. 145, n° 293 ; Mesplé, 1951, pp. 118-119, repr.

Toulouse, musée des Augustins (inv. R. 0293).

Entré au musée sous le nom de Pierre Henri de Valenciennes, peintre né à Toulouse, ce tableau était effectivement signé : « P.H. Valenciennes/L'an 2è de la R. » Mais un nettoyage fit apparaître la signature de Marchais, auquel l'œuvre fut donc redonnée.
L'ancienne attribution n'était cependant pas dénouée de fondement. Valenciennes apparaissait comme « le David du paysage classique », qu'il avait contribué à revaloriser à la fin du XVIIIe siècle. Bertin, Bidault et Marchais furent ses suiveurs. Le tableau de Toulouse constitue un excellent exemple de ces paysages recomposés en atelier, à la manière de Poussin, et animés de figures mythologiques, qui permettaient de hausser ce type de peinture au niveau du genre historique, considéré comme supérieur.
Lorsque Marchais exposa son *Bélisaire* au Salon de 1793, le premier auquel il participa, le thème était à la mode depuis le début du néo-classicisme, depuis la publication du *Bélisaire* de Marmontel (1767). Durameau en 1775 (tableau passé en vente à Versailles en 1970), Vincent en 1776-1777 (Montpellier, musée Fabre), Peyron en 1779 (Toulouse, musée des Augustins) et David en 1781 pour son agrément à l'Académie (musée de Lille), avaient traité l'épisode de Bélisaire devenu aveugle, guidé par un enfant.

J.Be.

839
L'Héroïsme de Guillaume Tell

par Jean-Frédéric SCHALL

Huile sur panneau. H. 0,450 ; L. 0,540.
Inscription : signé et daté en bas à gauche : « F. Schall l'an IIè. »
Historique : acheté dans le commerce parisien en 1930.
Expositions : 1930, Strasbourg, n° 6 ; 1948, Strasbourg, suppl. n° 893 ; 1958, Bordeaux, n° 66 ; 1974-1975 (1), Paris, n° 163.
Bibliographie : Girodié, 1927, pp. 32 et 61, note 168 ; Compte rendu..., p. 10, fig. 11 ; Haug, n° 433, repr. ; Guth, p. 19 ; Rosenblum, 1967, p. 80, note 105.

Strasbourg, musée des Beaux-Arts (inv. 1232).

A la fin du XVIIIe siècle, nombreux furent les artistes qui s'inspirèrent de l'histoire de Guillaume Tell, héros de l'indépendance suisse. Füssli fut le premier à s'emparer du sujet dans son *Serment de Rütli* (cat. 434). En France, Vincent exposa au Salon de 1795 (n° 528) un *Guillaume Tell renversant la barque sur laquelle le gouverneur Guesler* (Gessler) *traversait le lac de Lucerne*, œuvre commandée en 1791 (cat. 1072). Un buste du héros fut également offert par le sculpteur Beauvallet au club des Jacobins, le 19 messidor an II (7 juillet 1794). Et David représenta la figure de Guillaume Tell dans son projet de rideau pour l'Opéra en 1793-1794 (dessin conservé au musée Carnavalet). Au même titre que Brutus, Timoléon ou Cincinnatus, Guillaume Tell entrait ainsi dans le panthéon républicain. C'est dans ce contexte que Schall peignit son tableau en 1793-1794. Le sujet en est expliqué par le texte de la gra-

L'Héroïsme de Guillaume Tell (cat. 839).

Guillaume Tell et le dragon de la Révolution (cat. 840).

vure de Romain Girard, exécutée d'après la peinture. L'épisode se situe peu après que Guillaume Tell eut échappé à l'emprisonnement. Poursuivi dans la montagne par Gessler, il lui décocha une flèche qui le tua. Un tel sujet, qui prônait la résistance à la tyrannie, était bien fait pour séduire les révolutionnaires.
Depuis que Grétry avait fait jouer à Paris un *Guillaume Tell* écrit sur un livret de Sedaine (1791), le héros était devenu une référence officielle pour les Jacobins. Ainsi que le rappelle Robert Rosenblum, une loi du 2 août 1793 stipulait que la pièce d'Antoine-Marin Lemierre, *Guillaume Tell,* représentée en 1766, devait être jouée trois fois par semaine aux frais de la République.
Bien que très engagé dans la Révolution, Schall n'avait jamais changé de style. Spécialisé dans les sujets galants traités d'une manière rococo, il ne transforma pas sa conception de l'art pour peindre ce tableau, où l'influence du théâtre se fait très clairement jour dans la mise en scène et dans les costumes fantaisistes. J.Be.

840
Guillaume Tell et le dragon de la Révolution

par Balthasar Anton DUNKER

Plume, encre noire et aquarelle. H. 0,390 ; L. 0,325.
Bibliographie : Nicolas, 1924.

Zurich, Musée national suisse (inv. LM 20965).

Contrairement aux Français qui récupérèrent la figure de Guillaume Tell, symbole de liberté (*cf.* les tableaux de Schall, de Vincent, le buste de Beauvallet), Dunker utilisa ce personnage pour revendiquer la liberté de la Suisse, au moment de la création de la République helvétique, en 1798. Assimilé au tyran Gessler, la France est terrassée par Guillaume Tell, dans ce dessin au style baroque très prononcé. Le cadavre fumant du monstre français, mi-coq, mi-dragon, dégage des vapeurs au travers desquelles apparaissent le héros et son fils, nouveaux Siegfried se réclamant de la Justice.
L'esprit si sarcastique de Dunker ne s'exprime jamais mieux que dans ses dessins. Là seulement il peut laisser libre cours à sa pensée et à ses opinions. Ses gravures au contraire se ressentent des contraintes de la diffusion. Deux

Jeanne Hachette au siège de Beauvais en 1472 (cat. 841).

types peuvent être dégagés : soit une vision événementielle, froide, simple témoin d'une réalité politique et sociale, soit une conception allégorique très personnelle, liée à une description en plusieurs vignettes. Cette dernière catégorie, qui n'obéit pas aux lois traditionnelles de l'allégorie, ni à sa symbolique, permet à Dunker de préciser son message critique d'une manière abstraite qui n'appartient qu'à lui, et de ce fait rend la lecture de ces gravures parfois très difficile.
Il n'en demeure pas moins que Dunker est sans doute l'un des artistes les plus riches de la période révolutionnaire, même si l'interprétation de ces œuvres reste controversée. J.Be.

841
Jeanne Hachette au siège de Beauvais en 1472

par François WATTEAU DE LILLE

Huile sur toile. H. 0,940 ; L. 1,210.
Inscription : signé et daté en bas vers la gauche : « F. Watteau an 7 r.p. »
Historique : don de Mlle E. Hollaind, 1882.
Expositions : 1799, Lille, Salon des arts, n° 1 ; 1849 (?), Valenciennes ; 1975-1976, Calais-Arras-Douai-Lille, pp. 129-131, n° 67, repr..
Bibliographie : Nicolle, 1882, n° 268 ; Marmottan, 1889, pp. 55 et 60 ; Mabille de Poncheville, 1928, p. 84 et cat. p. 107, n° 3.

Valenciennes, musée des Beaux-Arts (inv. 46-1-212).

Inspirée d'un épisode du siège de Beauvais établi par Charles le Téméraire en 1472, l'œuvre de François Watteau s'inscrit dans un ensemble de productions à sujets mis à la mode pendant le règne de Louis XVI. Le thème avait également été représenté par Le Barbier en 1784, dans un tableau détruit en 1940 au musée de Beauvais (J. Vergnet-Ruiz, *Revue du Louvre,* 1971, n° 2, pp. 81-85). Mais à l'inverse de Le Barbier, Watteau fait passer un message patriotique dans sa peinture, par-delà la seule ambition historique.
Exposée en 1799 à Lille avec son pendant, *La Bataille des Pyramides* (musée de Valenciennes), résolument contemporain, l'œuvre de Watteau participe d'un esprit de résistance propre à certaines œuvres de l'époque (*Le Siège de Granville* de Jean-François Hue (cat. 724), *L'Enrôlement des volontaires* de Guillon-Lethière (cat. 817)). Il s'agissait pour Watteau de montrer comment la France remportait des victoires loin de ses frontières pendant que son territoire, les revers s'accumulant, était menacé d'invasion. Leçon de civisme, le tableau incitait les Français à la guerre, mais

Le Retour de Marcus Sextus (cat. 842).

son pendant symbolisait peut-être un appel, l'espoir d'un prompt retour de Bonaparte, seul apte à redresser la situation militaire. Jugé « au-dessous du médiocre » par Mabille de Poncheville, le tableau présente une composition extrêmement fougueuse, énergique, très lisible cependant malgré la mêlée, qui n'est pas sans rappeler l'esquisse du *Siège de Lacédémone,* peinte par Topino-Lebrun en 1800, dans le même esprit de lutte nationale (Vizille, musée de la Révolution française). Mais à l'inverse de Topino, engagé politiquement, réfugié dans le complot, Watteau ne cherche pas à détourner son sujet. Il exacerbe au contraire l'imagination du spectateur, en insistant sur les effets de mouvement et la brutalité des éclairages, qui annoncent déjà une sorte de romantisme.

J.Be.

842
Le Retour de Marcus Sextus

par Pierre Narcisse GUÉRIN

Huile sur toile. H. 2,170 ; L. 2,440.

Inscription : signé et daté en bas à gauche : « Guérin Ft an 7. »

Historique : coll. de Charles X, acquise en 1830.

Expositions : 1799, Paris, Salon, n° 153 ; 1936, Paris, p. 186, n° 331 ; 1972, Londres, p. 83, n° 125.

Bibliographie : Bruun-Neergaard, an IX, p. 152 ; Lebreton, 1808, pp. 68-69 ; Landon, 1822, pp. 133-134 ; Delécluze, 1855, p. 309 ; David, 1855, pp. 211-212 et 309 ; Benoit, 1897, pp. 306, 324-325 et 431 ; Sterling-Adhémar, n° 1007 ; Honour, 1968, p. 77, fig. 31 ; Rosenblum, 1968, p. 90, fig. 90 ; Hautecœur, p. 35, repr. pl. 41, p. 31 ; Rosenblum, 1969, p. 90 ; cat. Louvre, 1972, P. 192 ; Rubin, 1974, n° 34, p. 162, fig. 13 ; Clay, 1980, p. 36 ; Compin-Roquebert, 1986, t. III, p. 294, repr.

Paris, musée du Louvre, département des Peintures (inv. 5180).

Deux années après avoir obtenu le grand prix de Rome, ex aequo avec Bouillon et Bouchet, sur le thème de la *Mort de Caton d'Utique* (Paris, École nationale supérieure des Beaux-Arts), Guérin exposa pour la première fois au Salon de l'an VII (1799).
Cette année-là, Hennequin exposait son *Allégorie du 10 août* (cat. 826), qui lui avait fait obtenir un premier prix. Mais les modérés et les royalistes regardaient d'un mauvais œil le couronnement de cet artiste jacobin qui avait peint un tableau hautement symbolique de la République. On murmurait déjà, quand Guérin amena son *Marcus Sextus,* alors que le Salon était ouvert au public. Aussitôt, une véritable cabale fut montée par les ennemis d'Hennequin, et sous la pression, face à l'enthousiasme affiché par les visiteurs, celui-ci dut décrocher lui-même les lauriers qui ornaient

son tableau pour les transporter sur celui de Guérin. Par ailleurs, à l'issue du Salon, le jury décerna à Guérin, tout comme à Hennequin, un premier prix d'encouragement d'un montant de 6 000 francs (coll. Deloynes, t. LVI, nº 1761 et A.N. F[17] 1058, dos. 6; communication de Brigitte Gallini).

Bien que le thème de cette œuvre ne s'inspirât d'aucun fait réel – Marcus Sextus n'a jamais existé –, les royalistes s'empressèrent d'y voir le retour des émigrés, découvrant les cadavres laissés par les Républicains depuis la Terreur. Alors que l'année 1799 avait vu une recrudescence des peintures républicaines, destinées à relancer la résistance à la seconde coalition, et à déstabiliser le Directoire, les royalistes, portés par l'agitation qui surgissait à nouveau dans l'Ouest, ne voulant pas rester hors du débat artistique, attaquèrent donc leurs ennemis sur leur propre terrain, celui de la peinture politique détournée. En effet, tout comme la *Mort de Caïus Gracchus* de Topino-Lebrun, ou les *Remords d'Oreste* d'Hennequin, le *Marcus Sextus* fut perçu comme un sujet antique soustendant un événement contemporain. Cela en dépit de Guérin qui, adulé par les royalistes, ne se méprit à aucun moment sur le sens de son succès. En effet, avant d'arrêter son thème, il avait songé à un retour de Bélisaire dans sa famille, sujet assez proche, mais pour lequel la source antique réelle eût rendu tout détournement idéologique plus difficile.

Au-delà de ce débat politico-artistique, il s'agissait de l'affrontement, à travers Hennequin et Guérin, de David et Regnault, leurs maîtres respectifs. À David, qui représentait la tendance mâle de la peinture, s'opposait Regnault, au style plus souple et féminin.

Lorsque le Salon ferma ses portes, Topino-Lebrun réunit les artistes chez le restaurateur Legacque, et porta des toasts à Guérin, Hennequin, David et Regnault, scellant ainsi la réconciliation (*Journal des arts,* nº 15, 15 vendémiaire an VIII [7 octobre 1799], p. 8).

Mais Hennequin ne l'entendait pas de cette oreille. Personnalité rancunière, il préparait déjà sa revanche. Celle-ci aboutit au Salon de 1800, à la présentation des *Remords d'Oreste* qui lui valurent de nouveau un premier prix de 6 000 francs, et, la même année, il ravissait à son rival le plafond de la Salle des Antonins au Louvre, sur lequel il peignit l'*Hercule français,* image de la République.

Stylistiquement, le *Retour de Marcus Sextus* s'inscrit dans la première manière de Guérin, forte, directe, voire violente, très éloignée de celle de son maître. La composition du tableau est en effet extrêmement dépouillée, simplifiée par les deux lignes des personnages qui se croisent perpendiculairement, accusant d'autant mieux le drame qui se joue. J.Be.

843
La Mort de Caïus Gracchus

par Jean-Baptiste TOPINO-LEBRUN

Esquisse à l'huile sur toile. H. 0,490; L. 0,750.
Historique: acquis par le musée en 1985.
Bibliographie: Revue du Louvre, 1985, nº 4, p. 313.

Marseille, musée des Beaux-Arts (inv. L. 85-9).

Très engagé politiquement, ancien juré au Tribunal révolutionnaire, Topino-Lebrun, bien que n'ayant pas participé aux complots babouvistes et néo-jacobins qui ponctuèrent l'année 1796 – il se trouvait alors en Suisse –, était, semble-t-il, au courant de ces conjurations. En effet, au lendemain de l'exécution de Babeuf et de Darthé, à Vendôme, le 8 prairial (26 mai 1797), il commença un grand tableau qui devait se présenter comme un hommage posthume aux Égaux. Exposé au Salon de 1798, sous le nº 254, la vaste toile (H. 3,870; L. 6,150) conservée au musée de Marseille (inv. 482), assura le succès de Topino-Lebrun. Il présenta son tableau au Concours de l'an VII et obtint avec Garnier et Regnault (cat. 828) un prix d'encouragement de « deuxième classe » (coll. Deloynes, t. LVI, nºˢ 1755 et 1758; communication de Brigitte Gallini). Acheté par l'État, il fut envoyé à Marseille avant d'être vendu aux enchères en 1809. Bien que les critiques de l'époque ne mentionnent pas les références à Babeuf, il est clair pourtant, depuis les travaux de Philippe Bordes sur l'artiste, que le tableau était une allégorie du suicide du révolutionnaire. Le choix du tribun antique en effet n'est pas indifférent quand on sait que Babeuf se faisait appeler Gracchus et qu'il avait, tout comme son modèle, projeté d'instituer la loi agraire. Toutefois le tableau puise très directement son inspiration dans la tragédie de Marie-Joseph Chénier, représentée en 1792.

Comme *les Remords d'Oreste* d'Hennequin, *La Mort de Caïus Gracchus* est donc une œuvre dont le sujet antique se trouve détourné par les événements contemporains. Peinture de combat politique, elle était l'une des premières à peindre l'esprit des factions et non l'idéologie révolutionnaire prise dans son ensemble. Très théâtral, le tableau utilise un clair-obscur qui dramatise encore la scène, et dont Hennequin saura se souvenir. Cependant, Topino-Lebrun semble avoir éprouvé quelques difficultés pour relier le premier plan au second.

Récemment restaurée, la toile du musée de Marseille est aujourd'hui connue également par l'esquisse présentée ici qui permet de mieux comprendre l'élaboration du travail de Topino-Lebrun. J.Be.

844
Les Remords d'Oreste

par Philippe-Auguste HENNEQUIN

Huile sur toile. H. 3,800; L. 5,180.
Historique: acquis par l'État en 1800; exposé au musée spécial de l'École française en 1802; musée du Luxembourg en 1817; envoyé à l'hôtel de ville de Saint-Pol-sur-Ternoise en 1874; rentré au Louvre en 1921.
Expositions: 1800, Paris, Salon, nº 185; 1814, Paris, Salon, nº 502.
Bibliographie: Chaussard, 1800, p. 94; Bruun-Neergaard, 1801, p. 158; Delécluze, 1855, pp. 104-105; Michelet, 1872, t. I; David, 1880, pp. 398-400; Saunier, 1913, pp. 144-151; Hennequin, 1933, p. 199 et pp. 209-210; Sterling-Adhémar, t. III, nº 1068; cat. Louvre, 1972, p. 201; Bordes, 1986, p. 304; Benoit, 1986, pp. 202-209.

Paris, musée du Louvre, département des Peintures (INV. 5322).

Après son relatif échec au Salon de 1799 avec son *Triomphe du peuple français au 10 Août,* face au *Marcus Sextus* de Guérin, Hennequin chercha à confirmer son demi-succès en exposant ses *Remords d'Oreste* au Salon de l'an VIII (1800). Œuvre d'une exceptionnelle complexité, dernier fleuron d'une idéologie jacobine moribonde, ce tableau s'inscrivait dans un contexte d'agitation politique extrême. Au même Salon, Guillon-Lethière exposait en effet son *Enrôlement des volontaires* (cat. 817) et Jean-François Hue son *Port de Granville assiégé par les Vendéens* (cat. 724).

Cette fois, le grand prix ne fut pas contesté à Hennequin qui, suivant l'exemple de Topino-Lebrun au Salon de 1798, choisit de situer son engagement politique dans un contexte d'histoire ancienne en s'inspirant des *Euménides* d'Eschyle. Ainsi que le rappelle Saunier, « Oreste n'est autre que l'esprit révolutionnaire persécuté par la contre-révolution victorieuse, personnifiée par les furies ». Nous entrons avec ce tableau dans l'ensemble de ces « allégories détournées », situées aux confins de l'allégorie vraie, de l'histoire antique et de l'événement contemporain, qui fleurirent durant l'époque révolutionnaire. Au-delà de sa signification politique, l'œuvre apparaît aussi comme un autoportrait moral d'Hennequin, personnalité ambiguë, persuadée d'être entourée d'ennemis: sous les traits d'Oreste, c'est le peintre lui-même qu'il faut voir, persécuté par les royalistes, Guérin en particulier. Naturellement, l'œuvre fut très critiquée au Salon, et David lui-même, ainsi que le rappelle Delécluze, dut monter en ligne pour défendre le tableau de son ancien élève.

Très caractéristique de la production d'Hennequin, tant dans sa composition, où l'un des personnages est assailli par les autres figures, que dans sa conception, déjà romantique, cette vaste toile très contrastée, d'un clair-obscur tragique, faisait dire à Vien qu'elle lui rappelait « la belle école d'Italie ».

En effet, le style d'Hennequin présente de très grandes variantes par rapport à celui de son maître, David. Multipliant les glacis et les empâtements, recherchant avant tout l'expressivité, l'artiste apparaît comme un jalon essentiel reliant l'art du XVIIIᵉ siècle à la période romantique.

Ce tableau obtint un premier prix d'encouragement (6 000 francs) à l'issue du Salon de l'an VIII (coll. Deloynes, t. LVI, nº 1763).
J.Be.

La Mort de Caïus Gracchus (cat. 843).

[Le]s Remords d'Oreste (cat. 844, avant restauration).

Les Remords d'Oreste (cat. 844, détail en cours de restauration).